OBRAS INMORTALES

Contenido tomo 2

Así hablaba Zaratustra
Más allá del bien y del mal

Friedrich Nietzsche

OBRAS INMORTALES

Tomo 2

EDICOMUNICACION,S.A.

Obras inmortales: Tomo 2

© Edicomunicación, s.a., 2000

Traducción: Enrique Eidesltein, Miguel Ángel Garrido y Carlos Palazón.

Diseño de cubierta: Quality Design

Edita: Edicomunicación, s. a.
C/. de las Torres, 75
08042 Barcelona (España)
E-mail: edicomunicación@jpcnet.com
http://www.edicomunicación.com

Impreso en España /Printed in Spain

I.S.B.N: 84-7672-887-5 (O. C.)
84-7672-889-1(T. 1)

Depósito Legal: B-7649-2000

Impreso en:
LIMPERGRAF
C/. Mogoda, 29-31
Políg. Industrial Can Salvatella
08210-Barberà del Vallès (Barcelona)

ASÍ HABLABA
ZARATUSTRA

PRIMERA PARTE

PRÓLOGO DE ZARATUSTRA

1

Cuando Zaratustra tenía treinta años, abandonó su patria y el lago de su patria y se fue a la montaña. Gozó allí de su espíritu y su soledad y no se cansó de ello por espacio de diez años. Al fin cambió de parecer, y un día se levantó al romper la aurora ofreció su rostro al sol y le habló de la siguiente manera:

«¡Qué sería tu felicidad, radiante astro si no tuvieses a aquellos para los que brillas!

Desde hace diez años subes a mi cueva, te hubieras cansado de tu luz y de este camino, si no hubiese sido por mí, mi águila y mi serpiente.

Todas las mañanas te esperábamos y recogíamos tu superabundancia: bendiciéndote por ella.

Mira que estoy harto de mi sabiduría como la abeja que ha acumulado demasiada miel; he menester manos que hacia mí se tiendan.

Quisiera dar y repartir, hasta que los sabios de entre los hombres se regocijen de nuevo con su estupidez y los pobres, con su riqueza.

A tal fin, tengo que bajar de las alturas; como tú lo haces a la noche, cuando te hundes debajo del mar llevando luz incluso al mundo subterráneo, ¡oh astro pletórico!

Tengo que hundirme en mi ocaso, como tú, en procura del contacto de los hombres.

¡Bendíceme, pues, ojo sereno, capaz de ver sin envidia hasta una dicha excesiva!

¡Bendice la copa que ansía desbordarse, para que el agua se derrame de ella cual oro y lleve a todas partes el reflejo de tu gloria!

Mira que esta copa ansía vaciarse y Zaratustra, volver a ser hombre.»

Así comenzó el ocaso de Zaratustra.

2

Bajó Zaratustra solo de la montaña, sin encontrar a nadie. Mas cuando llegó a los bosques se le cruzó en el camino un anciano que había salido de su choza de ermitaño para buscar raíces en el bosque. Y el anciano dijo a Zaratustra:

«No me es desconocido este caminante; hace años pasó por aquí. Llamábase Zaratustra; pero ha cambiado.

Entonces llevabas tus cenizas a la montaña; ¿te propones ahora llevar tu fuego a los valles? ¿No temes al castigo que se impone al incendiario?

Sí, es Zaratustra. Su mirar es puro y no se asoma asco a su boca. ¿No camina como si danzase?

Ha cambiado Zaratustra; se ha hecho niño. Se ha despertado Zaratustra. ¿Qué quieres hacer entre los dormidos?

Vivías en soledad como en alta mar, y el mar te sustentaba. ¡Ay de ti!, ¿te propones subir a tierra? ¡Ay de ti!, ¿te propones arrastrar de nuevo tu cuerpo por ti mismo?»

Respondióle Zaratustra: «Yo amo a los hombres».

«¿Y por qué me habré retirado yo al bosque y a la soledad? —dijo el santo—. ¿Acaso no lo hice por amar demasiado a los hombres?

Ahora, amo a Dios; a los hombres ya no los amo. El hombre me parece una cosa demasiado imperfecta. El amor a los hombres me mataría.»

Zaratustra le replicó: «¿Acaso he hablado yo de amor? Llevo un regalo a los hombres.»

«No les des nada —dijo el santo—. Antes bien quítales algo de lo suyo y ayúdales a llevarlo. Así les hará el mejor bien; ¡con tal que te haga bien a ti!

Y si te empeñas en darles algo, no les des más que una limosna, ¡y que la mendiguen!»

«Yo no doy limosna —repuso Zaratustra—; no soy lo suficientemente pobre para hacer eso.»

Rióse el santo de Zaratustra y dijo: «¡Pues no te será fácil hacerles aceptar tus tesoros! Desconfían de los solitarios y no creen que vengamos a hacer regalos.

El ruido de nuestros pasos solitarios les parece sospechoso y así, cuando mucho antes de salir el sol, acostados en cama, oyen a alguien caminar en la calle se preguntan: "¿Adónde irá el ladrón ése?"

¡No te juntes con los hombres, sino quédate en el bosque! ¡Antes que con los hombres, júntate con los animales! ¿Por qué no quieres ser como yo: oso entre osos y pájaro entre pájaros?»

«¿Y qué hace un santo en el bosque?», preguntó Zaratustra.

Respondióle el santo: «Compongo canciones y las canto; y mientras las compongo, río, lloro y canturreo entre dientes; así alabo al Dios que es mi Dios.

Cantando, llorando, riendo y canturreando entre dientes alabo a mi Dios. A ver, ¿qué es lo que nos traes de regalo?»

Al oír estas palabras Zaratustra se despidió del santo diciéndole: «¿Qué podría darte yo? ¡Pero ya es hora de que me vaya, no sea que te quite nada!»

Y así se separaron el viejo y el hombre, riendo como dos muchachos.

Cuando Zaratustra estaba de nuevo solo, dijo para sus adentros: «¿Será posible? ¡Ese viejo santo en su bosque no se ha enterado aún de que *Dios ha muerto!*»

3

Cuando Zaratustra llegó a la ciudad más próxima, situada a la vera de los bosques, halló la plaza llena de gente; pues se había avisado que actuaría un volatinero. Y Zaratustra se dirigió a la muchedumbre y le habló así:

«*Yo os enseño el superhombre*. El hombre es algo que debe ser superado. ¿Qué habéis hecho vosotros para superarlo?

Hasta ahora, todos los seres se han superado creando; ¿y vosotros queréis ser el reflujo de este magno flujo y retroceder hasta la animalidad, antes que superar al hombre?

¿Qué es el mono para el hombre? ¡Irrisión o penosa vergüenza! Así también el hombre ha de ser para el superhombre irrisión o penosa vergüenza.

Habéis evolucionado del gusano al hombre, y hay en vosotros todavía mucho del gusano. En un tiempo fuisteis monos, y todavía el hombre es más mono que ningún mono.

Y hasta el más sabio de vosotros no es más que un ser híbrido, mitad planta, mitad fantasma. ¿Acaso os enseño a llegar a ser fantasmas o plantas?

¡Yo os enseño el superhombre!

El superhombre es el sentido de la tierra. Que vuestra voluntad diga: ¡el superhombre debe ser el sentido de la tierra!

¡Os insto, hermanos, a que *permanezcáis fieles a la tierra* y no creáis a los que os hablan de esperanzas supraterrenales! Son envenenadores, conscientes o inconscientes.

Desprecian la vida; llevan dentro de sí el germen de la muerte y están ellos mismos envenenados. La tierra está cansada de ellos; ¡muéranse pues de una vez!

Tiempos hubo en que pecar contra Dios era el pecado más grave; pero Dios murió, y con él murieron también esos pecadores. Ahora, lo más grave es pecar contra la tierra y poner las entrañas de los inescrutable por encima de la tierra.

Tiempos hubo en que el alma despreciaba el cuerpo; y en aquel entonces este desprecio era lo supremo. Lo quería ella flaco, repugnante y raquítico. Así entendía escaparse de él y de la tierra.

¡Ah!, pero esa alma era aún flaca, repugnante y raquítica; ¡y la crueldad era su voluptuosidad!

Y decid, hermanos: ¿qué expresa vuestro cuerpo acerca de vuestra alma? ¿No es vuestra alma pobreza e inmundicia y contento vil?

En verdad os digo que el hombre es un río inmundo. Hay que ser un mar para poder recoger un río inmundo sin ensuciarse.

Yo os enseño el superhombre: él es este mar; en él puede desembocar vuestro gran desprecio.

¿Qué es lo más grande que os es dable experimentar? ¡La hora del gran desprecio! ¡La hora en que estéis asqueados incluso de vuestra felicidad, como también de vuestra cordura y vuestra virtud!

La hora en que digáis: "¿Qué importa mi felicidad? Es pobreza e inmundicia y contento vil. ¡Pero mi felicidad debía justificar la existencia misma!"

La hora en que digáis: "¿Qué importa mi cordura? ¿Acaso apetece el saber como el león su alimento? ¡Es pobreza e inmundicia y contento vil!"

La hora en que digáis: "¿Qué importa mi virtud? Nunca aún me ha enardecido. ¡Qué harto estoy de mi bien y de mi mal! ¡Todo es pobreza e inmundicia y contento vil!"

La hora en que digáis: "¿Qué importa mi justicia? No veo que yo sea brasa y carbón. ¡Pero el justo es brasa y carbón!"

La hora en que digáis: "¿Qué importa mi compasión? ¿No es la compasión la cruz en que es clavado quien ama a los hombres? Pero mi compasión no es una crucifixión."

¿Habéis hablado así alguna vez? ¿Habéis gritado así alguna vez? ¡Ojalá os hubiera oído yo gritar así!

No vuestro pecado, sino vuestra parsimonia clama al cielo; ¡vuestra parsimonia, incluso en el pecar, clama al cielo!

¿Dónde está el rayo cuya lengua de fuego os ha de lamer? ¿Dónde está la locura que os ha de ser inoculada?

Yo os enseño el superhombre: ¡él es este rayo y esta locura!»

Hablado que hubo así Zaratustra, uno del gentío gritó:

«¡Estamos cansados de oír al saltimbanqui: ahora lo queremos ver!»

Y todo el mundo se rió de Zaratustra. Y el volatinero, dándose por aludido, inició su actuación.

4

Miró Zaratustra al gentío, sorprendido. Luego habló como sigue:

«El hombre es una cuerda tendida entre el animal y el superhombre... una cuerda tendida sobre un abismo.

Un peligroso cruzar, un peligroso mirar hacia atrás, un peligroso estremecerse y detener el paso.

Lo que tiene de grande el hombre es el ser puente y no, fin; lo que puede amarse en el hombre es el ser *tránsito* y *hundimiento*.

Amo a los que no saben vivir sino encaminados al hundimiento; pues son los que cruzan el abismo.

Amo a los hombres del gran desprecio; pues son los hombres de la grande reverencia y flechas del anhelo de alcanzar la otra orilla.

Amo a los que no buscan en trasmundos un motivo para hundirse y sacrificarse, sino que se sacrifican por la tierra, para que surja en ella el superhombre.

Amo al que vive para conocer y quiere conocer para que advenga el superhombre; así quiere hundirse.

Amo al que trabaja e inventa para levantarle la casa al superhombre y preparar para él la tierra, los animales y las plantas; pues así quiere hundirse.

Amo al que ama a su virtud; pues la virtud es voluntad de hundirse y una flecha del anhelo.

Amo al que no retiene para sí una gota de espíritu, sino quiere ser en un todo el espíritu de su virtud; así cruza como espíritu el puente.

Amo al que hace de su virtud su afán y fatal destino; pues por su virtud quiere seguir con vida y no quiere vivir más.

Amo al que no quiere tener muchas virtudes. Una virtud es más virtud que dos virtudes, pues es más nudo del que queda prendido el fatal destino.

Amo a aquel cuya alma se disipa; que no pide gratitud y no devuelve; pues siempre da... se da entero.

Amo al que, cuando lo favorece la suerte de los dados, pregunta avergonzado: "¿Seré un jugador tramposo?"; pues quiere hundirse.

Amo al que adelanta palabras de oro a sus actos y siempre cumple más de lo que ha prometido; pues quiere hundirse.

Amo al que justifica a las generaciones por venir y redime a las fenecidas; pues quiere sucumbir a la humanidad presente.

Amo al que castiga a su dios porque lo ama; pues lo ha de perder la ira de su dios.

Amo a aquel cuya alma es profunda aun en la herida y que es susceptible de sucumbir a cualquier experiencia trivial; pues cruza de buen grado el puente.

Amo a aquel cuya alma está llena a rebosar, así que se olvida de sí mismo y todas las cosas están dentro de él; pues todas las cosas lo hunden.

Amo al que tiene el espíritu libre y el corazón libre; pues su mente no es sino la entraña de su corazón, mas su corazón lo hunde.

Amo a todos los que son cual gruesas gotas que una por una caen del nubarrón suspendido sobre los hombres; pues anuncian el rayo y como anunciadores se hunden.

Yo anuncio el rayo y soy cual gruesa gota que cae del nubarrón; y este rayo se llama *superhombre*.»

5

Hablado que hubo así Zaratustra, volvió a pasar, mudo, la mirada sobre la multitud. «Ahí están riéndose de mí —dijo para sus adentros—. No me entienden; yo no soy la boca que sepa llegar a esos oídos.

¿Acaso hay que destrozarles el oído para que aprendan a oír con los ojos? ¿Hay que aturdirlos con las estridencias de bombos y de exhortadores a penitencia? ¿O es que sólo creen al tartamudo?

Tienen algo de que están orgullosos. ¿Cómo le llaman a aquello de que se enorgullecen? Cultura le llaman; es lo que les distingue de los patanes.

De ahí que no les guste la palabra "desprecio" aplicada a ellos. Voy a apelar, pues, a su orgullo.

Voy a hablarles, pues, de lo más despreciable: del *último hombre.*»

Y Zaratustra se dirigió al gentío y le habló como sigue:

«Ya es hora de que el hombre se fije su meta. Ya es hora de que el hombre plante el germen de su suprema esperanza.

Todavía su suelo está lo suficientemente rico para ello. Pero un día este suelo estará pobre y flojo y ningún árbol alto podrá ya crecer en él.

¡Ay, día llegará en que el hombre ya no disparará más allá del hombre la flecha de su anhelo y la cuerda de su arco ya no sabrá vibrar!

Hay que llevar dentro de sí un caos para poder engendrar una estrella rodante. Yo os digo que lleváis todavía caos dentro de vosotros.

¡Ay, día llegará en que el hombre ya no engendrará estrellas! ¡Ay, llegará el día del hombre más despreciable que ya no puede despreciarse a sí mismo!

¡Os muestro *el último hombre*!

"¿Qué es amor? ¿Qué es creación? ¿Qué es anhelo? ¿Qué es estrella?" —así pregunta el último hombre, parpadeando.

La tierra se ha vuelto pequeña, y sobre ella se mueve a saltitos el último hombre que todo lo empequeñece. Su especie es indestructible, como el pulgón; el último hombre es el que vive más tiempo.

"Hemos inventado la felicidad" —dicen los últimos hombres, parpadeando.

Han abandonado las zonas donde la vida era dura; pues necesitan del calor. Aman todavía al prójimo y se frotan unos contra otros; pues necesitan del calor.

La enfermedad y la desconfianza se les antojan un pecado. Se fijan muy mucho dónde ponen el pie. ¡Es un infeliz quien todavía tropieza con piedras y con hombres!

Un poco de veneno de tanto en tanto, para soñar sueños lindos; y mucho veneno en el postrer trance, para que sea dulce la muerte.

Se trabaja todavía, para pasar el tiempo. Pero cuida de que no canse el pasatiempo.

No se es ya ni pobre ni rico —lo uno y lo otro es molesto. Nadie quiere ya gobernar; nadie quiere ya obedecer: lo uno y lo otro es molesto.

¡He aquí un rebaño sin pastor! Todos apetecen lo mismo; todos son iguales; quien disiente del sentir general se recluye voluntariamente en el manicomio.

"Antes, todo el mundo estaba loco" —dicen los más sutiles, parpadeando.

Son gente lista que está al tanto de todo lo pasado y no se cansa de ironizar. Se pelean todavía, pero no tardan en reconciliarse, no sea que se resienta la digestión.

Tienen aún su pasioncita para el día y su pasioncita para la noche; pero rinden culto a la salud.

"Hemos inventado la felicidad" —dicen los últimos hombres, parpadeando.»

En este punto terminó el primer discurso de Zaratustra, que llaman también «el discurso preliminar» pues lo interrumpió el clamor y regocijo de la muchedumbre.

«¡Danos, oh Zaratustra, este último hombre —gritaron—; haz de nosotros este último hombre y en cambio tú puedes quedarte con el superhombre!»

Y todo el mundo rió y chasqueó la lengua. Zaratustra, entristecido, dijo para sus adentros:

«No me entienden; yo no soy la boca que sepa llegar a esos oídos.

Será que he vivido demasiado tiempo en la montaña y escuchado demasiado a los ríos y los árboles, así que ahora les hablo como un patán cualquiera.

Impasible y clara como la montaña en las horas de la mañana es mi alma. Pero ellos creen que soy frío y me complazco en bromas terribles.

Y ahora me miran y se ríen, y riéndose de mí me odian. Es la suya una risa glacial.»

6

Entonces, sucedió algo que paralizó todas las lenguas y dilató de espanto todas las pupilas. El volatinero había iniciado su actuación; habiendo salido de una puertecilla, echaba a andar sobre la cuerda tendida entre dos torres encima de la plaza y el gentío. Pero cuando llevaba recorrida la mitad del camino, volvió a abrirse la puertecilla y salió un hombre estrafalario, una especie de bufón, quien con paso rápido fue tras el otro.

«¡Vamos, paticojo! —le gritó con terrible voz—. ¡Vamos, remolón, pelmazo, mamarracho, si no quieres que te pise los talones! ¿Qué estás haciendo aquí entre las torres? ¡Debieran encerrarte en la torre, que obstruyes el paso a otro más capaz que tú!»

Y la distancia que lo separaba del otro se iba acortando por momentos. Mas cuando ya estaba tan sólo a un paso de él, sucedió lo terrible que paralizó todas las lenguas y dilató de espanto todas las pupilas. Gritó como un energúmeno y, pegando un salto, pasó al que le obstruía el camino. Éste, al verse así derrotado por su rival, perdió la cabeza y la cuerda; arrojó el balancín y más velozmente que él mismo, se precipitó a la plaza en un remolino de brazos y piernas. Entonces, el gentío semejó un mar agitado por la tempestad: huyó la gente en todas direcciones atropellándose unos a otros, sobre todo allí donde iba a estrellarse el cuerpo.

Sólo Zaratustra no se movió de su sitio, y junto a él dio en tierra el cuerpo maltrecho y deshecho, pero aún vivo. Al rato, el accidentado recobró el conocimiento y vio a Zaratustra arrodillado a su lado.

«¿Qué estás haciendo aquí? —le dijo al fin—. Bien sabía yo que el diablo me echaría la zancadilla. Ahora me lleva al infierno; ¿pretendes acaso impedírselo?»

«Por mi honor, amigo mío —respondió Zaratustra—, no hay nada de eso de que me estás hablando; no existe ni el diablo ni el infierno. Tu alma estará muerta aún antes que tu cuerpo. ¡No temas más nada!»

El hombre lo miró con recelo.

«Si dices la verdad —dijo—, no pierdo nada al perder la vida. Apenas si soy más que un animal al que han enseñado a bailar a fuerza de pegarle y negarle comida.»

«Oh, no —repuso Zaratustra—: has hecho del peligro tu profesión, no hay nada despreciable en esto. Ahora mueres víctima de tu profesión; por esto voy a enterrarte por mis propias manos.»

Ya no contestó el moribundo; pero movió la mano, como si quisiese estrechar la de Zaratustra en señal de gratitud.

7

Entretanto, caía la tarde y la plaza se sumía en oscuridad; entonces, se dispersó el gentío, pues hasta la curiosidad y el espanto terminan por cansarse. Zaratustra, empero, permaneció sentado en el suelo junto al muerto; abstraído en pensamientos, había perdido la noción del tiempo. Cuando era ya noche cerrada y un viento frío soplaba sobre el hombre solitario, se levantó y dijo para sus adentros:

«¡Bonita pesca hizo hoy Zaratustra! ¡En vez de hombres, pescó un cadáver!

Pavorosa y todavía carente de sentido es la existencia humana; cualquier bufón es susceptible de mudarla en fatalidad.

Quiero enseñar a los hombres el sentido de su existencia, qué es el superhombre, el rayo que se descarga del negro nubarrón llamado hombre.

Pero estoy todavía lejos de ellos y mi sentido no habla a sus sentidos. Soy para los hombres todavía mitad loco, mitad cadáver.

Oscura es la noche, y oscuros son los caminos de Zaratustra. ¡Ven, compañero frío y rígido! Voy a llevarte al lugar donde te daré sepultura.»

8

Dicho que hubo esto Zaratustra para sus adentros, cargó el cadáver a cuestas y se puso en camino. Y cuando aún no había dado cien pasos, se le acercó furtivamente un hombre —era el bufón de la torre—, susurrándole al oído.

«Sal de esta ciudad, Zaratustra —dijo— que aquí son muchos los que te odian. Te odian los buenos y justos llamándote su enemigo y detractor; y te odian los fieles del credo justo denunciándote como un peligro para la gente. Por fortuna para ti, se rieron de ti; y en verdad que hablaste como un bufón. Por fortuna para ti, te juntaste con el muerto;

rebajándote así, te salvaste hoy. Pero ahora sal de esta ciudad o si no, mañana salto por encima de ti... un vivo por encima de un muerto.»

Tras haber hablado así a Zaratustra, desapareció el hombre, y Zaratustra prosiguió su camino por las calles oscuras.

Cuando llegó a la puerta de la ciudad se le cruzaron en el camino los sepultureros; le acercaron las antorchas a la cara, lo reconocieron y se burlaron de él.

«¡Mirad a Zaratustra llevándose el cadáver! —exclamaron—. ¡Hace muy bien Zaratustra en meterse a sepulturero, que nuestras manos son demasiado limpias como para tocar esta carne del diablo! ¿Pretende Zaratustra acaso hurtarle el bocado? ¡Adelante, pues, y buen provecho! ¡Con tal que el diablo no sea ladrón más listo que Zaratustra! ¡Se los llevará a los dos! ¡Se los comerá a los dos!» Y todos se rieron a carcajadas y juntaron las cabezas.

Zaratustra calló y prosiguió su camino. Cuando hubo caminado por espacio de dos horas, pasando junto a bosques y pantanos, estaba cansado de oír los aullidos de los lobos hambrientos y a él mismo le entraba hambre. Se detuvo, pues, ante una casa solitaria donde ardía una vela detrás de una ventana.

«Me asalta el hambre cual salteador —dijo para sus adentros— en pleno bosque y pantano y en plena noche me asalta mi hambre.

Tiene mi hambre caprichos raros. Muchas veces se me presenta después de la comida y hoy no se me presentó en todo el día... ¿dónde se habrá metido?»

Llamó Zaratustra a la puerta de la casa y salió a abrir un viejo con la vela en la mano.

«¿Quién viene a esta casa de un desvelado?», preguntó el viejo.

«Un vivo y un muerto —contestó Zaratustra—. Dame algo de comer y beber, pues olvidé hacerlo durante la jornada. Quien alimenta al hambriento, dice la sabiduría, recrea su propia alma.»

Volvió a entrar el viejo en la casa; pero regresó al punto ofreciendo a Zaratustra pan y vino.

«Esta no es tierra propicia para los hambrientos —dijo—, por eso vivo aquí. Animales y hombres recurren a mí, el ermitaño. Mas invita a comer y beber a tu compañero, que él está más cansado que tú.»

Respondió Zaratustra: «Mi compañero está muerto, difícilmente podré persuadirlo.»

«No me importa —dijo el viejo con brusquedad—; quien llama a mi puerta debe aceptar lo que yo le ofrezco. ¡Comed y bebed, y buen viaje!»

Caminó Zaratustra de nuevo por espacio de dos horas, encomendándose al camino y a la luz de las estrellas; pues estaba acostumbrado a caminar en la noche y le gustaba mirar la cara a todo lo dormido. Pero al rayar el alba se encontraba en lo más espeso de un bosque donde ya no había ni rastro del camino. Entonces depositó al muerto, a cierta altura del suelo, en el tronco hueco de un árbol, deseoso de protegerlo contra los lobos, y se tendió en el suelo alfombrado de musgo. Y al pronto se durmió, físicamente cansado, pero con el alma impasible y serena.

9

Durmió Zaratustra durante largo tiempo y no sólo la aurora; sino también la mañana, pasó sobre su rostro. Al fin abrió los ojos; sorprendido, adentró la mirada en la quietud del bosque y en su propio interior. Luego se levantó rápidamente, como el navegante que de pronto divisa tierra firme, y se exultó; pues acababa de revelársele una nueva verdad. Y dijo para sus adentros:

«Me doy cuenta de que necesito compañeros vivos, no compañeros muertos y cadáveres que llevo conmigo a donde se me antoje.

Necesito compañeros vivos que me sigan porque quieren seguirse a sí mismos —a donde se me antoje.

Me doy cuenta de que no he de hablar a la gente, sino a compañeros. ¡No ha de ser Zaratustra pastor y mastín de rebaño!

Apartar a muchos del rebaño, tal es mi tarea. Odioso les debo ser a la gente y al rebaño. Quiere Zaratustra que los pastores lo tilden de ladrón.

Digo pastores, porque ellos mismos se llaman los buenos y justos. Digo pastores, porque ellos mismos se llaman los fieles del credo justo.

¡Mirad a los buenos y justos! ¿Quién suscita su odio más enconado? El que rompe las tablas de sus valores, el despreciador, el corruptor —esto es, el hombre creador.

El hombre creador busca compañeros, no cadáveres ni tampoco rebaños ni adeptos de credos. Busca el hombre creador a los que creen junto con él, a los que inscriban valores nuevos en tablas nuevas.

El hombre creador busca compañeros y a quienes le ayuden a levantar la cosecha; pues todo en él ha madurado. Faltándole las cien hoces, arranca espigas, fastidiado.

El hombre creador busca compañeros y a quienes sepan aguzar sus hoces. Serán denunciados como hombres que destruyen y repudian el bien y el mal. Sin embargo, serán los que cosechen y se regocijen con la labor cumplida.

Busca Zaratustra a quienes creen, cosechen y se regocijen junto con él. ¡Qué tiene que ver él con rebaños y pastores y cadáveres!

¡Adiós, primer compañero mío! Te he dado buena sepultura en el tronco hueco de este árbol; te he protegido bien contra los lobos.

Ha llegado la hora de separarme de ti. Entre aurora y aurora se me ha revelado una nueva verdad.

No he de ser pastor, ni sepulturero. No hablaré más a la gente; por última vez he hablado a un muerto.

Voy a juntarme con los que crean, con los que cosechan, con los que celebran la obra cumplida. Voy a mostrarles el arco iris y todos los peldaños del superhombre.

Voy a cantar mi canción a los solitarios; y a quien pueda todavía oír lo inaudito le voy a henchir el corazón de mi felicidad.

Voy a encaminarme a mi meta. Despejaré mi camino de los vacilantes y remisos. ¡Así mi marcha habrá de ser su marcha fúnebre!»

10

Así dijo Zaratustra para sus adentros, cuando el sol estaba en el zenit. Entonces miró hacia arriba con aire interrogador, pues había oído resonar en lo alto el grito de un ave. Y vio a un águila trazar círculos amplios en el éter y, colgada de ella, una serpiente, pero no como presa, sino como amiga, pues iba arrollada al pescuezo del águila.

«¡Mis animales! —exclamó Zaratustra, embargado por profunda alegría—. El animal más orgulloso y el más sabio bajo el sol, han salido para averiguar si Zaratustra vive todavía. ¡Ah!, ¿vivo todavía?

Más peligroso me ha resuelto vivir entre los hombres que entre los animales. Recorre Zaratustra caminos peligrosos. ¡Guíeme, pues, mis animales!»

Hablado que hubo así Zaratustra, le vinieron a la memoria las palabras del santo que vivía en el bosque; suspiró y dijo para sus adentros:

«¡Si yo fuera más sabio por naturaleza, como mi serpiente!

¡Pero es pedir lo imposible! ¡Pido fuera sabio por naturaleza, como mi serpiente!

¡Pero esto es pedir lo imposible! ¡Pido, pues, a mi orgullo que siempre vaya del brazo con mi cordura!

Y cuando me abandone mi cordura —le gusta, ¡ay!, alzar el vuelo— ¡que mi orgullo vuele siquiera del brazo con mi locura!»

Así comenzó el ocaso de Zaratustra.

LOS DISCURSOS DE ZARATUSTRA

DE LAS TRANSFORMACIONES

«Os indico las tres transformaciones del espíritu: la del espíritu en camello, la del camello en león y la del león en niño.

Muchas cosas pesadas hay para el espíritu fuerte, sufrido y reverente; apetece su fuerza lo pesado, lo más pesado.

"¿Qué es pesado?", pregunta el espíritu sufrido, y se arrodilla cual el camello, ansioso de llevar pesada carga.

"¿Qué es lo más pesado?, ¿oh, héroes?", pregunta el espíritu sufrido, "para que yo cargue con ello y goce de mi fuerza."

¿No es esto: humillarse uno para herir su soberbia? ¿Echarlas de estúpido para burlarse de su sabiduría?

¿O es esto: apartarse uno de su causa en el instante en que triunfa? ¿Subir a altas cimas para tentar al tentador?

¿O es esto: alimentarse con las bellotas y el pasto del conocimiento y, en aras de la verdad, pasar hambre del alma?

¿O es esto? estar enfermo y repudiar a los que vienen a consolar, y trabar amistad con las palomas, que nunca oyen lo que uno quiere?

¿O es esto: zambullirse en agua turbia, si es el agua de la verdad, y no rehuir el contacto de frías ranas y sapos calientes ?

¿O es esto: amar a los que lo desprecian a uno y dar la mano al fantasma que quiere espantar?

Con todo esto carga el espíritu sufrido; como el camello cargado se interna en el desierto, se interna él en su desierto.

Mas en pleno desierto tiene lugar la segunda transformación: la del espíritu en león ansioso de conquistar libertad y mandar en su propio desierto.

Va en busca de su amo último, decidido a enfrentarse con él y su dios último, a luchar por la victoria con el gran dragón. ¿Quién es el gran dragón que el espíritu ya no quiere reconocer como su amo y dios? "¡Tú debes!", se llama el gran dragón. Pero el espíritu del león proclama: "¡Yo quiero!"

"¡Tú debes!" está tendido en su camino, reluciente de oro, un monstruo en cuyas escamas brilla con brillo de oro. "¡Tú debes!"

Valores milenarios refulgen en estas escamas, y el más formidable de todos los dragones proclama: "Todo valor de las cosas refulge en mi cuerpo.

Todo valor está establecido ya de una vez por todas y yo soy todo valor establecido", dice el dragón; "no ha de haber más ¡Yo quiero!"

Hermanos, ¿para qué es menester el león en el espíritu? ¿Por qué no basta la bestia sufrida que se resigna, sumisa y reverente?

Fijar valores nuevos —he aquí algo que ni aún el león es capaz de hacer; pero conquistar libertad para nueva obra —esto sí que puede hacer.

Conquistar libertad, y un santo, ¡no!, incluso ante el deber: para esto, hermanos, hace falta el león.

Arrogarse el derecho de establecer valores nuevos —he aquí lo más terrible para todo espíritu sufrido y reverente; esto se le antoja robo y cosa propia de la fiera rapaz.

A él, que en un tiempo veneraba el "¡Tú debes!" como lo más sagrado, le toca ahora encontrar hasta en lo más sagrado falacia y arbitrariedad, para que se robe la emancipación de su amor. Para este robo es menester el león.

Mas decid, hermanos, ¿de qué empresa superior a las fuerzas del león será capaz el niño? ¿Por qué tiene que transformarse en niño el león rapaz?

Es el niño inocencia y olvido, un nuevo comienzo, un juego, una rueda que echa a girar espontáneamente, un movimiento inicial, un santo decir ¡sí!

Para el juego de la creación, hermanos, se requiere un santo decir ¡sí!

El espíritu quiere hacer ahora *su* propia voluntad; perdido para el mundo, se conquista ahora *su* propio mundo.

Os he indicado las tres transformaciones del espíritu: la del espíritu en camello, la del camello en león y la del león en niño.»

Así hablaba Zaratustra. Hallábase a la sazón en la ciudad que se llama "La Vaca Manchada".

DE LAS CÁTEDRAS DE LA VIRTUD

Le fue ponderado a Zaratustra un sabio que sabía decir cosas agudas acerca del sueño y la virtud, señalándose que su habilidad le valía muchos honores y premios y que todos los jóvenes acudían a escuchar su palabra. Por lo cual Zaratustra acudió a su vez a escucharle a la par de todos los jóvenes. Y el sabio habló como sigue:

«¡Débese al sueño honor y respeto! ¡Esto es lo primordial! ¡Y rehuid el trato con todos los que duermen mal y pasan la noche en vela!

Hasta el ladrón siente respeto por el sueño; siempre se desliza por la noche sin hacer ruido. El sereno, en cambio, desconoce el respeto; irrespetuoso pasea con su corneta.

No es poco arte el dormir; menester es haber estado despierto durante toda la jornada.

Diez veces por día debes dominarte; da esto un buen cansancio y es opio del alma.

Diez veces por día debes reconciliarte contigo mismo pues el dominarse es cosa amarga y el irreconciliado duerme mal.

Diez veces debes encontrar la verdad por día; de lo contrario andas aun de noche en busca de la verdad y tu alma no se ha saciado.

Diez veces por día debes reír y regocijarte; de lo contrario te molesta de noche el estómago, el padre de la gran aflicción.

Pocos saben que hay que poseer todas las virtudes para dormir bien. ¿Levantaré contra mi prójimo falso testimonio? ¿Fornicaré?

¿Codiciaré la mujer de mi prójimo?... Todo esto conspiraría contra el sueño tranquilo.

Y aunque uno posea todas las virtudes, debe también saber mandar a paseo incluso las virtudes en el momento oportuno.

¡No sea que se peleen tales mujercitas! ¡A causa de ti, desdichado! Paz con Dios y el prójimo; así lo requiere el sueño tranquilo. ¡Y paz también con el diablo del prójimo! O si no, el diablo anda suelto de noche en tu casa.

Debes honrar y obedecer a la autoridad, aun a la torcida; así lo requiere el sueño tranquilo. ¿Qué culpa tienes tú de que el poder guste de andar en piernas torcidas?

El mejor pastor es el que lleva su oveja a pastar a la pradera más lozana; así conviene al sueño tranquilo.

No apetezco muchos honores ni grandes tesoros, que no conviene al hígado. Pero se duerme mal sin una buena reputación y un pequeñito "tesoro".

Prefiero unos pocos allegados a las malas compañías; pero deben saber ir y venir oportunamente; así conviene al sueño tranquilo.

Gústanme también mucho los pobres de espíritu, pues promueven el sueño. Bienaventurados son, máxime si se les da siempre la razón.

Así transcurre la jornada del hombre virtuoso. Cuando luego llega la noche, me cuido muy mucho de llamar al sueño. ¡No ha de ser llamado el sueño, que es el amo de las virtudes!

Paso revista a cuanto he hecho y pensado durante la jornada. Rumiando con la paciente mansedumbre de las vacas, me pregunto: ¿cuáles han sido mis diez dominios de mí mismo?

¿Y cuáles han sido las diez reconciliaciones y las diez verdades y las diez risas con que se recreó mi corazón?

Mientras así reflexiono, arrullado por cuarenta pensamientos, acude de pronto, sin haber sido llamado, el sueño, el amo de las virtudes.

Golpeados por el sueño, se cierran mis ojos. Tocada por el sueño, mi boca se queda abierta.

Con paso silencioso se acerca el más grato de los ladrones y me roba mis pensamientos, dejándome hecho un bobo.

Pero he aquí que ya me tumbo y me quedo dormido.»

Al oír Zaratustra hablar así al sabio, se rió en su fuero interno; pues había tenido una revelación. Y dijo para sus adentros:

«Se me antoja un imbécil este sabio con sus cuarenta pensamientos; mas creo que en eso de dormir no hay quien lo iguale.

¡Dichosos son los que viven cerca de este sabio! Un sueño así es contagioso; contagia aun a través de espesas paredes.

Incluso en su cátedra reside un hechizo. Y no en vano los jóvenes han acudido a escuchar la palabra de este predicador de la virtud.

Su sabiduría reza: estar despierto para dormir bien. Y por cierto que si la vida careciese de sentido y hubiese que elegir alguna sinrazón, ésta se me aparecería también a mí como la más digna de ser elegida.

Ahora comprendo claramente lo que en un tiempo se buscaba ante todo al buscar maestros de la virtud. ¡Buscábase sueño tranquilo, fruto de virtudes soporíferas!

Para todos esos celebrados sabios de las cátedras, la sabiduría consistía en el dormir no perturbado por sueños; no conocían otro sentido mejor de la vida.

Todavía hoy existen, sin duda, algunos predicadores de la virtud como éste, y no todos tan sinceros como él; pero ha pasado su hora.

He aquí que ya se tumban.

Bienaventurados son los soñolientos, pues no tardarán en dormirse.»

Así habló Zaratustra.

DE LOS TRASMUNDISTAS[1]

Tiempo hubo en que también Zaratustra proyectó su ilusión más allá del hombre, como todos los trasmundistas. El mundo se me aparecía entonces como la obra de un dios doliente y atormentado.

«Ensueño y ficción de un Dios se me antojaba entonces el mundo… vaho multicolor ante los ojos de un divino descontento.

El bien y el mal, el placer y el displacer, el yo y el tú, se me antojaban vaho multicolor ante ojos creadores. Ansioso de apartar la mirada de sí mismo, me parecía, el Creador había creado el mundo.

Ebrio deleite es para el que sufre, distraer la mirada de su sufrimiento y perderse. Ebrio deleite y un perderse, se me antojaba en un tiempo el mundo.

Este mundo, eternamente imperfecto, imagen imperfecta de una

1 *Hinterweltler*, en alemán, término inventado por Nietzsche y que también utiliza en *Humano, demasiado humano. (N. del T.)*

eterna contradicción, ebrio deleite de su creador imperfecto se me antojaba en un tiempo el mundo.

Así proyecté yo en un tiempo mi ilusión más allá del hombre, como todos los trasmundistas. ¿En verdad más allá del hombre?

¡Ay!, hermanos, ese dios creado por mí era producto y extravío humano, como todos los dioses.

Era hombre; y un pobre pedazo de hombre y "yo" por añadidura. De mi propia ceniza y brasa me salía ese fantasma; ¡no me venía, por cierto, del más allá!

¿Qué ocurrió entonces, hermanos? Me sobrepuse a mí mismo, a mis sufrimientos; llevé mi propia ceniza a la montaña y me inventé una llama más brillante. ¡Y he aquí que se *retiró* de mí el fantasma!

Creer en tales fantasmas sería ahora sufrimiento para mí y tortura para el curado; sería ahora para mí sufrimiento y humillación. Así hablo a los trasmundistas.

Todos los trasmundos se han creado en el sufrimiento y la impotencia, y en esa fugaz felicidad ebria que sólo experimenta el que más sufre.

Un cansancio ansioso de alcanzar de un *solo* salto, de un salto mortal, la meta última; un pobre cansancio ignorante que ya no quería ni siquiera querer, ha creado todos los dioses y trasmundos.

En verdad os digo, hermanos, que el cuerpo, desesperando de la tierra, sentía hablar el vientre del Ser.

Y entonces quería derribar las paredes últimas para alcanzar "el otro mundo".

Sin embargo, bien oculto está a los hombres "el otro mundo"; ese mundo deshumanizado, inhumano, que es una nada celestial; y el vientre del Ser no habla a los hombres, como no sea como hombre.

Difícil de demostrar y difícil de hacer hablar es en verdad todo Ser. A ver, hermanos, ¿no es la cosa más extraña la mejor demostrada?

Sí; el yo, con su contradicción y confusión, es el que más sinceramente habla de su ser; ese yo que crea, quiere y valora; ese yo que es el criterio y valor de las cosas.

Y este ser sincero, el yo, habla del cuerpo y lo quiere incluso cuando sueña y se forja ilusiones y aletea con un batir de alas rotas.

Aprende el yo a hablar con cada vez mayor sinceridad; y conforme aprende, ensalza y honra el cuerpo y la tierra.

Un orgullo nuevo me ha sido enseñado por mi yo; lo enseño ahora a los hombres: ¡No hundir ya la cabeza en la arena de las cosas celestiales, sino llevarla bien erguida, una cabeza terrena que establezca el sentido de la tierra!

Enseño a los hombres una voluntad nueva: ¡Afirmar y aprobar el camino que el hombre ha recorrido a ciegas y ya no apartarse de él furtivamente como los enfermos y los decadentes!

Enfermos y decadentes despreciaban el cuerpo y la tierra e inventaban las cosas celestiales y las gotas de sangre redentora; ¡mas aún estos dulces y siniestros venenos los extraían del cuerpo y de la tierra!

Ansiaban escaparse de su miseria, pero las estrellas quedaban demasiado lejos. Entonces, suspiraban: "¡Si hubiera caminos celestiales por donde evadirse a otro Ser y felicidad!" ¡Y se inventaban sus sendas falsas y sus brebajes sangrientos!

Librados de su cuerpo y de esta tierra considerábanse entonces esos ingratos. Y, sin embargo, ¿a quién debían la voluptuosidad y el espasmo de su arrebato? ¡A su cuerpo y a esta tierra!

Indulgente es Zaratustra con los enfermos. No se enoja por su manera de consolarse y su ingratitud. ¡Que sanen y se dominen y se labren un cuerpo superior!

No está enojado Zaratustra tampoco con el convaleciente cuando mira de reojo su ilusión y a medianoche ronda la tumba de su Dios; pero aun sus lágrimas son para mí enfermedad y cuerpo enfermo.

Muchos enfermizos ha habido siempre entre los que sueñan y andan en busca de Dios; odian enconadamente al cognoscente y a esa virtud más reciente que se llama probidad.

Viven ellos vueltos hacia pasados oscuros; en aquellos tiempos, ciertamente, la ilusión y la fe eran cosa muy distinta: el desenfreno de la razón era semejanza con Dios, y la duda, pecado.

Conozco muy bien a esos semejantes a Dios; quieren que se crea en ellos y que se tenga la duda por pecado. Muy bien sé también en qué creen ellos mismos más que en ninguna otra cosa.

Ciertamente no en trasmundos y en gotas de sangre redentora; ellos también creen en el cuerpo más que en ninguna otra cosa y a su propio cuerpo le consideran como la cosa en sí.

Mas le consideran como una cosa enfermiza y quisieran mudar la piel. Por eso escuchan a los predicadores de la muerte y predican, a su vez, trasmundos.

Más vale, hermanos, que escuchéis la voz del cuerpo sano, que es una voz más sincera y pura.

Más sincero y puro es el lenguaje del cuerpo sano, limpio y perfecto; él habla del sentido de la tierra.»

Así habló Zaratustra.

DE LOS DETRACTORES DEL CUERPO

«He aquí lo que tengo que decir a los detractores del cuerpo. No quiero que cambien de parecer y doctrina, sino tan sólo que digan adiós a su propio cuerpo... y así se callen para siempre.

"Yo soy cuerpo y alma" —así habla el niño. ¿Y por qué no hemos de hablar como los niños?

Mas el que razona con lucidez y sabe, dice: "Yo soy cuerpo, nada más que cuerpo; y alma no es sino una palabra que designa algo que forma parte del cuerpo."

Es el cuerpo una magna razón, una pluralidad gobernada por *un solo* sentido, guerra y paz, rebaño y pastor.

Instrumento de tu cuerpo es también tu pequeña razón, hermano, que llamas "espíritu" —humilde instrumento y juguete de tu magna razón.

Dices "yo", y te enorgulleces de esta palabra. Perzo más grande —aunque te resistas a creerlo— es tu cuerpo y su magna razón, que no dicen "yo", pero que constituyen el "yo".

Lo que percibe el sentido y conoce el espíritu, nunca tiene su fin en sí mismo. Sin embargo, el sentido y el espíritu quisieran hacerte creer que son el fin de todas las cosas; tal es su soberbia.

Instrumento y juguete son el sentido y el espíritu; detrás de ellos está el propio ser. El propio ser mira *también* con los ojos de los sentidos y escucha *también* con los oídos del espíritu.

En todo momento, mira y escucha el propio ser; compara, domina, conquista y destruye. Señorea y es también el señor del yo.

Detrás de tus pensamientos y sentimientos, hermano, está un poderoso amo, un sabio ignoto que se llama el propio ser. Mora en tu cuerpo. Es tu cuerpo.

Hay más razón en tu cuerpo que en tu más profunda sabiduría. ¡Y quién sabe para qué tu cuerpo necesita precisamente de tu más profunda sabiduría!

Tu propio ser se ríe de tu yo y sus aspavientos. "¿Qué son para mí estos saltos y vuelos del pensamiento?", dice para sus adentros: "Rodeos que conducen igual a mi fin. Yo manejo el yo y le sugiero sus conceptos."

Dice el propio ser al yo: "¡Siente aquí dolor!" Y entonces el yo sufre y trata de buscar una manera de poner término a su sufrimiento. Y precisamente para tal fin *debe* pensar.

Dice el propio ser al yo: "¡Siente aquí placer!" Y entonces el yo se alegra, reflexiona sobre como seguir gozando a menudo y precisamente para tal fin *debe* pensar.

He aquí lo que he de decir a los detractores del cuerpo: su desprecio se origina en su aprecio. ¿Cuál es el origen del aprecio y del desprecio, del valor y de la voluntad?

El propio ser, creador, se creó el aprecio y el desprecio, el placer y el displacer. El cuerpo creador se creó el espíritu como brazo de su voluntad.

Incluso con vuestra estupidez y desprecio, ¡oh, detractores del cuerpo!, estáis al servicio de vuestro propio ser. Yo os digo que vuestro propio ser mismo quiere morir y se aparta de la vida.

No es ya capaz de hacer lo que ansía por sobre todas las cosas: superarse creando. Esto es lo que ansía por sobre todas las cosas; tal es todo su fervor.

Pero ahora vuestro propio ser ya no puede satisfacer esta ansia; de ahí que quiere perecer, ¡oh, detractores del cuerpo!

Vuestro propio ser quiere perecer, ¡y por eso os habéis convertido en detractores del cuerpo! Pues ya no sois capaces de superaros creando.

Por eso repudiáis ahora la vida y la tierra. Un resentimiento inconsciente se agazapa en la mirada enconada de vuestro desprecio.

¡Yo no os sigo, oh, detractores del cuerpo! ¡Vosotros no sois puentes tendidos hacia el superhombre.»

Así habló Zaratustra.

DE LAS VIRTUDES Y LAS PASIONES

«Si posees una virtud, hermano, y es virtud muy tuya, no la compartes con nadie.

Claro que quieres llamarla por un nombre y acariciarla, tirarle de las orejas y entretenerte con ella; ¡y héte aquí compartiendo su nombre con la gente y convertido con tu virtud en masa y rebaño!

Más vale que digas: "Inenarrable e inefable es lo que tortura y embriaga mi alma y es aun el hambre de mis entrañas".

Tu virtud debe estar por encima de la intimidad de los nombres; y cuando tengas que hablar de ella, no te avergüences de hacerlo tartamudeando.

Di pues tartamudeando: "Este es mi propio bien; lo amo; así me gusta; así quiero yo el bien".

No lo quiero como ley de un dios, ni como norma o necesidad humana. No ha de indicarme el camino de tierras sobrenaturales y paraísos.

Una virtud terrena es lo que yo amo. Hay en ella poca cordura y menos razón colectiva.

Este pájaro construyó en mí su nido; por eso lo quiero con cariño. Ahora empolla en mí sus huevos de oro."

Así debes tartamudear y ensalzar tu virtud.

En un tiempo tenías pasiones y las tachabas de malas. Ahora ya no tienes más que tus virtudes, surgidas de tus pasiones.

Enderezaste tus pasiones hacia tu meta suprema; entonces se convirtieron en tus virtudes.

Y aunque seas un hombre irascible, o lascivo, o aferrado a la fe, o vengativo, todas tus pasiones terminaron por convertirse en virtudes y todos tus demonios en ángeles.

En un tiempo tenías perros feroces en tu perrera; pero terminaron por convertirse en pájaros y dulces aves cantoras.

Con tus venenos elaboraste tu bálsamo. Ordeñaste tu vaca "Aflicción" y ahora bebes la dulce leche de su ubre.

Y nada malo proviene ya de ti, como no sea lo malo que proviene de la pugna de tus virtudes.

Si tienes suerte, hermano, posees una sola virtud; así cruzas más fácilmente el puente.

Honroso, pero duro, es poseer muchas virtudes; y más de uno se fue al desierto y puso fin a sus días por estar cansado de ser batalla y campo de batalla de virtudes.

¿Son malas la guerra y la batalla, hermano? Son un mal necesario; son necesarias la mutua rivalidad, desconfianza y difamación de tus virtudes.

¡Mira con cuánto afán cada una de tus virtudes aspira a lo supremo!; reclama ella tu espíritu entero para que la pregone; tu fuerza entera en el repudiar, odiar y amar.

Célanse las virtudes unas a otras; y los celos son cosa terrible. También las virtudes son susceptibles de sucumbir a los celos.

Quien se halla cercado por las llamas de los celos acaba por enderezar contra sí mismo, como el escorpión, el aguijón venenoso.

¡Ay, hermano!, ¿nunca viste a una virtud difamarse a sí misma e inocularse su propio veneno?

El hombre es algo que debe ser superado; por eso debes amar a tus virtudes —pues sucumbirás a ellas.»

Así habló Zaratustra.

DEL PÁLIDO CRIMINAL

«¿Qué no queréis dar muerte, oh, jueces y sacrificadores, hasta que la víctima no haya asentido con la cabeza? Mirad, el pálido criminal ha asentido con la cabeza; su mirada pregona su gran desprecio.

"Mi yo es algo que debe ser superado; mi yo se me antoja el gran desprecio del hombre" —así pregona esta mirada.

El haberse condenado a sí mismo fue su instante supremo; ¡no rechacéis al enaltecido a la bajeza!

A quien así sufre de sí mismo sólo lo redime la muerte fulminante.

Vuestro matar, ¡oh jueces!, ha de ser un acto de compasión, no de venganza. Y cuidad de que dando muerte justifiquéis la vida.

No basta con que os reconciliéis con el hombre que condenáis a muerte. Vuestra tristeza debe ser amor al superhombre; así justificaréis el que vosotros sigáis con vida.

Debéis decir "enemigo", no "malvado". Debéis decir "enfermo", no "canalla". Debéis decir "loco", no "pecador".

Si confesases, ¡oh juez salpicado de sangre!, cuanto llevas cometido mentalmente, todo el mundo gritaría: "¡fuera esta porquería e inmundicia!"

Pero una cosa es el pensamiento, otra la acción y otra la imagen de la acción. No gira entre ellos la rueda de la causalidad.

Una imagen hace palidecer a ese hombre pálido. Estuvo a la altura de su acto cuando lo cometió; pero una vez que lo hubo cometido, no soportó su imagen.

Desde entonces vivía obsesionado por lo que había hecho. Locura le llamo a esto; la excepción se convertía para él en la regla.

Una línea trazada en el suelo, hipnotiza a la gallina; en la misma forma, un solo hecho retiene la atención del criminal. Locura posterior al crimen le llamo a esto.

¡Escuchad, oh, jueces! Hay aún otra locura, una locura anterior al crimen. ¡Ay, no os habéis adentrado lo suficiente en esa alma!

Dice el juez salpicado en sangre: "¿Por qué asesinó ese criminal? Se proponía robar." Pero yo os digo: su alma ansiaba sangre, no botín; ¡ansiaba el hombre la ebriedad de matar!

Pero su pobre razón no comprendió esta locura y le persuadió. "¡Qué importa la sangre! —le dijo— ¿no vas a aprovechar la oportunidad siquiera para robar o vengarte?"

Y el hombre se dejó persuadir por su pobre razón; sus palabras pesaban sobre él cual plomo. Y agregó el robo al asesinato, para no avergonzarse de su locura.

Y ahora pesa sobre él el plomo de su culpa y su pobre razón está otra vez paralizada y anonadada.

Si pudiese sacudir la cabeza, sacudiría su carga. Pero no hay quien sacuda esta cabeza.

¿Qué es ese hombre? Un cúmulo de enfermedades que a través del espíritu se proyectan por el mundo en busca de presa.

¿Qué es ese hombre? Un nudo de feroces serpientes que rara vez saben convivir en paz; así que cada cual se va al mundo en busca de   presa.

¡Mirad ese pobre cuerpo! Esa pobre alma le interpretó sus sufrimientos y apetitos; se los interpretó como sed de sangre y ebriedad de matar.

Al que ahora enferma lo asalta el mal que ahora es lo malo; ansía hacer sufrir por lo mismo que a él mismo lo hace sufrir.

Pero hubo otros tiempos y otro mal y bien.

En un tiempo era mala la duda, y la afirmación de sí mismo. En aquel entonces el enfermo se convertía en hereje o bruja; como hereje o bruja sufría y ansiaba hacer sufrir.

Pero no entra esto en vuestros oídos; me decís que el hombre hace daño a vuestros buenos. ¡Y qué me importan vuestros buenos!

En vuestros buenos hay mucho que me da asco, y por cierto que no me refiero a lo que tienen de malo. ¡Ojalá los atacara una locura que los perdiese como se perdió ese pálido criminal!

¡Ojalá su locura se llamara verdad o lealtad o justicia! Pero tienen su virtud para vivir muchos años y abandonados a un contento vil.

Yo soy un pretil encima de la corriente y, quien pueda, que se asa de mí. Pero no soy vuestra muleta.»

Así habló Zaratustra.

DEL LEER Y ESCRIBIR

«De todo lo escrito, sólo aprecio lo que uno ha escrito con su sangre. Escribe con sangre y sabrás que la sangre es espíritu.

Harto difícil es entender la sangre ajena; odio a los que matan el tiempo leyendo.

Quien conoce al lector ya no hace más nada por él. Cuando haya transcurrido un siglo más de lectores, el espíritu empezará a heder.

El que todo el mundo tenga una oportunidad de aprender a leer, arruina a la larga no sólo las plumas, sino también los pensamientos.

En un tiempo el espíritu fue Dios, luego se hizo hombre, y ahora hasta se ha hecho plebe.

Quien escribe con sangre, y escribe sentencias, no ha de ser leído, sino aprendido de memoria.

En la montaña, el camino más corto es de cima en cima; pero para eso hay que tener las piernas largas. Las sentencias han de ser cimas; y aquellos a quienes van dirigidas, hombres de talla elevada.

El aire enrarecido y diáfano, el peligro en acecho y el espíritu lleno de alegre malicia… ¡dígase si es magnífica la combinación!

Busco la compañía de trasgos, pues soy valiente. El valor que ahuyenta los fantasmas se procura trasgos; pues el valor quiere reír.

Ya no tengo nada en común con vosotros; esta nube que veo debajo de mí, esta lobreguez y pesadez de que me río —he aquí el nubarrón del que se descargará vuestra tormenta.

Vosotros miráis hacia arriba cuando ansiáis elevaros; yo miro hacia abajo, pues estoy elevado.

¿Cuál de vosotros puede reír y estar elevado a un tiempo?

Quien escala las más altas cimas se ríe de todas las tragedias, reales o ficticias.

Impávidos, burlones y violentos nos quiere nuestra sabiduría; es mujer y ama sólo a los guerreros.

Decís: "La vida es una carga muy pesada". Pero ¿para qué tenéis a la mañana vuestro orgullo y a la noche vuestra resignación?

La vida es una carga pesada, ¡vamos, nada de sentimentalismos! Todos somos unos burros y burras mansitos y sufridos.

¿Qué tenemos en común nosotros con el botón de rosa que tiembla porque ha caído en él una gota de rocío?

La verdad es que amamos la vida, no porque estemos acostumbrados a la vida, sino porque estamos acostumbrados al amor.

Hay siempre un poco de locura en el amor. Mas también hay siempre un poco de razón en la locura.

Y yo, que soy amigo de la vida, opino que las mariposas, las pompas de jabón y los hombres de naturaleza afín son los que mejor conocen la felicidad.

Viendo revolotear a esas ágiles y delicadas almas locuelas, llora y canta Zaratustra.

Yo sólo creería en un dios que supiera bailar.

Y cuando vi a mi diablo, lo encontré grave, serio, profundo y solemne —era el espíritu de la pesadez; a través de él caen todas las cosas.

No la ira, sino la risa, mata. ¡Ea! ¡Aplastemos el espíritu de la pesadez!

He aprendido a caminar; desde entonces "me dejo correr". He aprendido a volar; desde entonces no espero a que me empujen para moverme del sitio.

Ahora soy ligero; ahora vuelo; ahora me veo debajo de mí; ahora un dios baila a través de mí.»

Así habló Zaratustra.

DEL ÁRBOL DE LA MONTAÑA

Zaratustra había reparado en que un joven rehuía su trato. Una noche, en circunstancias en que recorría solo las montañas que circundan la ciudad llamada "La Vaca Manchada", encontró de pronto a este joven, sentado al pie de un árbol, con la mirada velada por honda tristeza, fija en el valle abajo. Posó Zaratustra la mano en el tronco del árbol y habló como sigue:

«Por más que me esforzase, no sería capaz de sacudir este árbol. En cambio el viento, que no vemos, lo zarandea y dobla a su antojo. Manos invisibles son las que más nos zarandean y doblan.»

Levantóse el joven, sobresaltado, y dijo: «Oigo la voz de Zaratustra, cuando justamente pensaba en él.»

Respondióle Zaratustra: «¿Y esto te sobresalta? Ocurre con el hombre lo que con el árbol. Cuando más aspira a las alturas y la claridad, tanto más empeñosamente se adentran sus raíces en la tierra, hacia las profundidades y la oscuridad, hacia el mal.»

«¡Eso es; hacia el mal! —exclamó el joven— ¿Cómo lograste descubrir mi alma?»

Sonrióse Zaratustra y dijo: «Almas hay que uno no descubre, a menos que antes las invente.»

«¡Eso es; hacia el mal! —volvió a exclamar el joven—. Has dicho la verdad, Zaratustra. Desconfío de mí y desconfían de mí al intentar superarme. Cambio demasiado de prisa. Mi hoy desmiente mi ayer. Muchas veces salto peldaños conforme subo... esto no me lo perdona ningún peldaño».

Cuando llego arriba, siempre me encuentro solo. Nadie me habla y me hace estremecer el frío de la soledad. ¿Qué ando buscando en las alturas?

Acrece mi desprecio a la par de mi anhelo; conforme subo, desprecio al que sube; ¿qué anda buscando en las alturas?

¡Qué vergüenza me da mi subir y trastabillar! ¡Cómo me burlo de mi jadeo! ¡Con qué encono odio al volátil! ¡Qué cansado estoy en las alturas!»

Se calló el joven. Zaratustra miró el árbol a cuyo pie se hallaban y habló como sigue:

«Este árbol se levanta solitario aquí en la falda de la montaña, irguiendo su copa muy por encima de los hombres y los animales.

Y si quisiese hablar, no tendría a nadie que lo entendiese, de tan alto que ha crecido.

Ahora espera —¿qué es lo que espera? Vive demasiado cerca del asiento de las nubes; ¿espera acaso el primer rayo?»

Hablado que hubo así Zaratustra, el joven, dibujando un ademán vehemente, exclamó: «¡Sí, Zaratustra; dices la verdad! ¡Ansiaba yo mi perdición al aspirar a las alturas, y tú eres el rayo que esperaba! ¡Mira en qué estado me encuentro desde que te presentaste ante nosotros! ¡Los celos de ti me han carcomido!»

Así habló el joven llorando a lágrima viva. Zaratustra le puso el brazo alrededor de los hombros y juntos echaron a andar.

Cuando hubieron caminado un trecho, Zaratustra le habló como sigue: «Se me parte el alma. Aun más claramente que tus palabras, me revelan tus ojos el peligro que te acecha.

Aún no estás libre; buscas todavía la libertad. De tanto buscar y re-buscar estás desvelado y deshecho.

Aspiras a las libres alturas; tu alma anhela alcanzar el mundo de las estrellas. Mas también tus malos instintos ansían la libertad.

Tus perros feroces ansían andar sueltos; ladran de alegría en su perre-ra cuando tu espíritu trata de forzar todas las prisiones.

Todavía eres un prisionero empeñado en conquistar la libertad; ah, muy lista se les torna el alma a prisioneros así, pero también pérfida y malvada.

Aún el que ha liberado su espíritu tiene que purificarse. Queda en él todavía mucho encierro y podredumbre; tiene que limpiarse los ojos.

Sí, conozco muy bien tu peligro. ¡Pero por mi amor y esperanza te insto a que no renuncies a tu amor y tu esperanza!

Te sientes todavía noble, y te reconocen nobleza incluso los que te ven con malos ojos y te lanzan miradas hostiles. Has de saber que el no-ble estorba a todo el mundo.

También a los buenos les estorba el noble; y aunque lo llamen bue-no, así es como pretenden eliminarlo.

El noble se propone crear cosas nuevas y una virtud nueva. Pero el bueno se aferra a lo antiguo y pretende perpetuarlo.

Mas el peligro que acecha al noble no es de volverse bueno, sino de llegar a adoptar una actitud insolente, descarada y destructiva.

He conocido a hombres nobles, ¡ay!, que perdieron sus más altas esperanzas; y entonces se aplicaron a difamar toda alta esperanza.

Entonces llevaban una vida desvergonzada, entregados a efímeros placeres y vivían al día.

Decían: "El espíritu también es voluptuosidad". Entonces se le quebraron las alas a su espíritu; ahora anda arrastrándose por el suelo y roe y ensucia todo.

En un tiempo ambicionaron ser héroes; ahora son unos libertinos y el héroe los fastidia y horroriza.

¡Por mi amor y esperanza te insto a que no repudies al héroe que hay en tu alma! ¡Permanece fiel a tu más alta esperanza!»

Así habló Zaratustra.

DE LOS PREDICADORES DE LA MUERTE

«Hay predicadores de la muerte; y abundan en la tierra a quienes debe predicarse la renuncia a la vida.

Abundan en la tierra los superfluos; la vida está echada a perder por tanta humanidad superflua. ¡Conviene que mediante la "vida de ultratumba", se les induzca a renunciar a esta vida!

Se les llama "los amarillos" o "los negros" a los predicadores de la muerte. Mas os los voy a mostrar también en otros colores.

Ahí están los terribles, que llevan dentro de sí la fiera y tienen que elegir entre el desenfreno o el despedazamiento de sí mismos. Y aun su desenfreno es despedazamiento de sí mismos.

Esos terribles ni siquiera han llegado a ser hombres. ¡Que prediquen la renuncia a la vida y se vayan ellos mismos de este mundo!

Ahí están los tísicos del alma; no bien nacidos ya empiezan a morir y anhelan doctrinas de cansancio y renunciamiento.

Ansían la muerte y debiéramos aplaudir esta ansia ¡Cuidado con resucitar a esos muertos y tocar esos ataúdes vivientes!

A la vista de un enfermo, o un anciano, o un cadáver dicen: "Está refutada la vida".

Sin embargo, ellos mismos están refutados, y sus ojos, que perciben *solamente* esta faz de la existencia.

Envueltos en gruesa melancolía y ávidos de las pequeñas contingencias que acarrean la muerte, se pasan la vida en actitud de espera, apretando los dientes.

O bien se hartan de dulces como los niños y se burlan de su niñería: se asen del pelo de su vida y se burlan de que sigan asidos de un pelo.

Su sabiduría reza: "Seguir con vida es una estupidez; pero hay que ver hasta dónde llega la estupidez humana. ¡Y esto es precisamente lo más estúpido que tiene la vida!"

Hay quienes dicen: "¡Vivir es sufrir!"; y no mienten. ¡Acabad, pues, con vuestra vida! ¡Acabad pues con la vida que no es más que sufrimiento!

Y vuestra virtud debe gobernarse por estos mandamientos: te matarás! ¡Te hurtarás a la vida!

"La concupiscencia es un pecado", dicen unos predicando la muerte; "¡apartémonos y no engendremos hijos!"

"Dar a luz es una experiencia penosa", dicen otros; "¿a qué dar aún a luz? ¡Sólo nacen seres desgraciados!" Y ellos también son predicadores de la muerte.

Y hay quienes dicen: "Hace falta la compasión. ¡Tomad todo lo que poseo! ¡Tomad todo lo que soy! ¡Así me ata menos la vida!"

Si fuesen en verdad gente compasiva, amargaríanle la vida al prójimo para quitarle el gusto de vivir. Su verdadera bondad sería la maldad.

Pero ansían librarse de la vida y no les importa que con sus cadenas y regalos aten a ella aún más al prójimo.

Y también vosotros, cuya vida es actividad frenética e inquietud, ¿no estáis muy cansados de la vida? ¿No sois terreno propicio para la prédica de la muerte?

Todos los que sois amigos de la actividad frenética y de lo rápido, lo nuevo y lo extraño, no os soportáis a vosotros mismos y vuestra diligencia es triste sino y afán de olvidaros de vuestra propia persona.

Si tuvieseis más fe en la vida, os abandonaríais menos al instante. ¡No tenéis pasta suficiente para esperar, ni siquiera para holgazanear!

Por doquier suena la voz de los que predican la muerte, y abundan en la tierra a quienes debe predicarse la muerte.

O la "vida de ultratumba" —me da igual, con tal que se vayan pronto de este mundo.»

Así habló Zaratustra.

DE LA GUERRA Y LOS GUERREROS

«Nuestros mejores enemigos no han de tener consideraciones con nosotros; ni tampoco los seres que amamos con amor entrañable. ¡Os voy a decir, pues, la verdad!

¡Hermanos guerreros! Os amo con amor entrañable; siempre he sido, y soy, vuestro igual. Y soy también vuestro mejor enemigo. ¡Os voy a decir, pues, la verdad!

Conozco el odio y la envidia que anidan en vuestros corazones. No sois lo suficientemente grandes para no saber de odios y envidias. ¡Sed, pues, lo suficientemente grandes para no avergonzaros de tales sentimientos!

Y ya que no podéis ser santos varones del conocimiento, sed al menos sus guerreros, que son los compañeros y precursores de tal santidad.

Veo muchos soldados; ¡si viera muchos guerreros! "Uniforme" se llama lo que llevan puesto; ¡si no escondieran bajo él la uniformidad!

Habéis de ser hombre que en todo momento vayan en busca de un enemigo —de *vuestro* enemigo. Y algunos de vosotros conocen el odio a primera vista.

¡Buscad vuestro enemigo! ¡Librad vuestra guerra por vuestras convicciones! ¡Y si sucumbe vuestra convicción, vuestra probidad ha de celebrar esta derrota!

¡Amad la paz como medio para nuevas guerras! ¡Y amad la paz breve más que la larga!

A vosotros no os aconsejo el trabajo, sino la lucha. A vosotros no os aconsejo la paz, sino la victoria. ¡Vuestro trabajo debe ser lucha, y vuestra paz, victoria!

Sólo armado con arco y flecha es como se puede callar y estarse quieto; de lo contrario se parlotea y regaña. ¡Vuestra paz debe ser victoria!

¿Que la buena causa santifica hasta la guerra? Yo os digo que la buena guerra santifica todas las causas.

La guerra y la valentía han hecho más cosas grandes que el amor al prójimo. No vuestra compasión, sino vuestra valentía ha salvado hasta ahora a los que peligraban.

Preguntáis: "¿Qué es bueno?" Ser valientes es bueno. Dejad que las niñas digan: "Es bueno lo que es bonito y enternece".

Os tachan de hombres sin corazón; pero tenéis el corazón bien puesto y me gusta vuestra cordialidad vergonzante. Vosotros os avergonzáis de vuestra plenitud y los demás de su pobreza.

¿Sois feos? ¡Bueno, hermanos, cubríos con lo sublime, que es el manto de la fealdad!

Y cuando vuestra alma se ensancha, se vuelve arrogante, y en vuestra sublimidad hay malicia. Os conozco.

En la malicia, el arrogante coincide con el débil. Pero no se entienden. Os conozco.

Sólo debéis tener enemigos que odiar, no enemigos que despreciar. Debéis estar orgullosos de vuestros enemigos; así, los éxitos de vuestro enemigo serán también éxitos vuestros.

La rebeldía es la distinción del esclavo. ¡Vuestra distinción debe ser la obediencia! ¡Vuestro mismo mandar ha de ser un obedecer!

El buen guerrero prefiere el "tú debes" al "yo quiero". Y cuanto os es grato debéis hacéroslo mandar.

Vuestro amor a la vida debe ser amor a vuestra suprema esperanza. ¡Y vuestra suprema esperanza debe ser la concepción suprema de la vida!

Y vuestra concepción suprema de la vida debéis hacérosla mandar por mí. He aquí su fórmula: El hombre es algo que debe ser superado.

¡Llevad pues vuestra vida hecha de obediencia y guerra! ¡Qué importa la vida larga! ¡El guerrero no espera que se tengan consideraciones con él!

¡Yo no tengo consideraciones con vosotros; os amo con amor entrañable, hermanos guerreros!»

Así habló Zaratustra.

DEL NUEVO ÍDOLO

«En otras partes hay todavía pueblos y rebaños, pero ya no en nuestro medio, hermanos; aquí hay Estados.

¿Qué es el Estado? ¡Atención!, que voy a hablaros de la muerte de los pueblos.

Llámase Estado el más frío de todos los monstruos fríos. Y miente fríamente, siendo su mentira ésta: "Yo, el Estado, soy el pueblo".

¡Mentira! Hombres creadores crearon los pueblos y suspendieron sobre ellos una fe y un amor; así sirvieron a la vida.

Hombres destructivos arman trampas para atrapar multitudes y las llaman Estado: suspenden sobre ellas una espada y cien apetitos.

Donde quiera que haya todavía pueblos, no entienden el Estado y lo odian teniéndolo por mal de ojo y un atentado contra las normas y costumbres.

Tornad nota de este dato: cada pueblo habla su propio lenguaje del bien y del mal, que el vecino no entiende; se ha inventado su propio lenguaje en las normas y costumbres.

Pero el Estado miente en todos los lenguajes del bien y del mal; cuanto dice es mentira —y cuanto tiene, a título ilegítimo lo tiene.

Todo en él es postizo; con dientes robados muerde el mordaz. Hasta sus entrañas son postizas.

Torre de Babel del bien y del mal —tomad nota de este dato como signo del Estado. ¡Sugiere este signo la voluntad de morir! ¡Hace señas este signo a los predicadores de la muerte!

Nacen demasiados hombres. ¡Para los superfluos ha sido inventado el Estado!

¡Mirad cómo atrae al montón de los superfluos! ¡Cómo los traga y masca y machaca!

Ruge el monstruo: "Nada más grande que yo existe sobre la tierra; soy el dedo ordenador de Dios". ¡Y no sólo los que tienen las orejas largas y la vista corta doblan la rodilla!

¡Ay, también a vosotros, oh, almas grandes, os susurra él al oído sus siniestras mentiras! ¡Ay, adivina los corazones generosos propensos a la amorosa disipación!

¡Adivina él también a vosotros que habéis vencido al antiguo Dios! La lucha os ha cansado, y ahora aún vuestro cansancio sirve al nuevo ídolo.

Ansía el nuevo ídolo rodearse de héroes y hombres honrados. ¡Le gusta al frío monstruo entrar en calor al sol de las conciencias limpias!

Está dispuesto a daros todo con tal que le rindáis culto; así, compra el brillo de vuestra virtud y el gallardo mirar de vuestros ojos.

¡Pretende valerse de vosotros para atraer al montón de los superfluos! ¡Ay, ha ideado una treta diabólica, un caballo de Troya de la muerte, magníficamente enjaezado con honores de púrpura!

¡Ah, se ha inventado una matanza que se ensalza como vida, gratísima a todos los predicadores de la muerte!

Yo le llamo Estado adonde se envenenan todos los buenos y los malos; donde se pierden todos, los buenos y los malos; donde el suicidio lento de todos se llama "la vida".

¡Mirad a esos superfluos! Roban las obras de los inventores y los tesoros de los sabios; ¡ilustración le llaman a su robo, y todo les resulta enfermedad y achaque!

¡Mirad a esos superfluos! Constantemente están enfermos; se les derrama la bilis y le llaman a eso "diario". Se devoran unos a otros y ya no pueden ni siquiera digerirse.

¡Mirad a esos superfluos! Se hacen ricos y, sin embargo, empobrecen. Codician poder y, antes que nada, la palanqueta del poder: mucho dinero —¡pobres de ellos!

¡Mirad cómo trepan esos ágiles monos! Trepan atropellándose unos a otros y se hunden así en el fango y las profundidades.

Precipítanse todos hacia el trono; tal es su locura —¡como si la fortuna estuviese sentada en el trono! Muchas veces el fango está sentado en el trono —y muchas veces el trono está asentado en el fango.

Locos y frenéticos y monos trepadores se me antojan todos ellos. Su ídolo, el frío monstruo, despide mal olor; esos idólatras todos despiden mal olor.

¿Pensáis acaso asfixiaros, hermanos, en el vaho de sus bocas y apetitos? Más vale que rompáis los vidrios y saltéis por las ventanas.

¡Huid del mal olor! ¡Huid del vaho de esos sacrificios humanos!

Todavía está abierta la tierra a las almas grandes. Todavía están desiertos muchos asientos de solitarios donde sopla la brisa de mares tranquilos.

Todavía está abierta a las almas grandes una vida libre. Quien poco posee corre poco peligro de ser un poseso. ¡Loada sea la humilde pobreza!

Donde termina el Estado, empieza el hombre que no es superfluo, la canción de lo necesario, la melodía única e insustituible.

Donde termina el Estado —¡mirad, hermanos! ¿No veis el arco iris y los puentes del superhombre?»

Así habló Zaratustra.

DE LAS MOSCAS EN LA PLAZA

«¡Refúgiate, amigo mío, en tu soledad! Te veo aturdido por las estridencias de los grandes y dejado maltrecho por los aguijones de los mediocres.

El bosque y la roca saben acompañar dignamente tu silencio. Semeja de nuevo el árbol frondoso que amas: mudo y alerta levántase sobre el mar.

Donde termina la soledad empieza la plaza; y donde empieza la plaza, empiezan también las estridencias de los grandes comediantes y los zumbidos de las moscas venenosas.

En este mundo, las mejores cosas no valen nada si no viene uno a ponerlas en escena. Grandes hombres llama la gente a los que las ponen en escena.

No comprende la gente lo grande, esto es, lo creador; mas se entusiasma con todos los que ponen en escena y representan cosas grandes.

Gira el mundo —imperceptiblemente— alrededor de los inventores de valores nuevos. Mas la gente y la fama giran alrededor de los actores.

Tiene el actor espíritu; pero la conciencia de su espíritu deja mucho que desear. Siempre cree en aquello con que logra mejor hacer creer... ¡en él!

Mañana abrazará un nuevo credo y pasado mañana otro más nuevo aún. Tiene los sentidos prestos y el olfato versátil, como la gente.

Atropellar es demostrar para él. Arrebatar para él es convencer. Y la sangre la tiene por el argumento más eficaz.

La verdad que sólo entra en los oídos finos, la califica él de mentira y futilidad. Sólo cree en dioses que alboroten el mundo.

Abundan en la plaza los bufones solemnes —y la gente se jacta de sus grandes hombres, que son para ella los hombres del día.

Pero el día los apremia; de ahí que te apremien. Exigen también de ti un sí o un no. ¡Ay!, ¿pretendes situarte entre el pro y el contra?

¡No envidies a esos incondicionales que apremian, amante de la verdad! Nunca la verdad ha marchado del brazo con un incondicional.

A causa de esos violentos vuelve a tu refugio. Sólo en la plaza se asalta con ¿sí? o ¿no?

Lenta es la experiencia de todos los pozos profundos; tardan mucho en saber lo que ha caído a su fondo.

Todo lo grande se desenvuelve lejos de la plaza y la fama; lejos de la plaza y la fama han vivido siempre los inventores de valores nuevos.

¡Refúgiate, amigo mío, en tu soledad; te veo cubierto de picaduras de las moscas venenosas! ¡Refúgiate allá donde sopla un viento frío y fuerte!

¡Refúgiate en tu soledad! Has vivido demasiado cerca de los mediocres y miserables. ¡Huye de su venganza invisible! ¡Ansían vengarse de ti!

¡No levantes el brazo contra ellos! Son innumerables y no te toca ser mosquero.

Muchos son esos mediocres y miserables; y más de un soberbio edificio ha sucumbido a la acción de las gotas de lluvia y las malas hierbas.

Tú no eres de piedra, pero ya estás cavado por muchas gotas. ¡Te vas a partir por la acción de muchas gotas!

Te veo agobiado por moscas venenosas, sangrando de cien picaduras; y tu orgullo te impide enojarte siquiera.

Con todo candor apetecen ellas tu sangre; sedientas de sangre son sus almas exangües —y así pican con todo candor.

Pero tú, hombre intenso, sufres demasiado intensamente incluso de las heridas pequeñas; y antes de que te hayas repuesto, ya el mismo bicho venenoso vuelve a correr por tu mano.

Tu orgullo te impide matar a esos golosos. ¡Pero cuidado con meterte en el fatal trance de tener que cargar con toda su venenosa iniquidad!

Zumban en torno a ti incluso cuando te elogian; su elogio es impertinencia. Buscan la proximidad de tu piel y sangre.

Te adulan como si fueses un dios o un diablo; se prosternan ante ti como si fueses un dios o un diablo. ¡Qué importa! No hacen más que adular y prosternarse.

Muchas veces las echan de amables. Pero tal ha sido siempre la listeza de los pusilánimes. ¡Ah, los pusilánimes son muy listos!

Sus almas mezquinas se ocupan mucho de ti —¡los tienes preocupados! Lo que mucho ocupa, termina por preocupar.

Te castigan por todas tus virtudes. En el fondo sólo te perdonan tus yerros.

Porque eres indulgente y ecuánime dices: "Ellos no tienen la culpa de su mediocridad". Su alma mezquina en cambio piensa: "Culpa es toda grandeza".

Incluso cuando eres indulgente con ellos se sienten despreciados por ti; y te pagan tu amabilidad con hostilidad solapada.

Tu orgullo callado los enfurece: se regocijan cuando por una vez eres lo suficientemente modesto para ser vanidoso.

Lo que le notamos a uno, lo inflamamos en él. ¡Cuidado, pues, con los mediocres!

Ante ti se sienten empequeñecidos, y su mediocridad es una brasa de venganza invisible.

¿No te diste nunca cuenta de cuántas veces enmudecían cuando te acercabas a ellos y cómo se les iba la fuerza cual humo de fuego en trance de extinguirse?

Amigo mío, eres la mala conciencia de tus semejantes; pues son indignos de ti. De modo que te odian y quisieran chupar tu sangre.

Tus semejantes siempre serán moscas venenosas; lo que hay de grande en ti no puede por menos de hacerlos cada vez más semejantes a moscas venenosas.

¡Refúgiate, amigo mío, en tu soledad y allá donde sopla un viento fuerte y frío! No te toca ser cazamoscas.»

Así habló Zaratustra.

DE LA CASTIDAD

«Amo al bosque. Es penoso vivir en las ciudades pues hay allí demasiados lascivos.

¿No es preferible caer en manos de un asesino que ir a parar a los sueños de una mujer lasciva?

Y mirad a esos hombres; sus miradas dicen bien a las claras que no conocen nada mejor sobre la tierra que cohabitar con una mujer.

El fondo de su alma es fango; ¡y peor si su fango tiene espíritu!

¡Si al menos como animales fuerais perfectos! Pero el animal es inocente.

¿Acaso os aconsejo mortificar vuestros sentidos? Os aconsejo la inocencia de los sentidos.

¿Acaso os aconsejo la castidad? La castidad es en algunos una virtud, pero en muchos, poco menos que un vicio.

Estos practican la continencia, sí; pero la perra sensualidad asoma envidiosa en todo lo que hacen.

Hasta las alturas de su virtud y los ámbitos fríos del espíritu, los sigue esta bestia y su turbación.

¡Y hay que ver cuán gentilmente la perra sensualidad sabe mendigar un pedazo de espíritu cuando se le niega un pedazo de carne!

¿Que os atraen las tragedias y todo lo que desgarra el corazón? Sin embargo, desconfío de vuestra perra.

A vuestros ojos asoma la crueldad; buscáis con avidez el espectáculo del sufrimiento. ¿No se habrá disfrazado vuestra voluptuosidad de compasión?

No conviene la castidad a quien soporta mal la continencia; no sea que lo arrastre al infierno, esto es, al fango y a lascivia del alma.

¿Hablo de cosas sucias? No se me antoja esto lo peor.

No cuando el agua de la verdad es sucia, sino cuando es poco profunda, le repugna al cognoscente zambullirse en ella.

Hay hombres que son castos por naturaleza: son más cordiales que vosotros y su risa es más fácil y frecuente que la vuestra.

Se ríen también de su castidad y preguntan: "¿Qué es la castidad?"

¿No es ella una estupidez? Pero esta estupidez ha venido sin que la hayamos llamado.

Ofrecimos a este huésped albergue y nuestro corazón; ora convive con nosotros —¡Puede quedarse todo el tiempo e guste!»

Así habló Zaratustra.

DEL AMIGO

«"Aquí siempre sobra uno —piensa el solitario—. ¡Siempre o por uno, a la larga son dos!"

Yo y Mí están siempre trabados en empeñoso diálogo; esto sería insoportable sin un amigo.

Siempre, para el solitario, el amigo es el tercero; el tercero el flotador que impide que se vaya a pique el coloquio de dos.

Hay demasiadas profundidades, ¡ay!, para todos los solitarios. Por eso ansían un amigo y su altura.

Nuestra fe en otros revela lo que quisiéramos creer en nosotros mismos. Nuestro anhelo de amistad nos delata.

Y muchas veces uno sólo quiere saltar mediante el amor, por encima de la envidia. Y muchas veces uno ataca, haciéndose un enemigo, para disimular que es atacable.

"¡Sé al menos mi enemigo!" —así habla la veneración verdadera que no osa solicitar amistad.

Quien quiere tener un amigo, también tiene que querer luchar por él; y para luchar, hay que poder ser enemigo.

Debe honrarse en el amigo aun al enemigo. ¿Puedes arrimarte a tu amigo sin entregarte a él?

El amigo debe ser mejor enemigo. Resistiéndole es cuando tu corazón debe estar más cerca de él.

¿Que no quieres presentarte vestido ante tu amigo? ¿Que pretendes honrar a tu amigo dándote tal cual eres? ¡Pero maldito lo que a él le gusta esto!

Quien se da tal cual, fastidia; ¡tenéis sobrados motivos para temer la desnudez! ¡Ah, si fueseis dioses sí podríais avergonzaros de vuestros ropajes!

Nunca te engalanarás bastante para tu amigo: pues has de ser para él una flecha y un anhelo apuntados al superhombre.

¿Viste alguna vez a tu amigo en momentos en que dormía —para saber qué aspecto tiene? ¿Pues qué es en cualquier otro momento el rostro de tu amigo? Es tu propio rostro reflejado en un espejo nada terso ni perfecto.

¿Viste alguna vez a tu amigo en momentos en que dormía? No te aterró el aspecto que tenía entonces? ¡Oh!, amigo mío, el hombre es algo que debe ser superado.

Un amigo debe ser maestro en el arte de adivinar y de callar. No has de empeñarte en ver todo. Su sueño debe revelarte lo que tu amigo hace despierto.

Tu compasión debe ser un adivinar, para andar seguro de que tu amigo no tiene inconveniente en ser compadecido. Quizá le agrade en ti el ojo no quebrado y la mirada de la eternidad.

La compasión con el amigo debe ocultarse bajo una máscara dura; has de romperte un diente con este bocado. Así será fina y dulce tu compasión.

¿Eres para tu amigo aire puro y soledad, pan y medicina? Hay quien no puede romper sus propias cadenas y sin embargo redime a su amigo.

¿Eres un esclavo? Siendo así, no puedes ser amigo. ¿Eres un tirano? siendo así, no puedes tener amigos.

Demasiado tiempo se han agazapado en la mujer un esclavo y un tirano. De ahí que la mujer no esté aún capacitada para la amistad; sólo conoce el amor.

En el amor de la mujer hay injusticia y ceguera para todo que está al margen de él. Y aun en el amor lúcido de la mujer hay todavía asalto y relámpago y noche al lado de la luz.

La mujer no está aún capacitada para la amistad. Todavía mujeres son como felinos y pájaros; o, en el mejor caso, como vacas.

La mujer no está aún capacitada para la amistad. Pero a ver hombres, ¿cuál de vosotros está capacitado para la amistad?

¡Qué pobreza la vuestra, hombres, y qué avaricia la de vuestra alma! Lo que vosotros dais a vuestro amigo lo doy yo aún a mi enemigo, y eso sin que merme mi caudal.

Hay camaradería; ¡que haya amistad!»

Así habló Zaratustra.

DE LAS MIL METAS Y LA ÚNICA META

«Muchos países y pueblos ha conocido Zaratustra; así, descubrió el bien y el mal de muchos pueblos. No ha encontrado Zaratustra sobre la tierra potencia más grande que el bien y el mal.

Ningún pueblo podría vivir sin antes haber valorado. Mas para sobrevivir, no debe valorar del mismo modo que el vecino.

He encontrado que mucho de lo que apreciaba tal pueblo, lo tenía tal otro por ridículo y oprobioso. He encontrado que mucho de lo que en tal país era tachado de malo, disfrutaba en tal otro de honores de púrpura.

Jamás se entendían los pueblos vecinos. Siempre los pueblos se sorprendían unos de la superstición y malicia de otros.

Una tabla de los valores está suspendida sobre cada pueblo. ¡Atención!: es la tabla de sus vencimientos de sí mismo. ¡Atención!: es la voz de su voluntad de poder.

Parécele encomiable lo que se le antoja difícil; lo imprescindible y difícil lo tiene por bueno; y lo que saca aún del trance más grave, lo raro y más difícil, lo tiene por santo.

Lo que le permite dominar y vencer y brillar, con espanto envidia de su vecino, es para él lo sublime, lo primordial, supremo, el sentido de todas las cosas.

Una vez que conozcas, hermano, el apremio y la tierra, el cielo y al vecino de tal pueblo, adivinas la ley de sus vencimientos de sí mismo y por qué por esta gradería trepa en pos de su esperanza.

"Debes ser siempre el primero y descollar entre los demás. Tu alma celosa no debe amar a nadie más que al amigo —esta concepción hizo estremecer el alma de los griegos; así recorrieron la senda de la grandeza.

"Decir la verdad y manejar con destreza el arco y la flecha —tal fue el precepto a la vez grato y arduo del pueblo del que proviene mi nombre; el nombre que me es a la vez grato y arduo.

"Honrarás a tu padre y a tu madre y los obedecerás incondicionalmente" —esta tabla del vencimiento la suspendió sobre sí otro pueblo y así se hizo poderoso y eterno.

"Practica la lealtad y sacrifica por ella el honor y la sangre, hasta en aras de causas malas y peligrosas" —fijándose este precepto se dominó otro pueblo y dominándose así se tornó grávido y henchido de grandes esperanzas.

Los hombres mismos se han fijado todo su bien y mal. No lo recibieron; no lo hallaron; no les cayó, como voz, del cielo. ¡Sólo el hombre, ansioso de sobrevivir, comunicó su valor a las cosas! ¡Sólo el hombre confirió a las cosas un sentido; un sentido para los hombres! Es el ser que valora.

Valorar es crear. ¡Tomad nota de ello, hombres creadores! El valorar mismo es el tesoro y la gema de todas las cosas valoradas.

Sólo en cuanto se valora, existe valor. Si no se valorase, la nuez de la existencia estaría vacía. ¡Tomad nota de ello, hombres creadores!

Transmutación de los valores —he aquí la transmutación de los hombres creadores. Siempre destruye quien ha de ser un creador.

Primero crearon los pueblos, sólo más tarde los individuos; el individuo es la creación más reciente.

En un tiempo los pueblos suspendieron sobre sí una tabla del bien. El amor ansioso de mandar y el amor ansioso de obedecer, crearon conjuntamente tales tablas.

Anterior al deleite del yo, es el deleite en el rebaño, y mientras la conciencia tranquila se llame "rebaño", sólo la mala conciencia dice "yo".

El astuto y frío yo que busca su provecho en el provecho colectivo, no es por cierto el origen del rebaño, sino su perdición.

Todo bien y mal ha sido creado por hombres amantes y creadores. En los nombres de todas las virtudes arden la llama el amor y la llama de la ira.

Muchos países y pueblos ha conocido Zaratustra. No ha encontrado Zaratustra sobre la tierra potencia más grande que las obras de los amantes —obras que se llaman "bien" y "mal".

Un monstruo es el poder de este elogiar y censurar. ¿Quién puede con él, hermanos? ¿Quién sujeta esta bestia por sus mil cogotes?

Mil metas ha habido hasta ahora, puesto que ha habido mil pueblos. Ya no falta más que la cadena que sujete los mil cogotes; falta la meta única. Todavía la humanidad carece de meta.

Mas a ver, hermanos, si a la humanidad le falta todavía meta, ¿no falta entonces ella misma todavía?»

Así habló Zaratustra.

DEL AMOR AL PRÓJIMO

«Rodeáis solícitamente al prójimo; actitud que celebráis con hermosas palabras. Pero yo os digo que vuestro amor al prójimo es vuestro mal amor a vuestra propia persona.

Os refugiáis en el prójimo huyendo de vosotros mismos y pretendéis proclamar esto una virtud; pero a mí no me engaña vuestro "desprendimiento".

El "tú" es anterior al "yo"; el "tú" está santificado, pero el "yo" todavía no.

Así, el hombre va solícitamente hacia el prójimo.

¿Acaso os aconsejo amar al prójimo? ¡Antes bien os consejo huir del prójimo y amar lo más lejano!

Por encima del amor al prójimo está el amor a lo más lejano y por venir; yo antepongo el amor a los hombres, el amor a las cosas y los fantasmas.

Ese fantasma que camina delante de ti, hermano, es más hermoso que tú; ¿por qué no le das tu carne y tus huesos? Pero te asustas y corres a juntarte a tu prójimo.

No soportáis a vuestra propia persona y no os amáis lo bastante; pretendéis inducir al prójimo al amor y hacer de su error vuestra justificación y realce.

Ojalá no soportarais a tanto prójimo y sus vecinos; entonces tendríais que crear de vosotros mismos a vuestro amigo y su corazón ardiente.

Os procuráis un testigo cuando queréis hablar bien de vosotros; y cuando lo habéis inducido a pensar bien de vuestra persona, vosotros mismos pensáis bien de vosotros.

No miente sólo el que habla contrariando su propio saber, sino, sobre todo, el que habla contrariando su propio no saber. Y así habláis de vosotros en el trato con los hombres mintiendo sobre vosotros a vuestro vecino.

Dice el necio: "El trato con los hombres estropea el carácter, sobre todo cuando se es un hombre sin carácter".

Unos corren a juntarse al prójimo porque se buscan a sí mismos y otros, porque quisieran evadirse de sí mismos. Vuestro mal amor a vuestra propia persona convierte vuestra soledad en una prisión.

Los lejanos sufren las consecuencias de vuestro amor al prójimo; y ya cuando os juntáis en número de cinco, un sexto tiene que morir.

No me gustan tampoco vuestras fiestas; he encontrado allí demasiados actores, y aun los espectadores se comportaban con frecuencia como si fuesen actores.

Yo no os enseño el prójimo, sino el amigo. El amigo ha de ser para vosotros la fiesta de la tierra y un atisbo del superhombre.

Os enseño el amigo y su corazón lleno a rebosar. Mas tiene que saber ser esponja quien quiere ser amado por corazones llenos a rebosar.

Os enseño el amigo en el que el mundo está ahí acabado, una fuente llena del bien —el amigo que en todo momento está pronto a brindar un mundo acabado.

Y así como se le desarrolló el mundo, se le arrolla de nuevo en anillos; como origen del bien en el mal, como origen de los fines en el azar.

Lo futuro y más lejano ha de ser la razón de ser de tu hoy: en tu amigo debes amar al superhombre como tu razón de ser.

Yo no os aconsejo el amor al prójimo, hermanos; os aconsejo el amor a lo más lejano.»

Así habló Zaratustra.

DE LOS CAMINOS DEL HOMBRE CREADOR

«¿Te propones, hermano, retirarte a la soledad? ¿Te propones buscar el camino que te conduzca a ti mismo? Espera un poco y escúchame.

Dice el rebaño: "El que busca, fácilmente se pierde. Todo aislamiento es culpa". Y durante mucho tiempo formaste parte del rebaño.

También en ti seguirá hablando la voz del rebaño. Y cuando digas: "Mi conciencia ya no es la vuestra colectiva", tus palabras sonarán como dejos de lamento y de dolor.

Mira que este mismo dolor será un eco de esa conciencia colectiva; y en tu aflicción brillarán aún los postreros reflejos de dicha conciencia.

Mas, ¿te propones recorrer el camino de tu aflicción, que es el camino que ha de conducirte a ti mismo? Pues ¡demuéstrame tu derecho y fuerza para tentar empresa semejante!

¿Eres una fuerza nueva y un derecho nuevo?, ¿un movimiento inicial?; ¿una rueda que gira espontáneamente? ¿Eres capaz de obligar a las estrellas a rodar alrededor de ti?

¡Ay, abunda mucho la concupiscencia de lo alto! ¡Abundan mucho los aspavientos de los ambiciosos! ¡Demuéstrame que no figuras entre los concupiscentes y los ambiciosos!

¡Ay, abundan los grandes pensamientos que no hacen más que cualquier fuelle: inflando vacían!

¿Te llamas libre? Me interesa tu idea dominante, no que has sacudido un yugo.

¿Eres uno de esos que *tienen derecho* a sacudir un yugo? Más de uno repudió su único valor al repudiar su servidumbre.

¿Libre de qué? ¡Qué le importa esto a Zaratustra! Tus ojos han de pregonar con gallardía: ¿libre *para qué*?

¿Eres capaz de fijarte por ti mismo tu bien y tu mal y suspender sobre ti la ley de tu propia voluntad? ¿Eres capaz de ser tu propio juez y el guardián de tu propia ley?

¡Terrible es el estar a solas con el juez y guardián de la propia ley! Es como cuando una estrella es proyectada dentro del espacio pavoroso y el soplo frío de la soledad.

Por tu soledad, hoy sufres aún por los muchos; hoy tienes aún tu valor y tus esperanzas.

Pero día llegará en que te agobiará la soledad, en que se doblegará tu orgullo y gemirá tu valor. Día llegará en que gritarás: "¡Estoy solo!"

Llegará el día en que habrás perdido de vista tu altura y tu bajeza la verás harto cerca de ti; y tu misma sublimidad te espantará como si fuese un fantasma. Día llegará en que gritarás: "¡Todo es falso!"

¡Sentimientos hay empeñados en matar al hombre solitario! si no lo logran, ¡ellos mismos tienen que morir! Pero, ¿eres capaz de ser un asesino?

¿Conoces ya, hermano, la palabra "desprecio"? ¿Y el tormento de tu justicia que consiste en hacer justicia a los que te desprecian?

Obligas a muchos a cambiar de parecer respecto de ti, por eso están furiosos contigo. Te acercaste a ellos y sin embargo pasaste de largo; esto no te lo perdonan.

Te elevas por encima de ellos. Pero a medida que subes, el ojo de la envidia te ve cada vez más pequeño. Y el odio más enconado se ceba en el que vuela.

"¡Cómo podríais vosotros ser justos conmigo!", debes decir: "Elijo vuestra injusticia como la parte que me corresponde".

Arrojan injusticia e inmundicia al hombre solitario; pero no por eso has de brillar menos para ellos si quieres ser una estrella, hermano.

¡Y cuidado con los buenos y justos! Están prontos a clavar en la cruz a quienes se inventan su propia virtud; odian al hombre solitario.

¡Cuidado también con la santa ingenuidad! Repudia ella todo lo que no es ingenuo, y le gusta jugar con el fuego… de las hogueras.

¡Y cuidado, por último, con los arrebatos de tu amor! Demasiado presto es el solitario en tender la mano al que encuentra en su camino.

Gentes hay a las que no debes tender la mano, sino la zarpa; y que tu zarpa tenga las uñas bien afiladas.

Mas el peor enemigo que pueda salirte al paso serás siempre tú mismo; tú mismo te asechas en cuevas y bosques.

¡Solitario, recorres el camino que ha de conducirte a ti mismo! ¡Y por este camino pasas junto a ti mismo y tus siete demonios!

Te aparecerás a ti mismo como un hereje, un brujo, un adivino, un loco, un escéptico, un depravado y un malvado.

Debes tener la voluntad de consumirte en tu propia llama. ¡Cómo podrías renacer sin antes haber quedado reducido a ceniza!

¡Solitario, recorres el camino del creador! ¡Quieres crearte un Dios con tus siete demonios!

¡Solitario, recorres el camino del amante! Te amas a ti mismo, y así te desprecias como sólo desprecian los que aman.

¡El que ama ansía crear, porque desprecia! ¡Qué sabe del amor quien no ha tenido que despreciar precisamente lo que amaba!

Retírate a tu soledad, hermano, llevando contigo tu amar y tu crear; sólo mucho más tarde te seguirá la justicia remisa.

Retírate a tu soledad, hermano, llevando contigo mis lágrimas. Amo al que quiere superarse creando y así se encamina a su ocaso.»

Así habló Zaratustra.

DE LAS MUJERES VIEJAS Y JÓVENES

«¿Por qué te deslizas tan furtivamente por el crepúsculo, Zaratustra? ¿Y qué es lo que llevas escondido bajo el manto con tanta precaución?

¿Es un tesoro que te han regalado? ¿Es una criatura que te ha nacido? ¿O es que tú mismo, amigo de los malos, andas ahora por los caminos de los ladrones?»

«En efecto, hermano —respondió Zaratustra—, es un tesoro que me han regalado; se trata de una pequeña verdad.

Pero es revoltosa como una criatura, y si no le tapo la boca, chilla que te chilla.

Cuando hoy, a la hora de la puesta del sol, recorría solito mi camino, encontré a una vieja, que habló a mi alma como sigue:

"Mucho nos has hablado Zaratustra, incluso a nosotras las mujeres, pero jamás nos has hablado de la mujer."

Y le respondí: "Sobre la mujer ha de hablarse sólo a los hombres".

"Háblame también a mí sobre la mujer —insistió ella—. Soy lo suficientemente vieja para olvidar al momento tus palabras."

Y accediendo al ruego de la vieja le hablé como sigue:

"Todo en la mujer es un enigma, y todo en la mujer tiene una sola solución: el embarazo.

El hombre es para la mujer un medio; el fin es siempre el hijo. Mas ¿qué es la mujer para el hombre?

Dos cosas anhela el hombre de verdad: el peligro y el juego. Por eso quiere a la mujer, que es el juguete más peligroso.

El hombre debe ser educado para la guerra y la mujer para solaz del guerrero; todo lo demás son tonterías.

No quiere el guerrero los frutos excesivamente dulces. Por eso quiere a la mujer: aun la mujer más dulce es amarga.

Mejor que el hombre, entiende a los niños la mujer; pero el hombre es más niño que la mujer.

En el hombre de verdad hay un niño que quiere jugar. ¡Ea, mujeres; descubrid el niño que hay en el hombre!

La mujer debe ser un juguete límpido y fino cual la piedra preciosa, nimbado de las virtudes de un mundo por venir.

¡En vuestro amor, mujeres, debe brillar el rayo de una estrella! Vuestra esperanza ha de ser ésta: '¡Qué de mis entrañas salga el superhombre!'

¡En vuestro amor debe haber valentía! ¡Con vuestro amor debéis hacer frente al que os infunde miedo!

¡En vuestro amor debe estar vuestro honor! Poco sabe la mujer del honor; que vuestro honor sea amar siempre más de lo que sois amadas y no quedar nunca en zaga.

Debe temer el hombre a la mujer amante; no retrocede ella ante ningún sacrificio y fuera de su amor nada tiene valor para ella.

Debe temer el hombre a la mujer encendida de odio, pues en el fondo del alma el hombre es tan sólo maligno, pero la mujer es allí mala.

¿A quién odia la mujer más enconadamente. —Dijo el hierro al imán: 'A ti te odio más, pues atraes pero no eres lo suficientemente fuerte para retener junto a ti'.

La felicidad del hombre reza: yo quiero. La felicidad de la mujer reza: él quiere.

'¡En este instante el mundo ha alcanzado la perfección!' —así piensa toda mujer cuando obedece por amar de todo corazón.

Y la mujer debe obedecer y hallarle una profundidad a su superficie. El alma de la mujer es una superficie, una película movediza y agitada que sobrenada en aguas poco profundas.

El alma del hombre, en cambio, es profunda; su torrente se precipita por grutas subterráneas. La mujer barrunta su fuerza, pero no la comprende."

Entonces, me dijo la vieja: "Muchas cosas lindas dice Zaratustra, sobre todo para la gente joven.

Es curioso; poco conoce Zaratustra las mujeres, y sin embargo, lo que dice sobre ellas es muy cierto. ¿Será porque en la mujer nada es imposible? Acepta de mí en señal de gratitud, una pequeña verdad Si seré lo suficientemente vieja para haberla averiguado!

Envuélvela bien y tápale la boca; o si no, chillará esta pequeña verdad."

"¡Venga, mujer, tu pequeña verdad!", dije yo. Y la vieja habló como sigue:

"¿Vas a juntarte a mujeres? Pues, ¡no te olvides el látigo!".»

Así habló Zaratustra.

DE LA PICADURA DE LA VÍBORA

Un día muy caluroso, en circunstancias especiales, Zaratustra se había dormido al pie de una higuera y cubriéndose la cara con los brazos una víbora lo mordió en el cuello; así que Zaratustra se despertó lanzando un agudo grito de dolor. Cuando hubo apartado el brazo de la cara, miró la serpiente; entonces ésta reconoció el mirar de Zaratustra y se retorció torpemente con ánimo de alejarse.

«¡No te vayas! —dijo Zaratustra—, que no te he expresado aún mi agradecimiento. Me despertaste oportunamente, pues aún me queda un largo camino por recorrer.»

«Te queda ya muy poco camino por recorrer —le contestó la víbora, entristecida—. ¡Mi veneno mata!»

Se sonrió Zaratustra y dijo: «Jamás un dragón sucumbió al veneno de una serpiente! ¡Pero quédate con tu veneno, que no eres lo suficientemente rica para regalármelo!»

Entonces, la víbora volvió a enroscársele al cuello y le lamió la herida.

Cuando Zaratustra contó lo ocurrido a sus discípulos, le preguntaron: «¿Y cuál es la moraleja de tu historia?»

Habló entonces Zaratustra como sigue:

«Los buenos y justos me acusan de destruir la moral; mi historia es inmoral.

Cuando tengáis un enemigo que os haya hecho mal, no paguéis el mal con el bien, pues tal actitud lo abochornaría; sino demostrad que os ha hecho bien.

¡Antes que abochornarlo, estad enojados con él! Y no me gusta que paguéis la maldición con la bendición. ¡Más vale que maldigáis al que os ha maldecido!

¡Y cuando se ha cometido con vosotros una gran injusticia, agregad prestamente cinco pequeñas por vuestra parte. Terrible es el espectáculo del que lleva solo la carga de la injusticia.

¿No conocéis eso de que injusticia de muchos, justicia de todos? ¡Y debe cargar con la injusticia *aquel* capaz de llevar su carga!

Más humana que la renuncia a la venganza es la pequeña venganza. Y si el castigo no es también derecho y honor del transgresor, repudio también vuestro castigo.

Repudio vuestra fría justicia; a los ojos de vuestros jueces asoma siempre el verdugo y su frío acero.

¿Dónde se da la justicia que es amor comprensivo?

¡Inventad la justicia que absuelva a todo el mundo, menos al que la administra!

Habéis de saber que en el que aspira a la justicia absoluta, hasta la mentira se torna en piedad con los hombres.

Pero, ¡cómo podría yo alcanzar la justicia absoluta! ¡Como podré dar a cada cual lo suyo! Básteme dar a cada cual lo mío.

Por último, hermanos, ¡cuidado con ser injustos con los hombres solitarios! ¿Cómo se quiere que olvide un hombre solitario, ya que no puede desquitarse?

Es el solitario como un pozo profundo. Es fácil echarle piedras; pero una vez que han caído al fondo ya no hay manera de sacarlas.

¡Cuidado con agraviar al solitario! ¡Mas si lo hubiérais agraviado, matadlo también!»

Así habló Zaratustra.

DE LOS HIJOS Y DEL MATRIMONIO

«Voy a hacerte, hermano, una pregunta de hombre a hombre. Cual una sonda la arrojo a tu alma para averiguar su profundidad.

Eres joven y esperas casarte y tener hijos. Pero, ¿tú tienes *derecho* a aspirar a la paternidad?

¿Eres el triunfador, el vencedor de ti mismo, el amo de tus sentidos, el señor de tus virtudes?

¿O traduce tu deseo el instinto animal y la necesidad física? ¿O la soledad? ¿O acaso tu descontento contigo mismo?

Quiero que tu victoria y tu libertad anhelen la paternidad. Debes erigir monumentos vivientes a tu victoria y tu liberación.

Debes superarte edificando. Pero antes tú mismo debes ser un edificio bien construido en cuerpo y alma.

¡Tu procrear debe ser un crear algo superior a ti! ¡Para esto ha de servirte el matrimonio!

Debes crear un cuerpo superior, un movimiento inicial, una rueda que gire espontáneamente —debes crear un creador.

Llamo yo al matrimonio, la voluntad de dos de crear el uno que sea superior a los que lo crearon. Llamo yo al matrimonio, el mutuo respeto reverente de dos que se saben impulsados por voluntad semejante.

Tal debe ser el sentido y la verdad de tu matrimonio. Pero lo que el montón de los superfluos llama matrimonio —¡ay!, ¿cómo he de llamarle yo a eso?

¡Ay, de esa pobreza a dúo del alma! ¡Ay, de esa inmundicia a dúo del alma! ¡Ay de ese contento vil a dúo!

A todo esto le llaman matrimonio; ¡y dicen que el cielo bendice su unión!

¡Pues yo repudio este cielo de los superfluos! ¡Repudio a estos animales presos en la red celestial!

¡Y no quiero tampoco saber nada del dios que acude en mala hora a bendecir lo que no ha unido!

¡No os riáis de tales matrimonios! ¿Para qué hijo no son sus padres cosa de llorar a lágrima viva?

Un hombre se me aparecía digno y a la altura del sentido de la tierra: pero cuando vi a su mujer, la tierra se me apareció como morada de gentes que hablan abdicado del buen sentido.

Quisiera que la tierra se estremeciera presa de convulsiones cuando se juntan un santo y una vaca.

Tal hombre se lanzó cual un héroe en pos de la verdad y terminó por conquistar una mentirilla engalanada; la llama su matrimonio.

Aquel otro era esquivo en el trato de los hombres y seleccionaba con arreglo a un gusto selecto. Pero de pronto perdió para siempre su buena compañía; le llama a esto matrimonio.

Muy avezados y listos se me aparecen ahora todos los compradores. Pero aún el más listo compra su mujer en arca cerrada.

Muchas locuras breves —he aquí lo que llamáis amor. Y vuestro matrimonio remata muchas locuras breves en una larga estulticia.

Vuestro amor a la mujer y el amor de la mujer al hombre, ¡ojalá fuera compasión entre dioses dolientes que sufren en secreto! Pero en general se trata de dos animales que se encuentran.

Aun vuestro mejor amor es tan solo alegría extasiada y ardor penoso. Es una antorcha que ha de guiar vuestro paso hacia sendas superiores.

¡Un día vuestro amor ha de ser superación! ¡*Aprended* pues a amar! Para este fin habréis tenido que apurar el cáliz de la amargura de vuestro amor.

Aun el mejor amor es un cáliz de amargura. ¡Así suscita anhelo del superhombre; así es como excita tu sed, hombre creador!

Sed del hombre creador, flecha y anhelo apuntados al superhombre —dime, hermano, ¿es ésta la voluntad que te impulsa al matrimonio?

Santa se me antoja tal voluntad y tal matrimonio.»

Así habló Zaratustra.

DE LA MUERTE SOBERANA

«Muchos mueren demasiado tarde y algunos prematuramente. Aun no entra en los oídos la doctrina del "morir a tiempo".

Morir a tiempo —he aquí lo que enseña Zaratustra.

Claro que, ¿cómo se quiere que muera a tiempo quien nunca ha vivido a tiempo? Más valiera que no hubiera nacido. He aquí que Zaratustra aconseja que los superfluos no deben nacer. Pero hasta los superfluos dan importancia a su muerte. Aun la nuez más vacía quiere ser cascada.

Todos toman en serio la muerte; pero todavía la muerte no es una fiesta. Todavía los hombres no saben santificar las fiestas más hermosas.

Yo os muestro la muerte culminante que se convierte en acicate y solemne promesa de los vivos.

Muere su propia muerte, culminante el hombre, triunfante, rodeado de esperanzas y solemnes promesas.

Así debiera aprenderse a morir. ¡Y debiera no haber fiesta sin que un moribundo así consagrase los juramentos de los vivos!

Morir así es lo mejor; o si no así, morir luchando y disipar un alma grande.

Odiosa es al luchador y al triunfador por igual, vuestra muerte repugnante que se acerca a hurtadillas como un ladrón —y sin embargo viene como dueña de vuestra vida.

Os ensalzo la muerte mía, la muerte soberana que vendrá cuando yo quiera.

¿Y cuándo querré que venga? —Quien tiene una meta y un heredero, quiere morir a tiempo por la meta y por el heredero.

Y por respeto reverente a la meta y al heredero, no colgaré más coronas marchitas en el santuario de la vida.

No quiero ser como los cordeleros, que estiran su hilo caminando para atrás.

Más de uno llega a tan viejo que ya no es edad la suya ni para sus verdades y sus victorias; la boca desdentada ya no tiene derecho a decir todas las verdades.

Y el que apetezca la gloria debe despedirse a tiempo del honor y dominar el arte difícil de irse en el momento oportuno.

Hay que dejar de ser bocado en el momento en que se alcanza el pleno sabor; esto lo saben todos los que desean ser amados durante largo tiempo.

Hay por cierto, manzanas agrias a las que toca esperar hasta el día postrimero del otoño; así que maduran, se ponen amarillas y se ajan a un tiempo.

En unos, lo primero que envejece es el corazón y en otros, el espíritu. Y hay quien ya en sus mocedades es un viejo; mas la juventud tardía significa una juventud larga.

A algunos se les malogra la vida; un gusano venenoso les roe el corazón. Vean, pues, que tanto mejor, lograda les resulte la muerte.

Algunos no llegan a madurar y se pudren en pleno verano. De puro cobardes siguen suspendidos de su rama.

Demasiados viven, y demasiado tiempo están suspendidos de su rama. ¡Que se desate una tempestad y arranque del árbol a todos esos podridos y carcomidos!

¡Que vengan predicadores de la muerte *rápida*! ¡No hay como ellos para soplar fuerte y sacudir los árboles de la vida! Pero sólo oigo predicar la muerte lenta y la paciencia con las cosas terrenas.

¡Ah!, ¿predicáis la paciencia con las cosas terrenas? ¡Pues resulta que las cosas terrenas tienen demasiada paciencia con vosotros, malas lenguas!

Prematuramente murió aquel hebreo al que rinden culto los predicadores de la muerte lenta; y desde entonces su muerte prematura ha resultado fatal a muchos.

Cuando ese hebreo, Jesús, aún no conocía sino las lágrimas y la melancolía de los hebreos, amén del odio de los buenos y justos, lo dominó el ansia de morir.

¡Ojalá se hubiera quedado en el desierto, lejos de los buenos y justos! Tal vez hubiera aprendido a vivir y a amar la tierra —¡y a reír!

¡En verdad os digo, hermanos, que murió prematuramente! ¡Él mismo se hubiera retractado de su doctrina si hubiese llegado a viejo como yo! ¡No le faltaba, por cierto, nobleza para retractarse!

Pero no había alcanzado aún la madurez. Falto de madurez es el amor del joven, y también su odio a los hombres y a la tierra. Su ánimo y el ala de su espíritu están aún atados y torpes.

El hombre maduro es más niño que el joven y hay en él menos melancolía; él entiende mejor de la muerte y de la vida.

Libre para la muerte y libre en la vida; pronto al santo decir ¡no! cuando ya no es hora de decir ¡sí!: así entiende de la muerte y de la vida.

Vuestro morir no debe ser un difamar al hombre y la tierra —he aquí lo que pido de la miel de vuestra alma.

En vuestra muerte deben aún arder vuestro espíritu y vuestra virtud cual arrebol vespertino que tiñe de oro la tierra; o si no, la muerte os ha salido mal.

Así quiero morir yo mismo para que vosotros, amigos míos, améis por mí a la tierra con un amor más entrañable; y quiero volver al seno de la tierra para descansar en la que me engendró.

Un blanco tenía Zaratustra y hacia él arrojó su pelota; ahora vosotros, amigos míos, recogéis la herencia de mi blanco y os arrojo la pelota.

¡Nada me gusta tanto como veros arrojar, amigos míos, la pelota de oro! Así que me demoro aún un poco sobre la tierra. ¡Perdonad!»

Así habló Zaratustra.

DE LA VIRTUD DADIVOSA

1

Cuando Zaratustra salió de la ciudad con la que estaba encariñado, y que se llama "La Vaca Manchada", lo acompañaron muchos que se proclamaban sus discípulos. Llegaron así a una encrucijada y Zaratustra les declaró que ahora quería caminar solo pues le gustaba andar en soledad. Sus discípulos le ofrecieron, a modo de regalo de despedida, un bastón cuyo puño de oro estaba labrado en forma de una serpiente arrollada al sol. Aceptó Zaratustra complacido el bastón y se apoyó en él; luego habló a sus discípulos como sigue:

«¿Cómo llegó el oro a ser el valor supremo? Porque no es vil ni útil y reluce con suave brillo, brindándose siempre.

Sólo como símbolo de la virtud suprema, el oro llegó a ser el valor supremo, cual oro reluce la mirada del hombre que brinda. Brillo de oro media entre la luna y el sol.

La virtud suprema no es vil ni útil, y reluce con suave brillo. La virtud dadivosa es la virtud suprema.

Leo en vuestros corazones, mis discípulos: aspiráis como yo a la virtud dadivosa. ¿Qué tendríais que ver vosotros con los gatos y los lobos?

Vuestra ansia es ser vosotros mismos ofrenda y dádiva; por esto ansiáis acumular todas las riquezas en vuestra alma.

Insaciablemente codicia vuestra alma tesoros y alhajas, pues vuestra virtud es insaciable en su afán de regalar. Absorbéis todas las cosas, para que broten de vuestro caudal como dádivas de vuestro amor.

Tal amor ansioso de brindar, llega a pillar todos los valores; pero sano y santo se me antoja este egoísmo.

Hay otro egoísmo, harto pobre y famélico, siempre pronto a hurtar: el egoísmo de los enfermos, el egoísmo enfermo.

Con los ojos del ladrón mira él todo lo que reluce; con la avidez del hambriento clava su mirada en el que come bien y constantemente ronda la mesa de los dadivosos.

Tal codicia y degeneración invisibles dicen de enfermedad; de un cuerpo achacoso dice la avidez ladronesca de este egoísmo.

¿Qué tenemos por malo y pésimo, hermanos? ¿No es la degeneración? Y donde falta el alma generosa sospechamos siempre la *degeneración*.

Ascendemos del género humano hacia el supergénero. Sentimos horror al espíritu degenerador que dice: "Todo para mí".

Asciende nuestro espíritu; así, es símbolo de nuestro cuerpo, símbolo de una elevación. Símbolos de tales elevaciones son los nombres de las virtudes.

Cruza el cuerpo por la historia como un devenir y un luchar. Y el espíritu, ¿qué es para él? Heraldo, compañero y eco de sus luchas y sus victorias.

Símbolos son todos los nombres del bien y el mal; no expresan, tan sólo insinúan. Sólo el estúpido pretende arrancarles saber.

Prestad atención, hermanos, a toda hora en que vuestro espíritu quiere hablar a través de alegorías; tal es el origen de vuestra virtud.

En tales horas vuestro cuerpo está enaltecido y regenerado; su encanto extasía al espíritu, llevándole a crear y ponderar y amar y ser el bienhechor de todas las cosas.

Cuando vuestro corazón se desborda cual anchuroso río, bendición y amenaza para el ribereño: tal es el origen de vuestra virtud.

Cuando estáis por encima del elogio y de la censura, y vuestra voluntad quiere mandar a todas las cosas con voluntad de amante: tal es el origen de vuestra virtud.

Cuando despreciáis lo agradable y la molicie y huís de los blandos: tal es el origen de vuestra virtud.

Cuando sois instrumentos de *una única* voluntad soberana: tal es el origen de vuestra virtud.

¡Es ella un nuevo bien y mal! ¡Es ella una nueva y caudalosa corriente y la voz de fuente nueva!

Esta nueva virtud es el poder; es una concepción dominante y, arrollada a ella, un alma sabia: un sol de oro y, arrollada a él, la serpiente del conocimiento.»

2

Se calló Zaratustra y fijó una mirada cariñosa en sus discípulos. Luego prosiguió hablando con voz diferente:

«¡Permaneced fieles a la tierra, hermanos, con el poder de vuestra virtud! ¡Vuestro amor generoso y vuestro conocimiento deben servir el sentido de la tierra! Os lo ruego encarecidamente.

¡No permitáis que alcen el vuelo, abandonando las cosas terrenas, y con sus alas golpeen contra paredes eternas! ¡Ay, en todo tiempo ha habido mucha virtud que volando se extravió!

¡Conducid, como yo, la virtud extraviada de vuelta a la tierra, de vuelta al cuerpo y a la vida; para que de a la tierra su sentido, un sentido de hombres para hombres!

En mil formas así se perdieron y extraviaron hasta ahora el espíritu y la virtud. ¡Ay, todavía está alojada en nuestro cuerpo toda esta ilusión y aberración: en él se se ha hecho carne y voluntad!

En mil formas así se ensayaron y extraviaron hasta ahora el espíritu y la virtud. Sí, un ensayo ha sido el hombre. ¡Ay, cuánta ignorancia y error se han hecho carne en nosotros!

No sólo la razón, sino también la locura de milenios se ha declarado en nosotros. Peligroso es ser heredero.

Todavía forcejeamos paso a paso con el coloso Azar y la humanidad toda ha sido gobernada hasta ahora por la sinrazón.

Vuestro espíritu y vuestra virtud, hermanos, han de servir el sentido de la tierra; ¡y que todo valor de las cosas sea establecido en adelante por vosotros! ¡Por eso debéis luchar! ¡Por eso debéis crear!

Sabiendo, se purifica el cuerpo: ensayando mediante el saber, se enaltece: santifícanse todos los instintos del cognoscente; al enaltecido se le torna gaya el alma.

Médico, ayúdate a ti mismo: así ayudarás también a tu enfermo. La mejor ayuda que reciba el paciente, ha de ser el ejemplo de quien se cura a sí mismo.

Existen mil sendas jamás recorridas, mil saludes e islas recónditas de la vida. El hombre y la tierra de los hombres no están agotados, ni explotados todavía.

¡Estad alerta y prestad atención, hombres solitarios! Del porvenir llegan vientos con silencioso batir de alas y a oídos finos se anuncia buena nueva.

Los que hoy sois solitarios y vivís apartados, un día seréis un pueblo; de vosotros que os habéis elegido, surgirá un pueblo elegido y de él, el superhombre.

¡Día llegará en que la tierra será asiento de la salud! ¡Ya la envuelve un efluvio nuevo portador de salvación —una esperanza nueva!»

3

Hablado que hubo así Zaratustra, se calló como uno que no ha dicho aún su última palabra y durante largo tiempo sopesó el bastón en la mano con aire dubitativo. Al fin continuó con voz cambiada:

«¡Proseguiré ahora solo mi camino, discípulos míos! ¡Marchaos también vosotros solos por el vuestro! Tal es mi voluntad.

Os aconsejo apartaros de mí, resistir a Zaratustra. Mejor aun: ¡avergonzaos de él! Quién sabe si no os ha engañado.

El hombre del conocimiento debe no solamente saber amar a sus enemigos, sino también saber odiar a sus amigos.

Mal agradece al maestro quien nunca pasa de discípulo. ¿Y por qué no os aplicáis a robarme prestigio?

Me veneráis: pero, ¿y si un día se viene abajo vuestra veneración? ¡Cuidado con perecer aplastados bajo una estatua!

¿Decís que creéis en Zaratustra? Pero, ¿y qué importa?

¿Decís que creéis en Zaratustra? Pero, ¿y qué importa Zaratustra? Sois mis fieles; pero, ¿y qué importan los fieles?

Cuando aún no os habíais buscado a vosotros mismos, me hallasteis a mí. Así ocurre con todos los fieles; de ahí que la fe valga tan poco.

Ahora os pido perderme y encontraros a vosotros mismos. Sólo cuando me hayáis repudiado volveré a estar con vosotros.

Con ojos diferentes, hermanos, buscaré entonces a los que he perdido; con amor diferente os amaré entonces.

Y llegará el día en que seréis mis amigos y los hijos de *una única* esperanza; entonces estaré con vosotros por tercera vez, para celebrar en vuestra compañía el gran mediodía.

El gran mediodía habrá llegado cuando el hombre haya recorrido la mitad del camino que conduce del animal al superhombre y celebre su marcha hacia el ocaso como su suprema esperanza, por ser la marcha hacia un nuevo día.

Entonces, el hombre bendecirá su ocaso porque tras él ha de venir un nuevo orto; y el sol de su conocimiento estará en el cenit.

"Han muerto todos los dioses; ¡viva el superhombre!" —¡Tal deberá ser nuestra última voluntad cuando llegue el gran mediodía!»

Así habló Zaratustra.

SEGUNDA PARTE

«…sólo cuando me hayáis repudiado volveré a estar con vosotros.

Con ojos diferentes, hermanos, buscaré entonces a los que he perdido; con amor diferente os amaré entonces.»

Zaratustra, «De la virtud dadivosa» (I, pág. 85).

EL NIÑO Y EL ESPEJO

Volvió Zaratustra a la montaña y a la soledad de su cueva y se aisló de los hombres, esperando como espera el sembrador que he echado la simiente. Estaba presa en él un ansia impaciente por volver al seno de los que amaba; pues tenía aún mucho que darles. Y es que nada hay tan difícil como cerrar por amor, la mano abierta y avergonzarse de su generosidad.

Así le transcurrieron al solitario meses y años, durante los cuales crecía su sabiduría haciéndole sufrir por su plenitud.

Un día se despertó antes de romper la aurora, meditó largamente acostado en su lecho y al fin dijo para sus adentros:

«¿Por qué me asusté tanto en sueños que me desperté? ¿No se presentó ante mí un niño que llevaba un espejo?

"Oh, Zaratustra —me dijo el niño—, ¡mirate en el espejo!"

Mas cuando me miré en el espejo proferí un grito y quedé profundamente turbado; pues no vi mi propio rostro reflejado en él, sino la mueca repugnante de un demonio.

Comprendo muy bien la significación y advertencia de este sueño: ¡Mi *doctrina* peligra! ¡La cizaña pretende ser trigo!

Mis enemigos se han vuelto poderosos y han deformado la imagen de mi doctrina, así que los que más caros son a mi corazón tienen que avergonzarse de mis obsequios.

¿He perdido a mis amigos?; ¡ha llegado la hora de buscar a los perdidos!»

Levantóse Zaratustra de un salto; pero no como un angustiado al que se le oprime el pecho, sino más bien como un vidente y cantor traspasado del espíritu. Su águila y su serpiente le miraron sorprendidas; pues cual la aurora nimbaba su rostro el halo de una dicha venidera.

«¿Qué me ha pasado, animales míos? —dijo Zaratustra—. ¿No soy otro? ¿No se ha abatido sobre mí cual una tempestad este gozo inefable?

Mi dicha es estúpida y dirá estupideces; es muy joven aún —¡tened pues, paciencia con ella!

Estoy herido de mi felicidad; ¡han de curarme todos los que sufren!

¡Me es dado reunirme abajo de nuevo con mis amigos y también con mis enemigos! ¡Le es dado de nuevo a Zaratustra hablar y dar y colmar de amor a los seres que ama!

Mi amor impaciente se desborda a raudales hacia levante y hacia poniente. Desde silenciosa montaña y tormentas de dolor, desciende a los valles el torrente de mi alma.

Demasiado tiempo me debatí en la añoranza, con la mirada clavada en la lejanía. Demasiado tiempo permanecí en soledad, así que ya no sé callar.

Me he vuelto todo boca y torrente que baja raudo de escarpadas rocas; mi palabra ansía volcarse en los valles.

Y si el río de mi amor se precipita por fragoso terreno, ¡no importa! ¡No hay río que no se abra paso tarde o temprano hacia el mar!

Tomo por nuevos caminos; un verbo nuevo aflora a mis labios. Me he cansado, como todos los hombres creadores, de las viejas lenguas. Mi espíritu está harto de calzar botas gastadas.

Demasiado lento se me antoja todo hablar, ¡salto sobre tu carro, tempestad! ¡Y aun te azuzaré blandiendo el látigo de mi malicia!

Cual grito de júbilo voy a rodar por sobre vastos mares en procura de las islas felices donde moran mis amigos.

¡Y mis enemigos! ¡Cuánto amo ahora a codos aquellos a los que me sea dable hablar! También mis enemigos entran en mi dicha inefable.

Y cuando me apresto a montar en mi corcel más fogoso, nada me es tan útil como mi lanza; está ella en todo momento a disposición de mi pie, pronta a servirle.

¡La lanza que arrojo contra mis enemigos! ¡Cuán agradecido estoy a mis enemigos por poder arrojarla al fin!

Ha sido excesiva la tensión de mi nube; entre carcajada y carcajada de relámpagos, voy a lanzar granizadas.

Entonces, mi pecho se dilatará a reventar y soplará su ráfaga por sobre las montañas. Así hallará desahogo y alivio.

¡Cual una tempestad llegará mi dicha y libertad! ¡Pero mis enemigos deberán creer que la caza infernal pasa sobre sus cabezas!

También vosotros, amigos míos, os asustareis de mi sabiduría fiera; y quizás os deis a la fuga al igual que mis enemigos.

¡Ojalá logre yo induciros con dulce son de zampoñas a volver a mi lado! ¡Ojalá mi leona Sabiduría aprenda a lanzar rugidos tiernos! ¡Si habremos aprendido ya cosas, ella y yo!

Mi sabiduría fiera quedó preñada en la soledad de la montaña; sobre áspera roca dio a luz el fruto más reciente de sus entrañas.

Ahora, recorre frenética el duro desierto en busca de suave césped —¡mi vieja sabiduría fiera!

¡Sobre el suave césped de vuestros corazones, amigos míos, en vuestro amor, ansía ella depositar lo que ama con amor entrañable!»

Así habló Zaratustra.

EN LAS ISLAS FELICES[1]

«Los higos caen de las ramas, dulces y sabrosos; y al caer, revienta su roja piel. Yo soy como un viento norte que desprende los higos maduros.

Cual higos os caen estas enseñanzas, amigos míos; ¡bebed su jugo y comed su dulce pulpa! Es otoño, con cielo diáfano; son las horas de la tarde.

¡Mirad qué plenitud en derredor nuestro! Y es lindo mirar, en medio de tanta abundancia, por sobre mares lejanos.

En un tiempo se decía "Dios" cuando se miraba por sobre mares lejanos; ahora os enseño a decir "superhombre".

---

1 Estas islas «felices» o «afortunadas» no se refieren a Canarias ni a una isla en concreto. (N. del T.)

Dios es una conjetura; pero yo quiero que vuestra conjetura no vaya más allá de vuestra voluntad creadora.

¿Podríais, acaso, *crear* un Dios? ¡Fuera, entonces, todos los dioses! Podríais crear, sí, al superhombre.

¡Tal vez no vosotros mismos, hermanos! Mas podríais hacer de vosotros los antepasados y padres del superhombre; y tal debe ser vuestra mejor creación!

Dios es una conjetura; pero yo quiero que vuestra conjetura se confine a la esfera de lo concebible.

¿Podríais *concebir* un Dios? —¡Vuestra voluntad de verdad debe ser el postulado de que todo quede transformado en cosa que el hombre pueda concebir, ver y tocar! ¡Vuestros propios sentidos deben ser la instancia suprema!

Y lo que llamábais el mundo ¡habéis de crearlo!; debe ser vuestra razón, vuestra imagen, vuestra voluntad y vuestro amor! ¡Para inefable dicha vuestra, hermanos!

¿Y cómo podríais soportar la vida, hermanos, sin esta esperanza? No habéis nacido, por cierto, en lo inconcebible ni en lo irracional.

Y para hablaros desde el fondo más fondo de mi corazón, amigos míos; si hubiese dioses, ¡cómo soportaría yo el no ser un dios! *Luego*, no hay dioses.

Saqué esta conclusión; pero ahora ella me arrastra.

Dios es una conjetura; pero ¿quién puede sufrir el tormento de esta conjetura sin morir? ¿Ha de ser despojado el creador de su fe y el águila de sus sublimes alturas?

Dios es una concepción que dobla todo lo recto y hace girar todo lo fijo. ¿Cómo? ¿Que el tiempo no existe y todo lo perecedero es puro engaño?

Al sólo pensarlo se marea la mente humana y hasta el estómago vomita. Vértigo y locura se me antoja conjetura semejante.

¡Mala y antihumana se me antoja toda esa doctrina del Uno y Pleno e Inmutable y Saturado y Eterno!

¡Todo lo imperecedero es mera alegoría! Y los poetas mienten mucho.

Las mejores alegorías han de hablar del tiempo y del devenir. ¡Deben ser alabanza y justificación de todo lo perecedero!

Crear —he aquí lo que redime del sufrimiento y unge de gracia la vida. Mas el creador presupone sufrimiento y mucha transformación.

¡Sí, en vuestra vida debe haber mucha muerte amarga, oh creadores! Así defendéis y justificáis todo lo perecedero.

Para que el creador mismo sea el recién nacido, es menester que quiera ser también la parturienta y el dolor de ésta.

A través de cien almas y cien cunas y dolores del parto me ha conducido mi camino. No pocas veces ya he dicho adiós; conozco las horas desgarradoras de la despedida.

Pero así lo quiere mi voluntad creadora, mi destino. O para decirlo con palabras más francas: tal es el destino que quiere mi voluntad.

Todo lo que siente en mí, sufre y se halla aprisionado; pero mi querer siempre llega como libertador y fuente de alegría.

El querer libertad; tal es la verdadera doctrina de la voluntad y la libertad: —Así os la enseña Zaratustra.

Dejar de querer y de ponderar y de crear —¡qué yo no conozca jamás este gran cansancio!

También en el conocer siento tan sólo el deleite de crear y ser creado, que experimenta mi voluntad; y si mi conocimiento es inocente, es porque es voluntad de crear.

Esta voluntad me ha apartado de Dios y los dioses. ¿Qué habría de crear si hubiese dioses?

Hacia el hombre me empuja siempre de nuevo mi ardiente voluntad de crear; así el cincel es empujado hacia la piedra.

¡En la piedra, oh, hombres, duerme una imagen, la imagen de mis imágenes! ¡Ay, tiene que dormir en la piedra más dura y fea!

Cruelmente golpea su prisión mi cincel. De la piedra se van desprendiendo pedazos; ¿qué me importa?

Empeñado estoy en dar cima a la obra; pues se presentó ante mí un fantasma —¡la más queda y sutil de todas las cosas se presentó ante mí!

La belleza del superhombre se presentó ante mí como fantasma. ¡oh, hermanos!, ¡qué me importan desde entonces —los dioses!»

Así habló Zaratustra.

DE LOS COMPASIVOS

«Amigos míos, se han burlado de vuestro amigo diciendo: "¡Vean a Zaratustra andando entre nosotros como si fuésemos animales!"

Más propiamente se diría: "El cognoscente anda entre los hombres como entre animales".

El hombre es para el cognoscente el animal de las mejillas encarnadas.

¿Cómo le pasó esto? ¿No será por haber tenido que avergonzarse con harta frecuencia?

Amigos míos, el cognoscente dice: "¡Vergüenza, vergüenza, vergüenza —tal es la historia del hombre!"

Y por esto el noble se impone el precepto de no avergonzar y abochornar; impónese la vergüenza ante todo lo que sufre.

Repudio a los misericordiosos que se complacen en su compasión; les falta vergüenza.

Si he de ser compasivo, quiero que al menos no se me tenga por tal; y cuando lo soy, prefiero serlo a distancia.

Prefiero también cubrirme la cara y huir antes de ser reconocido. ¡Tal debe ser también vuestra conducta, amigos míos!

¡Que el destino pueble siempre mi camino de hombres que no saben de sufrimientos, como vosotros, y de gentes con las que me sea *dable* compartir la esperanza, la comida y la miel!

Ciertamente he hecho esto y aquello por hombres que sufrían; pero siempre me ha parecido hacer mejor en aprender a alegrarme más.

Desde que existe la humanidad el hombre no se alegra lo suficiente; ¡únicamente éste, hermanos, es nuestro pecado original!

Y aprendiendo a alegrarnos es como mejor nos olvidaremos de hacer mal al prójimo y pensar medios de hacer mal.

Por eso me lavo la mano que ayudó al que sufría; por eso hasta me limpio el alma.

Pues me avergonzaba de ver el sufrimiento del que sufría, por su vergüenza; y al ayudarle ultrajaba su orgullo.

Las grandes deudas de gratitud no suscitan gratitud, sino encono y resentimiento; y la pequeña caridad, si no es olvidada, termina por ser un resquemor.

"¡Andad remisos en aceptar! ¡Vuestro aceptar debe ser un distinguir!", así aconsejo a los que no tienen nada que dar.

Yo soy uno que da; me gusta dar, como amigo a mis amigos. En cuanto a los extraños y los pobres, ¡que por sí solos desprendan el fruto de mis ramas, que así sentirán menos vergüenza!

¡Con los mendigos debiera acabarse radicalmente! Fastidioso es darles limosna o negarles limosna.

¡Y también con los pecadores y las malas conciencias! Tomad nota, amigos míos, de que los remordimientos llevan al hombre a morder.

Mas lo peor son los pensamientos mezquinos. ¡Más vale la mala acción que el pensamiento mezquino!

Dicen, por cierto: "El deleite de las pequeñas malicias nos ahorra más de una grande maldad". Pero en eso no conviene ahorrar.

Es la mala acción como un absceso: causa comezón y molesta y supura —gasta un lenguaje franco.

"Mira que soy enfermedad" —así habla la mala acción; y tal es su franqueza.

El pensamiento mezquino, en cambio, es como el hongo; se agazapa y se soslaya —hasta que todo el cuerpo está carcomido de pequeños hongos.

Y a quien está poseído del diablo susurro al oído esto: "¡Más vale que tu diablo se haga grande! ¡Hasta para ti hay un camino de la grandeza!"

¡Ay, hermanos, se sabe demasiado de todo el mundo! A más de uno lo penetra nuestra mirada, pero no por eso podemos pasar por él.

Es difícil convivir con los hombres, por ser tan difícil callar.

Y no tratamos mal a quien nos es antipático, sino a aquel con el que no tenemos nada que ver.

Si tienes un amigo que sufre, sé un lecho en que pueda descansar su sufrimiento; pero que sea una cama dura, un catre, que así le serás más útil.

Y cuando un amigo te haga mal, debes decir: "Te perdono lo que me has hecho; pero, ¡cómo podría perdonarte habértelo hecho a ti mismo!"

Así habla todo gran amor; un amor así supera hasta el perdón y la compasión.

Hay que mantener sujeto el corazón: pues cuando se lo suelta, no se tarda en perder la cabeza.

¡Siempre las estupideces más grandes han sido cometidas por los compasivos! ¡Y jamás nada en el mundo ha causado tantos sufrimientos como las estupideces de los compasivos!

¡Ay de todos los amantes que no tengan una altura por encima de su compasión!

Un día el diablo me dijo: "También Dios tiene su infierno: su amor a los hombres".

Y el otro día le oí decir: "Dios ha muerto: sucumbió Dios a su compasión con los hombres".

¡Cuidado, pues con la compasión! ¡Por este lado amenaza a los hombres un negro nubarrón! ¡Y si entenderé yo de los signos del tiempo!

Y tomad nota de esto: todo gran amor está por encima de toda su compasión; ¡pues ansía *crear* lo que ama!

"A mi amor me brindo a mí mismo, *y también al prójimo* —así hablan todos los creadores.

Mas todos los creadores son duros.»

Así habló Zaratustra.

DE LOS SACERDOTES

En cierta ocasión Zaratustra hizo señas a sus discípulos y les habló como sigue:

«Ahí están sacerdotes: y aun cuando son mis enemigos, os pido pasar junto a ellos sin decir nada y con la espada envainada.

También entre ellos hay héroes; muchos de ellos sufrieron en demasía —así que ahora están empeñados en hacer sufrir a sus semejantes.

Son enemigos de cuidado; nada hay tan enconado como su humildad. Quien los toca fácilmente se ensucia.

Pero mi sangre es afín a la suya y quiero que mi sangre sea honrada aun en la de ellos.»

Y cuando hubieron pasado de largo, Zaratustra fue acometido por el dolor, y a poco de haber luchado con él, habló como sigue:

«Me dan pena esos sacerdotes. También me repugnan: pero esto es lo que menos me importa desde que me encuentro entre los hombres.

He compartido, y comparto, su sufrimiento; se me aparecen como prisioneros y estigmatizados. Aquel que llaman su redentor los ha atado con cadenas ¡con cadenas de valores falsos y ficciones! ¡Ojalá viniera uno a redimirlos de su redentor!

Creyeron desembarcar en una isla cuando estaban a merced de las olas; ¡pero les resultó un monstruo dormido!

Valores falsos y ficciones —no hay monstruos más peligrosos para los mortales; durante largo tiempo duerme y espera en ellos la fatalidad.

Pero al cabo ella se despierta y viene y se traga todo cuanto allí ha levantado su casa. Mirad las casas que han levantado esos sacerdotes aman iglesias a sus antros llenos de dulce aroma!

¡Qué luz tan desvirtuada! ¡Qué aire tan viciado allí, donde el alma no debe elevarse hacia las alturas!

Pues su credo ordena: "¡Subid de rodillas la escalera, pecadores!"

¡Hasta el desvergonzado se me antoja espectáculo más grato que los ojos de su vergüenza y devoción puestos en blanco!

¿Quién se creó tales antros y escaleras de penitencia? ¿No fueron hombres deseosos de ocultarse y que se avergonzaron ante el cielo límpido?

Y sólo cuando el cielo límpido se asome por entre techos ruinosos y se tienda sobre muros derruidos invadidos por el pasto y la roja amapola —sólo entonces volverá mi corazón a las moradas de ese Dios.

Llamaban Dios a lo que les contradecía y hacía mal; ¡y por cierto que había no poco heroísmo en su adoración.

¡Y no sabían amar a su Dios sino crucificando al hombre!

Entendían vivir como cadáveres andantes; revestían de negro su cadáver; aun de sus palabras trasciende el nauseabundo olor de cámaras mortuorias.

Y quien vive cerca de ellos vive cerca de estanques negros donde el sapo entona el canto de su dulce melancolía.

Debieran cantar mejores canciones si quieren que yo aprenda a creer en su redentor. ¡Más redimidos debieran presentarse sus discípulos!

Quisiera verlos desnudos, porque únicamente la belleza debiera predicar penitencia. ¡A cualquiera convence ese ¡ay del embozado!

¡Sus redentores mismos no provinieron de la libertad y el séptimo cielo de la libertad! ¡Ellos mismos nunca caminaron sobre las alfombras del conocimiento!

De faltas y lagunas se componía el espíritu de esos redentores; pero en cada una de ellas colocaron su *ilusión*, su suplefaltas, que llamaron Dios.

Su espíritu había perecido ahogado en su compasión; y cuando engrosaba y se desbordaba su compasión, siempre sobrenadaba una gran estupidez.

Con diligencia y aspavientos condujeron su rebaño sobre su puente; ¡como si en lo sucesivo no hubiese de haber más que este *único* puente! ¡Esos pastores no eran más inteligentes que su rebaño!

Esos pastores tenían el espíritu estrecho y el alma dilatada; pero, hermanos, ¡qué países tan pequeños eran hasta ahora aún las almas más dilatadas!

Jalonaban de signos de sangre el camino que recorrían, y su estupidez enseñaba que con la sangre se demostraba la verdad. Sin embargo, no hay testigo peor de la verdad que la sangre; aun la doctrina más pura degenera, por obra de la sangre, en obcecación y odio de los corazones.

Y cuando uno pone la mano en el fuego por su doctrina, ¿qué prueba esto? ¡Más importante es que la propia doctrina brote de su llama!

Donde se combina corazón ardiente con mente fría se desata el vendaval, el "redentor".

Ha habido hombres más grandes y nobles que aquellos que la gente llama redentores: —¡esos vendavales arrebatadores!

¡Y por hombres más grandes que todos los redentores debéis ser redimidos, hermanos, si habéis de encontrar el camino de la libertad!

Nunca aún ha habido un superhombre. He visto desnudos al hombre más grande y al más pequeño.

Todavía los dos se parecen demasiado. Aun el más grande lo encontré… demasiado humano.»

Así habló Zaratustra.

DE LOS VIRTUOSOS

«A los sentidos flojos y adormecidos hay que hablarles con rayos y truenos.

Mas la voz de la belleza habla quedamente; la perciben sólo las almas más abiertas.

Quedamente vibró y rió hoy mi escudo, fue la santa risa y vibración de la belleza.

De vosotros los virtuosos rióse hoy mi belleza. Y su voz me habló así: "¡Esperan ser recompensados!"

¡Esperais ser recompensados, oh, virtuosos! ¡Reivindicais un premio a vuestra virtud, el cielo por vuestra existencia terrena y la eternidad por vuestro hoy!

Y ahora estáis enojados conmigo porque enseño que no hay ningún pagador. Y ni siquiera enseño que la virtud lleva en sí misma su recompensa.

He aquí lo que me apena: con malas artes se ha introducido premio y castigo en el fondo de las cosas —¡y ahora hasta en el fondo de nuestras almas, oh virtuosos!

Pero cual hocico de jabalí, mi verbo ha de escarbar el fondo de vuestras almas; quiero que me comparéis a la reja del arado.

Quiero sacar a luz todos los secretos de vuestro fondo; y cuando estéis expuestos, escarbados, al sol, también vuestra mentira estará separada de vuestra verdad.

Pues tal es vuestra verdad: sois demasiado limpios para la suciedad de las palabras "venganza", "castigo", "recompensa".

Amáis vuestra virtud como la madre a su hijo; pero ¿cuándo se ha dado el caso de una madre que pretenda ser recompensada por su amor?

Es vuestra virtud lo más caro a vuestro corazón. Hay en vosotros el ansia del anillo; ansioso de alcanzarse a sí mismo retuerce y dobla todo anillo.

Y toda obra de vuestra virtud es cual estrella que se apaga; su luz siempre está en camino y se propaga ¿cuándo no estará más en camino?

Así la luz de vuestra virtud está en camino aún después de realizada la obra. Cuando ésta ya esté muerta y olvidada, su rayo de luz seguirá viviendo, propagándose sin cesar.

Vuestra virtud es vuestro propio ser y no nada ajeno a vosotros, no es piel o disfraz —¡tal es la verdad que descansa en el fondo de vuestra alma, oh, virtuosos!

Hay, por cierto, para quienes la virtud es un retorcerse bajo un látigo. ¡Y habéis prestado demasiada atención a sus gritos!

Y no faltan los que llaman virtud el cansancio de sus vicios; y cuando se echan a descansar su odio y su envidia, se despierta su "justicia" restregándose los ojos.

Y hay quienes son arrastrados hacia abajo: sus demonios los arrastran. Pero a medida que se hunden enciéndense sus ojos y el anhelo de su Dios.

¡Ay!, también han llegado a vuestros oídos, oh, virtuosos, los gritos de estos: "¡Lo que yo no soy, es Dios y virtud!"

Y otros andan con paso pesado y retumbante cual carros que transportan piedras cuesta abajo; éstos se complacen en hablar de dignidad y virtud —¡a su freno le llaman virtud!

Y hay quienes son como unos relojes vulgares a los que se ha dado cuerda; hacen tic, tac y pretenden que su tic, tac sea llamado virtud.

Y los hay que se enorgullecen de su puñado de justicia y en nombre de ella cometen toda clase de crímenes; así que el mundo se anega en su injusticia.

Mal se aviene con su boca la palabra "virtud". Con su virtud pretenden sacarles los ojos a sus enemigos: y sólo se elevan para rebajar al prójimo.

Y hay quienes se pasan la vida agazapados en su fango y predican: estarse quieto en el fango —he aquí la virtud.

No hacemos mal a nadie y rehuimos a todos los que quieran hacer mal; y en todas las cosas opinamos tal como se nos manda."

Y hay quien gusta de los ademanes y cree que la virtud es una especie de ademán.

En todo momento sus rodillas adoran y sus manos ensalzan la virtud; pero su corazón no siente a la par de ellas.

Y hombres hay que creen que la virtud consiste en afirmar: "Hace falta la virtud". Pero en el fondo sólo creen que hace falta la policía.

Y más de uno, incapaz de percibir lo que tiene de sublime el hombre, le llama virtud al ver desmesuradamente agrandada su vileza; de modo que le llama virtud a su mal de ojo.

Y hay quienes quieren edificarse y elevarse, y llaman a esto virtud; y hay quienes quieren ser aplastados, y llaman a esto virtud.

Y así, casi todos creen participar de la virtud; y todo el mundo pretende, cuando menos, entender del "bien" y del "mal".

Pero no ha venido Zaratustra a decirles a todos esos mentirosos y locos: "¡Qué sabéis *vosotros* de la virtud! ¡Qué podríais *vosotros* saber de la virtud!"

He venido, amigos míos, a hacer que os canséis de las viejas palabras que habéis aprendido de los locos y mentirosos; de las palabras "recompensa", "castigo", "venganza en la justicia".

De decir: "Es bueno el acto abnegado".

Amigos, quiero que en vuestros actos esté *vuestro* propio ser como la madre en su hijo —¡tal ha de ser *vuestra* noción de la virtud!

Os he quitado cien palabras y los juguetes predilectos de vuestra virtud; y ahora estáis enojados conmigo, como se enojan los niños.

Jugaban ellos en la playa, de pronto una ola les arrebató su juguete, y ahora lloran.

¡Mas la misma ola ha de traerles nuevos juguetes y desparramará ante ellos nuevas conchas multicolores!

Así se consolarán; y a vosotros, amigos míos, tampoco os han de faltar consuelos —¡ni nuevas conchas multicolores.»

Así habló Zaratustra.

DE LA CHUSMA

«La vida es una fuente de placer; pero donde también la chusma bebe, quedan contaminadas todas las fuentes.

Me gusta todo lo puro; pero me repugnan las fachas sardónicas y la sed de los impuros.

Han mirado adentro del pozo; ahora sube del fondo su asquerosa sonrisa.

Con su concupiscencia han contaminado el agua sagrada; y al llamar placer a sus sueños lascivos, han contaminado incluso las palabras. Se fastidia la llama cuando arriman al fuego sus lúbricos corazones; el espíritu mismo bulle y humea cuando la chusma se acerca al fuego.

Excesivamente dulce y sazonado se pone en su mano el fruto; su mirada seca el frutal.

Y más de uno que se apartó de la vida, sólo se apartó de la chusma; no estaba dispuesto a compartir el pozo y la llama y el fruto con la chusma.

Y más de uno que se fue al desierto y allí padeció sed a la par de las fieras, sólo lo hizo por repugnarle beber en la cisterna en compañía de sucios camelleros.

Y más de uno que se presentó cual ángel exterminador y granizo arrasador de todos los sembrados sólo quería meterle el pie en las fauces a la chusma y así hacerle callar la boca.

Y no fue el saber que la vida ha menester la enemistad y la muerte y crucifixiones, el bocado que más me costó tragar.

Sino que un día pregunté —y poco faltó para que me atragantara con la pregunta—: "¿Cómo?, ¿es que la vida *tiene necesidad* también a la chusma?

¿Son menester los pozos contaminados y el fuego maloliente y los sueños envilecidos y los gusanos en el pan de la vida?"

¡No mi odio, sino mi asco, devoraba con avidez la vida! ¡Ay, muchas veces me he cansado del espíritu al hallar espiritual incluso a la chusma!

Y volví la espalda a los gobernantes al comprobar lo que ahora llaman gobernar: ¡regateo por el poder —con la chusma!

Me fui a vivir a las tierras de pueblos de habla extraña, con el oído cerrado para no entender el lenguaje de su regateo por el poder.

Y tapándome las narices caminé, fastidiado por todo el ayer y hoy; ¡qué mal huele todo el ayer y el hoy a chusma chupatinta!

Cual un inválido que ha quedado sordo, ciego y mudo, viví largo tiempo para no convivir con la chusma chupatinta, concupiscente de poder y entregada al placer.

Dificultosamente y con cautela subía mi espíritu las gradas; limosnas del placer eran su solaz; penosamente, como apoyada en tosco bastón, se arrastraba para el ciego la vida.

¿Qué me pasó? ¿Cómo me libré del asco? ¿Quién rejuveneció mi vista? ¿Cómo logré escalar la altura donde ya no me acompaña la chusma en la fuente?

¿Es que mi mismo asco me dio alas y el poder de alumbrar fuentes? ¡Hube yo de elevarme hasta las supremas alturas para encontrar de nuevo la fuente del placer!

¡Y la encontré, hermanos míos! ¡Aquí, en las supremas alturas, brota de mí la fuente del placer! ¡Y hay una vida que la chusma no bebe también!

¡Excesivamente generoso fluye tu caudal, oh, fuente del placer! ¡Y muchas veces vacías la copa en tu afán de llenarla!

Y aun he de aprender a acercarme a ti con mayor modestia; demasiado impetuoso va aún hacia ti mi corazón;

—Mi corazón abrasado por mi estío breve, caluroso, melancólico e inefable. ¡Cómo ansía mi corazón estival tu frescor!

¡Ha pasado la pesadumbre vacilante de mi primavera! ¡Ha pasado la malicia de mi nevada tardía! ¡Soy ahora todo estío y mediodía estival!

Estío en las supremas alturas, con fuentes frías y quietud inefable. ¡Venid, amigos míos, para que la quietud sea aún más inefable!

Pues ésta es *nuestra* altura y patria; hasta estas alturas empinadas no llegan los impuros y su sed.

¡Echad vuestra mirada pura adentro de la fuente de mi placer, amigos míos, que no la ha de enturbiar! ¡Que os devuelva ella su propia pureza!

¡Construimos nuestro nido en el árbol "Porvenir"; águilas deben traernos en sus picos la comida a los solitarios!

¡Comida vedada, por cierto, a los impuros! ¡Les parecería comer fuego y se quemarían la lengua!

¡No es la nuestra, por cierto, una morada apta para los impuros!

¡Frío pavoroso sería nuestra dicha para su cuerpo y su espíritu!

Y cual vientos fuertes vamos a vivir encima de ellos, cerca de las águilas, la nieve y el sol; que así viven los vientos fuertes.

Y cual una ráfaga soplaré un día por entre ellos y con mi espíritu le cortaré la respiración al de ellos. Así me lo ordena mi porvenir.

Un viento fuerte es Zaratustra para todos los llanos; y éste es el consejo que da a sus enemigos y a cuanto escupe: "¡Cuidado con escupir contra el viento!".»

Así habló Zaratustra.

DE LAS TARÁNTULAS

«¡He aquí el agujero de la tarántula! ¿Quieres verlo? Aquí está tendida su red; tócala, haciéndola estremecer.

Acude ella prestamente; ¡bienvenida, tarántula! Ostentas en el lomo el triángulo negro que es tu símbolo; y sé también lo que llevas en el alma.

En tu alma se agazapa la venganza; tu mordedura origina costra negra. ¡Con afán de venganza tu veneno trastorna las almas!

¡Con esta alegoría me refiero a vosotros, predicadores de la *igualdad*, que trastornáis las almas! ¡Os tengo por tarántulas y seres impulsados por embozado afán de venganza!

Voy a sacar a luz vuestros escondrijos; por esto os río en la cara mi risa de las alturas.

Por eso tiro de vuestra red, para que vuestra furia os haga salir de la guarida de vuestra mentira y para que detrás de vuestra palabra "justicia" se precipite vuestra venganza.

Pues *la liberación del hombre de la venganza* se me antoja el puente tendido hacia la suprema esperanza y un arco iris tras largas tormentas.

No lo entienden así, por cierto, las tarántulas. "Llenar el mundo de las tormentas de nuestra venganza —dicen—, tal debe ser nuestra noción de la justicia."

"Nos vengaremos, y difamaremos a todo el que no sea como nosotros" —así prometen solemnemente todas las tarántulas.

"Y la virtud debe llamarse en adelante voluntad de igualdad; y clamaremos contra todo lo que tenga poder."

¡La locura tiránica de la impotencia, predicadores de la igualdad, clama en vosotros por la "igualdad"; vuestras más recónditas ansias de tiranizar se disfrazan así de virtud!

Soberbia trunca y envidia reprimida, acaso la soberbia y envidia de vuestros padres, brotan de vosotros como llama y locura de venganza.

Lo que calló en el padre, rompe a hablar en el hijo; y muchas veces el hijo se me ha revelado como el secreto develado del padre.

Se parecen ellos a los exaltados; pero lo que los exalta no es su corazón, sino la venganza. Y cuando se vuelven finos y fríos no es su espíritu, sino la envidia la que los vuelve finos y fríos.

Su rivalidad enconada los empuja también por los caminos de los pensadores; y tal es el signo de su rivalidad enconada: siempre van demasiado lejos, así que a la postre su fatiga tiene que echarse a descansar sobre la nieve.

En todas sus quejas se percibe un dejo de venganza; todo su elogiar es un hacer mal, y ser juez se les antoja la dicha suprema.

¡Os aconsejo, amigos míos, desconfiar de todos aquellos en los que domina el afán de castigar!

Son gente de mala naturaleza; sus semblantes delatan al verdugo y al esbirro.

¡Desconfiad de todos los que insisten en su justicia!

¡No sólo de miel carece su alma!

¡Y al oírlos llamarse a sí mismos "los buenos y justos" no olvidéis que para fariseos no les falta más que —el poder!

Amigos míos, ¡cuidado con los malentendidos y las confusiones!

Hay quienes predican mi doctrina de la vida y al mismo tiempo son predicadores de la igualdad y tarántulas.

Hablan en favor de la vida, a pesar de que están agazapados en sus agujeros cual arañas venenosas y se apartan de la vida, porque así se proponen hacer mal.

Se proponen hacer mal a los que ahora tienen el poder, pues a éstos es a quienes más conviene la prédica de la muerte.

A no ser por esto, las tarántulas enseñarían muy otra cosa; precisamente ellas se destacaron en un tiempo en eso de difamar el mundo y quemar herejes

¡Cuidado no confundirme con esos predicadores de la igualdad! Pues *mi* noción de la justicia es ésta: los hombres no son iguales.

¡Y no han de serlo tampoco en el futuro! ¿Qué sería mi amor al superhombre si yo no hablase así?

Sobre mil puentes y pasaderas han de avanzar los hombres en tropel hacia el porvenir, y debe haber entre ellos cada vez más guerra y desigualdad —¡así me impulsa a hablar mi gran amor!

¡Inventores de imágenes y fantasmas han de ser en mis enemistades, y con sus imágenes y fantasmas han de librar la lucha suprema!

¡Bueno y malo, rico y pobre, noble y humilde, y todos los nombres de los valores, han de ser armas y signos ígneos de que la vida ha de superarse siempre de nuevo!

Quiere la vida misma escalar alturas mediante pilares y gradas; quiere ella otear horizontes lejanos y bellezas inefables —¡por eso ha menester altura!

¡Y porque ha menester altura, ha menester gradas y el antagonismo de las gradas y los que suben! Quiere la vida subir y superarse subiendo.

¡Y mirad, amigos míos! Aquí donde está el agujero de la tarántula álzanse las ruinas de un antiguo templo —¡miradlas con ojos iluminados!

¡Quién aquí levantó en piedra sus concepciones conocía como el más sabio de los hombres el secreto de toda vida!

Que hasta en la belleza hay lucha y desigualdad, y guerra por el poder y la supremacía —he aquí lo que nos enseña en clarísima alegoría.

Así como aquí se quiebran divinamente bóveda y arco en duro forcejeo y con luz y sombra libran duelo.

¡Estemos trabados también nosotros, amigos míos, en divino y hermoso duelo!

¡Ay, que me picó la tarántula, mi vieja enemiga! ¡Hermosa y divinamente me mordió en el dedo!

"¡Bien merecido lo tiene —piensa ella—, por ensalzar aquí el duelo!"

¡Sí, se ha vengado! Y, ¡ay!, ahora va a trastornar también mi alma con afán de venganza.

Para no bailar como los tarantulados, amigos míos, atadme a esta columna. ¡Prefiero ser estilita antes que vórtice de la venganza!

No es Zaratustra un torbellino; ¡y aun cuando le agrada bailar, jamás lo hará como un tarantulado!»

Así habló Zaratustra.

DE LOS SABIOS FAMOSOS

«¡No habéis servido a la verdad, sino al pueblo y a la superstición del pueblo, famosos sabios todos! Y precisamente por eso habéis sido venerados.

Y por eso se toleraba también vuestro descreimiento, por ser ingenioso rodeo que desembocaba en el pueblo. Así el amo deja hacer a sus esclavos y hasta se divierte con su petulancia.

Mas quien es odiado por el pueblo como el lobo por los perros es el espíritu libre y soberano, enemigo de todas las bajezas y de todo adorar, que vive en el bosque.

Echarlo de su guarida ha sido en todo tiempo para el pueblo "hacer el bien"; contra él azuza todavía sus perros más feroces.

Pues desde siempre se ha proclamado: "¡La verdad ya existe, ya que existe el pueblo: ¡Ay de los que andan en busca de la verdad!"

Os aplicabais a justificar la veneración de vuestro pueblo —a eso le llamabais "voluntad de verdad", ¡oh famosos sabios!

Y vuestro corazón siempre se decía: "Vengo del pueblo: de él me ha venido también la voz de Dios".

Obstinados y astutos como el burro, habéis sido siempre como paladines del pueblo.

Y más de un potentado, deseoso de llevarse bien con el pueblo, enganchó a su carro, delante de los caballos —un burro, un famoso sabio.

¡Ojalá arrojarais de una vez la piel de león famosos sabios!

¡La piel moteada de la fiera y la melena del investigador buscador y conquistador!

Hasta que no quebréis vuestra voluntad reverente yo no he de creer en vuestra "honestidad".

Honesto se me antoja quien se va a desiertos sin dioses y ha desgarrado su corazón reverente.

Perdido entre los arenales y abrasado por el sol, el sediento mira de reojo los oasis ricos en fuentes donde se solaza la vida a la sombra de árboles.

Pero su sed no lo lleva a ser como esos acomodados: pues donde hay oasis hay ídolos.

Hambrienta, violenta, solitaria e impía, así quiere ser la voluntad leonina.

Libre de la felicidad de los siervos, redimida de dioses y adoraciones, impávida y pavorosa, grande y solitaria tal es la voluntad del honesto.

Siempre han vivido en el desierto los honestos, los espíritus libres: como reyes del desierto. En las ciudades viven los famosos y opulentos sabios —las bestias de tiro.

¡Pues los burros siempre arrastran el carro del *pueblo*!

No es que yo se lo tome a mal: pero para mí son siempre servidores y seres enjaezados, aunque luzcan jaez de oro.

Y con frecuencia han sido servidores capaces y meritorios. Pues su virtud reza: "¡Si has de servir busca a quien más útil es tu servicio!

¡El espíritu y la virtud de tu amo han de crecer gracias a tu servicio: así crecerás tú mismo a la par de su espíritu y su virtud!"

Y en verdad, ¡oh, famosos sabios!, servidores del pueblo, ¡vosotros mismos habéis crecido a la par del espíritu y de la virtud del pueblo —y el pueblo, gracias a vosotros! ¡Así lo proclamo en honor vuestro!

Pero aun con vuestras virtudes para mí seguís siendo pueblo; pueblo torpe y obtuso —pueblo que no sabe lo que es el *espíritu*.

El espíritu es la vida que se desgarra a sí misma en vivo; por su propio tormento acrecienta ella su propio saber —¿ya sabíais esto?

Y la felicidad del espíritu es estar ungido y consagrado por las lágrimas como víctima —¿ya sabíais esto?

Y aún la ceguera del ciego y su andar a tientas, han de dar fe del poder del sol que miró —¿ya sabíais esto?

¡Y el cognoscente debe aprender a *construir* con montañas! No basta con que el espíritu levante montañas —¿ya sabíais esto?

¡Vosotros conocéis tan sólo la chispa del espíritu; no veis el yunque que es, ni la crueldad de su martillo!

¡No sabéis del orgullo del espíritu! ¡Mas aun menos soportaríais la humildad del espíritu, si se manifestase!

¡Nunca aun os fue dable arrojar vuestro espíritu en una fosa de nieve, pues no tenéis calor suficiente! De modo que tampoco sabéis de las delicias de su frío.

En todo intimáis demasiado con el espíritu; y muchas veces habéis hecho de la sabiduría un asilo y hospital para poetastros.

Vosotros no sois águilas; así que tampoco sabéis de la felicidad que hay en el terror del espíritu. Y quien no tiene alas no debe tenderse sobre abismos.

Sois tibios; pero todo conocimiento profundo es una corriente fría. Muy frías son las fuentes más soterradas del espíritu; solaz para las manos calientes y los creadores ardientes.

¡Dignos y rígidamente erguidos os presentáis ante mí, oh famosos sabios! No os empuja ningún viento ni voluntad fuerte.

¿No habéis visto nunca una vela recorrer el mar, combada e inflada y estremecida bajo los embates del viento?

Cual vela estremecida bajo los embates del espíritu, recorre el mar mi sabiduría —¡mi fiera sabiduría!

Mas, ¡cómo *podríais* acompañarme vosotros, oh, famosos sabios, servidores del pueblo!»

Así habló Zaratustra.

LA CANCIÓN DE LA NOCHE

«Es de noche; ahora cantan más alto todas las fuentes cantarinas. Y también mi alma es una fuente cantarina.

Es de noche; sólo ahora despiertan todas las canciones de los amantes. Y también mi alma es la canción de un amante.

Hay en mí algo insaciado e insaciable que pugna por expresarse. Hay en mí un ansia de amor que por sí misma habla el lenguaje del amor.

Soy luz; ¡oh, si fuera noche! Estoy nimbado de luz y tal es mi soledad.

¡Oh, si fuera oscuro y lóbrego! ¡Cómo chuparía de los senos de la luz!

¡Y os bendeciría gozoso, estrellitas y luciérnagas que brilláis en lo alto, gozando con vuestros obsequios de luz!

Pero yo vivo en mi propia luz; reabsorbo las llamas que de mí brotan.

No sé yo de la dicha del que toma; y muchas veces me ha parecido en sueños que aun más dulce que tomar había de ser robar.

Mi pobreza es que mi mano no para nunca de dar; mi envidia es que veo ojos ansiosos y las noches claras del anhelo.

¡Oh, desventura de todos los que dan! ¡Oh, eclipse de mi sol! ¡Oh, ansia de ansiar! ¡Oh, hambre canina en la hartura!

Toman ellos lo mío; pero, ¿llego todavía a su alma? Entre dar y tomar media un abismo, y el abismo más angosto es el último en ser franqueado.

De mi belleza surge un hambre; quisiera hacer sufrir a aquellos para los que brillo, despojar a los que he obsequiado —así soy de hambriento de maldad.

Retirar la mano cuando ya se tiende hacia ella la mano ajena, hambriento de maldad.

Tal es la venganza que urde mi plenitud; tal es la perfidia que nace de mi soledad.

¡De tanto dar ha muerto mi dicha de dar! ¡Mi virtud se ha hartado de sí misma en su superabundancia!

Quien siempre da, corre peligro de perder la vergüenza; a quien siempre reparte, crían callos la mano y el corazón de tanto repartir.

Ya no se me anublan los ojos ante la vergüenza de los suplicantes: mi mano ya no siente el temblor de las manos que reciben.

¿Dónde han ido a parar la lágrima de mi ojo y la blandura de mi corazón? ¡Oh, soledad de todos los que dan! ¡oh silencio de todos los que brillan!

Muchos soles ruedan por el espacio pavoroso: con su luz hablan a todo lo oscuro: —a mí no me hablan.

Tal es la hostilidad de la luz hacia lo que luce: impasible recorre sus órbitas.

Injustos en lo más íntimo con lo que luce, fríos hacia los soles, ruedan todos los soles.

Cual la tempestad recorren los soles raudos, sus órbitas: tal es su rodar. Siguen su voluntad implacable tal es su frialdad.

¡Oh sólo vosotros, los oscuros y lóbregos tornáis en calor lo que luce! ¡Oh, sólo vosotros chupáis leche y solaz de las ubres de la luz!

¡Ay nada más que hielo hay en mi derredor! ¡Mi mano se quema al contacto de cosa helada! ¡Ay me consume sed de vuestra sed!

Es de noche; ¡ay de mí que me toca ser luz! ¡Y sed de oscuridad! ¡Y soledad!

Es de noche; ahora cantan más alto todas las fuentes cantarinas. Y también mi alma es una fuente cantarina.

Es de noche; sólo ahora despiertan todas las canciones de los amantes. Y también mi alma es la canción de un amante.»

Así cantó Zaratustra.

LA CANCIÓN DEL BAILE

Cierta noche Zaratustra recorría el bosque en compañía de sus discípulos: y cuando buscaba una fuente llegó a una verde pradera bordeada por árboles y arbustos donde bailaban muchachas. En cuanto reconocieron a Zaratustra dejaron de bailar; pero Zaratustra se les acercó con aire cordial y les habló como sigue:

«¡No dejéis de bailar, encantadoras muchachas! ¡No ha venido un aguafiestas ceñudo, un enemigo de las muchachas!

Yo soy el abogado de Dios ante el diablo; y este es el espíritu de la pesadez. ¡Cómo voy a ser enemigo de bailes divinos, ni de alados pies de muchachas!

Verdad es que soy bosque y noche de lóbregos árboles; pero quien no teme a mi lobreguez halla también rosaledas al pie de mis cipreses.

Y aun halla, a lo mejor, al pequeño dios que es el más caro a todo corazón de muchacha; junto a la fuente está tendido inmóvil, con los ojos cerrados.

¡En pleno día se ha dormido el haragán! ¿Se habrá cansado cazando mariposas?

¡No estéis enojadas conmigo, hermosas bailarinas, porque vaya a castigar al pequeño dios! Va a gritar y llorar —¡pero incluso cuando llora hace reír!

Y con lágrimas en los ojos ha de sacaros a bailar; y yo mismo voy a acompañar su baile con una canción; —con una canción de baile en que me burlaré del espíritu de la pesadez, mi máximo y todopoderoso diablo del que dicen que es "el amo del mundo".»

Y he aquí la canción que cantó Zaratustra cuando Cupido bailaba con las muchachas:

«¡El otro día te miré en los ojos, oh vida! Y me pareció caer a un abismo insondable.

Pero me sacaste con anzuelo de oro y te reíste con ironía al llamarte yo insondable.

"Así hablan todos los buzos" —dijiste—: lo que ellos no logran sondear es insondable.

Pero sólo soy versátil y salvaje, y en todo mujer, y no una virtuosa.

Aunque los hombres me llaméis "la profunda» o "la fiel", "la eterna", "la misteriosa".

¡Y es que vosotros, los hombres virtuosos, siempre me obsequiais con vuestras propias virtudes!"

Así se reía la increíble; pero nunca le creo a ella o su risa cuando habla mal de sí misma.

Y cuando hablé a solas con mi fiera sabiduría, me dijo iracunda:

"¡Sólo porque quieres, apeteces y amas elogias a la vida!"

Estuve a punto de replicarle de mala manera y decirle la verdad a la iracunda; y "diciendo solamente la verdad" a la sabiduría, es cuando se le replica de más mala manera.

Resulta que sólo amo de todo corazón a la vida —¡máxime cuando la odio!

¡El que yo tenga cariño, y muchas veces demasiado cariño, a la sabiduría, obedece al hecho de que me recuerda la vida!

Tiene ella el mismo mirar, la misma risa y aun el mismo anzuelo de oro. ¿Qué culpa tengo yo de que las dos se parezcan tanto?

Y cuando en cierta ocasión me preguntó la vida: "¿Quién es la sabiduría?", respondí prestamente: "¡Ah, la sabiduría!

Se tiene sed de ella, sin poder apagarla jamás; se mira a través de velos; se prende a través de redes.

¿Es hermosa? ¡Qué sé yo! Pero es un cebo que hace picar aún a los peces más viejos.

Es versátil y porfiada; muchas veces la he visto morderse los labios y peinarse a contrapelo.

Quizá sea mala y pérfida y en todo mujer; pero hablando mal de sí misma es precisamente cuando más seductora resulta."

Cuando hablé así a la vida, se rió con malicia y cerró los ojos. "Vamos —dijo—, ¿no estarás hablando de mí?

Y aun suponiendo que tengas razón —¡vaya un modo de decirme *eso* así en la cara! ¡Habla ahora también de tu sabiduría.

¡Ay, y entonces volviste a abrir los ojos, oh vida amada Y otra vez me pareció caer a un abismo insondable."

Así cantó Zaratustra. Pero cuando hubo terminado el baile y las muchachas se hubieron marchado, se entristeció.

«El sol se ha puesto mucho ha —dijo al fin—; la pradera está mojada y desde los bosques sopla una brisa fresca.

Algo desconocido me rodea y mira con aire pensativo. ¿Cómo? ¿Vives todavía, Zaratustra?

¿Por qué? ¿Para qué? ¿Por obra de qué? ¿A dónde? ¿Dónde? ¿Cómo? ¿No es una estupidez vivir todavía?

¡Ay!, amigos míos, la noche pregunta así en mí. ¡Perdonad mi tristeza.

Ha caído la noche; ¡perdonad que haya caído la noche!»

Así habló Zaratustra.

LA CANCIÓN DE LA TUMBA

«Allí está la Isla de las Tumbas; allí están también las tumbas de mi juventud. Voy a llevar a ellas una corona perenne de la vida.»

Resolviendo así, crucé el mar.

«¡Oh, visiones y apariciones de mi juventud! ¡Oh, miradas todas del amor, instantes divinos! ¡Moristeis prematuramente! ¡Os recuerdo hoy como mis muertos!

Me llega de vosotros, mis muertos más queridos, una dulce fragancia que me desata el corazón y el llanto. ¡Cómo conmueve y desata ella el corazón del navegante solitario!

Todavía soy el más rico y privilegiado —¡yo, el más solitario! Pues os *tuve* y vosotros me tenéis todavía; ¿quién recogió, como yo, tales manzanas rosadas?

¡Todavía soy heredero y tierra de vuestro amor, perpetuando vuestra memoria en una variada flora de virtudes silvestres, oh, mis muertos más queridos!

¡Ay!, habíamos nacido para íntima convivencia, encantadoras maravillas extrañas; ¡y no cual pájaros tímidos veníais a mí y a mi ansia —sino como confiados al confiado!

Sí, nacidas para la lealtad, como yo, y para eternidades tiernas; ¿*tengo ahora de veras que* llamaros por vuestra deslealtad, oh, atisbos e instantes divinos? No he aprendido aún ningún otro nombre.

Moristeis prematuramente, oh, fugitivos. Mas no os fugasteis de mí, ni yo de vosotros; inocentes somos pese a nuestra deslealtad.

¡Para matarme a mí, os dieron muerte a vosotros, aves cantoras de mis esperanzas! ¡Sí, a vosotros, mis más queridos, apuntaron siempre sus flechas —¡para hacer blanco en mi corazón!

¡Y en verdad que dieron en el blanco! Siempre habíais sido lo más caro a mi corazón, mi posesión y mi obsesión; por eso tuvisteis que morir prematuramente!

A lo más vulnerable que yo poseía se disparó la flecha —¡a vosotros que tenéis la piel suave como el terciopelo ¡Qué digo, como sonrisa que se apaga al conjuro de una mirada!

He aquí lo que digo a mis enemigos: ¡Qué es todo homicidio en comparación con lo que me habéis hecho a mí!

Me hicisteis algo peor que cualquier homicidio; me infligisteis una pérdida irreparable —¡así hablo a vosotros, mis enemigos!

¡Matasteis las visiones y maravillas más queridas de mi juventud! ¡Me arrebatasteis a mis compañeros, los espíritus inefables! En su memoria deposito esta corona y esta maldición.

¡Esta maldición lanzada contra vosotros, mis enemigos, que truncasteis mi eternidad como un sonido que se quiebra en noche fría! Apenas si me vino ella más que como un abrir y cerrar de ojos divinos —¡cómo instante!

En buena hora mi pureza habló así: "Todos los seres han de ser para mí divinos".

Entonces me asaltasteis con sórdidos fantasmas. ¡Ay!, ¿dónde ha ido a parar esa buena hora?

"Todos los días han de ser santificados para mí" —así habló en un tiempo la sabiduría de mi juventud; ¡palabras de una sabiduría alegre!

Pero vosotros, los enemigos, robasteis mis noches y las trocasteis en tormento insomne. ¡Ay!, ¿dónde ha ido a parar esa sabiduría alegre?

En un tiempo ansié signos auspiciosos; entonces me mandasteis un repugnante pajarraco. ¡Ay!, ¿dónde ha ido a parar mi más noble promesa?

En un tiempo recorrí ciego caminos inefables; entonces arrojasteis inmundicia en el camino del ciego; y ahora le repugna la antigua senda de ciego.

Y cuando hice lo más difícil y celebré el triunfo de mis vencimientos de mí mismo, hicisteis clamar a los que me amaban que yo les hacía el peor mal.

Así siempre procedisteis conmigo: me echasteis a perder mi mejor miel y la laboriosidad de mis mejores abejas.

A mi caridad siempre enviasteis a los mendigos más insolentes; siempre concentrasteis alrededor de mi compasión a los desvergonzados incurables. Así heristeis mis virtudes en su fe.

Y cuando ofrendaba yo mi bien más sagrado, al instante vuestra "piedad" agregaba sus ofrendas más opulentas; así que mi bien más sagrado se asfixiaba en el vaho de vuestra grasa.

Y en un tiempo quise danzar como nunca antes había danzado; quise danzar sobre todos los cielos. Entonces persuadisteis a mi cantor dilecto.

Entonó éste un aire tétrico y desgarrador; ¡ay, sonó su voz cual un cuerno lúgubre!

Cantor asesino, instrumento de la malicia, inocentón! ¡Estaba yo pronto a la mejor danza; entonces viniste a matar mi éxtasis con tus sonidos!

Sólo danzando sé expresar la alegoría de las cosas últimas; ¡y entonces mi alegoría última quedó sin expresar en mis miembros!

¡Quedó sin expresar y redimir mi más alta esperanza! ¡Y murieron todas las visiones y confortaciones de mi juventud!

¿Cómo logré soportar esto? ¿Cómo logré sobrevivir a heridas semejantes? ¿Cómo resucitó mi alma de estas tumbas?

¡Ah!, hay en mí algo invulnerable, insepultable, irreductible: mi voluntad. Muda e inmutable recorre ella los años.

En mis pies quiere caminar mi vieja voluntad, por su cuenta; es dura e invulnerable. Sólo soy invulnerable en el talón. Todavía vives allí, siempre la misma, ¡oh, pacientísima! ¡Siempre te has abierto paso entre todas las tumbas!

En ti subsiste también lo irredimido de mi juventud; y como vida y juventud estás sentada, henchida de esperanzas, entre las ruinas de tumbas amarillas.

¡Sí, todavía eres para mí el poder que destruye todas las tumbas, oh voluntad mía! Y sólo donde hay tumbas hay resurrecciones.»

Así cantó Zaratustra.

DE LA SUPERACIÓN DE SÍ MISMO

«Vosotros, los más sabios, ¿llamáis "voluntad de verdad" a lo que os impulsa y enardece?

¡Pues *yo* le llamo voluntad de volver inteligible todo Ser!

Queréis *volver* inteligible todo Ser; pues con sano recelo dudáis ya que sea inteligible.

¡Ha de ser dócil arcilla en vuestras manos! Así lo quiere vuestra voluntad. Ha de ser liso y terso y sujeto al espíritu, como espejo y reflejo suyo.

Tal es toda vuestra voluntad, ¡oh!, más sabios, como una voluntad de poder; aunque habléis del bien y del mal y de los valores.

Queréis crear un mundo ante el cual podáis postraros; tal es vuestra esperanza y ebriedad última.

Los que no son sabios, las gentes, ciertamente son como corriente por la que se desliza una barca; y en la barca van, solemnes y arrebujados, los valores.

Habéis botado vuestra voluntad y vuestros valores en la corriente del Devenir; una antigua voluntad de poder se me revela en lo que la gente tiene por bien y mal.

Vosotros, los más sabios, habéis sentado en la barca a tales huéspedes y los habéis ataviado y engalanado de nombres prestigiosos —¡vosotros y vuestra voluntad dominante!

Transporta ahora la corriente vuestra barca; tiene que transportarla. ¡No importa que la ola hendida se encrespe y bata con encono la quilla!

No es la corriente vuestro peligro y el fin de vuestro bien y mal, ¡oh!, más sabios, sino esa voluntad misma, la voluntad de poder —la inagotada y creadora voluntad vital.

Mas para que entendáis mis palabras sobre el bien y el mal, voy a hablaros de la vida y de la naturaleza de todo lo que vive.

He ido en pos de lo vivo por los caminos más anchos y los más angostos, para dilucidar su naturaleza.

Con múltiple espejo veía yo aún su mirada cuando su boca estaba cerrada, para que me hablaran sus ojos. Y sus ojos en efecto, me hablaban.

Mas donde quiera que yo encontrara vida, encontraba también la prédica de la obediencia. Todo lo que vive obedece.

Y he aquí mi segunda comprobación: a quien no sabe obedecerse a sí mismo se le manda. Tal es la naturaleza de lo vivo.

Y he aquí mi tercera comprobación: mandar es más difícil que obedecer. Y no solamente porque el que manda lleva la carga de todos los que obedecen y fácilmente se desploma bajo esta carga, —sino porque todo mandar se me revelaba como tentativa y riesgo. Siempre se arriesga lo vivo cuando manda.

Incluso cuando a sí mismo se manda lo vivo tiene que sufrir las consecuencias de su mandar. Tiene que ser juez y vengador y víctima de su propia ley.

Me pregunté entonces: "¿Cómo es esto? ¿Qué es lo que persuade a lo vivo a obedecer y mandar y obedecer aun mandando?"

¡Escuchad, oh, más sabios, lo que os voy a decir! Examinadlo con detenimiento para cercioraros de que me adentré en el mismo corazón de la vida y en las fibras más recónditas de su corazón.

Dondequiera que encontrara vida, encontré la voluntad de poder; y aun en la voluntad del servidor encontré la voluntad de ser amo.

El débil debe servir al fuerte —así lo persuade al débil su voluntad de ser amo del que es aún más débil que él; tal es la voluptuosidad última a que no está dispuesto a renunciar.

Y así como el pequeño se abandona al grande con tal de gozar de la voluptuosidad de dominar al que es aún más pequeño que él, aun el más grande se abandona y por el poder arriesga —la vida.

He aquí el abandono del más grande: ser tentativa arriesgada y peligrosa y un jugar con la muerte.

Y también allí donde hay sacrificio y servicio abnegado y mirada amorosa, hay la voluntad de ser amo. Por caminos clandestinos penetra furtivamente el débil en la fortaleza y hasta el corazón del poderoso —robando allí poder.

Y la vida misma me reveló este secreto: "Mira que soy *lo que tiene que superarse siempre de nuevo.*

Claro que vosotros le llamáis voluntad de procrearse o impulso al fin, a lo más elevado, lo más lejano, lo más rico: pero todo eso es *una* y la misma cosa y *uno* y el mismo secreto.

Prefiero perderme antes que renunciar a esto; y donde hay perdición y caída de hojas, se sacrifica la vida —¡por el poder!

El que yo tenga que ser lucha y devenir y fin y la contradicción de los fines; —¡ah, quien adivine mi voluntad, adivina también los caminos tortuosos que ella tiene que recorrer!

Cualquiera que sea mi obra y mi amor a la misma —poco tengo que ser el contrincante de mi obra y mi amor; así lo quiere mi voluntad.

Y también tú, cognoscente, eres tan sólo una senda y huella de mi voluntad; ¡también en los pies de tu voluntad de verdad camina mi voluntad de poder!

¡No alcanzó la verdad quien disparó la noción de una 'voluntad de existir': ya que no existe tal voluntad!

Pues, lo que no existe no puede querer, mas lo que existe cómo podría querer existir!

Sólo donde hay vida hay también voluntad; ¡pero no voluntad de vida, sino voluntad de poder!

Hay muchas cosas que lo vivo valora más alto que la vida misma; mas en la valoración misma habla —¡la voluntad de poder!"

Así me enseñó la vida; y en base a su enseñanza resuelvo, oh!, más sabios, aun la adivinanza de vuestro corazón.

¡En verdad os digo que no existe ningún bien ni mal imperecedero! Por sí mismos tienen que superarse siempre de nuevo.

Con vuestros valores y nociones del bien y del mal hacéis violencia, valoradores; y tal es vuestro amor recóndito y el brillo, estremecimiento y hervor de vuestra alma.

Mas de vuestros valores se desarrolla otra fuerza más poderosa y un nuevo vencimiento que rompe el huevo y la cáscara del huevo.

Y quien ha de ser un creador ya del bien, ya del mal, debe antes destruir y quebrar valores.

Así, la maldad extrema está ligada a la bondad suprema, que es la bondad creadora.

Hablemos de esto, grandes sabios, a pesar de que es malo; peor es silenciarlo, pues todas las verdades silenciadas acaban por destilar veneno.

¡Y que se venga abajo cuanto pueda venirse abajo en nuestras verdades! ¡Quedan aún muchas casas por levantar!»

Así habló Zaratustra.

DE LOS SUBLIMES

«Tranquilo es el fondo de mi mar; ¡casi nadie se ha cuenta de que cobija monstruos traviesos!

Impasibles son mis profundidades; sin embargo, brillan con acertijos y carcajadas flotantes.

He visto hoy a un sublime, a un solemne, a un penitente del espíritu; ¡oh, cómo se rió mi alma de su fealdad!

Sacando el pecho, como quien contiene la respiración, estaba ahí de pie, el sublime, en silencio.

Engalanado de verdades feas, su presa cobrada, y vestido con ropas hechas jirones; exhibía también muchas espinas —pero no le descubrí ninguna rosa.

No había aprendido aún a reír y a gozar de la belleza. Con aire hosco y ceñudo regresaba ese cazador del bosque del conocimiento.

Volvía de la lucha con fieras; pero aun a su semblante grave asomaba una fiera —¡indómita!

Todavía está ahí como un tigre a punto de abalanzarse sobre su presa; pero me repugnan esas almas tensas, todos esos retraídos me causan un disgusto profundo.

¿Decís, amigos míos, que sobre gustos y gustar no hay nada escrito? ¡Pero si la vida toda es un disputar sobre gustos y gustar!

Es el gusto a la vez pesa, balanza y pesador; ¡y ay de lo vivo que pretendiera vivir sin disputa y sin pesa, sin balanza y sin pesadores!

Si ese sublime se cansara de su sublimidad, sólo entonces comenzaría su belleza —y sólo entonces yo lo gustaría, y me gustaría.

Y sólo si se aparta de sí mismo saltará su propia sombra —¡y adentro de su sol!

Demasiado tiempo ha estado a la sombra: se ha vuelto pálido el penitente del espíritu y poco faltó para que de tanto esperar pereciera de inanición.

A sus ojos asoma todavía el desprecio y a su boca el asco. Ahora descansa, sí; pero su descanso no se ha tendido aún al sol.

Debiera imitar al toro; y su felicidad debiera oler a tierra y no a desprecio de la tierra.

Debiera ser como el toro blanco que dando resoplidos y mugidos arrastra el arado; ¡y su mismo mugido debiera ensalzar la tierra!

Su semblante se presenta aún adusto: juega en él la sombra de la mano. Su vista está aún sombreada.

Su obra misma es aún sombra proyectada sobre él; la mano oscurece al que la ha empleado. Todavía no ha superado su obra.

Amo en él, por cierto el cuello del toro: más ahora quiero ver también el ojo del ángel.

Debe él olvidarse también de su voluntad heroica: ha de agregar a la sublimidad la elevación serena —¡el éter mismo debiera elevar al que se ha apeado de su voluntad!

Venció fieras y descifró enigmas: pero le queda aún por redimir sus fieras y enigmas, transformarlos en seres angelicales.

¡Todavía su conocimiento no ha aprendido a sonreír y librarse de la rivalidad enconada! ¡Todavía su pasión ardiente no se ha serenado en la belleza!

¡No en el hartazgo, sino en la belleza debe desembocar y fundirse su ansia! De la generosidad de las almas generosas debe formar parte la gracia.

Con el brazo colocado sobre la cabeza debiera descansar el héroe; así debiera superar aún su descanso.

Mas precisamente para el héroe lo *bello* es lo más difícil, inaccesible es la belleza a todas las voluntades impetuosas.

Un poco más, un poco menos —precisamente esto es aquí mucho, lo principal.

Estar allí de pie con los músculos flojos y la voluntad relajada es lo más difícil para todos los sublimes.

Cuando el poder se digna a condescender a lo visible —belleza le llamo yo a tal condescender.

Y de nadie pido belleza como precisamente de ti poderoso; tu bondad debe ser tu vencimiento último.

Te creo capaz de cualquier maldad; de allí que te pido la bondad.

¡Muchas veces me he reído de los débiles que se creen buenos porque tienen las zarpas flojas!

Debes emular la virtud de la columna que conforme asciende se vuelve por fuera cada vez más hermosa y delicada, pero cada vez más dura y sólida por dentro.

¡Ah, hombre sublime, un día has de ser hermoso y reflejar en el espejo tu propia hermosura.

Entonces, tu alma se estremecerá de ansias divinas; ¡y tu misma vanidad será adoración!

Pues tal es el secreto del alma: sólo cuando la ha abandonado el héroe se le acerca en sueños —el superhéroe.»

Así habló Zaratustra.

DEL PAÍS DE LA ILUSTRACIÓN [1]

«Me adentré demasiado en el futuro y fui presa de espanto.

Y cuando miré en torno ¡he aquí que el tiempo era mi único coetáneo!

Entonces me volví atrás, huyendo cada vez con mayor rapidez —así llegué a vosotros, los hombres del presente, y al país de la ilustración.

Por vez primera llegué bien dispuesto hacia vosotros: más aún, embargado por nostálgico afán.

Pero, ¿qué me pasó? ¡No obstante mi azoramiento tuve que reír! ¡Nunca había visto nada tan abigarrado!

Reí de buena gana, mientras me temblaban las piernas y también el corazón. "¡He aquí la patria de todos los tubos de colores!" —me dije para mis adentros.

¡Con las caras y miembros salpicados de cincuenta manchas estabais sentados ahí, los hombres del presente, con gran asombro mío!

¡Y rodeados de cincuenta espejos que halagaban y reflejaban vuestro juego de colores!

¡No podríais llevar, hombres del presente, máscara más eficaz que vuestro propio rostro! ¡Cualquiera os reconoce!

Cubiertos de los signos del pasado, y aun estos signos cubiertos de nuevos signos —¡qué bien os habéis puesto al abrigo de todos los intérpretes de signos!

Vuestros velos son un muestrario abigarrado de todos los tiempos y pueblos; en vuestros ademanes hablan todos los credos y costumbres.

---

1 Otro título previsto por Nietzsche era «De los hombres del presente». *(N. del T.)*

Quien os quitase los velos y mantos y colores y ademanes, se quedaría con lo justito para espantar los pájaros.

Yo mismo soy el pájaro espantado que os vio desnudos y sin color; y huí volando al hacerme el esqueleto señas de amor.

¡Preferiría ser jornalero en el reino de las sombras del pasado! ¡Hasta ahí abajo hay más plenitud que entre vosotros!

¡Lo que me tiene amargado es que no os soporto ni desnudos ni vestidos, oh, hombres del presente!

Todo pavor de lo futuro y cuanto una vez espantó pájaros extraviados, es más confortante y acogedor que vuestra "realidad".

Pues decís: "Somos reales cien por ciento, sin fe ni superstición". Así os jactáis, sacando pecho —¡ay, sin pecho!

¡Cómo *podríais* creer vosotros los pintarrajeados! —¡Pinturas de cuanto una vez ha sido creído!

Sois refutaciones andantes de la fe misma y deslomadores de todos los pensamientos. ¡Yo os llamo, señores reales, indignos de que se os crea.

Todos los tiempos disparatan unos contra otros en vuestro espíritu; ¡y los sueños y disparates de todos los tiempos fueron más reales que vuestra lucidez!

Sois estériles; *esta es la razón* de que no creáis en nada. El creador siempre ha tenido también sus sueños —verdades y signos luminosos— ¡y creía en la fe!

Sois puertas entreabiertas donde esperan sepultureros. Y *vuestra* realidad es esta: "todo merece hundirse".

¡Ay, estáis puro hueso, ni pizca de carne os cubre las costillas! Y más de uno de vosotros se dio él mismo cuenta de ello; —y dijo: "¿Me habrá quitado algo un dios mientras yo estaba dormido? ¡Lo suficiente, por cierto, para creerse una mujercita!

¡Es sorprendente la pobreza de mis costillas!" —así habló ya más de uno de vosotros, los hombres del presente.

¡Me hacéis reír, hombres del presente! ¡Sobre todo cuando os sorprendéis de vosotros mismos!

¡Y ay de mí si no pudiera reírme de vuestra sorpresa y tuviera que tragar la porquería que llena vuestras escudillas!

Os tomo a la ligera, como que tengo que llevar una *carga* pesada; ¡qué importa que escarabajos e insectos se posen en mi carga!

¡No por esto ella me resulta más pesada! Y no habréis de ser vosotros, los hombres del presente, la causa de mi gran cansancio.

¡Ay!, ¿dónde está la cumbre que yo pueda aún escalar con mi anhelo? Desde todas las cimas oteo en busca de patrias y madres tierras.

En ninguna parte he encontrado un hogar; vago por todas las ciudades y salgo por todas las puertas.

Extraños y ridículos se me antojan los hombres del presente a los que el otro día me llevó el anhelo; estoy desterrado de todas las patrias y madres tierras.

Es así que ya no amo más que a la *tierra de mis hijos*, la ignora, la perdida en el mar más lejano; hacia ella enfila empeñosamente mi proa.

En mis hijos quiero reparar el ser yo el hijo de mis padres, ¡y en todo futuro —*este* presente!»

Así habló Zaratustra.

DEL INMACULADO CONOCIMIENTO

«Cuando ayer salió la luna, me pareció que estuviera por parir un sol; tan abultada y grávida estaba tendida sobre el horizonte.

Pero su gravidez fue puro engaño; y antes creería yo hombre a la luna que mujer.

Claro que también como hombre es muy poca cosa esa trasnochadora furtiva. Con la conciencia turbada anda por sobre los techos.

Pues concupiscente y envidioso es el monje de la luna —concupiscente de la tierra y de todas las delicias de los amantes.

¡No me gusta ese gato que se desliza por los techados! ¡Me repugnan todos los que rondan las ventanas entreabiertas!

Piadoso y silencioso anda sobre alfombras siderales; —pero me repugnan todos los pies de hombre que caminan sin hacer ruido, sin que sonase ni siquiera una espuela.

Los pasos de todos los honrados hablan; pero el gato se desliza silenciosamente por el suelo. ¡Hay que ver el andar felino y falso de la luna!

¡Con esta alegoría me refiero a los hipócritas sensitivos que rendís culto al "conocimiento puro"? ¡Yo os llamo… concupiscentes!

También vosotros amáis la tierra y todo lo terreno; ¡a mí no me engañáis! Pero en vuestro amor hay vergüenza y conciencia turbada —¡os parecéis a la luna!

Vuestro espíritu ha sido persuadido a despreciar lo terreno, pero vuestras entrañas no se han dejado persuadir; ¡mas éstas dominan en vosotros!

Y ahora vuestro espíritu se avergüenza de obedecer a vuestras entrañas y su vergüenza lo empuja por todos los caminos de la mentira y del subterfugio.

"¡El ideal" —se dice vuestro espíritu mentiroso— sería considerar la vida sin apetito alguno, y no, como el perro, con la lengua colgando fuera de la boca!

Ser feliz en la contemplación serena, con la voluntad extinguida, sin la codicia y el afán del egoísmo —¡frío y gris de pies a cabeza, pero con ojos ebrios de luna!"

"El ideal —así se seduce a sí mismo el seducido— sería amar la tierra como la ama la luna y palpar su belleza únicamente con la mirada."

Y el no pedir de las cosas más que poder estar tendido ante ellas cual espejo de cien ojos le llamo el conocimiento *inmaculado*.

¡Oh hipócritas sensitivos y concupiscentes, os falta la inocencia del deseo; y así difamáis ahora el deseo!

¡No amáis a la tierra como creadores, procreadores y seres ansiosos de engendrar!

¿Dónde está la inocencia? ¡Allí donde está la voluntad de engendrar! Y quien ansía superarse creando posee la voluntad más pura.

¿Dónde está la belleza? Allí donde uno *tiene que querer* con toda la fuerza de voluntad; allí donde uno quiere amar y perecer, para que tal imagen deje de ser nada más que imagen.

Amar y perecer; desde todas eternidades lo uno está ligado a lo otro. La voluntad de amor comporta la voluntad de muerte. ¡He aquí lo que he de decir a vosotros los cobardes!

Pero ahora vuestra castrada mirada de reojo pretende ser "contemplación". ¡Y lo que puede ser palpado por ojos furtivos lo pretendéis llamar "bello"! ¡oh, envilecedores de nombres nobles!

Pero vuestro triste sino, inmaculados adeptos del conocimiento puro, ha de ser no alumbrar jamás; ¡aunque abultados y grávidos estén tendidos sobre el horizonte!

Os llenáis la boca de palabras nobles y queréis hacernos creer que vuestro corazón rebosa; ¡embusteros!

Mis palabras son palabras humildes, despreciadas y torcidas; no tengo inconveniente en recoger lo que cae de vuestra mesa.

¡Con ellas todavía puedo decirles cuatro verdades a los hipócritas! ¡Ah, mis espinas, conchas y cáscaras han de hacerles cosquillas a los hipócritas!

Siempre un aire viciado os rodea a vosotros y vuestras mesas; ¡como que vuestros pensamientos concupiscentes, mentiras y vueltas están en el aire!

¡Osad ante todo creer en vosotros —en vosotros y vuestras entrañas! El que no cree en sí mismo miente siempre.

Os envolvisteis en una piel de dios; en una piel de dios se escondió vuestro repugnante reptil.

¡Cómo engañáis, "contemplativos"! También Zaratustra fue embaucado en un tiempo por vuestros pellejos divinos; no se dio cuenta del reptil agazapado dentro de ellos.

¡En un tiempo me pareció ver un alma de dios jugar en vuestros juegos, oh adeptos del conocimiento puro! ¡Ningún arte se me antojó superior a vuestras artes!

La lejanía me soslayaba la inmundicia de reptil y el olor pestilente; no me hacía ver que aquí se deslizaba concupiscente la maña de un reptil.

Pero me *acerqué*; entonces despuntó mi día y ahora despunta el vuestro; ¡se acabaron los amoríos de la luna!

¡Mirad! ¡Pálida y cual ladrón sorprendido en flagrante está ahí —ante la aurora!

Pues ya viene la aurora ardiente —¡viene *su* amor a la tierra! ¡Inocencia y ansia creadora es todo amor solar!

¡Mirad cómo presa de impaciencia viene ella por sobre el mar! ¿No sentís la sed y el aliento caliente de su amor?

Quiere beber las aguas del mar y, bebiendo, elevar sus profundidades hacia sus propias alturas; entonces el ansia del mar se alza en mil senos.

¡Ansía el mar ser besado y chupado por la sed del sol; ansía ser aire y altura y senda de la luz y la misma luz!

Cual el sol amo yo la vida y todos los mares profundos.

¡Y mi noción del conocimiento es: elevar toda profundidad —hacia mi altura!»

Así habló Zaratustra.

DE LOS ERUDITOS

«Cuando yo estaba dormido, un burro devoró hojas de la corona de hiedra que ciñe mi frente —devoró y dijo: "Zaratustra ya no es un erudito".

Habló así y se fue tan ufano. Me lo contó un niño.

Me gusta estar tendido aquí donde juegan los niños, junto al muro derruido, entre cardos y rojas amapolas.

Sigo siendo un erudito para los niños, como también para los cardos y las rojas amapolas. Son inocentes, aun en su malicia.

Pero no lo soy más para los burros; así lo quiere mi destino —¡bendito sea!

Pues lo cierto es que me he marchado de la casa de los eruditos, y aun dando un portazo.

Demasiado tiempo mi alma pasó hambre en su mesa; no entiendo, como ellos, de ser un cascanueces del conocimiento.

Me gusta la libertad y el aire sobre tierra lozana; prefiero acostarme sobre cueros de buey antes que sobre las dignidades y respetabilidades de los eruditos.

Estoy demasiado enardecido y abrasado por pensamientos propios, a tal punto que muchas veces me siento todo sofocado. Entonces tengo que salir al aire libre, huir de todos los cuartos polvorientos.

Ellos en cambio están sentados ahí, fresquitos, a la sombra fresca; quieren ser en todo simples espectadores y se cuidan muy mucho de sentarse allí donde el sol da de lleno en las gradas.

Como quien plantado en la calle mira a los transeúntes que pasan, están ahí en actitud de espera mirando los pensamientos ajenos.

Cuando se los toca, se desprende un polvo como de bolsas de harina; pero cualquiera se da cuenta de que su polvo no proviene del trigo y el oro de los trigales maduros.

Cuando las echan de sabios, sus pequeñas sentencias y verdades me hacen tiritar de frío; trasciende de su sabiduría muchas veces un olor a fango; y en efecto, ¡también he percibido ya en ella el croar de la rana!

Son hábiles, gentes de dedos listos; yo soy demasiado simple para esa habilidad prodigiosa. Entienden sus dedos a la maravilla de hilvanar, anudar y tejer ¡así tejen las medias del espíritu!

Son relojes muy buenos. Siempre que se cuida de darles cuerda, indican con exactitud la hora con un ruidito.

Trabajan cual molinos y pilones; ¡basta con echarles los granos, que ellos sabrán molerlos y convertirlos en polvo blanco!

Se vigilan mutuamente y desconfían unos de otros. Muy listos en eso de inventar pequeñas mañas y tretas acechan cual arañas a aquel cuyo saber anda cojeando.

Siempre les he visto elaborar veneno con cautela; siempre lo hacían calzando guantes de vidrio.

Saben también jugar haciendo trampa; y los he visto entregados a su juego con tal empeño que transpiraban.

No tengo nada que ver con ellos; y sus virtudes me repugnan aún más que sus falsedades y trampas.

Y cuando convivía con ellos, vivía encima de ellos. Así me atraje su animosidad.

Les fastidia el que uno camine sobre sus cabezas; así que colocaron madera y tierra e inmundicia entre mí y sus cabezas.

De este modo amortiguaron el ruido de mis pasos: hasta ahora, los eruditos son los que menos me han oído.

No obstante, con mis pensamientos camino sobre sus cabezas, y aunque caminase sobre mis propios defectos estaría por encima de ellos y sus cabezas.

Pues los hombres *no* son iguales; así habla la justicia ¡Y lo que yo quiero, no lo han de querer *ellos* también!»

Así habló Zaratustra.

DE LOS POETAS

«Desde que conozco mejor el cuerpo —dijo Zaratustra a uno de sus discípulos—, el espíritu se me antoja tan sólo cuasi-espíritu, y todo lo "imperecedero" también es tan sólo una alegoría.»

«Ya te oí decir esto antes —respondió el discípulo—; y entonces agregaste: "Y los poetas mienten demasiado". ¿Por qué dijiste que los poetas mentían demasiado?»

«¿Por qué? —dijo Zaratustra—. ¿Cómo por qué? Yo no soy de esos a los que debe inquirirse su porqué.

¿Acaso data de ayer mi experiencia? Hace mucho tiempo que experimenté las razones de mis pareceres.

¿No tendría que ser yo un barril de memoria si pretendiese llevar conmigo hasta mis razones?

¡Si apenas tengo cabida siquiera para mis pareceres! Más de un pájaro se me escapa.

Y a veces encuentro en mi palomar un ave extraviada que me es extraña y que tiembla cuando poso la mano en ella.

¿Qué es lo que te dijo en cierta ocasión Zaratustra? ¿Que los poetas mienten demasiado? Pues bien, también Zaratustra es un poeta.

¿Crees que en esto dice la verdad? ¿Por qué lo crees?»

«Creo en Zaratustra» respondió el discípulo. Pero Zaratustra sacudió la cabeza y se sonrió.

«A mí no me entusiasma la fe —dijo—; y menos la fe en mi propia persona.

Mas suponiendo que alguien dijera que los poetas mienten demasiado, tiene razón; en efecto nosotros mentimos demasiado.

También sabemos demasiado poco y aprendemos mal; así que tenemos que recurrir a la mentira.

¿Y cuál de nosotros los poetas no ha adulterado su vino? Más de una mezcla escandalosa se ha elaborado en nuestras bodegas; no pocas cosas inauditas se han hecho allí.

Y porque sabemos poco, nos gustan mucho los pobres de espíritu, máxime si son mujercitas.

Y apetecemos hasta las cosas que se cuentan las viejas a la noche. Le llamamos nosotros el eterno femenino.

Y como si existiese un acceso particular secreto al saber, *vedado* a los que aprenden algo, creemos en el pueblo y su "sabiduría".

Mas todos los poetas creen que quien tendido en la hierba o en alguna ladera apartada aguza el oído, se entera un poco de las cosas que existen entre el cielo y la tierra.

Y cuando les da por enternecerse, los poetas creen que la Naturaleza misma está enamorada de ellos;

Y que ella se acerca furtivamente a sus oídos para susurrarles confidencias y arrumacos. ¡De esto se jactan y ufanan ante todos los mortales!

¡Ah, hay muchas cosas entre el cielo y la tierra que sólo se imaginan los poetas!

Y sobre todo *por encima* del cielo; ¡pues todos los dioses son alegorías de poetas, ficciones de poetas!

En todo momento nos atraen las alturas —el reino de las nubes; sentamos en ellas nuestros muñecos abigarrados y les llamamos dioses y superhombres.

¡Pues son suficientemente inconsistentes para tan precarias sillas, todos esos dioses y superhombres!

¡Oh, qué cansado estoy de todo lo deleznable que se empeñan en proclamar trascendental! ¡Oh, qué cansado estoy de los poetas!»

Se calló Zaratustra y su mirada se había replegado sobre sí misma, como si estuviese fija en lejanías. Al fin dio un suspiro y respiró hondo.

«Soy de hoy y de siempre —dijo luego—; pero hay en mí algo que es de mañana y de pasado mañana y de lo por venir.

Me he cansado de los poetas, los antiguos y los modernos; todos ellos se me antojan superficiales y mares poco profundos.

No pensaban suficientemente hondo, así que su sentir no descendía hasta los fondos.

Un poco de voluptuosidad y otro poco de aburrimiento, han sido su meditación más profunda.

Tampoco se me antojan suficientemente limpios; enturbian todas sus aguas, para que parezcan profundas.

Y se complacen en presentarse como conciliadores; ¡pero para mí no son más que mediadores y mezcladores, seres truncos e impuros!

¡Ay!, no pocas veces he echado mi red en sus mares, deseoso de pescar algo bueno; pero siempre saque una cabeza de viejo dios.

Así, el mar ofrecía piedra al hambriento. Y ellos mismos provienen acaso del mar.

Encuentra uno ciertamente perlas en ellos; pero tanto más semejantes son a duros crustáceos. Y en vez de alma muchas veces encontré en ellos murciélagos.

Han aprendido del mar incluso su vanidad; ¿no es el mar el pavo real de los pavos reales?

Aun ante el más feo de todos los búfalos extiende su abanico bordado en plata sobre seda y nunca se cansa de esta exhibición.

Con aire ceñudo lo mira el búfalo, más interesado en la playa arenosa, aun más en los matorrales y sobre todo en el cenagal.

¡Qué le importan la belleza y el mar y el esplendor del pavo real! ¡Tomen nota de esta alegoría los poetas!

¡Su propio espíritu es el pavo real de los pavos reales un mar de vanidad!

Clama el espíritu de los poetas por espectadores, ¡así sean búfalos!

Me he cansado de este espíritu: y día llegará en que él se cansará de sí mismo.

Ya he visto a los poetas cambiados y con la mirada fija en sí mismos. He visto advenir a penitentes del espíritu surgidos de entre ellos.»

Así habló Zaratustra.

DE LOS GRANDES ACONTECIMIENTOS[1]

Hay en el mar —no lejos de las islas felices de Zaratustra— una isla donde humea constantemente un volcán. Dice la gente, y dicen sobre todo las viejas, que está colocada a modo de roca delante de la puerta del mundo subterráneo y que a través del volcán conduce a esta puerta un angosto sendero.

En los días en que Zaratustra se hallaba en las islas felices un barco hizo escala en la isla donde se levanta el volcán y la tripulación bajó a tierra para cazar conejos. Y sucedió que hacia la hora del mediodía, cuando el capitán y sus hombres habían vuelto a reunirse, vieron de pronto a un hombre acercarse a ellos volando por los aires y una voz dijo distintamente: «¡Ha llegado la hora!» Y cuando la aparición estaba más cerca de ellos —pero pasó de largo velozmente cual una sombra, en dirección al volcán— reconocieron con gran estupor a Zaratustra; pues todos ellos, salvo el capitán, le conocían y le querían como quiere el pueblo, esto es, con un poco de amor y otro poco de respetuosa inhibición.

«¡Vaya! —exclamó el viejo timonel— ¡Zaratustra se va al infierno!»

En los mismos días en que estos marinos desembarcaron en la isla del Fuego, corrió la voz de que Zaratustra había desaparecido; y cuan-

---

1 El título de este capítulo fue «Del perro de fuego» *(N. del T..)*

do se preguntó por él a sus amigos, informaron que en horas de la noche se había embarcado con destino desconocido.

Cundió así la alarma; y al cabo de tres días agregóse a ella el relato de los marinos, afirmando entonces todo el mundo que el diablo se había llevado a Zaratustra. Sus discípulos ciertamente ridiculizaron esta superstición y uno de ellos hasta dijo: «Antes bien creo que Zaratustra se ha llevado al diablo». Pero en el fondo del alma todos ellos estaban embargados por inquietud y añoranza. Así que fue grande su alegría cuando al quinto día Zaratustra se presentó entre ellos.

Y he aquí el relato del coloquio de Zaratustra con el perro de fuego:

«La tierra —dijo—, tiene una piel; y esta piel está atacada de enfermedades. Una de ellas se llama "hombre".

Y otra enfermedad se llama "perro de fuego"; respecto a *éste* los hombres han creído muchas mentiras, propias y ajenas.

Para develar este secreto crucé el mar; y vi la verdad desnuda, totalmente desnuda.

Sé ahora qué hay del perro de fuego; como también de todos los demonios perversos y subversivos a los que no solamente las viejas tienen miedo.

"¡Sal de tus profundidades, perro de fuego! —llamé—, y di cuán profundas son estas profundidades! ¿De dónde proviene lo que tu aliento proyecta hacia arriba?

Bebes copiosamente las aguas del mar; ¡lo revela tu elocuencia salada! ¡Para ser un perro de las profundidades, te alimentas demasiado en la superficie!

Te tengo a lo más por el ventrílocuo de la tierra; y cada vez que oí hablar a demonios perversos y subversivos, los encontré salados, mentirosos y poco profundos, como tú.

¡Entendéis de rugir y oscurecer con ceniza! Sois fanfarrones como no hay otros y maestros en el arte de hervir fango.

Donde vosotros estéis siempre debe haber a mano fango y ha de abundar lo fungoso, cavernoso y encajonado ansioso de libertad.

'Libertad' —he aquí lo que más os gusta rugir; pero yo ya no creo en los 'grandes acontecimientos' acompañados de mucho clamor y humo.

¡Créeme, amigo baraúnda, los acontecimientos más grandes no son nuestras horas más ruidosas, sino nuestras horas más quedas!

No alrededor de los inventores de estrépito nuevo, sino en torno de los inventores de valores nuevos gira el mundo, —*silenciosamente*.

¡Y confiesa que poco estaba hecho una vez extinguido tu estrépito y disipado tu humo! ¡Qué importa tal ciudad arrasada y tal ídolo derribado al fango!

Y a los derribadores de ídolos les digo aún esto: Es sin duda el colmo de la estupidez arrojar sal al mar e ídolos al fango.

En el fango de vuestro desprecio yace el ídolo; ¡pero su ley es precisamente que del desprecio nace para la nueva vida y nueva belleza palpitante!

Dotado de facciones más divinas resurge, y seduce precisamente por su sufrimiento; ¡y os agradecerá por haberlo derribado, derribadores!

Y a los reyes y las iglesias y cuanto anda cargado de años y flojo de virtud doy este consejo: '¡Dejáos derribar ¡para que recobréis la vida y os recobre la virtud!'.''

Así hablaba yo al perro de fuego, cuando me interrumpió preguntando con brusquedad: ''¿La iglesia? ¿qué es eso?''

''La iglesia —respondí—, es una especie de Estado; la más mendaz, para ser exacto. ¡Pero cállate, perro hipócrita, que me consta que conoces como nadie tu propia laya!

El Estado es un perro hipócrita como tú; al igual de ti le gusta hablar con gran aparato de gritos y humo —para hacer creer, como tú, que habla desde el vientre de las cosas.

Pues está empeñado en ser tenido por el animal más importante sobre la tierra; y se lo tiene por tal, en efecto.''

Cuando hube dicho esto, el perro de fuego se puso fuera de sí de envidia.

''¿Cómo? —gritó— ¿El animal más importante sobre la tierra? ¿Y se lo tiene por tal, en efecto?'' —Y sus fauces despedían tanto vapor y voces pavorosas que me parecía que iba a reventar de rabia y envidia.

Al fin se serenó un poco, y cuando se hubo calmado del todo dije riendo:

''¡Te enojas, perro de fuego; luego he dado en el clavo respecto de ti!

Y para remachar el clavo, te voy a hablar de otro perro de fuego que habla realmente desde el corazón de la tierra.

Su aliento trae oro y lluvia de oro; pues así es como siente. ¡Qué tiene que ver él con la ceniza y el humo y la saliva caliente!

Cual nube de color se desprende de él la risa; ¡le repugna tu vomitar y salivar y escupir!

El oro y la risa los extrae del corazón de la tierra; pues has de saber que el *corazón de la tierra es de oro.*"

Al oír esto el perro de fuego, no soportó más mis palabras. Profiriendo un ¡*guau*!, ¡*guau*!, muy apocado, bajó a su cueva, el rabo entre las piernas.»

Así contó Zaratustra. Pero sus discípulos apenas si le prestaban atención, ansiosos de hablarle de los marinos, los conejos y el hombre volador.

«¡Vamos! —exclamó Zaratustra, tras haber escuchado su relato—. ¿Acaso soy un fantasma?

Sería mi sombra. Ya habéis oído hablar del caminante y su sombra, ¿no ?

Lo cierto es que debo atarla corto, o si no, me arruina mi reputación. —Y volvió a sacudir la cabeza, sorprendido. ¡Vamos! —repitió— ¡Vamos!

¿Por qué gritó el fantasma: "¡Ha llegado la hora!"?

¿La hora de *qué* ha llegado?»

Así habló Zaratustra.

EL ADIVINO

«...Y vi una gran tristeza cundir en los ánimos de los hombres. Los mejores se cansaron de su obra.

Difundióse esta doctrina, acompañada de este credo: "¡Todo es vano; todo es igual; todo está caduco!"

Y entre todas las colinas repercutió el eco: "¡Todo es vano; todo es igual, todo está caduco!"

Hemos cosechado, sí; pero ¿por qué toda la fruta recogida se pudrió? ¿Qué cayó la noche pasada de la luna maléfica?

En vano fue todo el trabajo; nuestro vino se ha tornado en veneno; un mal de ojo ha abrasado nuestros campos y corazones.

Todos nos hemos secado; y cuando cae fuego sobre nosotros, nos volvemos polvo como si fuésemos ceniza: —al fuego mismo lo hemos cansado. Todas las fuentes se han secado; hasta el mar ha retrocedido. ¡Todo fondo quiere arrastrar hacia sí, pero las profundidades no quieren tragar!

¡Ay!, ¿dónde queda un mar en donde uno pueda ahogarse? —así nos lamentamos por sobre bajíos fangosos.

Nos hemos vuelto ya demasiado cansados como para morir; ahora continuamos despiertos y seguimos viviendo —¡en cámaras mortuorias!»

De tal modo oyó Zaratustra hablar a un adivino; y su vaticinio se le adentró hasta lo hondo del alma y le cambió. Anduvo por ahí triste y cansado llegando a ser como aquellos de que había hablado el adivino.

«En verdad —dijo a sus discípulos—, está por sobrevenir ese largo crepúsculo. ¡Ay, cómo voy a preservar mi luz!

¡No sea se me extinga en medio de tanta tristeza a de ser luz para mundos más lejanos y noches remotas!»

Anduvo así Zaratustra embargado por honda pesadumbre, y por espacio de tres días no probó bocado, se debatió en el desasosiego y no despegó los labios. Al fin se durmió profundamente. Sus discípulos lo velaron en largas vigilias, esperando ansiosamente a que se despertara y hablara de nuevo y se recobrara de su abatimiento.

Y cuando Zaratustra se despertó, habló como sigue, con una voz que llegaba como de muy lejos al oído de sus discípulos:

«¡Escuchad el sueño que he tenido, amigos míos, y ayudadme a interpretarlo!

Es todavía un enigma para mí; su significación está oculta y aprisionada en él y lo sobrevuela aún con alas libres.

Soñé que había repudiado toda vida y me había hecho sereno y guardián de las tumbas en el castillo de la muerte enclavado en solitaria cumbre.

Allí custodiaba yo sus féretros; estaban repletas las tétricas bóvedas de tales trofeos. Desde el interior de los féretros de cristal me miraba la vida vencida.

Respiraba yo el olor de eternidades polvorientas; sofocada y cubierta de polvo yacía mi alma. ¡Cómo podría airear allí el alma!

Rodeábame siempre claridad de medianoche; y junto a ella se agazapaba la soledad, como también lúgubre silencio sepulcral, el más malo de mis compañeros.

Llevaba yo encima las más herrumbrosas de todas las llaves; y con ellas sabía abrir la más rechinante de todas las puertas.

Cual rabioso graznido rodaba el sonido por los largos corredores cuando se abría la puerta; era como si un ave abriese las alas chillando con rabia por haber sido despertada.

Pero aún más horrible y espantoso era cuando enmudecía la puerta y yo me quedaba de nuevo a solas con el pérfido silencio.

Así me transcurría, mejor dicho, se me arrastraba el tiempo, si es que el tiempo existía todavía. Mas al fin sucedió lo que me despertó.

Tres veces golpearon contra la puerta golpes cual truenos, y otras tantas veces el eco retumbó por las bóvedas. Entonces, me encaminé a la puerta.

"¡Alpa! —llamé—, ¿quién lleva su ceniza a la montaña? ¡Alpa! ¡Alpa! ¿Quién lleva su ceniza a la montaña?"

E introduje la llave en el ojo de la cerradura y pugné por abrir la puerta. Pero en vano.

Entonces, de golpe, una ráfaga de viento la abrió de par en par y un desenfreno de silbidos y chillidos, me arrojó a los pies un féretro negro.

Y en medio de los bramidos, silbidos y chillidos, se rompió el féretro, vomitando mil carcajadas.

Y mil grotescas figuras de niños, ángeles, lechuzas, locos y mariposas del tamaño de niños, se me echaron encima en una tempestad de carcajadas, denuestos y bramidos.

Presa de pavor quedé tendido en el suelo; y grité de espanto como nunca antes había gritado.

Y mi propio grito me despertó, y volví en mí.»

Tras haber referido su sueño se calló Zaratustra; pues ignoraba aún su significado. Mas su discípulo dilecto se levantó rápidamente, le tomó la mano y dijo:

«¡Tu propia vida nos interpreta este sueño, oh Zaratustra!

¿No eres tú mismo el viento que silba y chilla y abre las puertas de los castillos de la muerte?

¿No eres tú mismo el féretro repleto de múltiples malicias y grotescas figuras de la vida?

Cual mil risas de niños penetra Zaratustra en todas las cámaras mortuorias, riéndose de esos serenos y guardianes de tumbas y de quien anda por ahí haciendo sonar llaves luctuosas.

Tu risa los espantará y derribará al suelo; desmayo y despertar probarán tu poder sobre ellos.

¡Y aun cuando lleguen el largo crepúsculo y el cansancio mortal, no te apagarás en nuestro firmamento, paladín de la vida!

Nos has mostrado nuevos astros y nuevos esplendores nocturnos; la risa misma la has tendido sobre nosotros cual bóveda estrellada.

Ahora siempre risa de niños brotará de los féretros; ahora siempre un viento fuerte barrerá todo cansancio mortal; ¡tú mismo así nos lo vaticinas y garantizas!

¡Soñaste con tus propios enemigos; tal fue tu sueño más arduo!

¡Mas así como te despertaron y te hicieron volver en ti, se despertarán a sí mismos y vendrán a ti!»

Así habló el discípulo, y todos los demás rodearon entonces solícitamente a Zaratustra, y tomándole las manos trataron de persuadirle a abandonar el lecho, decir adiós a la tristeza y volver al lado de ellos. Mas Zaratustra, incorporado en su lecho, miraba a sus discípulos como quien ha vuelto tras larga ausencia en tierras lejanas, escrutando sus rostros; y aun no los reconocía. Mas cuando lo levantaron y lo pusieron en pie, mudaron de pronto sus ojos; comprendió todo lo que había pasado, se alisó la barba y dijo en voz alta:

«¡Bien! Esto ha tenido su hora; ¡pero ahora cuidad, discípulos míos, de una pronta y buena comida! ¡Así entiendo expiar malos sueños!

Y el adivino debe sentarse a mi lado en la mesa, ¡y le voy a mostrar aún un mar en que pueda ahogarse!»

Así habló Zaratustra. Luego le miró largamente la cara al discípulo que había interpretado su sueño, sacudiendo la cabeza...

DE LA REDENCIÓN

Un día que Zaratustra cruzaba el gran puente, lo rodearon los inválidos y los mendigos, y un jorobado le habló como sigue:

«¡Mira Zaratustra! También el pueblo aprende de ti y empieza a creer en tu doctrina. ¡Pero para que su fe en ti sea absoluta es preciso que nos convenzas también a nosotros, los inválidos! Aquí tienes un lindo surtido y oportunidades de sobra. Podrías sanar ciegos y tullidos, y bien podrías también quitarles un poco de encima a los que llevan demasiado a cuestas —¡me parece este es el mejor modo de hacer que los inválidos crean en Zaratustra!»

Pero Zaratustra respondió al que así lo interpelaba:

«Dice la gente que quitándole la joroba al jorobado se le quitan los sesos. Y cuando se sana al ciego, ve demasiadas cosas malas en la tierra, así que acaba por maldecir al que lo sanó. Y mal servicio se le hace al tullido poniéndolo en condiciones de andar: pues no bien puede caminar, se descamina —así lo enseña la gente a propósito de los tullidos. ¿Y por qué Zaratustra no ha de aprender de la gente cuando la gente aprende de Zaratustra?

Desde que convivo con los hombres lo que menos me importa es ver que a éste le falta un ojo y a aquél una oreja y al de acullá una pierna y que hay quienes han perdido el don del habla o el olfato o la cabeza.

He visto y veo cosas peores que esto y tantos horrores que no quiero hablar de todos ellos ni sobre algunos siquiera callar —hombres a los que faltaba todo, menos una cosa que tenían en demasía; hombres que no eran más que un ojo descomunal o una bocaza o una panza u otra cosa hiperbólica. Les llamo yo inválidos invertidos.

Y cuando vino de mi soledad y crucé por primera vez este puente me resistía a dar crédito a mis ojos y me fijaba una y otra vez y al fin me decía: "¡Esa es una oreja! ¡Una oreja grande como un hombre!" Y cuando miraba aún más de cerca veía que efectivamente debajo de la oreja se movía algo muy chiquito y pobre. La oreja descomunal estaba asentada en un minúsculo y delgado tallo —¡y ese tallo era un hombre! Mirando por una lupa hasta podía verse una carita envidiosa, como también una almita inflada que colgaba del tallo. La gente me aseguró que tal oreja descomunal no solamente era un hombre, sino un gran hombre, un genio. Pero yo nunca he creído a la gente cuando hablaba de grandes hombres —así que seguía creyendo que se trataba de un inválido invertido que de todo tenía demasiado poco y una sola cosa la tenía en demasía.»

Hablado que hubo así Zaratustra al jorobado y a aquellos en cuyo nombre éste le había dirigido la palabra, se volvió hacia sus discípulos, muy contrariado, y les habló como sigue:

«¡Vaya, amigos míos, me muevo entre los hombres como entre torsos y miembros de hombres!

Lo que espanta mis ojos es que veo al hombre despedazado y desparramado como por un campo de batalla.

Y cuando mi mirada huyendo del presente se refugia en el pasado, siempre percibe lo mismo: ¡torsos y miembros y pavorosos azares —pero no hombres!

El presente y el pasado de la tierra —¡ay, amigos míos, nada me resulta *tan* insoportable; y no podría seguir viviendo si no fuese también un vidente de lo por venir.

Un vidente, un "volente", un creador, un porvenir mismo y un puente tendido hacia el porvenir —y también, ¡ay!, como quien dice, un inválido sobre este puente; todo esto es Zaratustra.

Y también vosotros os preguntáis a menudo: "¿quién es nuestro Zaratustra? ¿Qué nombre le hemos de poner? Y como yo mismo, os respondéis con preguntas.

¿Será uno que promete? ¿O uno que cumple? ¿Uno que conquista? ¿O uno que hereda? ¿Un otoño? ¿O una reja de arado? ¿Un médico? ¿O un sanado?

¿Será un poeta? ¿O un adepto de la verdad? ¿Uno que libera? ¿O uno que sojuzga? ¿Un bueno? ¿O uno malo?

Me muevo entre los hombres como entre los torsos del porvenir —de ese porvenir que presiento.

Y todos mis esfuerzos se guían por el propósito de unir lo que es fragmento y enigma y azar pavoroso.

¡Y cómo soportaría yo el ser hombre si el hombre no fuese también poeta y descifrador de enigmas y redentor del azar!

Redimir el pasado y transformar todo "así fue" en un "¡así lo quise yo!" —sólo a esto le llamo yo redención.

La voluntad libera y redime —así os he enseñado, amigos míos. Mas aprended ahora también que la voluntad misma es aún prisionera.

La voluntad libera; pero ¿cómo se llama lo que encadena aún a la libertadora?

"Así fue" —así se llama el rechinamiento de dientes y la aflicción más íntima de la voluntad. Impotente ante lo que está hecho, ve con malos ojos todo lo pasado.

No puede la voluntad querer hacia atrás; el que no pueda quebrar el tiempo y el ansia del tiempo, es la aflicción más íntima de la voluntad.

La voluntad libera; ¿qué es lo que idea la voluntad para librarse de su aflicción y burlarse de su prisión?

¡Ay, todos los prisioneros enloquecen! También la voluntad prisionera se redime de una manera loca.

Está furiosa porque el tiempo no marcha para atrás. "Así fue" se llama la roca que no puede remover.

Y así remueve rocas de tan furiosa y contrariada, vengándose en lo que no está, como ella, furioso y contrariado.

De esta suerte la voluntad liberadora se ha convertido en una malhechora; y en todo lo que es susceptible de sufrir, se venga de su incapacidad para querer hacia atrás.

Únicamente esto es, en verdad, la *venganza:* la hostilidad enconada de la voluntad al tiempo y su "así fue".

Grande es la locura de nuestra voluntad; ¡y al aprender esta locura, el espíritu ha llegado a ser la maldición de todo lo humano!

El espíritu de la venganza, amigos míos, ha sido hasta ahora lo mejor de la recapacitación humana; y donde quiera que hubiera sufrimiento había empeño en castigar.

Pues la venganza se llama a sí misma "castigo"; con esta palabra mendaz finge una conciencia tranquila.

¡Y como el que quiere, sufre porque no puede querer hacia atrás, el querer mismo y toda vida debían ser —un castigo!

Y entonces nube tras nube envolvió al espíritu: hasta que finalmente predicó la locura: "¡Todo es perecedero: luego todo merece perecer!"

"¡Es la justicia la ley del tiempo que lo obliga a devorar a sus hijos!" —así predicó la locura.

"Las cosas están reguladas sobre la base del derecho y el castigo: Oh, ¿dónde está la redención del río de las cosas y del castigo llamado 'existencia'?" —así predicó la locura.

"¿Puede haber redención, ya que hay un derecho eterno? ¡Ay no hay manera de remover la roca así fue: también todos los castigos tienen que ser eternos!" —así predico la locura.

"Ningún acto puede ser borrado: ¡cómo podría anularlo el castigo? ¡Lo que tiene de eterno el castigo Ser es que el Ser tiene que ser a su vez eternamente acto y culpa!

A menos que la voluntad termine por redimirse a sí misma y el querer se torne en no querer. ¡Pero bien conocéis, hermanos, estas fábulas de la locura.

Os aparté de estas fábulas al enseñaros: "La voluntad crea".

Todo "fue" es fragmento, enigma y azar pavoroso hasta que la voluntad creadora agregue: "¡Pero así lo quise yo!"

—Hasta que la voluntad creadora agregue: "¡Pero así lo quiero yo! ¡Así lo querré!"

Pero ¿ya habló ella así? ¿Y cuándo lo hará? ¿Se ha librado ya la voluntad de su propia estupidez?

¿Se ha liberado y redimido ya a sí misma la voluntad? ¿Se ha olvidado del espíritu de venganza y de todo rechinamiento de dientes?

¿Y quién le enseñó a reconciliarse con el tiempo y aspirar a algo superior a toda reconciliación?

La voluntad debe aspirar a algo superior a toda reconciliación, que es la voluntad de poder.

—Pero, ¿cómo aprende esto? ¿Quién le enseñó también a marchar para atrás?»

Pero en este punto de su peroración Zaratustra se calló de pronto, semejando en un todo un hombre preso de un horror extremo. Con las pupilas dilatadas de espanto miró a sus discípulos, y sus ojos penetraron cual flechas sus pensamientos abiertos y secretos. Pero al poco tiempo rió de nuevo y dijo, ya sereno:

«Es difícil convivir con los hombres por ser tan difícil callar. Máxime para un hombre locuaz.»

Así habló Zaratustra. El jorobado había escuchado su peroración con la cara hundida en las manos; pero cuando oyó reír a Zaratustra alzó los ojos con curiosidad y dijo muy despacio:

«¿Por qué Zaratustra nos habla a nosotros de otro modo que a sus discípulos?»

«¿Y qué tiene esto de extraño? —respondióle Zaratustra—. ¡Con los que llevan una joroba a cuestas y tienen las piernas torcidas bien puede hablarse torcidamente.»

«¡Muy bien —dijo el jorobado—, y con los discípulos, espíritus granados, bien puede irse al grano!, ¿no?

Pero ¿y por qué Zaratustra les habla a sus discípulos de otro modo que... a sí mismo?»

DE LA CORDURA

«¡No la altura, sino la pendiente es pavorosa!

La pendiente, donde la mirada se precipita *hacia abajo* y la mano se proyecta *hacia arriba*, así que le da vértigo al corazón ante su doble voluntad.

Ay, amigos míos, ¿adivináis la doble voluntad de mi corazón?

Mi pendiente y peligro es que mi mirada se precipita hacia arriba y mi mano quisiera apoyarse en... ¡las profundidades!

Aférrase al hombre mi voluntad, me ato con cadenas al hombre, porque me arrastra hacia arriba el superhombre; pues hacia él tiende mi otra voluntad.

Y *he aquí la razón* de que yo viva ciego entre los hombres, como si no los conociese: no sea que mi mano pierda del todo su fe en lo firme y fijo.

No os conozco, hombres; muchas veces me envuelve esta oscuridad y consuelo.

Estoy sentado ahí, en la vía, al alcance de cualquier bribón, y pregunto: "¿Quién quiere engañarme?"

He aquí mi primera cordura: dejo que me engañen con tal de no tener que precaverme de los engañadores.

¡Ay!, si me precaviese de los hombres ¿cómo el hombre podría servir de amarra a mi globo? ¡Harto fácilmente sería arrastrado yo hacia las alturas!

Tengo que vivir sin precauciones —así lo ha decretado mi destino.

Y quien no quiere perecer de sed entre los hombres tiene que aprender a beber en todos los vasos; y quien quiere permanecer puro entre los hombres, tiene que saber lavarse también con agua sucia.

Y muchas veces me he dicho para consolarme: "¡Vaya! ¡Ánimo, viejo corazón! ¡Se te malogró una desgracia —celébralo como tu felicidad!"

Y he aquí mi segunda cordura: tengo con los *vanidosos* más consideraciones que con los orgullosos.

¿No es, por ventura, la vanidad herida la madre de todas las tragedias? En cambio, donde es herido el orgullo, crece algo que es aún mejor que el orgullo.

Para que la vida sea un espectáculo grato, es menester que sea representada bien; requiere esto buenos actores.

Todos los vanidosos se me han revelado como buenos actores; representan su papel y ansían espectadores complacidos, —todo su espíritu está en tal deseo.

Se representan y se inventan a sí mismos; me gusta observar junto a ellos la vida —para curar de este modo de la melancolía.

Tengo consideraciones con los vanidosos, pues me curan de mi melancolía y hacen que el hombre me retenga como espectáculo.

Además, ¿quién comprende la modestia del vanidoso en su cabal medida? Suscita el vanidoso mi simpatía y compasión, por lo modesto.

Quiere aprender de vosotros la fe en sí mismo; aliméntase de vuestras miradas, come el elogio en vuestras manos.

Cree hasta vuestras mentiras si mentís bien sobre él; pues en lo más hondo su corazón suspira: "¡Qué soy yo!"

Y si la virtud verdadera es la que se ignora a sí misma —¡bueno, el vanidoso ignora su modestia!

Y he aquí mi tercera cordura: no me dejo echar a perder por vuestro temor al espectáculo del mal.

Me entusiasma mirar las maravillas que incuba el sol tórrido: tigres y palmeras y serpientes de cascabel.

También entre los hombres hay hermosos productos de soles tórridos y abunda lo maravilloso en los malos.

Es verdad que así como vuestros sabios no se me antojan muy sabios que digamos, encontré que también la maldad de los hombres no es para tanto.

Y muchas veces me he preguntado, sacudiendo la cabeza: "¿Por qué aún metéis ruido, serpientes de cascabel?"

¡También el mal tiene por delante un porvenir! Y el sur más cálido queda aún por descubrir para el hombre.

¡Cuántas cosas son tenidas hoy día por maldad extrema con tener tan sólo doce pies de ancho por tres meses de largo! Mas un día nacerán dragones más grandes.

¡Mucho sol tórrido tiene aun que abrasar la selva húmeda, para que al superhombre no le falte su dragón, el superdragón digno de él!

Vuestros gatos monteses tienen que haberse tornado antes en tigres y vuestros sapos venenosos en cocodrilos; pues buen cazador requiere buena caza!

¡En verdad, oh, buenos y justos, que hay en vosotros mucho que hace reír, sobre todo vuestro miedo al que hasta ahora se llamaba "el demonio"!

¡Tan ajena es vuestra alma a toda grandeza, que el superhombre os causará *pavor* con su bondad!

¡Y vosotros, oh, sabios y entendidos, huiríais del sol abrasador de la sabiduría en que el superhombre baña con deleite su desnudez!

Y vosotros, los hombres más elevados que he conocido, he aquí la duda y risa secreta que en mí suscitáis: ¡apuesto cualquier cosa a que le llamaríais demonio a mi superhombre!

¡Ay, me cansé de esos más elevados y mejores; desde su "altura" ansié elevarme hacia el superhombre!

Quedé horrorizado al ver desnudos a esos mejores; entonces me crecieron alas para volar hacia porvenires lejanos.

¡Hacia porvenires más lejanos y sures más cálidos que los que han sido soñados jamás por plasmador alguno; hacia allá donde los dioses se avergüenzan de cualquier vestimenta!

Pero a *vosotros*, mis prójimos y coetáneos, os quiero ver disfrazados y ataviados y vanidosos y dignos, como "los buenos y justos".

Y yo mismo quiero estar, disfrazado, entre vosotros, para que *no os conozca* a vosotros ni a mí mismo; pues tal es mi última cordura.»

Así habló Zaratustra.

LA HORA MÁS QUEDA

«¿Qué me ha sucedido? amigos míos? Me véis conturbado, obediente de mala gana, pronto a irme —¡ay!, a irme de vuestro lado.

Sí, una vez más Zaratustra tiene que retirarse a su soledad; pero de muy mal grado vuelve esta vez el oso a su cueva.

¿Qué me ha sucedido? —¿Quién me ordena esto? —¡Ay!, me lo ordena mi iracunda ama; me habló; ¿os indiqué alguna vez su nombre?

Ayer, al caer la noche, me habló *mi hora más queda;* tal es el nombre de mi terrible ama.

Y así sucedió la cosa —pero tengo que deciros todo, para que vuestro corazón no se endurezca contra el que se va tan de repente.

¿Conocéis el sobresalto de quien está a punto de dormirse?

Hasta la médula se sobresalta por ceder la tierra y comenzar el sueño.

El reloj de mi vida tomó aliento —nunca percibí en mi derredor silencio semejante; así que se sobresaltó mi corazón.

Luego algo me habló sin voz: "*¿Lo sabes, Zaratustra?*"

Y al oír este susurro lancé un grito de espanto y palidecí intensamente; pero callé.

Entonces algo me habló de nuevo sin voz: "¡Lo sabes, Zaratustra, pero no lo dices!"

Y al fin, respondí, como un porfiado: "¡Sí, lo sé; pero no quiero decirlo!"

Entonces algo me habló de nuevo sin voz "¿Que *no quieres*, Zaratustra? ¿De veras? ¡No te escondas en tu porfía!"

Y llorando y temblando como un niño, dije: "¡Ah, ya quisiera, pero no puedo! ¡Ahórrame siquiera esto! ¡Esto es superior a mis fuerzas!"

Entonces algo me habló de nuevo sin voz: "¿Tú qué importas, Zaratustra? ¡Di tu palabra y sucumbe!"

Y respondí: "¡Ay!, ¿es mi palabra? ¿Quién soy yo? Espero que advenga otro más digno: yo no merezco ni siquiera sucumbir ante él."

Entonces algo me habló de nuevo sin voz: "¿Tú qué importas? Todavía no eres lo suficientemente humilde. La humanidad es lo más duro de pellejo."

Y respondí: "¡Lo que ha llevado ya el pellejo de mi humildad! Vivo al pie de mi altura. Nadie me ha dicho aún cuán altas son mis cumbres. Pero conozco muy bien mis valles."

Entonces algo me habló de nuevo sin voz: "¡oh, Zaratustra, quien ha de remover montañas, remueve también valles y llanos!"

Y respondí: "Todavía mi verbo no ha removido montañas y mi palabra no ha llegado al oído de los hombres. Me he encaminado a los hombres, pero no he llegado aún a ellos."

Entonces algo me habló de nuevo sin voz: "¡Qué sabes tú *de eso*! Cae el rocío cuando más callada está la noche!"

Y respondí: "Se burlaron de mí cuando encontré y recorrí mi propio camino; y por cierto que entonces me temblaban las piernas.

Y me dijeron: '¡Te olvidaste del camino y ahora te olvidas también de caminar!'."

Entonces algo me habló de nuevo sin voz: "¡Y qué importa que se burlen de ti! ¡Tú eres uno que se ha olvidado de obedecer; ahora debes mandar!

¿No sabes quién hace más falta a todos? El grande, porque manda.

Realizar cosas grandes es difícil; pero aún más difícil es mandar cosas grandes.

Lo que hay de más imperdonable en ti, es que tienes el poder y te resistes a dominar."

Y respondí: "Me falta la voz del león para mandar".

Entonces algo me habló de nuevo en un susurro: "Las palabras más quedas son las que desatan la tempestad. Gobiernan el mundo pensamientos que vienen con suavidad de paloma.

¡Oh!, Zaratustra, ¡debes caminar como sombra de lo por venir; así mandarás y mandando darás la pauta!"

Y respondí: "Tengo vergüenza".

Entonces algo habló de nuevo sin voz: "Debes hacerte niño y desconocer la vergüenza.

Hay en ti aún el orgullo de la juventud; tardaste en volverte joven; mas quien quiera hacerse niño tiene que superar también su juventud."

Y medité largo tiempo, temblando. Al fin repetí lo que había dicho ya al comienzo: "No quiero".

Entonces sonaron risas a mi alrededor. ¡Ay, cómo esas risas me desgarron las entrañas y el corazón!

Y por última vez algo me habló: "¡Oh, Zaratustra, tus frutos han alcanzado la madurez, pero tú no has alcanzado aún madurez suficiente para recogerlos!

Tienes que volver, pues, a tu soledad; pues aún te hace falta ponerte tierno y blando."

Y ese algo volvió a reírse estrepitosamente y huyó; luego se hizo en torno mío un silencio que era como un doble silencio. Yo estaba tendido en el suelo, bañado en sudor.

Ahora estáis enterados de todo y sabéis por qué debo volver a mi soledad. No callé nada amigos míos.

Mas también os enterasteis por mi boca de quién es todavía el más callado de todos los hombres —¡y quiere serlo!

¡Ay, amigos míos! ¡Tendría aún algo que deciros; tendría aún algo que daros! ¿Por qué no lo doy? ¿Seré un avaro?»

Hablado que hubo así Zaratustra, lo abrumó el dolor y la conciencia de la inminente separación de sus amigos, así que prorrumpió en llanto; y nadie supo consolarle. Y en horas de la noche partió solo, abandonando a sus amigos.

TERCERA PARTE

«Vosotros miráis hacia arriba cuando ansiáis elevaros; yo miro hacia abajo, pues estoy elevado.

¿Cuál de vosotros puede reír y estar elevado a un tiempo?

Quien escala las más altas cimas se ríe de todas las tragedias, reales y ficticias.»

Zaratustra, «Del leer y escribir» (I, pág. 54)

EL CAMINANTE

A medianoche, Zaratustra se puso en camino por la cresta de la isla para llegar al rayar el alba a la costa opuesta; pues pensaba embarcarse allí. Había allí una buena rada, donde solían fondear también barcos extranjeros que admitían a bordo a quien deseaba salir de las islas felices. Mientras Zaratustra subía así por la falda de la montaña, evocó las muchas caminatas solitarias que llevaba efectuadas desde sus mocedades y el gran número de montañas, crestas y cimas que había escalado en el transcurso de muchos años.

«Soy un caminante y un escalador de cumbres —dijo para sus adentros—. No me gustan los llanos y parece que la vida sedentaria no me conviene.

Y cualesquiera que sean los destinos y experiencias que tengo aún por delante, serán un caminar y un escalar cumbres; acaba uno por no experimentar más que a sí mismo.

Han pasado los tiempos en que debían sobrevenirme contingencias. ¡Qué *podría* serme deparado aún que no fuera ya muy mío!

Sólo vuelve, retorna, al fin, mi propio ser y lo que de él ha estado, durante largo tiempo, radicado en tierra extraña y diseminado por todas las cosas y contingencias.

Y también sé que ahora estoy ante mi última cima y ante lo que ha de ser mi última experiencia. ¡Ay, tengo que subir por mi más arduo camino! ¡Ay, he emprendido mi caminata más solitaria!

Y es que hombres como yo no se libran de tal hora; de la hora que les habla así: ¡Sólo ahora recorres tu camino de la grandeza! ¡Cima y abismo son ahora *una y la misma cosa*!

Recorres tu camino de la grandeza; ¡se ha tornado en tu refugio último lo que hasta ahora era tu peligro último!

Recorres tu camino de la grandeza; ¡ahora el no haber ya caminos detrás de ti debe ser lo que más te impulsa!

Recorres tu camino de la grandeza; ¡aquí ya nadie ha de seguirte con paso furtivo! Tu propio pie borra tras de ti el camino, y encima de éste está escrita la palabra "imposibilidad".

Y aunque te falten todas las escaleras debes saber trepar aun a tu propia cabeza; o si no, ¿cómo podrías subir?

¡A tu propia cabeza y por encima de tu propio corazón! Ahora lo que hay de más blando en ti, debe convertirse aún en lo más duro.

Quien siempre ha tenido muchas consideraciones consigo mismo, acaba por enfermar de tanta consideración. ¡Loado sea lo que endurece! ¡Yo no alabo el país donde manteca y miel —corren!

Hace falta aprender a *apartar de sí la mirada* para ver *mucho* —esta dureza la ha menester todo el que escala cimas.

Quien como cognoscente tiene la vista importuna ¡cómo se quiere que vea de cosa alguna más que sus motivos de primer plano!

Mas tú, Zaratustra, ansiabas percibir los motivos últimos y el fondo de todas las cosas; ¡para tal fin tienes que subir por encima de ti mismo —cada vez más alto, hasta que incluso tus estrellas queden *por debajo* de ti!

¡Sí! Mirar abajo hacia mí mismo y mis estrellas —¡sólo esto se me antoja mi *cima*; esto me queda aún por delante como mi última *cima*!»

Así dijo Zaratustra para sus adentros conforme subía, confortando su corazón con palabras duras; pues su corazón sangraba como nunca antes. Y cuando llegó a lo alto de la cresta, se dilató ante él el otro mar; y se detuvo y estuvo ahí en silencio durante largo tiempo. En esas alturas la noche era fría y clara y cuajada de estrellas.

«Comprendo mi destino —se dijo al fin con tristeza—. ¡Muy bien! ¡Estoy preparado! Acaba de comenzar mi soledad última.

¡Ay, ese negro y triste mar ahí abajo! ¡Ay, lobreguez grávida y nocturna! ¡Ay, destino y mar! ¡Tengo que *bajar* a vosotros!

Estoy ante mi más alta cima y mi más larga caminata; por eso primero tengo que bajar más de lo que nunca he bajado:

—Más adentro del dolor de lo que nunca he bajado, ¡hasta sus más negras negruras! ¡Así me lo ordena mi destino! ¡Muy bien! Estoy preparado.

En un tiempo pregunté: ¿de dónde vienen las más altas cimas? Entonces, aprendí que vienen del fondo del mar.

En su roca y en los peñascos de sus picos está escrito este testimonio Desde las profundidades más hondas debe lo más alto ascender a su altura.»

Así dijo Zaratustra para sus adentros en lo alto de la cresta, donde hacía frío; y cuando llegó cerca del mar y finalmente se hallaba solo entre los acantilados, estaba cansado y más anheloso que nunca.

«Todo duerme todavía —se dijo—; duerme también el mar. Me mira soñoliento e indiferente.

Mas siento su aliento cálido. Y siento también que sueña. Agítase en sueños sobre almohadas duras.

¡Cómo gime agobiado por malos recuerdos! ¿O por malos presentimientos?

¡Ay!, estoy triste a la par tuya, lóbrego monstruo, y por ti disgustado aun conmigo mismo.

¡Ay, mi mano no tiene fuerza suficiente! ¡Cuánto me gustaría librarte de las pesadillas!»

Y al hablar así para sus adentros, Zaratustra se rió de sí mismo con amarga melancolía. «¡Cómo, Zaratustra! —se dijo—, ¿pretendes prodigar hasta al mar tus consolaciones?

¡Ay, Zaratustra, bondadoso loco, qué confiado estás! Pero siempre has sido así; siempre te has acercado confiado a todos los terrores.

No había monstruo que no pretendieras acariciar. Un hálito de aliento caliente, unos pocos mechones de pelo suave —y ya estabas pronto a amarlo y tratar de atraerlo hacia ti.

El peligro del más solitario es el *amor*, el amor a *todo lo que vive*. ¡Qué ridícula es mi locura y modestia en el amor!»

Así habló Zaratustra para sus adentros y volvió a reír. Pero entonces se acordó de los amigos que había dejado atrás —y como si les hubiese ultrajado mentalmente, se enojó consigo mismo por sus pensamientos. Y al punto su risa se trocó en lágrimas —lloró Zaratustra a lágrima viva de ira y de añoranza.

DE LA VISIÓN Y EL ENIGMA

1

Al difundirse entre los marineros la nueva de que a bordo del barco se hallaba Zaratustra —pues junto con él se había embarcado un hombre procedente de las islas felices— se suscitó gran curiosidad y expectativa. Pero por espacio de dos días Zaratustra calló y estuvo frío y sordo a causa de la tristeza que le embargaba, así que no respondía ni a las miradas ni a las preguntas. Mas a la noche del segundo día volvió a abrir los oídos, si bien siguió encerrado en su mutismo; pues contábanse a bordo del barco muchas cosas extrañas y peligrosas que venían de lejos y apuntaban a lo lejos. Y Zaratustra era amigo de todos los que corrían mundo y se complacían en vivir peligrosamente. Y he aquí que de tanto escuchar se le destrabó al fin la lengua y se rompió el hielo de su corazón —y entonces comenzó a hablar así:

«A vosotros, los intrépidos buscadores y aventureros, quienes quiera que seáis; a vosotros que os habéis embarcado con velas llenas de astucia, sobre mares espantosos.

A vosotros, los ebrios de enigmas y amantes del crepúsculo cuya alma es atraída al son de flautas a todos los abismos de error; —pues no os gusta ir tentando un hilo con mano cobarde, y donde podéis *adivinar* os repugna deducir.

Sólo a vosotros cuento el enigma *visto* por mí —la visión del más solitario.

Con aire sombrío caminaba yo el otro día por un lívido crepúsculo —sombrío y duro, con los labios apretados. *Más de un sol* se había puesto para mí.

Un sendero que porfiado subía por entre la rocalla, sendero malicioso y solitario, desertado ya por pasto y arbusto —un sendero de montaña rechinaba bajo la porfía de mis pies.

Caminando, mudo, sobre sardónico crujido de guijarros; aplastando la piedra que los hacía resbalar, mis pies se abrían paso hacia arriba.

Hacia arriba —desafiando el espíritu que los arrastraba hacia abajo, hacia abismos: el espíritu de la pesadez, mi demonio y enemigo mortal.

Hacia arriba —a pesar de que él iba encaramado en mí, mitad gnomo, mitad topo, torpe y entorpecedor, instalando plomo en mis oídos y pensamientos cual gotas de plomo en mi cerebro.

"¡Oh, Zaratustra! —me susurró con voz burlona recalcando las sílabas—; ¡piedra filosofal! ¡Te arrojaste muy alto, pero toda piedra arrojada *tiene que* caer!

¡Oh! Zaratustra, piedra filosofal, piedra arrojada, destrozador de estrellas! ¡A ti mismo te arrojaste muy alto pero toda piedra arrojada tiene que —caer!

Condenado a ti mismo y a tu propia lapidación, ¡oh! Zaratustra, arrojaste muy lejos la piedra —¡pero ella te aplastará en su caída!"

Se calló el gnomo y permaneció silencioso durante largo tiempo. Mas su silencio me agobiaba. ¡Estando así a dúo, uno está en verdad más solo que a solas consigo mismo!

Subía yo sin cesar, soñaba y pensaba —pero todo me agobiaba. Semejaba un enfermo que agotado por su atroz sufrimiento, se durmiera; pero al que un sueño aún más atroz arrancara al punto de su sueño.

Mas hay en mí algo que llamo valor y que siempre ha dado cuenta de todo abatimiento. Este valor me hizo al fin detener el paso y decir: "¡Alto ahí, gnomo! ¡o tú o yo!"

Pues para vencer —lo que sea— no hay como el valor —valor que ataca; pues todo ataque es como un avanzar a tambor batiente.

El hombre es el animal más valiente; así ha vencido a todos los animales. A tambor batiente ha vencido todo dolor; y el dolor humano es el dolor más profundo.

El valor vence también el vértigo al borde de los abismos; ¡y dónde el hombre no se asoma a abismos! ¿No es el simple ver un ver abismos?

Para vencer —lo que sea— no hay como el valor; vence también la compasión. Mas la compasión es el abismo más profundo; conforme el hombre se adentra en la vida, se adentra también en el sufrimiento.

Para vencer —lo que sea— no hay como el valor: el valor que ataca vence incluso la muerte, pues dice: "¿Fue eso la vida? ¡Muy bien!, ¡otra vez!"

Hay en tales palabras mucho avanzar a tambor batiente. Quien tiene oídos para oír, escuche.»

2

«"¡Alto ahí, gnomo! —dije—. ¡O yo o tú! Pero yo soy más fuerte que tú—¡no conoces mi pensamiento abismal! ¡Éste no podrías llevarlo!"

Entonces ocurrió lo que me alivió un poco: ¡el gnomo, picado en su curiosidad, saltó de mi hombro! Y se sentó en una piedra frente a mí. Resulta que nos habíamos detenido bajo una puerta.

"¡Mira esta puerta, gnomo! —proseguí—. Tiene dos caras. Coinciden aquí dos caminos que nadie ha recorrido aún hasta su término.

Este largo camino hacia atrás es una eternidad; y este largo camino hacia adelante es otra eternidad.

Se contradicen estos dos caminos; chocan de frente, —y bajo esta puerta es donde coinciden. El nombre de la puerta está escrito encima de ella: el Instante.

Mas si uno continuase —cada vez más adelante, ¿crees, gnomo, que los dos caminos se contradicen eternamente?"

"Todo lo recto miente —murmuró el gnomo con desdén—. Toda verdad es torcida; el tiempo mismo es un círculo."

"¡Espíritu de la pesadez —exclamé con ira—, no tomes tan a la ligera la cosa! O si no, te dejo acurrucado ahí —¡y bien alto te llevé!

¡Mira este instante! —proseguí—. Desde esta puerta (el Instante) un largo camino eterno corre *hacia atrás*, a nuestras espaldas está una eternidad.

¿No debe de haber recorrido ya una vez este camino todo lo que puede correr? ¿No debe de haber acontecido y pasado por aquí ya una vez todo lo que *puede* acontecer?

Y si todo ha existido ya una vez, ¿qué te parece, gnomo, este instante? ¿No debe haber existido también esta puerta ya una vez?

¿Y no se hallan todas las cosas tan estrechamente entrelazadas que este instante determina *todas* las cosas por venir? ¿Y a sí mismo también?

Pues todo lo que puede correr, ¡alguna vez *deberá recorrer* otra vez largo camino *hacia adelante*?

Y esta araña que lentamente se arrastra a la luz de la luna y esta luz misma de la luna y yo y tú que cuchicheamos bajo esta puerta sobre cosas eternas, —¿no debemos de haber existido todos ya una vez?

—¿y retornar y recorrer ese otro camino hacia adelante? ¿ese largo camino pavoroso? —¿no debemos de retornar eternamente?"

Así hablé, bajando cada vez más la voz, pues tenía miedo a mis propios pensamientos, expresos o secretos. Entonces, de pronto oí a un perro *aullar* muy cerca.

¿No había oído yo alguna vez aullar así a un perro? Mi pensamiento se precipitó hacia atrás. ¡Sí! cuando niño, en mi temprana juventud: oí aullar así a un perro. Y lo vi también, con el pelo erizado, alzada la cabeza, temblando, a la medianoche más silenciosa, que es cuando también los perros creen en fantasmas.

Así que se me partió el alma. Pues en ese instante la luna llena, abismada en un silencio sepulcral, se había asomado por encima de la casa y, parado ahí, brasa redonda sobre el techo plano, como posándose sobre propiedad ajena.

Exasperó esto entonces al perro; pues los perros creen en ladrones y fantasmas. Y cuando ahora oí de nuevo aullar así a un perro, se me partió de nuevo el alma.

¿Dónde había ido a parar el gnomo? ¿Y la puerta? ¿Y la araña? ¿Y todo el susurro? ¿Habría soñado? ¿Me habría despertado? Héme aquí de repente entre escarpados acantilados, solo, bañado en el más tétrico claro de luna.

¡Pero un hombre estaba tendido ahí en el suelo! Y ahí, ¡ah!, el perro, dando brincos, con el pelo erizado, aullando lastimeramente. Al verme venir volvió a aullar, *gritó:* —¿había oído yo alguna vez a un perro gritar socorro de esta manera?

Y en verdad lo que vi entonces no lo había visto nunca antes. Vi a un joven pastor retorcerse en el suelo con el rostro desencajado, en trance de ahogarse; una gruesa serpiente negra le colgaba de la boca.

Nunca antes había visto yo tanto asco y pavor reflejados en un semblante humano. Se había dormido el joven, y en tales circunstancias la serpiente le penetró en la garganta e hincó en ella el diente.

Mi mano tiró de la serpiente con toda la fuerza, pero en vano; no logró arrancar la serpiente de la garganta. Entonces algo en mí gritó:

"¡Arráncale la cabeza de un mordisco! ¡Muerde!"; mi horror, mi odio, mi asco, mi compasión, todo mi bien y mal brotó de mí en *un solo grito*.

¡Intrépidos que me escucháis! ¡Buscadores, tentadores y los que con artera vela habéis puesto proa a mares inexplorados! ¡Amantes de enigmas!

¡Descifrad el enigma que yo vi entonces! ¡Interpretad esta visión del más solitario!

Pues fue una visión y una previsión. ¿*Qué* vi yo entonces a través de esta alegoría? ¿*Y quién* es el que deberá de venir algún día?

¿Quién es el pastor al que había penetrado así la serpiente en la garganta? ¿Quién es el hombre al que todo lo más difícil y negro penetrará así en la garganta?

El pastor mordió como le aconsejaba mi grito; mordió a mordisco limpio. Escupió con fuerza la cabeza de la serpiente —y saltó en sus pies— no ya pastor; no ya hombre —¡sino uno transfigurado, nimbado, que *reía*. ¡Nunca hombre alguno había reído así!

¡Oh!, hermanos, oí una risa que no era risa de hombre y ahora me consume una sed, un anhelo que no se sacia jamás.

Me consume el anhelo de esa risa; ¡oh, cómo soporto todavía la vida! ¡Y cómo soportaría ahora la muerte!»

Así habló Zaratustra.

DE LA VENTURA NO BUSCADA[1]

Abrumado por tales enigmas y amarguras, Zaratustra cruzó el mar. Pero cuando ya cuatro jornadas de viaje le separaban de las islas felices y sus amigos, tenía bien dominado su dolor; triunfante y firme enfrentaba de nuevo su destino. Y entonces Zaratustra habló a su conciencia exultante como sigue:

«Una vez más estoy solo, y quiero estar solo; a solas con cielo diáfano y mar libre. Y una vez más es tarde en torno mío.

---

1 Otro título previsto por Nietzsche era «Hacia alta mar». *(N. del T.)*

En horas de la tarde encontré la vez primera a mis amigos; y también la segunda vez —a la hora en que toda luz se vuelve más quieta.

Pues cuanta felicidad esté todavía en camino entre el cielo y la tierra, buscase entonces para aposento, un alma luminosa; *de tan feliz* toda luz se ha vuelto entonces más quieta.

¡Oh, tarde de mi vida! En un tiempo también mi felicidad bajó a los valles en busca de aposento; y encontró a esas almas abiertas y hospitalarias.

¡Oh, tarde de mi vida! Qué no he dado por tener esto: ¡ese plantío vivo de mis pensamientos y esa alborada de mi más alta esperanza!

En un tiempo el creador buscó compañeros e hijos de su esperanza; y encontró que no podría encontrarlos, a menos que él mismo los creara.

Estoy pues en plena obra: yendo a mis hijos y volviendo de ellos; por sus hijos Zaratustra debe consumar su propio destino.

Pues uno ama de todo corazón únicamente a su hijo y a su obra; y he comprobado que donde hay gran amor a sí mismo símbolo es de gravidez.

Todavía mis hijos verdean en su primera primavera, en apretado conjunto, sacudidos juntos por vientos —árboles de mi jardín y mi mejor tierra.

¡Y donde hay juntos tales árboles, existen en verdad islas felices!

Mas un día los arrancaré del suelo y los plantaré cada uno aparte, para que aprendan la soledad y la porfía y la cautela.

Para que nudosos y retorcidos y con dúctil reciedumbre, se levanten junto al mar como fanales vivientes de la vida irreductible.

Allí donde las tempestades se zambullen en el mar y la trompa de la montaña bebe agua, cada cual deberá tener sus vigilias y velas, para su prueba y conocimiento.

Deberá ser conocido y probado para ver si es de mi estirpe —si es amo de una larga voluntad, silencioso aun cuando habla y ganador cuando da;—

—para que un día sea mi compañero y cree y celebre su obra junto con Zaratustra —uno que inscriba mi voluntad en mis tablas, para consumación más plena de todas las cosas.

Y por el y sus semejantes debo consumarme a mí mismo; por eso rehuyo ahora mi ventura y me ofrezco a toda desventura para *mi* última prueba y *mi* último conocimiento.

Y en verdad que ya era hora de que me fuera; y la sombra del caminante y el tiempo más largo y la hora más queda —todos me urgían.

El viento sopló por el ojo de la cerradura y dijo:

"¡Ven!" La puerta se abrió arteramente y dijo: "¡Vete!"

Pero estaba yo atado al amor a mis hijos; tendíame este lazo el ansia, el ansia de amor, para que yo fuera presa de mis hijos y me entregara entero a ellos.

Ansiar significa para mí haberme entregado ya entero. *¡Ya os tengo, hijos míos!* En este tener todo ha de ser seguridad y certeza y nada ha de ser deseo.

Pero me abrazaba el sol de mi amor; en su propio juego hervía Zaratustra; —entonces, pasaron sobre mí sombras y dudas.

Anhelaba, ya, el frío y el invierno: "¡Ojalá el frío y el invierno —suspiré—, me hicieran de nuevo crujir y crepitar!" —y entonces surgieron de mí nieblas heladas.

Mi pasado rompió sus tumbas; resucitó más de un dolor enterrado vivo, que sólo había dormido profundamente envuelto en mortajas.

· Así, todo me gritó a través de signos: "¡Ha llegado la hora!" Pero —no hice caso; hasta que al fin se agitó mi abismo y me mordió mi pensamiento.

¡Oh, pensamiento abismal que eres *mi* pensamiento! ¿Cuándo tendré fuerzas suficientes para oírte escarbar sin inmutarme?

¡El corazón me late alocadamente cuando te oigo escarbar! ¡Tu mismo silencio abismal me oprime el pecho!

Nunca aún osé evocarte; ¡llevarte conmigo ya era bastante! Todavía no tenía fuerzas suficientes para la última altivez y arrogancia leoninas.

Harto terrible ha sido siempre para mí tu pesadez; ¡mas un día habré de tener la fuerza y la voz leonina que te evoquen!

Cuando me haya superado así, superaré aún lo más arduo, y una *victoria* habrá de sellar mi consumación!

Hasta tanto, ando aún a la deriva por mares inciertos; halágame el azar traicionero; miro hacia adelante y hacia atrás —no veo aún ningún fin.

No ha llegado aún la hora de mi última lucha —¿o es que acaba de llegar? ¡Con pérfida belleza se me ofrece en derredor el mar y la vida.

¡Oh, tarde de mi vida! ¡Oh, dicha que precede al ocaso! ¡oh, puerto en alta mar! ¡Oh, paz en medio de la incertidumbre! ¡Cómo desconfío de todos vosotros!

¡Desconfío de vuestra belleza! Soy como el amante que recela de la sonrisa acaramelada.

Así como el celoso empuja a la amada, tierno aún en su dureza, empujo yo esta hora más venturosa.

¡Vete, hora venturosa! ¡Has traído contigo una ventura no buscada! Estoy pronto para mi dolor más profundo —llegaste a deshora!

¡Vete, hora venturosa! ¡Antes bien instálate entre mis hijos! ¡Corre a agraciarlos con *mi* fortuna antes que caiga la noche.

Ya declina el día; encamínase el sol al ocaso. ¡Corre —fortuna mía!»

Así habló Zaratustra. Y durante toda la noche esperó su infortunio, pero en vano. La noche continuó siendo luminosa y serena y la fortuna misma se le acercó más y más. Y hacia la madrugada Zaratustra se rió para sus adentros y dijo con aire burlón: «La fortuna corre tras de mí. Es que yo no corro tras las mujeres; y la fortuna es mujer.»

ANTES DE LA SALIDA DEL SOL

«¡Oh, firmamento en lo alto!, ¡puro!, ¡profundo! ¡Oh, abismo de luz! Mirándote me estremezco de ansias divinas.

¡Lanzarme en pos de tu altura —tal es *mi* profundidad ¡Cobijarme en tu pureza— tal es *mi* inocencia!

Al dios lo oculta su belleza; así tú ocultas tus estrellas. No hablas; así me pregonas tu sabiduría.

Mudo te me apareciste hoy por encima del mar agitado; tu amor y tu recato son una revelación para mi alma agitada.

El que te presentaras ante mí hermoso, oculto en tu belleza; el que me hables mudo, patente en tu sabiduría:

¡Oh, cómo no he de adivinar todo el recato de tu alma! *Antes* de la salida del sol te presentaste ante mí, el más solitario.

Somos amigos desde siempre; tenemos en común la aflicción y el horror y el motivo; aun el sol lo tenemos en común.

No nos hablamos, porque sabemos demasiado; a través de silencio y sonrisa nos comunicamos nuestro saber.

¿No eres la luz que va con mi llama? ¿No es la tuya el alma gemela de mi conocimiento?

Juntos hemos aprendido todo; juntos hemos aprendido a elevarnos por encima de nosotros hacia nosotros y a sonreír con una sonrisa despejada de nubes;—

—a sonreír sin nubes hacia abajo desde los ojos luminosos y lejanías inconmensurables, cuando debajo de nosotros el apremio y el fin y la culpa son cual vaho de lluvia.

Y cuando yo caminaba en soledad, ¿a quién ansiaba mi alma en noches y por caminos errados? Y cuando escalaba cimas, ¿a quién sino a ti buscaba en las cimas?

Y todo mi caminar y escalar no era sino apremio y expediente de hombre torpe; ¡volar es mi único anhelo —volar hacia ti!

¡Y nada odiaba yo tanto como las nubes que pasan y todo cuanto te holla! ¡Y odiaba mi propio odio porque te hollaba!

Soy enemigo de las nubes que pasan, esos pérfidos felinos rapaces; te quitan a ti y a mí lo que tenemos en común —el tremendo e ilimitado decir sí.

Somos enemigos de las nubes que pasan, esas mediadoras y mezcladoras; esos seres híbridos que ni han aprendido a bendecir ni maldicen de verdad.

¡Prefiero estar metido en un tonel que bajo cielo cerrado; estar metido sin cielo en el fondo del abismo, antes que verte hollado por el paso de nubes, ¡oh firmamento luminoso!

Y muchas veces me dan ganas de sujetarlas mediante zigzagueantes alambres de oro para usarlas, como el trueno, a modo de timbales;—

timbalero iracundo, por cierto, porque me roban tu exaltado decir sí, ¡oh, firmamento en lo alto, puro y luminoso!; ¡oh, abismo de luz! —porque te roban *mi* solemne decir sí.

Pues todavía prefiero el estrépito y el trueno y el desenfreno, a esa calma despaciosa y cavilosa de felino; y también entre los hombres odio con particular encono a todas las moscas muertas y seres híbridos y nubes cavilosas y vacilantes.

Y "¡quien no sabe bendecir debe aprender a maldecir!" —esta luminosa doctrina me cayó del cielo luminoso; esta estrella brilla aún en noches lóbregas en mi firmamento.

Mas yo bendigo y digo sí, siempre que tú me rodees, ¡oh, puro y luminoso, oh, abismo de luz! —entonces llevo mi bendición y decir sí aun a todos los abismos.

He llegado a bendecir y decir sí; durante largo tiempo luché y forcejeé por tener un día las manos libres para el gesto de la bendición.

Y he aquí lo que yo entiendo por bendición: estar por encima de todas las cosas como su propio cielo, como su bóveda, su campana azul y seguridad eterna; ¡y bienaventurado el que bendice así!

Pues todas las cosas están bautizadas en la fuente de la eternidad y más allá del bien y del mal; por su parte, el bien y el mal no son sino sombras intermedias y húmedas, turbación y nubes que pasan.

Bendigo, en verdad, y no blasfemo al enseñar: "Por encima de todas las cosas está el cielo Azar, el cielo Inocencia, el cielo Casualidad, el cielo Altivez".

"Casualidad" es la nobleza más antigua del mundo; la he restituido a todas las cosas, libertándolas del yugo de la Finalidad.

Esta libertad y serenidad celestes las he colocado cual campana azul sobre todas las cosas, al enseñar que por encima y a través de ellas no opera una "voluntad eterna".

Esta altivez loca la he sobrepuesto a dicha voluntad al enseñar: "En todas las cosas sólo *una* cosa es imposible: —¡La racionalidad!"

Ciertamente, un *poco* de razón, una semilla de la sabiduría esparcida entre los astros —esta levadura está agregada a todas las cosas; ¡por la locura hay sabiduría agregada a todas las cosas!

Un poco de sabiduría es posible, por cierto; pero he aquí la certeza bienaventurada que he hallado en todas las cosas: prefiero *bailar* sobre los pies del azar.

¡Oh, firmamento en lo alto, puro y elevado! Para mí tu pureza consiste en que no hay araña ni telarañas eternas de la razón, —que te me antojas una pista de baile para azares divinos, una mesa divina para dados y jugadores divinos de dados.

Pero, ¿te sonrojas? ¿Habré dicho cosas indecibles? ¿Habré blasfemado al querer bendecirte?

¿O es la vergüenza del estar a solas conmigo lo que te ha hecho ruborizar? ¿Me pides irme y callar porque despunta el *día*?

El mundo es profundo —y más profundo de lo que jamás creyó el día. No todo debe quedar expresado ante el día. Despunta el día; ¡ha llegado el momento de la despedida!

¡Oh, firmamento en lo alto!, ¡recatado!, ¡ardiente! ¡Oh, mi felicidad de antes de salir el sol! Despunta el día; ¡ha llegado el momento de la despedida.»

Así habló Zaratustra.

DE LA VIRTUD EMPEQUEÑECEDORA[1]

1

Cuando Zaratustra llegó de nuevo a tierra firme, no fue derechamente a su montaña y su cueva, sino que recorrió muchos caminos e hizo muchas preguntas informándose de esto y aquello; así que decía de sí mismo en son de broma: «¡He aquí un río que serpenteando corre de vuelta a su fuente!» Pues deseaba averiguar lo que entretanto le había pasado al hombre; si se había vuelto más grande o más pequeño. Y en una oportunidad, viendo una hilera de casas nuevas, se sorprendió y dijo:

«¿Qué significan estas casas? ¡No las ha levantado, a fe mía, un alma grande para que le sirvieran de símbolo!

¿Las habrá sacado un niño ingenuo de su caja de juguetes? ¡Ojalá otro niño se las volviera a guardar en su caja!

Y esos cuartos y habitaciones, ¿pueden entrar y salir allí *hombres*? Se me antojan construidos para muñecos de lujo o para mamarrachos mansitos.»

Y Zaratustra se detuvo a meditar. Al fin dijo, entristecido: «¡Todo se ha vuelto más pequeño!

Por doquier veo puertas más bajas. Quien es de mi talla ciertamente puede pasar por ellas, ¡pero tiene que agacharse!

¡Oh, no veo el día de volver a mi patria donde ya no *tengo que agacharme* —ante los pequeños!» Y dio un suspiro, con la mirada fija en la lejanía.

Ese mismo día peroró sobre la virtud empequeñecedora.

1 Otro posible título fue «El empequeñecimiento de sí mismo». (*N. del T.*)

2

«Camino por entre este pueblo con el espíritu alerta; no me perdonan el que no les envidie sus virtudes

Me ven con malos ojos porque les digo que a la gente pequeña *le hacen falta* virtudes pequeñas —¡y porque me cuesta creer que haga falta la virtud pequeña!

Soy todavía como gallo en corral extraño, rechazado incluso por las gallinas; pero no se lo tomo a mal a las tales gallinas.

Soy deferente hacia ellas, como hacia todos los pequeños sinsabores; estar de uña con lo pequeño se me antoja una sabiduría propia de gatos.

Todos hablan de mí cuando a la noche se reúnen alrededor del fogón. ¡Hablan de mí, pero nadie piensa en mí

He aquí el nuevo silencio que he conocido: el alboroto que arman en torno de mi persona es como un manto tendido sobre mis pensamientos.

Alborotados se preguntan: "¿A qué viene ese lóbrego nubarrón? ¡A ver si nos acarrea una peste!"

Y el otro día una mujer apretó contra sí a su hijito que quería correr hacia mí. "¡Apartad a los niños! —gritó ella— que ojos así queman las almas infantiles."

Tosen cuando les hablo; creen que tosiendo refutan el viento fuerte. ¡Cuán poco saben del huracán de mi felicidad!

Objetan: "No tenemos todavía tiempo para Zaratustra"; pero, ¿para qué sirven tiempos que "no tienen tiempo" para Zaratustra?

Y cuando me ciñen la frente con el laurel, ¿cómo podría yo dormirme sobre *sus* laureles? Su elogio es para mí como un cinturón de espinas; me causa comezón incluso cuando me lo he quitado.

Y también he aprendido entre ellos que quien elogia hace como que devuelve, pero en realidad quiere recibir más.

¡Preguntad a mis pies si les gusta su aire de alabanza y halago! No quieren bailar ni estarse quietos, en verdad, al son de tal música y tic-tac.

Quieren atraerme por su elogio y halago a la pequeña virtud; quieren persuadir mis pies al tic-tac de la pequeña felicidad.

Camino por entre este pueblo con el espíritu alerta. Se han vuelto *más pequeños* y se vuelven cada vez más pequeños —*la culpa de ello la tiene su doctrina de la felicidad y la virtud.*

Son modestos aun en la virtud —pues buscan el bienestar. Mas con el bienestar sólo se aviene la virtud modesta.

También ellos aprenden, por cierto, a su manera, a caminar y avanzar; le llamo yo su *cojear.* Así son un estorbo para todo el que tiene prisa.

Y no pocos de ellos avanzan mirando hacia atrás en actitud rígida; a éstos me gusta llevármelos por delante.

Los ojos y los pies no deben mentirse ni desmentirse recíprocamente. Pero hay mucha mentira en la pequeña gente.

Algunos de ellos quieren, pero los más tan sólo son queridos. Algunos de ellos son auténticos, pero los más son malos comediantes.

Hay entre ellos comediantes contra su propio saber y comediantes contra su propia voluntad; —los auténticos siempre son raros, máxime los auténticos comediantes.

Escasea entre ellos la hombría; de ahí que sus mujeres se vuelvan cada vez más hombrunas. Pues sólo quien es un hombre hecho y derecho redime la mujer en la mujer.

Y ninguna hipocresía he comprobado entre ellos tan execrable como la de que incluso los que mandan fingen las virtudes de los que obedecen.

"Yo sirvo, tú sirves, nosotros servimos" —así reza entre ellos también la hipocresía de los gobernantes; —¡y, ay, si el primer amo no es más que sólo el primer servidor!

¡Ay!, también en sus hipocresías hurgó la curiosidad de mis ojos; y me percaté de toda su felicidad de moscas y su zumbar alrededor de vidrios en que da el sol.

Veo tanta debilidad cuanta bondad. Veo tanta debilidad cuanta justicia y compasión.

Son pulidos, equitativos y bondadosos unos con otros, como los granos de arena son pulidos, equitativos y bondadosos unos con otros.

Abrazar con modestia una felicidad modesta —¡he aquí lo que llaman "resignación"!, lo cual no les impide aspirar con modestia a más felicidad modesta.

En el fondo, quieren por sobre todas las cosas que nadie les haga mal. Así que se adelantan a todos haciéndoles bien.

Pero esto es *cobardía*, aunque se llame "virtud".—

Y cuando por una vez esa pequeña gente habla con tono áspero, yo no percibo en ello más que su ronquera; pues la menor corriente de aire los enronquece.

Son listos; sus virtudes tienen los dedos listos. Pero les faltan los puños; sus dedos no saben esconderse tras los puños.

Llaman virtud a lo que vuelve modesto y mansito; así convierten al lobo en perro y al hombre mismo en el más útil animal doméstico del hombre.

"Colocamos nuestra silla en el *medio*", me dice su aire de suficiencia, "a igual distancia de los gladiadores moribundos y los cochinos alegres."

Pero esto es *mediocridad* aunque se llame "moderación"».

3

«Camino por entre este pueblo y de tanto en tanto dejo caer unas palabras. Pero no saben ni recoger ni conservar.

Se extrañan de que yo no haya venido a fustigar las pasiones y los vicios. ¡Y no he venido tampoco por cierto, a prevenir contra los carteristas!

Se extrañan de que yo no esté dispuesto a aguzar su ingenio; ¡como si no sobrasen entre ellos los sutilizantes cuyas voces me suenan a rechinar de tiza en la pizarra!

Y cuando exclamo: "¡Malditos sean todos vuestros demonios cobardes que quisieran gimotear y entrelazar las manos y adorar!", ellos exclaman: "Zaratustra es un hombre impío".

Y así exclaman en particular los que les predican resignación; —pero precisamente a ellos me gusta gritarles al oído: "¡Sí! ¡yo *soy* Zaratustra, el impío!"

¡Vaya con esos predicadores de la resignación! Donde quiera que haya pequeñez y enfermedad y tiña, se agazapan cual piojos; y no los aplasto de puro asqueado.

¡Bien! He aquí mi prédica destinada *a ellos:* "Yo soy Zaratustra, el impío, que proclama: ¿quién es más impío que yo, para que me imparta enseñanza?"

Yo soy Zaratustra, el impío; ¿dónde hay hombres como yo? Y son hombres como yo todos los que se dan a sí mismos su voluntad y repudian toda resignación.

Yo soy Zaratustra, el impío; guiso cualquier azar en *mi* olla; y sólo cuando en ella está a punto, lo acepto como alimento *mío*.

Y por cierto que más de un azar se presentó ante mí altivo y arrogante; pero más altiva y arrogante le habló mi *voluntad* —y helo aquí suplicando de rodillas;—

—suplicando que yo le ofreciera albergue y corazón y tratando de persuadirme con palabras insinuantes: "¡Mira, oh, Zaratustra, que vengo como, amigo!"

Pero, ¿a qué hablar allí donde nadie tiene mis oídos? Pregono, pues, a los cuatro vientos:

¡Os volvéis cada vez más pequeños, pequeña gente! ¡Vais menguando, satisfechos! ¡Estáis en trance de perecer—

—por vuestras muchas pequeñas virtudes, por vuestras muchas pequeñas abstenciones, por vuestra mucha pequeña resignación!

¡Demasiado considerada e indulgente es vuestra tierra! ¡Mas para que un árbol crezca bien alto, ha de echar raíces duras en roca dura!

También lo que dejáis de hacer contribuye a tejer la tela de todo porvenir humano; también vuestra nada es una telaraña y una araña que se alimenta de la sangre del porvenir.

Y vuestro tomar semeja un hurtar, pequeños virtuosos; pero aun entre los bribones rige este código de honor: "Debe hurtarse únicamente cuando no se puede tomar".

¡Ojalá renunciarais a toda voluntad a medias y os decidierais tanto a la pasividad como a la acción!

¡Ojalá entendierais mi enseñanza: "¡Haced lo que queráis —pero antes debéis ser hombres que *pueden querer!*

¡Amad al prójimo como a vosotros mismos —pero antes debéis ser hombres que *se aman a sí mismos,*—

—con el gran amor y el gran desprecio!" Así habla Zaratustra, el impío.

Pero, ¿a qué hablar allí donde nadie tiene *mis* oídos? Aquí falta aún una hora para mi hora.

Soy mi propio precursor entre esta gente; mi propio canto del gallo por las callejas oscuras.

¡Pero llegará su hora! ¡Y llegará también la mía! De hora en hora se vuelven más pequeños, más pobres, más estériles —¡vegetación pobre! ¡tierra pobre!

¡Y no tardarán en quedar convertidos en pasto reseco y estepa, y cansados de sí mismos —y ansiando, más que el agua, el *fuego*!

¡Oh, hora bendita del rayo! ¡oh, secreto que precede al mediodía! Un día haré de ellos heraldos de lengua de fuego; —un día pregonarán con lengua de fuego: ¡Ya viene, ya está por llegar *el gran mediodía*!»

Así habló Zaratustra.

EN EL MONTE DE LOS OLIVOS[1]

«Albergo en mi casa al Invierno, huésped temible; su apretón de manos me ha dejado amoratadas las manos.

Honro a tan temible huésped, pero de buen grado lo dejo solo. De buen grado me le escapo; y corriendo a todo escape se le rehuye.

Con los pies y pensamientos bien calentitos me escapo allá donde no hace viento: al rincón soleado de mi monte de los olivos.

Allí me río de mi severo huésped y aun le tengo simpatía porque me limpia de moscas la casa y acalla mucho pequeño ruido.

Pues no tolera el zumbido de una mosca, y menos el de dos; hasta las callejas las deja tan desiertas que de noche se asusta en ellas la luz de la luna.

Es un huésped duro —pero le honro, y no rindo culto, como las almas refinadas, al panzudo dios del fuego.

¡Antes que adorar ídolos, castañetear un poco los dientes! —así lo prefiero yo. Especialmente me repugnan todos los ídolos del fuego, ardientes, vaheantes y sofocantes.

A quienes amo los amo en invierno mejor que en verano; me burlo mejor y con mayores bríos de mis enemigos desde que albergo al invierno en mi casa.

Con bríos todavía, cuando me escurro entre las sábanas; —incluso entonces ríe y retoza aún mi dicha escurrida, ríe aún mi sueño falaz.

¿Yo escurrirme? Nunca me he escurrido ante el poderoso; y si a veces mentí, lo hice por amor. Por eso estoy de buen humor aun acostado en el lecho invernal.

---

1 Otro título posible era «La canción del invierno». (*N. del T.*)

Una cama pobre me calienta más que una opulenta, pues soy un hombre celoso de su pobreza. Y en invierno es cuando más fiel me es mi pobreza.

Todas las jornadas las inicio con una malicia; me burlo del invierno tomando un baño frío. Esto no lo ve con buenos ojos mi severo huésped.

También me gusta hacerle cosquillas con una velita de cera, para que libere de una vez el cielo plomizo del crepúsculo.

Pero mi malicia culmina muy de mañana, cuando suena el chocar del balde con el brocal del pozo y los caballos relinchan esparciendo su cálido aliento por las callejas grises.

Entonces espero con impaciencia a que se asome por fin el cielo luminoso, el níveo cielo invernal, el anciano peliblanco,—

—¡el callado cielo invernal, que con frecuencia calla hasta su sol!

¿Habré aprendido de él el largo y luminoso callar? ¿O lo aprendió él acaso de mí? ¿O lo inventamos cada uno por su cuenta?

Múltiple es el origen de todas las cosas buenas, —todas las cosas buenas y arrogantes saltan a la vida por gusto; ¡cómo van a hacerlo una *sola* vez!

Una cosa buena y arrogante es también el largo callar y el poner, como el cielo invernal, una cara clara y abierta;—

—callar, como él, su sol y su indómita voluntad de sol; ¡qué bien he aprendido este arte y esta arrogancia del invierno!

Mi malicia y arte dilecto es que mi silencio ha aprendido a no delatarse por el callar.

Haciendo sonar palabras y dados burlo a los solemnes guardianes; mi voluntad y fin han de eludir a todos esos vigilantes severos.

Para que nadie mire hasta mi fondo y voluntad última —para tal fin me inventé el largo y luminoso callar.

He conocido a más de un hombre perspicaz que se velaba el rostro y enturbiaba su agua, para que nadie lo mirara hasta el fondo.

¡Sin embargo, precisamente con él se enfrentaban los desconfiados y cascanueces aún más perspicaces; precisamente a él le pescaba su pez más recóndito!

Los callados más perspicaces son los luminosos, gallardos y transparentes, que son tan *profundos* que ni aun el agua más cristalina delata su fondo.

¡Oh, barbiblanco y callado cielo invernal! ¡Oh, claro y abierto anciano peliblanco en, lo alto! ¡Oh, alegoría celeste de mi alma y su arrogancia!

¿Y no *estoy obligado* a ocultarme como uno que ha tragado oro —no sea que me rajen el alma?

¿No *estoy obligado* a ir en zancos, para que no se dé cuenta de mis largas piernas toda esa gente envidiosa y resentida que me rodea?

Esas almas viciadas, gastadas, enmohecidas y aherrumbadas —¡cómo podría su envidia soportar mi felicidad!

Así que sólo les muestro el hielo e invierno de mis cimas —¡y *no* que mi montaña se ciñe también todos los cinturones de sol!

Sólo oyen silbar mis tempestades de invierno —y *no* que también paso por sobre mares cálidos cual anheloso céfiro pesado y ardiente.

Se compadecen de mis accidentes y azares; —pero yo digo: "¡Dejad al azar que venga a mí, pues es inocente como los niños!"

¡Cómo *podrían* soportar mi felicidad, si no la envolviese yo en accidentes y rigores invernales y pieles de oso polar y capas de hielo cargado de nieve!—

—¡si no tuviese lástima de su *compasión*; de la compasión de esos envidiosos y resentidos!—

—¡si no gimotease y tiritase de frío ante ellos y pacientemente me *dejase* envolver en su compasión!

He aquí la sabia arrogancia e indulgencia de mi alma: *no oculta* su invierno y sus tempestades invernales, ni tampoco sus sabañones.

La soledad de uno es un escapar de enfermo; la soledad de otros es un escaparse de los enfermos.

¡No importa que esos espíritus menguados y envidiosos me *oigan* gimotear y castañetear los dientes de frío invernal! Con tal gimoteo y castañeteo me escapo aun de sus cuartos calentados.

No importa que se compadezcan y lamenten de mis sabañones; "¡Se nos va a perecer de frío!", se lamentan, "al contacto del hielo del conocimiento!"—

Entretanto, yo recorro con los pies bien calentitos mi monte de los olivos. En el rincón soleado de mi monte de los olivos canto, burlándome de toda compasión.»

Así habló Zaratustra.

DEL PASAR DE LARGO

Pasando así, con lentitud por entre las multitudes y por muchas ciudades, Zaratustra regresaba dando rodeos a su montaña y su cueva. Y de improviso llegó también a la puerta de la *gran ciudad:* mas allí le salió al paso un bufón echando espumajos y con los brazos extendidos. Era el bufón que la gente llamaba «el mono de Zaratustra», pues imitaba un poco su modo de hablar y bebía con frecuencia en la fuente de su sabiduría. Y el bufón le habló a Zaratustra como sigue:

«¡Oh, Zaratustra!, esta es la gran ciudad: aquí no tienes nada que ganar y todo que perder.

¿Por qué habrías de caminar por este fango? ¡Ten compasión de tus pies! ¡Antes bien escupe a la puerta y —vuélvete atrás!

Esta ciudad es el infierno de los pensamientos de solitarios; aquí los grandes pensamientos son asados vivos y se hierven.

¡Aquí se pudren todos los grandes sentimientos; aquí sólo se admiten sentimientos flacuchos y raquíticos!

¿No hueles ya los mataderos y bodegones del espíritu? ¿No está envuelta esta ciudad en el vaho del espíritu sacrificado?

¿No ves las almas colgar cual sucios trapos flojos? —¡Y aun hacen diarios con estos trapos!

¿No te das cuenta de cómo el espíritu se ha convertido en juego de palabras? ¡Vierte repugnante enjuagadura de palabras! —¡Y aun hacen diarios con esta enjuagadura!

Se azuzan unos a otros, sin saber a dónde. Se enardecen unos a otros, sin saber por qué. Hacen sonar sus cobres y su oro.

Son fríos y buscan calor en el aguardiente; son ardorosos y buscan frescura en espíritus helados. Todos son unos enfermos e infectos de opiniones públicas.

Aquí se dan cita todas las pasiones y todos los vicios; mas hay aquí también virtuosos, mucha virtud lista y alistada;—

—mucha virtud lista de dedos plumíferos y asentaderas duras y resistentes, adornado el pecho con pequeñas "estrellas".

Hay aquí también mucha piedad y mucha adulación servil ante el Señor de los Ejércitos.

De lo alto caen las "estrellas" y gotea la augusta saliva; hacia las alturas aspira todo pecho carente de "estrellas".

"¡Yo sirvo, tú sirves, nosotros servimos" —así reza toda virtud solícita halagando al príncipe, para que la "estrella" merecida venga al fin a adornar el flaco pecho!

Aun la luna gira alrededor de todas las cosas terrenas; así, también el príncipe gira aún alrededor de la cosa más terrena: el oro de los mercaderes.

El Señor de los Ejércitos no es un dios de los lingotes de oro; el príncipe propone, pero el mercader —¡dispone!

Por todo lo que hay en ti de limpio y fuerte y bueno, ¡oh!, Zaratustra, ¡escupe a esta ciudad de los mercaderes y vuélvete atrás!

Aquí toda sangre corre pútrida y tibia y espumosa por todas las venas; ¡escupe a la gran ciudad donde se da cita toda la escoria!

¡Escupe a la ciudad de los importunos, los insolentes, los chupatintas, los charlatanes y los ambiciosos calenturientos,—

—donde se da todo lo morboso, codicioso, dudoso, asqueroso, tenebroso y licencioso!

¡Escupe a la gran ciudad y vuélvete atrás!»

En este punto Zaratustra interrumpió al bufón tapándole la boca que echaba espumarajos.

«¡Cállate! —exclamó—. ¡Me da asco verte y oírte hablar!

¿Por qué has vivido tanto tiempo en el fango, que tú mismo te convertiste en rana y sapo?

¿No te corre ahora por tus propias venas sangre fangosa, pútrida y espumosa, que te hace echar pestes de esta manera?

¿Por qué no te fuiste a vivir al bosque? ¿O a trabajar la tierra? ¿No abundan en el mar las islas verdes?

Desprecio tu desprecio; y si me advertiste, ¿por qué no te advertiste a ti mismo?

¡Únicamente desde el amor, no desde fango, ha de levantar el vuelo mi desprecio y mi pájaro advertidor!

Te llaman mi mono, frenético loco; pero yo te llamo mi cerdo gruñón —de tanto gruñir me vas a echar a perder mi elogio de la locura.

¿Qué fue lo que primero te hizo gruñir? El que nadie te *halagaba* bastante; —por eso te juntaste a esa inmundicia, para que tuvieras motivos para gruñir mucho, —¡para que tuvieras motivos para *vengarte* mucho! Pues todo tu tronar es venganza, loco presumido; ¡a mí no me engañas!

¡Pero tus palabras locas me perjudican, incluso cuando tienes razón! ¡Y aunque las palabras de Zaratustra *tuviesen* cien veces razón, tú siempre harías mal con ellas!»

Así habló Zaratustra. Y dirigió una mirada a la gran ciudad, dio un suspiro y calló durante largo tiempo. Al fin habló como sigue:

«Me da asco también esta gran ciudad, no solamente este loco. En uno y otro caso nada puede hacerse, no se puede volver ni mejor ni peor.

¡Ay de esta gran ciudad! ¡Ya quisiera yo ver la columna de fuego que ha de consumirla!

Pues tales columnas de fuego deben preceder al gran mediodía. ¡Mas todo esto vendrá a su hora y conforme a su destino!

En cuanto a ti, loco, antes de partir te enseño esto: donde uno no puede amar más, debe *pasar de largo*!»

Así habló Zaratustra y pasó de largo, dejando atrás al loco y la gran ciudad.

DE LOS RENEGADOS

1

«¡Ay!, ¿ya está marchito y ajado lo que el otro día aún verdeaba y florecía en esta pradera? ¡Y tanta miel de la esperanza como desde aquí he llevado a mis colmenas!

Todos estos jóvenes corazones ya han envejecido —¡y ni siquiera han envejecido!, sino que tan sólo se han vuelto cansados, vulgares e indolentes; —ellos le llaman "creemos de nuevo en Dios".

El otro día aún les veía partir briosamente muy de mañana; ¡pero sus pies del conocimiento se cansaron, y ahora reniegan hasta de sus bríos matutinos!

Más de uno de ellos levantaba en un tiempo las piernas cual bailarín, incitado por la risa que campea por mi sabiduría; pero de pronto recapacitó. Acabo de verle besar la cruz.

En un tiempo revoloteaban alrededor de la luz y la libertad cual moscos y jóvenes poetas. Un poco más viejos, un poco más fríos —y hélos aquí convertidos en gazmoños y moscas muertas y trashogueros.

¿Se habrán desalentado porque la soledad ya me tragó cual una ballena? ¿Habrán estado demasiado tiempo en actitud de escucha, ansiando *en vano* oír mi voz y mis toques de clarín?

¡Ay, siempre son tan sólo unos pocos los que tienen el corazón apto para larga valentía y arrogancia, a los que no se les impacienta tampoco el espíritu. Los demás son cobardes.

Los demás siempre son los más, el montón, los superfluos; ¡todos estos son cobardes!

Quien comparte mi modo de ser, comparte también mis experiencias; así que sus primeros compañeros han de ser cadáveres y bufones.

Sus segundos compañeros se llamarán sus adeptos —una cohorte palpitante con mucho amor, mucha estupidez y mucha veneración alocada.

Quien es como yo no debe atar su corazón a estos adeptos; ¡no debe creer en estas primaveras y praderas floridas quien conoce la volubilidad y cobardía de los hombres!

Si pudiesen ser diferentes, también *querrán* serlo. Los tibios y flojos y menguados echan a perder todo lo íntegro. Se marchitan las hojas —¡de esto no hay que quejarse!

¡Déjalas que caigan, oh, Zaratustra, y no te quejes! Antes bien sopla por entre ellas con vientos crujientes,—

—¡sopla, oh, Zaratustra, por entre todas estas hojas, para que todo lo *marchito* huya más velozmente de ti!»

2

«"Creemos de nuevo en Dios" —así confiesan esos renegados; y no pocos de ellos ni siquiera tienen valor suficiente para hacer esta confesión.

A éstos les miro a los ojos; —a éstos les digo en la cara y en el sonrojo de sus mejillas: "¡Sois hombres que han vuelto a los *rezos*!"

¡Porque es una vergüenza rezar! ¡No para todo el mundo, pero sí para ti y mí, y para todos los que tengan su conciencia en la cabeza! ¡Para ti es una vergüenza rezar!

Bien lo sabes: ¡el demonio de la cobardía que llevas dentro de ti y que quisiera entrelazar las manos y cruzarse de brazos y llevar una vida más fácil —este demonio de la cobardía te susurra: "¡*Dios existe!*"

Con esto, te juntas a los que huyen y temen a la luz; ¡ahora tienes que meter la cabeza cada día más hondo en noche y niebla!

¡Por cierto que supiste elegir la hora más oportuna! Pues una vez más vuelan ahora las aves nocturnas. Para todos los que huyen a la luz ha llegado la hora de la caza y correría; no de caza infernal, por cierto, sino de caza mansa, cautelosa y furtiva emprendida por gazmoños y beatos vergonzantes;—

—de la caza de moscas muertas sensitivas. ¡Armadas están de nuevo todas las trampas para atrapar sentimientos incautos! ¡Y donde levanto una cortina sale una mariposita nocturna!

¿Habrá hecho compañía ahí a otra mariposita nocturna? Pues por doquier percibo olor de pequeñas comunidades escondidas; y donde se establecen, hay nuevos santurrones y el aire viciado de santurrones.

Reúnense durante largas horas de la noche y dicen: "¡Seamos de nuevo como los niños y roguemos al buen Dios!" —los piadosos confiteros les han empachado la boca del estómago.

O se pasan el día pescando en pantanos y creen que así son *profundos*; pero quien pesca donde no hay peces, no se me antoja ni siquiera superficial.

O aprenden a tañer piadosa y briosamente el arpa con algún compositor de canciones que más quiere seducir a las mujeres jóvenes, por haberse cansado de las viejas y sus alabanzas.

O aprenden a sentir miedo con algún erudito chiflado que en cuartos oscuros espera a que vengan los espíritus —¡y se le vaya del todo el espíritu!

Y algunos de ellos hasta se han metido a serenos: saben ahora tocar la corneta y rondar de noche y despertar cosas caducas que se durmieron mucho ha.

La noche pasada, junto a la tapia, sorprendí la conversación de dos de tales viejos y secos serenos apesumbrados, que hablaban de cosas caducas:

"¡Para ser padre, no cuida debidamente de sus hijos: los padres humanos se desempeñan mejor!"

"¡Es demasiado viejo! —respondió el otro sereno. Ya no cuida de sus hijos."

"¿De veras *tiene* hijos? ¡Nadie puede probarlo, si él mismo no lo prueba! ¡Desde hace tiempo estoy deseando que lo pruebe de una vez para siempre!"

"¿Probar? ¡Pero si él nunca ha probado nada! Le cuesta probar: insiste en que le *crean*."

"¡Ah, sí! ¡Creer! ¡Les gusta esto a todos los viejos nosotros inclusive!"

Así conversaron los dos viejos serenos; luego tocaron la corneta con pesadumbre. Ocurrió esto la noche pasada, junto a la tapia.

Y me pareció morirme de risa. El día menos pensado me moriré de risa al ver a burros borrachos y oír a serenos dudar de Dios de esta manera.

¿No han pasado, ya *desde mucho ha*, los días de tales dudas? ¿Quién tiene derecho a despertar en el día tales cosas caducas que se han dormido?

¡Sí, los antiguos dioses han muerto mucho ha! ¡Y qué buena y alegre fue su muerte!

¡Eso del ocaso de los dioses es mentira! ¡La verdad es que se *murieron de risa*!

Sucedió esto cuando un dios mismo pronunció las palabras más impías —las palabras: "¡Yo soy el Señor tu Dios! ¡No tendrás dioses ajenos!"

Así habló, ofuscado, un viejo dios sañudo y celoso.

Y entonces todos los dioses se rieron, retorciéndose en sus sillas, y exclamaron: "¿No consiste la divinidad precisamente en que hay dioses pero no un Dios?"

Quien tiene oídos para oír, escuche.»

Así habló Zaratustra en la ciudad cara a su corazón que se llama "La Vaca Manchada". Allí ya no le separaban más que dos jornadas de su cueva y sus animales. Y su alma se exultaba sin cesar ante la proximidad de su regreso.

EL RETORNO A CASA

«¡Oh soledad! ¡Mi *patria* soledad! ¡Demasiado tiempo he vivido como extraño en tierra extraña, como para no retornar a ti con lágrimas en los ojos!

Ahora amenázame con el índice en alto, como hacen las madres; ahora sonríeme, como sonríen las madres; ahora dime: ¿Y quién me abandonó un día impetuosamente como un vendaval?—

—¿Y al irse gritó: ¡Demasiado tiempo he tenido trato con la soledad, así que me olvidé del callar! —¿Lo has aprendido ahora?

¡Oh, Zaratustra, yo sé todo; sé que entre los muchos estuviste *más solo* que nunca aquí a mi lado!

Una cosa es el estar abandonado y otra el estar solo; ¡*esto* lo sabes ahora! Y que entre los hombres siempre serás un extraño,—

—un extraño aun cuando te aman; ¡pues ante todo quieren ser tratados con guantes!

Aquí, en cambio, estás en tu casa; aquí puedes decir todo lo que quieres decir y sacar a relucir todos los argumentos; aquí nada se avergüenza de los sentimientos recónditos y porfiados.

Aquí todas las cosas acuden cariñosamente a tu verbo y te acarician: pues quieren cabalgar en tu lomo. Cabalgando sobre las alegorías, te trasladas aquí a todas las verdades.

Aquí puedes hablar con sinceridad y franqueza a todas las cosas; y a fe que suena con dejos de alabanza en sus oídos el que uno hable rectamente con todas las cosas.

Otra cosa es estar abandonado. Pues ¿te acuerdas, oh, Zaratustra?, cuando tu pájaro gritó en lo alto, sobre tu cabeza; cuando estuviste ahí en el bosque, sin saber dónde ir, desorientado, medio cadáver;—

—cuando dijiste: ¡guíenme pues mis animales! Más peligroso que entre los animales me ha resultado vivir entre los hombres —¡entonces estabas abandonado!

Y, ¿te acuerdas, oh, Zaratustra?, cuando estuviste sentado en tu isla como fuente de vino entre muchos baldes vacíos, expendiendo a los sedientos;—

—hasta que tú mismo quedaste ahí como único sediento entre tantos ebrios y en hora nocturna te lamentaste: ¿No es más dulce tomar que dar? ¿Y no es más dulce hurtar que tomar?; —¡entonces estabas abandonado!

Y, ¿te acuerdas, oh, Zaratustra?, cuando llegó tu hora más queda y te arrancó de ti mismo; cuando en un siniestro susurro te dijo: "¡Di tu palabra y sucumbe!"

¡Oh, soledad! ¡Mi patria soledad! ¡Cuán cariñosa e inefablemente me habla tu voz!

¡No nos hacemos preguntas, no nos hacemos reproches, sino que con el corazón y el alma abiertos pasamos juntos por puertas abiertas.

Pues aquí todo es abierto y claro; y aun las horas corren aquí más ligeras. Y es que en la oscuridad el tiempo parece una carga más pesada que a la luz.

Aquí se me abren de par en par las palabras y arcas de palabras de todo Ser; todo Ser ansía aquí volcarse en palabras, todo Devenir ansía aquí aprender de mí a hablar.

¡Ahí abajo, en cambio, son vanas todas las palabras! Ahí lo más cuerdo es olvidar y pasar de largo. ¡He aquí lo que he aprendido!

Quien quisiera comprender todas las cosas humanas, tendría que combatir todas las cosas humanas. Pero mis manos son demasiado limpias para esta faena.

Hasta respirar su aliento me repugna; ¡oh, cuánto tiempo he vivido entre su bullicio y mal aliento!

¡Oh, quietud inefable en derredor! ¡Oh, efluvios puros en derredor! ¡Cómo esta quietud respira a plenos pulmones un aire puro! ¡Cómo presta atención esta quietud inefable!

Allí abajo, en cambio, todo habla y todo es pasado por alto. ¡Aunque uno anuncie su sabiduría con la voz de bronce de las campanas, los mercaderes la ahogarán haciendo sonar sus cobres!

Entre ellos, todos hablan, pero nadie sabe ya entender; todo queda en la nada, nada queda ya acabado del todo.

Entre ellos, todo habla, pero ya nada madura. Todos cacarean, pero, ¿quién se aviene aún a estarse quieto en el nido y empollar huevos?

Entre ellos, todo habla y todo se malogra de tanto hablar. Y lo que ayer fue un hueso duro de pelar para el mismo tiempo, cuelga machacado y roído de las bocas de los de hoy.

Entre ellos todo habla y todo se revela. Y lo que en un tiempo era secreto e intimidad de almas profundas pertenece hoy a los charlatanes y demás mariposas.

¡Oh, ser humano! ¡Ser curioso! ¡Bullicio por callejas oscuras! Quedas ahora de nuevo atrás; —¡queda atrás mi más grave peligro!

Siempre en la consideración y la compasión ha acechado mi más grave peligro; y todo ser humano quiere que se tenga con él consideración e indulgencia.

Con las verdades reprimidas: con manos de loco y el corazón loco y rico en mentirillas de la compasión —así he vivido siempre entre los hombres.

Estaba entre ellos disfrazado, pronto a desconocer *mi* identidad, para soportarlos a *ellos*, y empeñado en persuadirme a mí mismo: "¡no conoces a los hombres, estúpido!"

Viviendo entre los hombres uno llega a engañarse sobre ellos; hay demasiado primer plano en todos los hombres —¡a qué vienen entre ellos los ojos fijos en la lejanía!

Y cuando me entendían mal, se los perdonaba a ellos más que a mí mismo, acostumbrado como estoy a ser duro conmigo mismo, vengándome muchas veces en mí mismo de este perdón.

Estaba yo entre ellos cubierto de las picaduras de moscas venenosas y horadado, como la piedra, por muchas gotas de malicia, y aún me decía: "¡lo pequeño no tiene la culpa de su pequeñez!"

Particularmente los que se llaman "los buenos", me resultaban las moscas más venenosas. Pican y mienten con todo candor; ¡cómo *se quiere* que sean justos conmigo!

A quien vive entre los buenos, la compasión le enseña a mentir. La compasión vicia el aire de todas las almas libres. Pues la estupidez de los buenos es inconmensurable.

Allí abajo he aprendido a ocultarme a mí mismo y mi riqueza; pues encontraba a todo el mundo pobre de espíritu. Éste era el engaño de mi compasión: el que percibía en cada cual,—

—el que notaba y olía en cada cual, la cantidad de espíritu que era capaz de digerir.

A sus sabios anquilosados les llamaba sabios, no anquilosados —así aprendí a comerme las palabras. A sus sepultureros les llamaba investigadores y exploradores —así aprendí a confundir las palabras.

Los sepultureros contraen enfermedades cavando. Debajo de los viejos escombros yacen miasmas malsanos. No conviene remover el fango. Conviene vivir en lo alto de montañas.

¡Ebrio de gozo respiro de nuevo la libertad serrana! ¡Redimida está, por fin, mi nariz del olor de las cosas humanas!

Cosquilleada por aires cortantes como por vinos espumosos, estornuda mi alma; —*estornuda* y, jubilosa, se grita a sí misma: ¡salud!»

Así habló Zaratustra.

DE LOS TRES MALES

«Soñé, en esos sueños postreros que preceden al despertar, que de pie en lo alto de un promontorio, más allá del mundo, tenía en la mano una balanza y *pesaba* el mundo.

¡Ay, prematuramente llegó la aurora! Con sus ardores me despertó la celosa. Siempre tiene celos de los ardores de mis sueños postreros.

Susceptible de ser medido por quien tiene tiempo, pesado por quien sabe pesar, alcanzado volando por las alas fuertes, descifrado por cascanueces divinos —así encontró mi sueño el mundo.

Mi sueño, navegante intrépido mitad barco, mitad viento; silencioso como la mariposa e impaciente como el noble halcón —¡hay que ver la paciencia que tuvo hoy para pesar el mundo!

¿Lo habrá persuadido furtivamente mi sabiduría, mi risueña y lúcida sabiduría diurna que se burla de todos los "mundos infinitos"? Pues dice ella: "Donde hay fuerza, señorea el *número*; pues éste tiene más fuerza."

¡Con qué aplomo consideraba mi sueño a este mundo finito: ni curioso ni temeroso, ni tampoco suplicante;—

—como si se ofreciese a mi mano una manzana bien redondita, una dorada manzana madura de suave y fresca piel aterciopelada, se me ofrecía el mundo;—

—como si me invitase un árbol obsequioso de ancha copa, doblado a modo de respaldo y aun de banquillo para el viajero fatigado, el mundo estaba ahí en lo alto de mi promontorio;—

—como si manos delicadas me ofreciesen un relicario un relicario abierto al éxtasis de ojos recatados y reverentes se me ofreció hoy el mundo;—

—no enigma suficiente para ahuyentar el amor humano; no solución suficiente para adormecer la sabiduría humana; —¡como algo humanamente bueno se me presentó hoy el mundo del que tanto se habla mal!

¡Cuán agradecido estoy a mi sueño postrero por haber pesado yo así la madrugada pasada el mundo! ¡Como algo humanamente bueno se me presentó este sueño y solaz!

Y para emularlo en horas del día y aprender de él lo que tiene de mejor, voy a colocar las tres cosas más malas en el platillo de la balanza y pesarlas en forma humanamente buena.

El que enseñó a bendecir, enseñó también a maldecir: ¿cuáles son las tres cosas más maldecidas para que las pese en forma humanamente buena?

La *voluptuosidad*, el *afán de dominio* y el *egoísmo* han sido más maldecidos y difamados; los voy a pesar en forma humanamente buena.

¡Bien! Aquí está mi promontorio, y allá el mar; viene hacia mí, velloso e insinuante, el viejo monstruo canino de cien cabezas que tanto amo.

—¡Bien! Aquí voy a tener la balanza encima del mar que viene hacia mí; y te pongo por testigo a ti, árbol solitario de penetrante aroma y frondosa copa, que amo.

¿Cruzando qué puente se encamina al futuro el presente? ¿Obedeciendo a qué apremio se fuerza lo elevado a condescender a lo bajo? ¿Y qué es lo que impele aun a lo más elevado a —elevarse?

Ahora se equilibran los dos platillos de la balanza. Coloqué en uno tres preguntas de peso; lleva el otro tres respuestas de peso.»

2

«La voluptuosidad —espina clavada en la carne de todos los penitentes que desprecian la carne, y maldecida como "mundo" por todos los trasmundistas, pues escarnece y engaña a todos los predicadores confundidos y descaminados.

La voluptuosidad —para la chusma el fuego lento en que ella es asada; para toda madera carcomida y todos los trapos inmundos el horno caliente y bullente presto a consumirlos.

La voluptuosidad —para los corazones libres inocente y libre, la felicidad florida de la vida, la gratitud fervorosa de todo futuro hacia el presente.

La voluptuosidad —tan sólo para el menguado un dulce veneno, pero para los impulsados por voluntad leonina, el gran tónico y el reverentemente economizado vino de los vinos.

La voluptuosidad —magna felicidad simbólica de otra felicidad más elevada y de las más alta esperanza. Pues a muchos les está destinado el matrimonio y más que el matrimonio;—

—a muchos entre los cuales media un abismo más profundo que entre el hombre y la mujer; ¡y quién ha comprendido jamás cabalmente el abismo que media entre el hombre y la mujer!

La voluptuosidad —¡pero quiero cercar mis pensamientos y aun mis palabras, ¡no sea que penetren en mis jardines los puercos y los "vagos"!

El afán de dominar —azote candente de los más duros corazones de piedra: suplicio cruel reservado al más cruel mismo; llama luctuosa de hogueras vivientes.

El afán de dominar —malicioso tábano puesto sobre los pueblos más engreídos: detractor de toda virtud incierta: el que monta en todos los caballos y todos los orgullos.

El afán de dominar —terremoto que quiebra y resquebraja todo lo ruinoso y cavernoso; el que arrollando, retumbando y castigando, rompe las tumbas barnizadas; fulmínea interrogante planteada al lado de las respuestas prematuras.

El afán de dominar —ante cuya mirada el hombre se dobla y se achica y se somete y se degrada por debajo de la serpiente y del puerco, hasta que brota de él el grito del gran desprecio.

El afán de dominar —terrible maestro del gran desprecio que predica en la cara de las ciudades —y de los reinos: "¡Debes desaparecer!"; hasta que de ellos mismos brota el grito: "¡Debo desaparecer!"

El afán de dominar —que se eleva, seductor, también al puro y al solitario y hasta alturas que se bastan a sí mismas; ardiente como un amor que pinta delicias de púrpura en los cielos terrenos.

El afán de dominar —a veces el descender de lo elevado por el ansia de poder ¡A fe que nada morboso hay en tal ansia ni en tal descenso!

El que la altura solitaria no quiere estar sola, aunque se baste a sí misma para siempre; el que la montaña baje al valle y los vientos de la altura al llano—

—¡oh, si alguien supiera bautizar y honrar tal ansia con el nombre justo! "La virtud dadivosa" le llamó Zaratustra cierta vez a lo inefable.

Y entonces también —¡ah, por primera vez! —su palabra alabó el egoísmo; el egoísmo sano y limpio que brota de alma poderosa:—

—de alma poderosa, a la que pertenece el cuerpo sublime, hermoso, triunfante y grato, en cuyo derredor todas las cosas se tornan en espejos;—

—el cuerpo ágil y persuasivo, el bailarín, cuyo símbolo y quintaesencia es el alma gozosa de sí misma. El goce en sí mismos de tales cuerpos y almas, se llama a sí mismo "virtud".

Con sus palabras del bien y del mal, tal goce de sí mismo se escuda como tras bosquecillos sagrados; con los nombres de su dicha conjura todo lo despreciable.

Conjura todo lo cobarde; dice: ¡Malo quiere decir cobarde! Despreciable se le antoja el que se preocupa y suspira y se queja y quien aprovecha aun las más pequeñas ventajas.

Desprecia también toda sabiduría doliente; pues hay también una sabiduría llorosa, una sabiduría a modo de dama de noche que siempre suspira: "¡Vanidad de Vanidades!"

Le repugna el sordo recelo y quien quiere juramentos solemnes en lugar de miradas y apretones de manos, así como toda sabiduría demasiado desconfiada, pues es propia de las almas cobardes.

Le repugnan aún más el harto solícito, el alma rastrera y el sumiso; y también una sabiduría sumisa, rastrera, mansa y harto solícita.

Le es francamente odioso y da asco el que no se resiste jamás y se traga la saliva ponzoñosa y las miradas fulminantes; el harto paciente que tolera todo y transige con todo, pues tal actitud es propia del siervo.

Ya se someta uno a dioses y puntapiés divinos, o a hombres y estupideces humanas, ¡a toda actitud servil escupe ese ebrio goce de sí mismo! Llama él malo a todo lo quebrado, mezquino y servil, al mirar esquivo, al aire tétrico y a esa especie falsa y blanda que besa con labios anchos y cobardes.

Y llama seudo-sabiduría a todo lo que sutilizan los siervos y los viejos y los cansados; ¡y en particular a toda la grave, absurda y harto lista locura de la clerigalla!

¡Las malas pasadas que el juego de los seudo-sabios, clérigos, todos los cansados del mundo y cuantos tienen el alma afeminada y servil, ha jugado desde siempre al egoísmo!

¡Y precisamente el jugar malas pasadas al egoísmo se proclamaba y llamaba virtud! ¡Con fundada razón todos esos cobardes, cansados del mundo y arañas de cruz, aspiraban al desprendimiento!

Pero para todos ellos llegará el día, el cambio, la espada del juicio, el *gran mediodía*; ¡entonces se pondrán de manifiesto muchas cosas!

Y quien proclama sano y santo el yo y el egoísmo, proclama también lo que sabe: *"¡Mira que ya viene, ya está por llegar el gran mediodía!"*.»

Así habló Zaratustra.

DEL ESPÍRITU DE LA PESADEZ

1

«Yo hablo como habla el pueblo; demasiado rudo y llano es mi lenguaje para los señorones. Y aún más ajeno es mi verbo a todos los chupatintas.

Mi mano —es una mano de orate; ¡ay de todas las mesas y paredes y cuanto se presta para cubrirse con dibujos y pintarrajos de orate!

Mi pie —es un pie de mil demonios; con él ando a campo traviesa como alma que lleva el diablo.

Mi estómago —¿será estómago de águila? Pues le gusta más que nada la carne de cordero. Es, en todo caso, un estómago de ave.

¡Cómo no ha de haber en mí algo de pájaro, como que me alimento con cosas inocentes y poco y siempre estoy impaciente por volar, irme volando!

Y sobre todo es cosa de pájaro mi hostilidad al espíritu de la pesadez —¡hostilidad enconada, acérrima, primordial! ¡Si habrá volado y se habrá extraviado, volando ya, mi hostilidad!

Esto sería una larga historia —y bien que la cuento, aunque estoy solo en casa desierta y tengo que contármela a mí mismo.»

2

«Quien un día enseñe a volar a los hombres, habrá desplazado todos los mojones; los mojones mismos volarán. Rebautizará la tierra con el nombre de "La Ligera".

El avestruz corre más ligero que el caballo más ligero, pero aún él mete la cabeza pesadamente en tierra pesada; así también el hombre que aún no sabe volar.

Pesada se le antoja la tierra y la vida; ¡y así lo quiere el espíritu de la pesadez! Quien quiere volverse ligero, como los pájaros, debe amarse a sí mismo —así lo enseño yo.

¡Claro que no con el amor de los enfermos y los morbosos, pues en el caso de éstos aun el amor propio envilece!

Hay que aprender a amarse a sí mismo —así lo enseño yo— con un amor sano y santo, para que el hombre se soporte a sí mismo y no ande sin rumbo.

Tal andar por ahí se llama "amor al prójimo"; con palabra alguna se ha mentido y fingido tanto como con ésta, sobre todo de parte de gentes que resultaban enfadosas a todo el mundo.

Y a fe mía que *aprender* a amarse a sí mismo no es un precepto para hoy y mañana. No existe arte más sutil, más hábil, más perfecto, más paciente.

Pues a quien posee algo, le está bien oculto todo lo que posee; y de todos los tesoros el propio es el último en ser alumbrado. Así lo dispone el espíritu de la pesadez.

No bien nacidos, ya se nos dota de palabras y valores de peso: el "bien" y el "mal" se llama esta dote. Por ella se nos perdona el que vivamos.

Y dejan a los niños que vengan a otros, para evitar a tiempo que se amen a sí mismos; así lo dispone el espíritu de la pesadez.

Y nosotros llevamos mansamente a cuestas, cuesta arriba y cuesta abajo, lo que se nos carga sobre los hombros. Y cuando sudamos, se nos dice: "¡Ah, sí; la vida es una carga pesada!"

¡Sin embargo, sólo el hombre es para sí mismo una carga pesada! Y es que lleva a cuestas demasiadas cosas ajenas. Cual el camello, se arrodilla él y se deja cargar.

Máxime el hombre fuerte y reverente carga con demasiadas palabras y valores ajenos —¡y entonces la vida se le aparece como un desierto!

¡Y también no pocas cosas *propias* son una carga pesada! Muchas interioridades del hombre son como la ostra, esto es, repugnantes y escurridizas y difíciles de asir,—

—así que tiene que interceder un caparazón noble y vistoso. ¡Pero también el tener un caparazón y hermosa apariencia exterior y prudente ceguera, es un arte que hay que aprender!

Engaña también no pocas veces sobre el hombre, el que más de un caparazón es pobre y gris y demasiado caparazón. Mucha bondad y fuerza recónditas pasan inadvertidas; ¡las más deliciosas exquisiteces no encuentran quien las saboree!

Bien lo saben las mujeres más exquisitas: un poco más graso, un poco más magro —¡oh, cuánta fatalidad hay en tan poco!

El hombre es difícil de descubrir, sobre todo por parte de sí mismo; muchas veces el espíritu miente acerca del alma. Así lo dispone el espíritu de la pesadez.

Mas se ha descubierto a sí mismo el que dice: "He aquí *mi* bien y mal"; así acalla al topo y enano que dice: "Bien de *todos* y mal de *todos*."

No me gustan tampoco aquellos para los que todas las cosas son buenas y éste es el mejor de los mundos. Se me antojan gentes que se conforman con cualquier cosa.

¡La conformidad fácil que sabe saborearlo todo no es el mejor gusto! Yo honro a las lenguas y estómagos quisquillosos y difíciles de contentar, que han aprendido a decir "yo" y "sí" y "no". ¡Tragarlo y digerirlo todo es propio de cerdos!

El mío es un gusto dado al amarillo intenso y al rojo subido —un gusto que mezcla sangre a todos los colores. El que blanquea su casa me revela un alma blanqueada.

Hay quienes se enamoran de momias y quienes de fantasmas, unos y otros enemigos por igual de toda carne y sangre —¡oh, el asco que me dan! Pues amo a la sangre.

Y no quisiera morar allí donde escupe todo el mundo. He aquí *mi* gusto. Preferiría hasta vivir entre ladrones y perjuros. Nadie lleva oro en la boca.

Pero aún más me repugnan todos los adulones; y la especie humana más repugnante que he encontrado, la he bautizado con el nombre de parásito —es la que no quiere amar, pero que procura vivir del amor.

Desdichados les llamo a todos los que tienen que elegir entre hacerse fieras malignas o domadores malignos de fieras; no estaría dispuesto a vivir entre ellos.

Desdichados les llamo también a los que siempre *tienen que* esperar; me repugnan esos publicanos y mercaderes y reyes y todos los de su laya.

Por cierto que yo también he aprendido a esperar, y a fondo —pero sólo a esperarme a mí mismo. Y por sobre todas las cosas he aprendido a estar de pie y caminar y correr y saltar y trepar y bailar.

He aquí lo que enseño: ¡Quien quiera aprender un día a volar, *tiene* que aprender primero a estar de pie y caminar y correr y trepar y bailar, que el volar no es presa que se caza al vuelo.

He aprendido a subir por escalas de cuerda a más de una ventana; con piernas ágiles me he trepado a altos mástiles. Gozaba yo del estar encaramado en altos mástiles del conocimiento:—

—del llamear cual llamitas en altos mástiles: ¡luz humilde, pero gran consuelo para navegantes desviados de su rumbo y náufragos!

Por muchos caminos y modos he llegado a mi verdad; no por una sola escalera he subido a la altura donde mi mirada *recorre el mundo*.

De mal grado preguntaba por caminos; ¡esto siempre me ha repugnado! Prefería preguntar y ensayar los caminos mismos.

Todo mi caminar ha sido un ensayar y preguntar; ¡y contestar a tales preguntas también hay que *aprender*! ¡He aquí mi gusto!

No es ni bueno ni malo; pero es el mío, del que ya no me avergüenzo y que ya no oculto.

"Este es mi camino —¿cuál es el vuestro?" —así contestaba yo a los que me preguntaban "por el camino". ¡Pues *el* camino no existe!»

Así habló Zaratustra.

DE VIEJAS Y NUEVAS TABLAS

1

«Estoy sentado aquí en actitud de espera, rodeado de viejas tablas rotas y otras nuevas a medio escribir. ¿Cuándo llegará mi hora?—

—la hora de mi ocaso y perdición; pues una última vez quiero encaminarme a los hombres.

He aquí lo que espero; pues antes deben aparecer los signos de que ha llegado, en efecto, mi hora: el león riente y la bandada de palomas.

Entretanto, hablo conmigo mismo, como uno que tiene tiempo. Como que nadie me cuenta novedades, me cuento mi propia persona.»

2

«Cuando llegué a los hombres, los encontré sentados en una inveterada soberbia: todos pretendían saber, desde hacía mucho tiempo, lo que era bueno y malo para los hombres.

Todo hablar de virtud les parecía una cosa pretérita y tediosa; y quien quería dormir bien hablaba del "bien" y del "mal" antes de acostarse.

Esta paz aletargada la perturbé al enseñar: "¡lo que es bueno y malo *no lo sabe aún nadie* —como no sea el creador!—

—que es el que crea la meta del hombre y da a la tierra su sentido y su porvenir; sólo él *crea* el bien y el mal."

Y los invité a derribar sus viejas cátedras y dondequiera que hubiera estado sentada aquella vieja soberbia; los invité a reírse de sus grandes dechados de virtud y de sus santos y poetas y redentores.

Los invité a reírse de sus sabios lúgubres y de quien hubiera estado posado cual negro espantajo en el árbol de la vida —por lo menos una vez.

Me senté a la vera de su gran necrópolis y hasta junto a la carroña y los buitres —riéndome de todo su pretérito y de su esplendor apolillado y caduco.

Como los exhortadores a penitencia y los locos, troné contra sus cosas grandes y pequeñas y lo pequeño que era aún lo mejor de ellos. Me burlé de lo pequeño que era aún lo peor de ellos.

Así clamó y rió mi sabio anhelo nacido en montañas, ¡qué sabiduría tan brava! —mi gran anhelo palpitante y ardiente.

Y muchas veces me arrastró él hacia las alturas, en plena risa; entonces volé estremecido, hecho una flecha, a través de éxtasis ebrio de sol,—

—hacia futuros lejanos que ningún sueño había visto jamás; hacia sures más cálidos que los soñados por plasmador alguno; allá donde los dioses danzan en desnudez completa;—

—por expresarme mediante alegorías, cojeando y balbuciendo como los poetas, ¡a fe que me da vergüenza tener que ser *aún* poeta!,—

—donde todo devenir se me antojaba danza y altivez de   dioses y el mundo, travieso y retozón, huyendo de vuelta a sí mismo,—

—un eterno huirse y buscarse de muchos dioses; un inefable contradecirse y entenderse de nuevo de muchos dioses;—

—donde todo tiempo se me antojaba escarnio inefable de instantes; donde la necesidad era la libertad misma, que jugaba inefablemente con el aguijón de la libertad;—

—donde yo volvía a encontrar también a mi viejo diablo y enemigo mortal, el espíritu de la pesadez, y todo lo por él creado: coerción, norma, apremio, consecuencia, fin y voluntad, bien y mal.

Pues, ¿no *tiene que haber* cosas por encima de las cuales pueda bailarse? ¿No tienen que existir, por contrariar a los ligeros y ligerísimos, topos y torpes?»

3

«Allí fue también donde recogí en el camino la palabra "superhombre" y la noción de que el hombre es algo que debe ser superado;—

—de que el hombre es puente, no fin, celebrando su mediodía y azar como camino de nuevas auroras;—

—la palabra del gran mediodía y todo lo que suspendí sobre los hombres cual segundos arreboles vespertinos.

Les hice ver también nuevas estrellas en nuevas noches; y por encima de las nubes y el día y la noche tendí la risa cual baldaquín multicolor.

Les enseñé a concebir y aunar *como unidad* cuanto fragmento, enigma y azar pavoroso hay en el hombre;—

—como poeta, descifrador de enigmas y redentor del azar, les enseñé a trabajar en el porvenir y redimir creando todo lo que *fue*.

Redimir todo lo pasado en el hombre y transformar creando todo "Así fue", hasta que la voluntad proclamara: "¡Así lo quise yo! Así lo querré."—

—he aquí la redención que les enseñé; he aquí lo que les enseñé a llamar redención.

Ahora espero la hora de *mi* redención —la hora de encaminarme a ellos una última vez.

Pues una última vez quiero encaminarme a los hombres; ¡entre ellos quiero enfrentar mi perdición, moribundo quiero hacerles entrega de mi más precioso regalo!

Así me lo ha enseñado el sol, ¡el astro pletórico!; vierte él a raudales oro en el mar cuando se hunde debajo del horizonte,—

—¡de suerte que aun el pescador más humilde rema con remo *de oro*! Así lo vi cierta vez y mis lágrimas no se cansaron de brotar ante este espectáculo.

Como el sol quiere hundirse también Zaratustra; ahora está sentado aquí en actitud de espera, rodeado de viejas tablas rotas y de otras nuevas a medio escribir.»

4

«Aquí está una de estas nuevas tablas; pero, ¿dónde están mis hermanos que junto conmigo la lleven al valle y adentro de corazones palpitantes?

Mi gran amor a los más lejanos pide: *¡no tengas consideraciones con tu prójimo!* El hombre es algo que debe ser superado.

Hay muchos caminos y modos de superarse; ¡elija cada cual el suyo! Pero sólo el bufón piensa: "el hombre puede también ser *saltado*".

¡Supérate aun en tu prójimo; y derecho que puedas robar, no has de esperar a que te lo den!

Lo que tú haces nadie puede hacértelo a ti. No hay recompensa y no hay castigo.

Quien no puede *mandarse* a sí mismo, debe obedecer. Y más de uno puede mandarse a sí mismo, pero está lejos de obedecerse también a sí mismo.»

5

«Propio de almas nobles es el no querer tener nada de balde, y menos la vida.

La plebe quiere vivir de balde; nosotros, a los que se ha dado   la vida, vivimos con la mente puesta en lo que podemos dar *a cambio*.

Y a fe mía que son palabras nobles las que rezan: "¡Lo que nos promete la vida, lo cumpliremos *nosotros* a la vida".

No debe pretender gozar el que no hace gozar. Y —¡no debe *pretenderse* gozar!

Pues el gozo y la inocencia son de lo más recatado; no son de esas cosas que uno pueda buscar. Hay que *tenerlos;* pero *buscar,* solamente debe buscarse la culpa y el dolor.»

6

«Hermanos míos, todas las primicias están destinadas al sacrificio. Pues bien, nosotros somos primicias.

Todos nosotros sangramos en altares secretos. Todos nosotros ardemos y nos consumimos en honor de viejos ídolos.

Lo mejor de nosotros es aún joven y así gusta a los viejos paladares. Nuestra carne es tierna y nuestra piel es tan sólo piel de cordero —¡cómo no iba a agradar a los viejos idólatras!

Dentro de nosotros mismos vive todavía el viejo idólatra que se regala con lo mejor de nosotros. ¡Ay!, hermanos; ¡cómo las primicias no han de estar destinadas al sacrificio!

Pero así lo quieren los que son como nosotros; y yo amo a los que no quieren sobrevivir. Amo con toda la fuerza de mi amor a los que se encaminan a su perdición; pues pasarán "al lado mejor de la vida".»

7

«Pocos pueden ser verdaderos. ¡Y no por poder ser verdadero se quiere serlo! Los que menos pueden serlo son los buenos.

¡Vaya con los buenos! *Los hombres buenos nunca dicen la verdad;* para el espíritu, esta manera de ser bueno es una enfermedad.

Esos buenos ceden, se rinden; su corazón repite lo que le ha sido dictado, su fondo obedece; pero, ¡quien obedece *no escucha su propia voz*!

Todo lo que los buenos tildan de malo, tiene que juntarse para que nazca una verdad. ¡Oh!, hermanos, ¿sois lo suficientemente malos para *esta* verdad?

La audaz osadía, la larga desconfianza, el cruel "no", el hastío, el cortar por lo sano —¡cuán rara vez se junta todo esto! ¡Mas de tal semen se engendra la verdad!

¡Toda ciencia ha crecido hasta ahora a la sombra de la conciencia malvada! ¡Romped, cognoscentes, las viejas tablas!»

8

«Cuando llega el duro invierno, el domador de ríos, no solamente los estúpidos objetan al que predica: "todo fluye":

Hasta los mismos imbéciles le contradicen. "¿Cómo?, ¿todo fluye? ¿No está todo fijo, por el contrario?"¡Pero si hay puentes y tendidos sobre la corriente!

Sobre la corriente todo es sólido, todos los valores de las cosas, los puentes, conceptos, todo el "bien" y el "mal"… ¡todo es *sólido*!

Pero cuando llega el frío invierno, el domador de ríos: entonces incluso los más chistosos se tornan desconfiados; y entonces no sólo los imbéciles dicen: ¿No será que está —inmóvil?

"En el fondo todo está fijo" —he aquí una doctrina muy de invierno, buena para tiempos estériles, magnífico consuelo para todos los dormidos en sueño hibernal y para trashogueros.

"En el fondo, todo está fijo" —¡pero en *contra de esto* predica el viento cálido del deshielo;—

—el viento cálido, un toro de esos que no aran; ¡toro furibundo, destructor, que rompe el hielo a furiosas cornadas! Y el hielo —¡*abate los puentecillos!*

¡Oh!, hermanos, ¿no son los de hoy tiempos en que todo *fluye*? ¿Y no han arrasado las aguas todo lo fijo —todos los puentes: los conceptos, todo "bien" y "mal"?

¡Ay de nosotros! ¡Dichosos de nosotros! ¡Sopla el viento cálido que rompe el hielo! —¡Difundid por todos los ámbitos, hermanos, esta buena nueva!»

9

«Hay una vieja ficción que se llama el bien y el mal. Alrededor de adivinos y astrólogos ha girado hasta ahora la rueda de esta ficción.

En un tiempo se creía en adivinos y astrólogos, y *por eso* creía: "¡Todo es fatalidad; no tienes más remedio porque te ordena el destino!"

Luego se desconfió de todos los adivinos y astrólogos, y *por eso* se creyó: "¡Todo es libertad; puedes, porque te impulsa tu voluntad!"

¡Oh, hermanos, hasta ahora acerca de los astros y el destino no se ha sabido, sino tan sólo opinado; y por ende hasta ahora acerca del bien y del mal no se ha sabido, sino tan sólo opinado!»

10

«"¡No robarás! ¡No matarás!" —en un tiempo se consideraban sagradas tales palabras y se doblaba ante ellas la rodilla y la cabeza.

Pero yo os pregunto: ¿dónde ha habido jamás en el mundo un saldo tan grande de robo y matanza como a causa de tales palabras sagradas?

¿No hay en toda la vida misma un robar y matar? Y al considerarse sagradas tales palabras, ¿no se mataba la *verdad*?

¿O sería una prédica de la muerte el considerar sagrado lo que contradecía y desaconsejaba toda vida? ¡oh, hermanos, romped las viejas tablas!»

11

«Lo que me hizo compadecer de todo lo pasado, fue la comprobación de que está librado a la merced, al espíritu, a la locura, de todas las generaciones que surgen y, valorando, convierten todo lo que fue en puente que a ellas ha conducido.

Podría presentarse un gran déspota, siniestro y listo, que a su antojo forzara y estrechara todo lo pasado hasta dejarlo convertido en puente y presagio y pregón y canto del gallo.

Y he aquí el otro peligro y el otro motivo de mi compasión: la memoria de la plebe se detiene en el abuelo —y más allá del abuelo se acaba el pasado.

De suerte que todo lo pasado está expuesto; pues podría llegar un día en que la plebe señoreara y en aguas poco profundas ahogara todo pasado.

Por esto, hermanos, es menester una *nueva aristocracia* que se oponga a toda plebe y todo despotismo e inscriba de nuevo en nuevas tablas la palabra "noble".

¡Pues *para que haya una aristocracia* son menester muchos nobles y muchas clases de nobles. O como dije cierta vez en lenguaje alegórico: "¡Consiste la divinidad en que hay dioses, pero no un Dios!".»

12

«Oh, hermanos, os consagro y enseño una nueva aristocracia: habéis de ser reproductores y criadores, y sembradores del porvenir;—

—y a fe mía que no para que surja una nobleza que podáis comprar como los mercaderes y con oro vil; pues lo que tiene precio tiene poco valor.

¡En adelante, no vuestro origen, sino vuestra meta ha de ser vuestro título de honor! ¡Vuestra voluntad y vuestros pies ansiosos de pasar más allá de vosotros, deben ser vuestro nuevo título de honor!

¡Por cierto que no el haber servido a un príncipe —¡qué importan hoy los príncipes! —ni el haberos convertido en bastión de lo que estaba en pie, para que estuviera más sólidamente en pie!

No el haberse vuelto cortesano vuestro linaje en cortes y el haber aprendido vosotros a estar de pie, engalanados de muchos colores, cual los flamencos, durante horas en estanques poco profundos;—

—pues *el poder* estar de pie es lo que distingue a los cortesanos; ¡y todos los cortesanos creen que de la bienaventuranza forma parte *el poder* sentarse!—

—Tampoco el haber conducido un espíritu, que llaman santo, a vuestros antepasados a tierras de promisión. ¡Bonito nombre para una tierra donde creció el peor de todos los árboles: la Cruz!

¡Y en verdad que donde quiera que este "espíritu santo" condujera sus huestes, siempre *precedieron* cabras y gansos y raros de toda laya!

¡Oh, hermanos, vuestra nobleza ha de mirar, no hacia el pasado, sino hacia el porvenir! ¡Debéis estar expulsados de todas las patrias!

¡Habéis de amar la *tierra de vuestros hijos* perdida en el mar más lejano y aún ignota —tal debe ser vuestra nueva nobleza! ¡Hacia ella os invito a enderezar afanosamente vuestras velas!

¡En vuestros hijos debéis reparar el ser vosotros los hijos de vuestros padres; todo lo pasado lo debéis redimir así! ¡He aquí la tabla nueva que suspendo sobre vosotros!»

13

«"¡A qué vivir! ¡Vanidad de vanidades! Vivir es trillar paja, es quemar-se sin entrar en calor."

Tal disparate pretérito es tenido todavía por "sabiduría"; y se lo honra tanto más cuanto que es viejo y huele a moho. También el moho ennoblece.

Así podían hablar los niños: ¡ellos *rehuyen* el fuego porque alguna vez se han quemado! Hay mucho infantilismo en los viejos libros sapienciales.

Quien siempre "trilla paja" no tiene derecho a hablar mal de la trilla. ¡Habría que hacerles callar la boca a tales locos!

Siéntanse a la mesa sin traer nada, ni siquiera apetito —¡y entonces claman: "¡Vanidad de vanidades!"

¡Pero comer y beber bien, hermanos, no es, en verdad, un arte vano! ¡Romped las tablas de los que no saben gozar!»

14

«Dice la gente que "para el casto todo es pudor". Pero yo os digo: ¡para el puerco todo es porquería!

Por eso los místicos y cabizbajos, que andan también con el corazón gacho, predican: "El mundo mismo es un monstruo inmundo".

Pues todos ellos son gente de espíritu sucio; ¡sobre todo esos trasmundanos que se empeñan en ver el mundo *por detrás*!

A esos les digo en la cara, aunque no suene bien, que el mundo se parece al hombre en eso de tener un trasero.

Hay en el mundo mucha inmundicia, *sí:* ¡pero no por eso el mundo mismo es un monstruo inmundo!

Hay sabiduría en el hecho de que muchas cosas en el mundo huelan mal; ¡el mismo asco hace crecer alas y fuerzas palpitantes!

Aun en los mejores hay cosas que dan asco; y aun los mejores son algo que debe ser superado.

Oh, hermanos, ¡hay mucha sabiduría en el hecho de que haya mucha inmundicia en el mundo!»

15

«He aquí las palabras que he oído a los piadosos trasmundanos decir a su conciencia, y por cierto que sin falsía ni malicia —aun cuando no hay en el mundo nada más falso ni más malo:

"¡Hay que desentenderse del mundo! ¡No mováis un *solo* dedo contra él!"

"¡Dejad que quien quiera oprimir y acosar y maltratar a las gentes lo haga! Así terminarán por apartarse del mundo.

Y tu propia razón la debes estrangular; pues es una razón de este mundo; —así tú mismo terminarás por apartarte del mundo.

¡Romped, hermanos, estas viejas tablas de los piadosos! ¡Borrad las palabras de los que difaman el mundo!»

16

«"Quien mucho aprende, se olvida de todo apetito vehemente" —así se lo susurran hoy día las gentes en todas las callejas oscuras.

"La sabiduría cansa; nada vale la pena; ¡no codiciarás!" —esta nueva tabla la he visto colocada hasta en las plazas públicas.

¡Romped, hermanos, también esta *nueva tabla*! La han colocado los cansados del mundo y los predicadores de la muerte, y también los tiranos; pues es también una prédica de la servidumbre.

De haber aprendido mal y no haber aprendido lo mejor; y de haber aprendido todo demasiado temprano y demasiado de prisa; y de haber comido mal, les ha venido este empacho;—

—pues un empacho es su espíritu; éste los lleva a la muerte. ¡Pues el espíritu, hermanos, *es* un estómago!

La vida es una fuente de placer; pero donde habla un estómago empachado, el padre de la negra aflicción, están contaminadas todas las fuentes.

¡Es el conocimiento un *placer* para los impulsados por voluntad leonina! Pero quien se ha cansado, sólo es objeto de la voluntad; con él juegan todas las olas.

Propio del hombre débil es perderse por sus caminos. Y al final aún pregunta, de tan fatigado: "¿A qué he recorrido caminos? ¡Todo da igual!"

A éste le suena gratamente en oídos la prédica: "¡Nada vale la pena! ¡No querrás!" Mas ésta es una prédica de la servidumbre.

¡Oh, hermanos, como un fuerte vendaval es Zaratustra para todos los fatigados; hará estornudar aún a muchas narices!

¡Hasta a través de muros y adentro de prisiones y espíritus aprisionados, sopla mi aliento libre!

El querer libera; pues querer es crear —así lo enseño yo. ¡Y *sólo* para crear habéis de aprender!

Y aun el aprender habéis de *aprenderlo* de mí —¡el aprender bien! —¡Quien tiene oídos para oír, escuche!»

17

«Aquí está la barca —por allá se pasa quizás a la gran nada. Pero no hay quien esté dispuesto a embarcarse en este "quizá".

¡Ninguno de vosotros está dispuesto a embarcarse en la barca de la muerte! ¿Qué hay, entonces, de vuestro *cansancio del mundo*?

¡Cansados del mundo! ¡Pero si ni siquiera habéis cortado las amarras de la tierra! ¡Os he encontrado todavía concupiscentes de las cosas terrenas, enamorados hasta de vuestro cansancio de la tierra!

No en balde tenéis el labio colgante; ¡un pequeño deseo terreno está aún encaramado en él! ¿Y no flota en vuestro ojo una nubecilla de placer terreno no olvidado?

Abundan en la tierra las buenas invenciones, ya útiles o agradables; por ellas hay que amar la tierra.

Y existe en ella también no poca cosa inventada que es como el seno de la mujer: útil y agradable a un tiempo.

¡Cansados del mundo! ¡Perezosos de la tierra! ¡Hay que daros de azotes! ¡Con azotes hay que infundiros renovados bríos!

Pues si no sois unos enfermos o mamarrachos decrépitos de que la tierra está cansada, sois unos perezosos ladinos, o bien unos felinos concupiscentes y díscolos. ¡Y si os resistís a mover de nuevo ágilmente los pies, debéis —iros del mundo!

No hay que pretender curar a los incurables —así lo enseña Zaratustra.

Pero se requiere más *valor* para poner fin, que para componer un nuevo estribillo, como bien lo saben todos los médicos y los poetas.»

18

«¡Oh!, hermanos, hay tablas que creó el cansancio y tablas que creó la pereza; aun cuando hablan igual expresan cosas distintas.

¡Mirad a este hombre agotado! Está a dos pasos de su meta, pero de tan cansado, el valiente se ha tendido aquí en el polvo, porfiado.

De tan cansado que está, bosteza en la cara del camino y de la tierra y de la meta y de sí mismo. Niégase el valiente a dar un solo paso más.

Ahora lo abrasa el sol y los perros lamen su sudor; pero él está tendido ahí, porfiado, y prefiere perecer de sed;—

—¡perecer de sed a dos pasos de su meta! ¡Por los cabellos tendréis que arrastrar a su cielo a este héroe!

Más vale que lo dejéis tendido ahí, para que le llegue el sueño confortante cual baño refrescante.

Dejadlo tendido ahí hasta que se despierte por sí mismo —¡hasta que se retracte por sí mismo del cansancio y de todo cuanto enseñó el cansancio por conducto suyo!

¡Sólo que debéis ahuyentar, hermanos, los perros, esas viles bestias en acecho, y todo el enjambre vil de los "cultos" que se regala con el sudor de todo héroe!»

19

«Trazo en mi derredor círculos y fronteras sagradas; son cada vez menos los que ascienden conmigo a cimas cada vez más altas. Levanto una cadena de cimas cada vez más sagradas.

Pero, donde quiera que ascendáis conmigo, hermanos, ¡tened cuidado de que no ascienda con vosotros un *parásito*!

Es el parásito un gusano rastrero y vil que quiere engordar en vuestros rincones enfermos y ulcerosos.

Y su arte consiste en localizar el cansancio de las almas que ascienden; en vuestra aflicción o contrariedad, o en vuestra delicada vergüenza, construye su asqueroso nido.

Donde el fuerte es débil y el noble demasiado indulgente, construye él su asqueroso nido; vive el parásito allí donde el hombre grande tiene pequeños rincones ulcerosos.

¿Qué es lo más noble de todo ser, y qué es lo más vil? El parásito es lo más vil y el más noble alimenta el mayor número de parásitos.

Pues, ¿cómo el alma que tiene la escalera más larga y que alcanza hasta profundidades mayores, no va a alojar el mayor número de parásitos?

El alma más vasta, que puede correr y vagar y deambular dentro del perímetro más grande; la más determinada, que por gusto se precipita dentro del azar;—

—el alma que desde el ser se zambulle en el devenir; el alma poseedora que *tiende* al querer y apetecer;—

—el alma que huye de sí misma y se da alcance a sí misma dentro del perímetro más vasto; la más sabia, a la que susurra más dulcemente la locura;—

—la enamorada de sí misma con el amor más entrañable y en la cual todas las cosas fluyen y contrafluyen y tienen su flujo y reflujo: —¡oh!, ¿cómo el alma más noble no va a alojar los parásitos peores?»

20

«¡Oh, hermanos!, ¿soy cruel? Ciertamente digo: ¡a lo que ya cae, hay que empujarlo!

Todo lo actual cae y decae; ¡no hay quien lo quiera sostener! ¡Pero yo *quiero* aun darle un empujón!

¿Conocéis la voluptuosidad que hace rodar piedras a pavorosos abismos? —Esos hombres de hoy, ¡mirad cómo ruedan a mis profundidades!

¡Yo soy un precursor de jugadores mejores, hermanos! Soy un ejemplo! ¡*Imitad* mi ejemplo!

¡Y a quien no enseñáis a volar, enseñadle —*a caer más rápidamente*!»

21

«Amo a los valientes; pero no debe golpearse a tontas y a locas.

Muchas veces es más valiente el que se contiene y pasa de largo, ¡*a fin* de reservarse para otro enemigo más digno!

Debéis tener solamente enemigos que podáis odiar, no enemigos que tengáis que despreciar; debéis estar orgullosos de vuestros enemigos —ya os lo enseñé cierta vez.

Debéis reservaros, amigos míos, a otro enemigo más digno; por eso muchas veces habéis de pasar de largo;—

—sobre todo en el caso de mucha chusma que os abruma con palabrería de pueblo y pueblos.

¡Apartad los ojos de su pro y contra! Abundan allí la razón y la sin-razón; quien fija allí la mirada, se fastidia.

Golpe de vista y golpe de espada es allí *todo uno;* ¡por eso id a los bosques y no empuñéis la espada!

¡Id por *vuestros* caminos y dejad a pueblo y pueblos que vayan por los suyos! —¡caminos oscuros, por cierto, donde ya no relampaguea ni *una sola* esperanza!

¡Que el mercader vil señoree allí donde es oro vil todo lo que reluce todavía! Han pasado los días de los reyes; lo que hoy día se llama pueblo, no es digno de tener reyes.

¡Hay que ver cómo esos pueblos se portan ahora como los mer-caderes —hurgan todas las basuras en busca de las más pequeñas ven-tajas!

Siempre se acechan y roban unos a otros —a eso le llaman "ser bue-nos vecinos". ¡Oh, cuán lejos estamos de los tiempos dichosos en que los pueblos se decían: "¡quiero *señorear* sobre pueblos!"

Pues, hermanos, lo mejor debe señorear; ¡lo mejor *quiere* también señorear! Y donde se predica otra cosa, *falta* lo mejor.»

22

«Si esas gentes tuviesen el pan de balde, ¡ay, por qué clamarían! Su sustento es el entretenimiento adecuado a ellas, y que tengan que luchar!

Son fieras; aun su "trabajar" es un "robar" y hasta su "ganar" es un engaño. ¡Por esto es preciso que tengan que luchar!

Para que de esta suerte lleguen a ser fieras mejores: más finas, más listas, *más parecidas a hombres*. Pues el hombre es la mejor fiera.

Todos los animales han sido despojados ya por el hombre de sus vir-tudes; y es que de todos los animales el hombre es el que más ha teni-do que luchar.

Ya únicamente los pájaros están por encima de él. Y si el hombre aprendiese hoy a volar, ¡ay, *hasta qué alturas* volaría —su rapacidad!»

23

«Quiero que el hombre sea buen guerrero y la mujer buena partu-rienta; y ambos buenos bailarines —con la cabeza y las piernas.

¡Hemos de considerar desperdiciado el día en que no se haya bailado siquiera *una vez*! ¡Y hemos de tener por falsa toda verdad que no haya dado lugar siquiera a *una carcajada*!

24

«¡Tened cuidado con el fin de vuestro enlace matrimonial! Es una soldadura hecha con demasiada rapidez; por eso le sigue: —el quebrantamiento matrimonial.

Y es mejor quebrantar el matrimonio que torcer el matrimonio, que mentir el matrimonio. —Una mujer me dijo: "Es verdad que he quebrantado el matrimonio, ¡pero antes el matrimonio me había quebrantado a mí!"

Siempre los mal apareados son los más vengativos: hacen que todo el mundo pague lo que ellos ya no pueden hacer por separado.

Por eso quiero que los honestos se hablen así: "Nos amamos; ¡*veamos* que no sufra menoscabo nuestro amor! ¡No sea que nuestro compromiso nos meta en una equivocación!

¡Dadnos un plazo y un matrimonio pequeño, para que veamos si servimos para el matrimonio grande! ¡Es una gran cosa estar dos siempre juntos!"

Así lo aconsejo a todos los honestos; ¡y qué sería mi amor al superhombre y a todo lo por venir si aconsejase y hablase de otra manera!

¡Vuestro procrear, hermanos, debe ser un superar creando! y a eso os ayuda el vergel matrimonial.»

25

«Quien se ha compenetrado de los orígenes remotos, concluye por ir en procura de fuentes del futuro y nuevos orígenes.

¡Oh, hermanos, antes que transcurra mucho tiempo surgirán *nuevos pueblos* y nuevas fuentes bajarán a nuevos valles.

Pues los terremotos ciegan muchas fuentes; esto causa mucho desfallecimiento y muerte y también saca a luz fuerzas interiores y cosas recónditas.

Los terremotos alumbran nuevas fuentes; y quien exclama: ¡He aquí *una* fuente para muchos sedientos, *un* corazón para muchos anhelosos, *una* voluntad para muchos instrumentos, se ve al pronto rodeado de un *pueblo*, esto es, de gentes que ensayan.

¡Quién sabe mandar y quién tiene que obedecer —*he aquí lo que ensayan!* ¡Ay, qué arduo buscar y tentar y errar y aprender y ensayar de nuevo!

Es la sociedad humana un ensayo, un arduo buscar: ¡busca ella al que haya de mandar!;—

—¡un ensayo, hermanos, no un "contrato"! ¡Romped esta palabra de los corazones blandos y los seres truncos!»

26

«¡Oh, hermanos!, ¿dónde reside el peligro más grave para todo porvenir humano? ¿No reside en los buenos y justos?;—

—por ser los que sostienen y sienten: "Sabemos lo que es bueno y justo, y también lo tenemos; ¡ay de los que lo andan buscando todavía!"

¡Y por grave que sea el daño que causan los malos, el de los buenos es el daño más grave!

Y por grave que sea el daño que causan los que difaman al mundo, el de los buenos es el daño más grave!

¡Oh, hermanos!, cierta vez los buenos y justos fueron desenmascarados por uno que dijo: "Son fariseos." Pero no le entendieron.

Los buenos y justos mismos no pudieron entenderlo; su espíritu se la halla preso en su conciencia tranquila. La estupidez de los buenos es inconmensurablemente sabia.

¡Lo cierto es que los buenos *tienen que* ser fariseos —forzosamente!

Los buenos *tienen que* crucificar al que se inventa su propia virtud. ¡Tal *es* la verdad!

El segundo en descubrir su tierra: tierra, corazón y suelo de los buenos y justos, fue aquel que preguntó: "¿a quién odian con más encono?"

Odian con más encono al hombre *creador*, al hombre que rompe tablas y viejos valores; —le llaman corrompido.

Pues los buenos *no son capaces* de crear; son siempre el principio del fin:—

crucifican al que inscribe nuevos valores en nuevas tablas; sacrifican en aras de *sí mismos* el porvenir; crucifican todo porvenir humano.

Los buenos siempre han sido el principio del fin.»

27

«¡Oh, hermanos!, ¿habéis comprendido lo antedicho? ¿Y lo que dije cierta vez del "último hombre"?

¿Dónde reside el peligro más grave para todo porvenir humano? ¿No reside en los buenos y justos?

¡Romped, os lo ruego encarecidamente, a los buenos y justos! ¡Oh, hermanos!, ¿habéis comprendido lo antedicho?»

28

«¿Me huis? ¿Estáis asustados? ¿Tembláis ante esta palabra?

¡Oh, hermanos!, sólo cuando os incité a romper a los buenos y las tablas de los buenos, embarqué al hombre rumbo a su alta mar.

Y sólo ahora llega su hora del gran sobresalto, del gran mirar en torno, de la grande enfermedad, del gran asco, del gran mareo.

Los buenos os han enseñado costas falsas y seguridades falsas; habéis nacido y os habéis criado en las mentiras de los buenos. Todo son mentiras y tergiversaciones de los buenos.

Mas quien descubrió la tierra "hombre", descubrió también la tierra "porvenir humano". ¡Ahora habéis de ser navegantes intrépidos y tesoneros!

¡Caminad erguidos y a tiempo, ¡oh, hermanos! ¡Aprended a caminar erguidos! Hay mar de fondo; muchos ansían enderezarse con vuestra ayuda.

Hay mar de fondo; todo está en el mar. ¡Ea!, ¡adelante, viejos corazones marinos!

¡Qué importa la patria! ¡Enfila nuestra proa *hacia allá*, donde está la *tierra de nuestros hijos*! ¡Hacia allá se precipita, más bravo que el mar, nuestro gran anhelo!»

29

«"¿Por qué eres tan duro? —dijo cierta vez el carbón al diamante—; ¿acaso no somos parientes?…"

¿Por qué tan blandos?, os pregunto *yo* a vosotros, hermanos; ¿acaso no sois —mis hermanos?

¿Por qué tan blandos y acomodadizos? ¿Por qué hay tanta negación y repudio en vuestro corazón? ¿Tan poca fatalidad en vuestro mirar?

Y si no estáis dispuestos a ser fatales e inexorables, ¿cómo podréis crear junto conmigo?

Y si vuestra dureza se niega a fulminar y separar y deshacer, ¿cómo podréis crear junto conmigo?

Pues los creadores son duros. Y se os ha de antojar gozo inefable el grabar en milenios la impronta de vuestra mano como en cera;—

—inscribir en la voluntad de milenios cual en bronce, —más duros y más nobles que el bronce. Sólo lo más noble es de máxima dureza.

¡Volveos duros! —he aquí la nueva tabla que suspendo sobre vosotros.»

30

«¡Oh, voluntad mía! ¡Supremo consuelo, mi necesidad! ¡Presérvame de toda victoria pequeña!

¡Oh, fatalidad de mi alma, que llamo destino!, ¡tú que estás dentro y por encima de mí! ¡Guárdame y resérvame para un gran destino!

Y tu grandeza suprema, mi voluntad, ¡resérvala para tu momento supremo —para que seas inexorable en tu victoria ¡Ay, quién no sucumbió a su victoria!

¡Ay, quién no se ofuscó en este ebrio crepúsculo! ¡Ay, quién no se tambaleó en la victoria —y ya no supo estar de pie!

¡Para que yo esté pronto y maduro cuando llegue el gran mediodía; pronto y maduro cual bronce candente, nubarrón tormentoso a punto de descargar el rayo, y túrgida ubre;—

—pronto a mí mismo y a mi voluntad más recóndita: arco que ansía su flecha, flecha que ansía su estrella;—

—estrella pronta y madura en su cenit; ardiente, traspasada y ebria de destructoras flechas de sol;

—sol e inexorable voluntad solar pronta a destruir triunfando!

¡Oh, voluntad, supremo consuelo, *mi* necesidad! ¡Resérvame para *una* gran victoria!".»

Así habló Zaratustra.

EL CONVALECIENTE[1]

1

Cierta mañana, poco después de su regreso a la cueva, Zaratustra se levantó de su lecho de un salto frenético, gritó como un energúmeno y se comportó como si además de él, otro estuviese tendido en el lecho y se negase a abandonarlo. Y resonó de tal modo la voz de Zaratustra, que sus animales acudieron presas de terror, en tanto que de todas las cuevas y guaridas vecinas a la suya huyeron todos los demás animales —volando, aleteando, dando saltos o arrastrándose por el suelo. Y Zaratustra habló como sigue:

«¡Sube de mis profundidades, pensamiento abismal! Yo soy tu gallo y alba, gusano dormilón. ¡Arriba! ¡Arriba! ¡Mi voz ha de arrancarte del sueño!

¡Desata tus oídos!, ¡escucha! ¡Pues quiero oírte!, ¡Arriba! ¡Arriba! ¡Aquí hay trueno suficiente para que hasta las tumbas aprendan a escuchar!

¡Y límpiate los ojos del sueño y de todo lo ciego y aturdido! ¡Escúchame también con tus ojos; mi voz sana aun a los que han nacido ciegos!

Y una vez que te hayas despertado has de estar despierto para siempre. ¡No es propio de mí arrancar del sueño a los bisabuelos nada más que para mandarles que sigan durmiendo!

¿Te mueves? ¿Te desperezas? ¿Roncas? ¡Arriba! ¡Arriba! ¡No has de roncar, sino de hablar! ¡Te llama Zaratustra el impío!

¡Yo Zaratustra, el paladín de la vida, el paladín del sufrimiento, el paladín del círculo, llamo a mi pensamiento más abismal!

¡Dichoso de mí! Ya vienes —¡te oigo! ¡Mi abismo *habla;* he sacado a luz mi fondo más hondo!

¡Dichoso de mí! ¡Acércate! Dame la mano —¡ah! ¡déjame! ¡ja, ja! —¡asco! ¡asco! ¡asco! —¡ay de mí!»

---

1 Otro título pensado por Nietzsche fue «La evocación». *(N. del T.)*

2

No bien Zaratustra hubo hablado así, se desplomó como fulminado y durante largo tiempo permaneció tendido, como si hubiese muerto. Y cuando volvió en sí estaba intensamente pálido, temblaba de pies a cabeza y permanecía acostado, negándose a probar bocado. Prolongóse este estado por espacio de siete días; mas sus animales no le dejaron solo un instante, salvo cuando el águila levantaba vuelo en procura de alimento. Y el que conseguía lo depositaba en el lecho de Zaratustra, en forma que éste iba desapareciendo bajo una capa de bayas amarillas y rojas, uvas, manzanas, rosas, hierbas aromáticas y piñas. Y a sus pies estaban tendidos dos corderillos que el águila había arrebatado dificultosamente a su respectivo pastor.

Al cabo de siete días, Zaratustra se incorporó al fin en su lecho, tomó una manzana rosada y aspiró complacido su olor. Entonces, sus animales creyeron llegado el momento de hablarle.

«Oh, Zaratustra —dijeron—, llevas ya siete días tendido así con los ojos cargados de sueño; ¿no quieres por fin levantarte del lecho?

Sal de tu cueva que el mundo te espera cual un jardín. El viento juega con perfumes penetrantes que te buscan y todos los arroyos quisieran correr tras ti.

Todas las cosas anhelaban tu presencia mientras permaneciste solo por espacio de siete días. ¡Sal de tu cueva! ¡Todas las cosas ansían curarte!

¿Te vino acaso una nueva verdad, ardua y penosa? Estuviste tendido cual masa a que han puesto levadura; tu alma fermentó hasta desbordarse por todos lados.»

«Oh, mis animales —respondió Zaratustra—; ¡seguid hablando así y dejadme escuchar! Me hace bien escuchar vuestra charla; donde se charla, ya el mundo se presenta cual un jardín.

Qué bien que existen palabras y sonidos; ¿no son las palabras y sonidos arcos iris y puentes ficticios tendidos entre lo que está separado por todas las eternidades?

Cada alma forma parte de un mundo propio; para cada alma toda otra alma es un trasmundo.

Precisamente entre lo más afín miente la apariencia del modo más hermoso; pues el abismo más angosto es el más difícil de franquear.

Para mí, ¿cómo va a haber nada exterior a mí? ¡No hay exterior alguno! Pero nos hacen olvidar esto todos los sonidos: ¡qué lindo es lo que olvidamos!

¿No están conferidos nombres y sonidos a las cosas para que el hombre se deleite con ellas? Hermosa locura es el hablar; permite al hombre bailar por encima de todas las cosas.

¡Qué lindo es —todo hablar y todo engaño de los sonidos! En alas de sonidos baila nuestro amor sobre multicolores arcos iris.»

«¡Oh! Zaratustra —dijeron entonces los animales—, para los que piensan como nosotros, todas las cosas bailan de por sí. Todo es acercarse y darse la mano y reír y huir —y volver.

Todo se va y vuelve; eternamente gira la rueda del ser. Todo muere, todo resucita; eternamente transcurre el año del ser.

Todo se desintegra y se reintegra; eternamente se construye el mismo edificio del ser. Todo se separa, todo se junta de nuevo; eternamente permanece fiel a sí mismo el anillo del ser.

A cada instante comienza el ser; alrededor de cada Aquí gira la esfera Allá. Por doquier está el centro. La senda de la eternidad describe un círculo.»

«¡Oh, pícaros organilleros! —respondió Zaratustra, y sonrió de nuevo—. ¡Qué bien sabéis lo que hubo de consumarse en el término de siete días!;—

—¡y cómo ese bicho se me introdujo en la garganta, así que estuve en trance de perecer asfixiado! Pero le arranqué la cabeza de un mordisco y la escupí lejos.

¿Y vosotros ya habéis hecho de eso un estribillo?, en tanto yo estoy tendido aquí, todavía cansado de este morder y escupir, todavía enfermo de mi propia redención.

¿Y vosotros presenciasteis todo eso? ¡Oh!, mis animales, ¿es que vosotros también sois crueles? ¿Quisisteis ser espectadores de un gran dolor, como los hombres? Pues el hombre es el animal más cruel.

Nunca se ha sentido él tan a gusto sobre la tierra como presenciando tragedias, corridas de toros y crucifixiones; y cuando se inventó el infierno, he aquí que era su cielo en la tierra.

Cuando grita el gran hombre, acude prestamente el pequeño, con la lengua colgándole fuera de la boca de tan concupiscente. Mas él le llama su "compasión".

El hombre pequeño, sobre todo el poeta, ¡cómo se afana en denunciar la vida! ¡Escuchad y no paséis por alto el deleite que hay en toda denuncia!

De esos denunciadores de la vida da cuenta la Vida con un guiñar de ojos. "¿Me amas?", dice la muy pícara; "espera un poco, que no tengo todavía tiempo para ti."

El hombre es para consigo mismo el animal más cruel; ¡y en todo el que se llama "pecador" y "penitente" y habla de "llevar la cruz", no habéis de pasar por alto la voluptuosidad que hay en este lamentar y denunciar!

Y yo mismo, ¿acaso pretendo, así, denunciar al hombre? ¡Oh!, mis animales, lo único que he aprendido hasta ahora es que el hombre necesita de lo peor para lo mejor;—

—que lo peor es su mayor *fuerza* y la piedra más dura para el creador supremo; y que el hombre debe volverse mejor y peor.

No estuve clavado en esta cruz para saber que el hombre es malo; sino que grité como nunca nadie ha gritado:

"¡Ay, lo pequeño que es lo peor de él! ¡Ay, lo pequeño que es lo mejor de él!"

El gran hastío del hombre —he aquí lo que se me introdujo en la garganta, así que estuve en trance de perecer asfixiado; amén del vaticinio del adivino: "Todo da igual; nada vale la pena; el saber ahoga."

Arrastrábase delante de mí un largo crepúsculo, una tristeza mortalmente cansada y anhelosa de muerte, que decía entre bostezo y bostezo:

"Retorna eternamente el hombre del que estás hastiado, el hombre pequeño." Así hablaba mi tristeza entre bostezo y bostezo, arrastrando los pies, sin poder dormirse.

Entonces la tierra de los hombres se me tornaba en cueva, su pecho se hundía en ella, la vida toda se convertía para mí en podredumbre humana y hueso y pasado decrépito.

Mi suspiro estaba sentado en todas las tumbas humanas y ya no podía levantarse; mi suspiro e interrogación se debatían y rumiaban y gemían día y noche:

"¡Ay, el hombre retorna eternamente! El hombre pequeño retorna eternamente!"

Cierta vez había visto yo desnudos al hombre más grande y al más pequeño: demasiado parecidos el uno al otro —¡demasiado humano aun el más grande!

¡Demasiado pequeño aun el más grande! —he aquí mi hastío del hombre. ¡Y retorno eterno aun del más pequeño —he aquí mi hastío de toda existencia.

¡Ay! ¡Asco! ¡Asco! ¡Asco!» —Así habló Zaratustra y dio un suspiro, estremeciéndose pues recordaba su enfermedad. Pero en ese punto lo interrumpieron sus animales.

«¡No sigas, convaleciente! —dijeron—, sino sal afuera, donde el mundo te espera cual un jardín.

¡Sal afuera, donde están las rosas y las abejas y las bandadas de palomas! ¡Y sobre todo las aves cantoras, para que aprendas de ellas a *cantar*!

Pues propio del convaleciente es cantar; hablar es cosa del sano. Y aun cuando también el sano ha menester canciones, requiere otras canciones que el convaleciente.»

«¡Callaos, pícaros organillos! —respondió Zaratustra, sonriéndose de sus animales—. ¡Qué bien conocéis el consuelo que me inventé en el término de siete días!

Que yo debía cantar de nuevo —he aquí el consuelo y la convalecencia que me inventé. ¿Vais a hacer también de esto en seguida un estribillo?»

«No sigas —le contestaron otra vez sus animales—; antes bien procúrate una lira, ¡oh!, convaleciente; una lira nueva.

Pues mira, ¡oh!, Zaratustra, que para tus canciones nuevas son menester liras nuevas.

Canta y desbórdate, ¡oh!, Zaratustra; ¡cura tu alma con nuevas canciones para que soportes tu gran destino que jamás ha sido el destino de hombre alguno!

Pues tus animales, ¡oh!, Zaratustra, saben muy bien quién eres y has de llegar a ser. ¡Mira que tú *eres el que enseña el eterno retorno* —tal es ahora tu destino!

El que te toque ser el primero en enseñar esta doctrina —¡cómo tan magno destino no va a ser también tu más grave peligro y enfermedad!

Bien sabemos lo que enseñas,: que todas las cosas retornan eternamente y nosotros junto con ellas; y que hemos existido ya eternas veces, y todas las cosas junto con nosotros.

Enseñas que existe un gran año del devenir, un monstruo de gran año que, cual reloj de arena tiene que invertirse siempre de nuevo para que transcurra y se consuma de nuevo:—

—de suerte que todos esos años son idénticos en lo más grande y también en lo más insignificante; y por ende, nosotros somos idénticos en todos los grandes años, en lo más grande y también en lo más insignificante.

Y si ahora murieses, ¡oh, Zaratustra!, sabemos también lo que dirías para tus adentros; ¡pero tus animales te ruegan que no te mueras todavía!

Sin temblar, por el contrario, ebrio de felicidad por habérsete quitado de encima, ¡oh, pacientísimo!, un gran peso y pesadilla, hablarías como sigue:

"Ahora me muero y extingo y al instante seré una nada. Las almas son tan mortales como los cuerpos.

Mas retorna el nudo de causas del que estoy prendido; ¡este nudo me volverá a crear! Yo mismo figuro entre las causas del eterno retorno.

Retornaré junto con este sol, esta tierra, esta águila y esta serpiente —no a nueva vida, no a mejor vida ni a otra vida parecida a ésta;—

—retornaré eternamente a esta misma vida, en lo más grande y también en lo más insignificante, para que enseñe de nuevo el eterno retorno de todas las cosas;—

—para que diga de nuevo la palabra del gran mediodía de la tierra y del hombre; para que anuncie de nuevo el superhombre a los hombres.

He dicho mi palabra y sucumbo a mi palabra —así lo quiere mi eterno destino. ¡Sucumbo como anunciador!

Ha llegado la hora en que Zaratustra, en trance de hundirse, se bendice a sí mismo. Así —termina el ocaso de Zaratustra."»

Hablado que hubieron así los animales, se callaron y esperaron a que Zaratustra les dijera algo. Pero Zaratustra no se dio cuenta de que se habían callado. Estaba tendido ahí inmóvil, con los ojos cerrados, como si durmiese; no dormía, empero, pues dialogaba con su alma. El águila y la serpiente, al verle así tan callado, respetaron el profundo silencio que le envolvía y se alejaron cautelosamente.

DEL GRAN ANHELO

«¡Oh, alma mía!, te he enseñado a decir "hoy" igual que "antaño" y un "día por venir" y a bailar por encima de todo aquí y allá y acullá.

¡Oh, alma mía!, te he redimido de todos los rincones; te he limpiado del polvo, el crepúsculo y las arañas.

¡Oh, alma mía! te he enjugado la pequeña vergüenza y la virtud mezquina y te he persuadido a presentarte desnuda ante el sol.

Con la tempestad que se llama "espíritu" soplé por sobre tu mar revuelto poniendo en fuga las nubes y estrangulando hasta al estrangulador que se llama "pecado".

¡Oh, alma mía!, te he dado el derecho de decir "no" como la tempestad y decir "sí" como el cielo despejado: serena como la luz eres ahora y pasas por las tempestades que dicen "no".

¡Oh, alma mía!, te he devuelto la libertad sobre lo creado y lo por crear; ¿y quién conoce, como tú, la voluptuosidad de lo por venir?

¡Oh, alma mía!, te he enseñado el desprecio que no es como carcoma, el gran desprecio amoroso que más ama cuando más desprecia.

¡Oh, alma mía!, te he enseñado a persuadir en tal forma que persuades a ti las causas mismas; como el sol persuade al mar hacia su altura.

¡Oh, alma mía!, te he depurado de toda obediencia, adoración y servidumbre; te he llamado "consuelo supremo" y "destino".

¡Oh, alma mía!, te he brindado nombres nuevos y variados juguetes; te he llamado "destino", "perímetro de los perímetros", "cordón umbilical del tiempo" y "campana azul.

¡Oh, alma mía!, he regado tu tierra con toda sabiduría, con todos los vinos nuevos y también todos los vinos fuertes, inconmensurablemente añejos, de la sabiduría.

¡Oh, alma mía!, he derramado sobre ti todo sol y toda noche, todo silencio y todo anhelo: así que creciste como una vida.

¡Oh, alma mía!, héte aquí exuberante y cargada, una vid de túrgidas ubres y apretados racimos de gualdas uvas;

—apretada y abrumada por tu dicha, expectante de tan ubérrima y avergonzada aun de tu expectativa.

¡Oh alma mía!, ¡ya no existe en parte alguna alma más amorosa ni más envolvente y voluminosa! ¿Dónde se dan más juntos que en ti lo futuro y lo pasado?

¡Oh, alma mía!, te he dado todo y de tanto darte me quedo con todas las manos vacías. ¿Y ahora? Ahora me dices, sonriendo con melancolía: "¿Cuál de los dos debe estar agradecido?;—

—¿no debe estar agradecido el que ha dado al que ha tomado? ¿No es el dar una necesidad? ¿No es el tomar —compasión?"

¡Oh, alma mía!, comprendo la sonrisa de tu melancolía: ¡Tu propia superabundancia tiende ahora manos anhelosas!

Tu plenitud mira por sobre mares agitados y busca y espera; ¡al cielo sonriente de tus pupilas asoma el anhelo de la superabundancia!

Y en verdad, alma mía, ¿quién puede ver tu sonrisa sin llorar a lágrima viva? Los ángeles mismos lloran a lágrima viva ante la bondad suprema de tu sonrisa.

Tu bondad y bondad suprema no quieren quejarse y llorar; y sin embargo, ¡oh, alma mía!, tu sonrisa ansía las lágrimas y tu boca trémula, el sollozo.

"¿No es todo llorar un quejarse? ¿Y no es todo quejarse un acusar?" Así te dices, alma mía, y por eso prefieres sonreír a exteriorizar tu pena,—

—a exteriorizar en un torrente de lágrimas tu pena por tu plenitud y el ansia de la vid por el vendimiador y su podadera.

¡Mas si no quieres llorar, desahogar en llanto tu melancolía de púrpura, tendrás que *cantar,* oh alma mía! —¡ah!, yo mismo sonrío al predecirte esto—

—hasta que sobre silenciosos y anhelosos mares se deslice la barca, el portento áureo en derredor de cuyo oro brincan todos los seres maliciosos y raros,—

—como también gran número de animales grandes y menudos y cuanto es ligero y prodigioso de pies, así que puede recorrer sendas violetas,—

—hacia el portento de oro, la barca voluntaria y su amo, que es el vendimiador que espera con podadera de diamante en la mano,—

—tu gran libertador, ¡oh, alma mía!, el sin nombre—

—al que sólo cantos futuros pondrán nombre. Y a fe mía que ya tu aliento exhala fragancia de cantos futuros;—

—¡ya ardes y sueñas; ya bebes con avidez en todas las profundas y sonoras fuentes que brindan consuelo; ya tu melancolía reposa en la dicha inefable de cantos futuros!—

¡Oh, alma mía!, acabo de darte todo, y aun lo último que me quedaba; y de tanto darte me he quedado con las manos todas vacías; *¡el haberte invitado a cantar* ha sido lo último que yo podía darte!

Al haberte invitado yo a cantar, ¿*cuál* de los dos debe ahora agradecer? Pero mejor aún: ¡Cántame, canta, oh, alma mía! ¡Y déjame a mí agradecer!»

Así habló Zaratustra.

LA OTRA CANCIÓN DE BAILE

1

«Días pasados te miré a los ojos, ¡oh, vida! ¡vi brillar oro en el fondo oscuro de tus pupilas y me pareció morirme de voluptuosidad;—

—¡vi brillar una barca de oro que se mecía en aguas tenebrosas, haciéndome guiños!

Echaste a mis pies, dados al baile, una mirada interrogadora, riente, lánguida, insinuante.

Dos veces hiciste sonar las castañetas con delicadas manos, y ya mis pies dados al baile empezaron a mecerse.

Irguiéronse los talones, y los dedos prestaron atención para entenderte —que el bailarín lleva el oído en los dedos de los pies.

Corrí hacia ti, pero retrocediste al momento, y flameó contra mí tu cabellera flotante al viento.

Prestamente me aparté de ti y tus sierpes, caprichosa; y al punto te detuviste y me miraste anhelosa.

Me enseñaste caminos sinuosos con insinuantes miradas; ¡por caminos sinuosos aprendieron mis pies —ardides!

Cercana, me aterras; me cautivas alejada de mí; sufro —pero; cuán dulce es sufrir por ti!

—Tu odio seduce, tu frialdad enardece, tu esquivez incita, tu burla —enternece.

¡Quién no te odia, oh atrayente, esplendente, tentadora! ¡Quién no te ama, oh, inocente, impaciente pecadora!

¿Adónde me atraes ahora, dulce pícara? ¡Y ahora te me huyes de nuevo, mala pécora!

Bailo tras de ti; por cualquier camino te sigo. ¿Dónde estás? ¡No seas tan esquiva conmigo!

Aquí hay rocas y cuevas. ¡Nos extraviaremos! ¡Alto! ¡Detente! ¡Conque ésas tenemos!

Mala mujer, ¿te quieres burlar de mí? ¡Qué picarona eres, y cruel además! ¡Cuánto has aprendido de los perros!

Encantadoramente regañan tus blancos dientes. Por entre rizada melena me fulminan tus ojos ardientes.

¡Qué baile más loco estamos bailando por el cerro! Yo soy el cazador —¿quieres ser mi gamuza o mi perro?

¡Arriba! ¡Abajo! ¡Corre como nunca has corrido ¡Ahora por allá! ¡Ay, que yo mismo me he caído!

¡Oh, ten piedad conmigo, traviesa! ¡Espera! ¡Quisiera recorrer contigo senda más placentera!;—

—¡la senda del amor por discretos arbustos callados! ¡O por la orilla de ese lago poblado de peces dorados!

¿Que estás cansada? Allí hay rebaños y postrera luz del día; ¿no es lindo dormirse, querida, al son de la flauta?

¿Que estás muy cansada? ¡Pues te llevaré allá! ¡Ven! ¡Y si tienes sed, yo podría apagarla, pero tu boca se niega con desdén!—

¡Zas! ¡Te me escurriste, víbora! ¡Bruja maldita! ¡Pero en cada mejilla me has estampado una roja manchita!

¡Harto estoy en verdad del vano galantear! Yo te he cantado, ahora tú me has de —¡gritar!

Bailar y gritar te toca al compás de mi látigo. ¿Me habré olvidado el látigo? —¡oh, no!»

2

Entonces, la Vida se tapó los oídos y me contestó:

«¡Oh!, Zaratustra, ¡no metas tanto ruido con el látigo! Bien sabes que el ruido mata los pensamientos —y justamente me vienen unos pensamientos exquisitos.

Más allá del bien y del mal hemos encontrado nuestra isla y nuestra verde pradera —¡los dos solitos! ¡Por eso tenemos que ser amigos!

Y aun cuando no nos amamos de todo corazón ¿hay que andar como perro y gato cuando no se ama de todo corazón?

Y bien sabes que te tengo cariño, y muchas veces demasiado cariño; pues te envidio tu sabiduría. ¡Ah esa vieja sabiduría loca tuya!

Si un día se te escapara tu sabiduría. ¡ay en seguida se te escaparía también mi amor!»

Luego la vida miró hacia atrás y en torno con aire pensativo y dijo en voz baja: «¡Oh Zaratustra no me eres lo suficientemente fiel!

No me amas ni con mucho tan entrañablemente como pretendes; sé que quieres abandonarme pronto.

Hay una vieja y pesada campana retumbante cuya bronca voz sube de noche hasta tu cueva;—

—cuando oyes esta campana dar la medianoche piensas entre la una y las doce;—

—tú piensas —¡oh Zaratustra sé que quieres abandonarme pronto!»

«Es cierto —contesté vacilante—: pero también sabes esto.» —Y le dije algo al oído, por entre la maraña de sus rubios cabellos.

«¿Tú *sabes* esto, oh Zaratustra? —exclamó entonces la vida—: esto no lo sabe nadie.»

Y nos miramos y pasamos una mirada sobre la verde pradera, por sobre la cual soplaba la fresca brisa vespertina, y lloramos juntos. En estos momentos la vida me era más cara que jamás toda mi sabiduría.

Así habló Zaratustra.

3

¡La una!

¡Oh hombre! ¡Presta atención!

¡Las dos!

¿Qué dice la profunda medianoche?

¡Las tres!

«Dormía yo; dormía,—

¡Las cuatro!

De profundo sueño me desperté.

¡Las cinco!
El mundo es profundo
            ¡Las seis!
Y más profundo de lo que creía el día.
            ¡Las siete!
Profunda es su pena—
            ¡Las ocho!
El gozo —aun más profundo que la pena.
            ¡Las nueve!
Dice la pena: ¡Pasa!
            ¡Las diez!
Pero todo gozo quiere eternidad,—
            ¡Las once!
—Quiere eternidad profunda, oh, tan profunda!»

LOS SIETE SELLOS
(o La Canción del Sublime Decir Sí)

1

Si soy vidente y traspasado de ese espíritu clarividente que mora en
alta cresta entre dos mares,—

—caminando cual negro nubarrón entre lo pasado y lo por venir;
hostil a la atmósfera pesada del llano y a todo lo que está cansado y no
puede morir ni vivir;—

—pronto a descargar del lóbrego seno el rayo y el redentor destello de
luz; preñado de rayos que dicen "¡Sí!" y ríen "¡Sí!" ¡de rayos proféticos!—

—¡bienaventurado el que así está preñado! ¡y en verdad que durante largo tiempo debe colgar de la montaña como nube tormentosa quien
un día ha de encender la luz del porvenir!—

¡Oh!, ¿cómo no voy a anhelar yo la eternidad y el nupcial anillo de
los anillos —el anillo del retorno?

Nunca aun encontré la mujer de la que deseara tener hijos, como no
fuese esta mujer que amo: ¡pues te amo, oh eternidad!

¡Pues te amo, oh eternidad!

2

Siempre mi ira arrasó tumbas, desplazó mojones y rompió viejas tablas haciéndolas rodar al abismo;

sí, siempre mi escarnio pulverizó palabras caducas y fui escoba que barrió las arañas de cruz y ráfaga que aireó mohosas y polvorientas cámaras mortuorias;

sí, siempre estuve sentado, exultante, en las tumbas de antiguos dioses, bendiciendo y amando el mundo junto a los monumentos fúnebres de los antiguos difamadores del mundo;—

—pues amo incluso las iglesias y las tumbas de dioses cuando el ojo puro del cielo mira por sus bóvedas ruinosas; pláceme estar posado cual pasto y roja amapola en iglesias derruidas.—

¡Oh!, ¿cómo no voy a anhelar yo la eternidad y el nupcial anillo de los anillos —el anillo del retorno?

Nunca aún encontré la mujer de la que deseara tener hijos, como no fuese esta mujer que amo, ¡pues te amo, oh, Eternidad!

¡Pues te amo, oh, eternidad!

3

Si un día me llegó un soplo del soplo creador y de ese apremio divino que fuerza aun los azares a ejecutar danzas estelares;

si un día reí con la risa del rayo creador al que sigue refunfuñando, pero obediente, el trueno prolongado de la acción;

si un día jugué a los dados con los dioses en la mesa de juego de dioses, que es la tierra; así que se estremecía y rompía la tierra proyectando hacia arriba ríos de fuego;—

—pues la tierra es mesa de juego de dioses y se estremece bajo el impacto de palabras nuevas y jugadas creadoras de dioses;—

¡oh!, ¿cómo no voy a anhelar yo la eternidad y el nupcial anillo de los anillos —el anillo del retorno?

Nunca aún encontré la mujer de la que deseara tener hijos, como no fuese esta mujer que amo; ¡pues te amo, oh, eternidad!

¡Pues te amo, oh, eternidad!

4

Si un día bebí a grandes tragos en la desbordante copa donde están bien mezcladas todas las cosas;

si jamás mi mano agregó lo más lejano a lo más cercano, el fuego al espíritu, el gozo al dolor y lo peor a lo mejor;

si yo mismo soy un grano de esa sal redentora que hace que todas las cosas se mezclen bien en la copa;—

—pues hay una sal que combina el bien con el mal; y aun lo más malo es digno de servir para sazonar y consumar el desbordamiento,—

¡oh!, cómo no voy a anhelar yo la eternidad y el nupcial anillo de los anillos —el anillo del retorno?

Nunca aún encontré la mujer de la que deseara tener hijos, como no fuese esta mujer que amo; ¡pues te amo, oh, eternidad!

¡Pues te amo, oh, eternidad!

5

Si soy amigo del mar y de todo lo marino, máxime cuando me contradice airadamente;

si me impulsa ese deleite de la exploración que endereza las velas hacia lo ignoto; sí mi deleite es deleite de navegante;

si una vez exclamé exultante: «¡Ha desaparecido la costa —se ha desprendido de mí la última atadura!—

—¡Envuélveme el infinito inefable! ¡Hasta ámbitos lejanos me brillan el espacio y el tiempo! ¡Arriba, viejo corazón!»—

¡oh!, ¿cómo no voy a anhelar yo la eternidad y el nupcial anillo de los anillos —el anillo del retorno?

Nunca aún encontré la mujer de la que deseara tener hijos, como no fuese esta mujer que amo; ¡pues te amo, oh, eternidad!

¡Pues te amo, oh, eternidad!

6

Si la mía es virtud de bailarín y muchas veces salté adentro de éxtasis de oro y esmeralda;

si la mía es una malicia riente que mora entre rosaledas y campos de azucenas;—

pues en la risa se da cita lo malo, mas santificado y redimido por su propia dicha inefable;—

y si mi Alfa y Omega es que todo lo pesado ha de volverse ligero, que todo cuerpo ha de hacerse bailarín, y todo espíritu, pájaro, ¡y a fe mía que tal es mi Alfa y Omega!;—

¡oh!, ¿cómo no voy a anhelar yo la eternidad y el nupcial anillo de los anillos —el anillo del retorno?

Nunca aún encontré la mujer de la que deseara tener hijos, como no fuese esta mujer que amo; ¡pues te amo, oh, eternidad!

¡Pues te amo, oh, eternidad!»

7

Si una vez tendí sobre mí cielos serenos y en alas propias volé hacia cielos propios;

si floté, retozón, por infinitos ámbitos de luz y mi libertad aprendió sabiduría de pájaro—

—reza la sabiduría de pájaro: «¡Mira que no hay Arriba ni Abajo! ¡Lánzate por todos lados, hacia adelante, hacia atrás, oh ligero! ¡No hables más! —¡canta!

—¿No están hechas las palabras para los pesados? ¿No mienten para el ligero todas las palabras? ¡No hables más! —¡canta!»—

oh, ¿cómo no voy a anhelar yo la eternidad y el nupcial anillo de los anillos —el anillo del retorno?

Nunca aún encontré la mujer de la que deseara tener hijos, como no fuese esta mujer que amo; ¡pues te amo, oh, eternidad!

¡Pues te amo, oh eternidad!»

CUARTA Y ÚLTIMA PARTE

«¡Siempre las estupideces más grandes han sido cometidas por los compasivos! ¡Y jamás nada en el mundo ha causado tantos sufrimientos como las estupideces de los compasivos!

¡Ay de todos los amantes que no tengan una altura por encima de su compasión!

Un día el diablo me dijo: "También Dios tiene su infierno: su amor a los hombres".

Y el otro día le oí decir: "Dios ha muerto: sucumbió Dios a su compasión con los hombres".»

Zaratustra, «De los compasivos» (II, pág. 98)

LA OFRENDA DE MIEL

Y otra vez pasaron meses y años sobre el alma de Zaratustra, sin que se diera cuenta; pero sus cabellos encanecieron totalmente. Un día que estaba sentado en una piedra junto a la entrada de su cueva, mirando plácidamente hacia la lejanía —pasaba la mirada desde allí por sobre el mar y tortuosos precipicios—, sus animales le dieron la vuelta con aire pensativo y finalmente se encararon con él.

«¡Oh!, Zaratustra —dijeron—; buscas con la mirada tu felicidad, ¿no?»

«¿Qué importa la felicidad? —respondióles Zaratustra—. Hace tiempo que ya no aspiro a la felicidad; aspiro a mi obra.»

«¡Oh!, Zaratustra —dijeron los animales—, hablas así colmado de bien. ¿No reposas en un lago celeste de felicidad?»

«¡Pícaros! —contestó Zaratustra, sonriéndose—. ¡Qué bien elegisteis la imagen! Mas sabéis también que mi felicidad es pesada y no como líquida ola de agua; me apremia y me acosa, pegajosa como un pez hirviente.»

Entonces los animales le dieron otra vez la vuelta con aire pensativo y luego se encararon nuevamente con él.

«¡Oh!, Zaratustra —dijeron—; ¿ésta es pues la causa de que te vuelvas cada vez más amarillo y oscuro, a pesar de que tus cabellos pretenden aparecer blancos? ¡Mira, estás apoyado sobre tu pez y en tu desgracia!»

«¿Qué decís, mis animales? —exclamó Zaratustra riendo—. Por cierto que me propasé al hablar del pez. Pásame lo que a todos los frutos maduros. Es la *miel* de mis venas la que espesa mi sangre y aquieta también mi alma.»

«Así es, sin duda, ¡oh!, Zaratustra —contestaron los animales y se le acercaron más—. Pero, ¿no quieres subir hoy a una alta cima? El aire es diáfano y se alcanza a ver hoy más mundo que nunca antes.»

«Sí, mis animales —respondió Zaratustra—; vuestro consejo es magnífico y concuerda con mi propio deseo; ¡subiré hoy a una alta montaña! Pero cuidad de que allí esté a mi disposición miel —miel flava, amarilla, blanca, buena y fresca. Pues habéis de saber que me propongo hacer en la cumbre la ofrenda de miel.»

Cuando Zaratustra hubo llegado a la cumbre, mandó de vuelta a los animales que lo habían acompañado; y cuando se hubo cerciorado de que estaba solo, rió de buena gana, miró en torno y habló como sigue:

«Eso de ofrendar y hacer ofrenda de miel fue una treta y, en verdad, una travesura útil. Aquí arriba me es dable gastar un lenguaje más franco que ante cuevas y animales de ermitaño.

¡Qué voy a ofrendar yo! ¡Yo derrocho lo que me dan; derrocho con mil manos! —¡Cómo podría llamarle a eso ofrendar!

Y cuando pedí miel, sólo pedí cebo y mucílago dulce, que les gusta también a osos gruñones y a las aves raras, esquivas y malignas;—

—el mejor cebo, de ése que necesitan los cazadores y los pescadores. Pues si el mundo es como un lóbrego bosque poblado de animales y coto de caza de todos los rudos cazadores, se me antoja en un grado aún mayor, y preferentemente, un mar insondable y rico,—

—un mar donde abundan toda clase de peces y cangrejos, susceptible de atraer hasta a los dioses e inducirles a pescar y echar la red. ¡Tan rico es el mundo en seres curiosos, grandes y pequeños!

Sobre todo el mundo humano, el mar de los hombres; a *él* echo ahora mi anzuelo de oro y digo: ¡ábrete, abismo humano! ¡ábrete y arrójame tus peces y relucientes cangrejos! ¡Con mi mejor cebo echo hoy el anzuelo a los más raros peces humanos!

Mi misma felicidad lanzo a todos los ámbitos y lejanías, entre levante, mediodía y poniente, por si muchos peces humanos aprenden a morder el anzuelo de mi felicidad;

—hasta que engañados por mis puntiagudos y ocultos ganchos, tengan que subir a mi altura, al más malicioso de todos los pescadores de hombres.

Pues tal es desde siempre mi afán: atraer hacia mí y hacia arriba, levantar y elevar. No en balde me prediqué en un tiempo a mí mismo: "¡Llega a ser el que eres!"

Que los hombres *suban*, pues, a mi altura; pues todavía espero la señal de que ha llegado la hora de mi ocaso; todavía no me hundo, como lo quiere mi destino, entre los hombres.

He aquí lo que espero aquí, astuto y burlón, en altas cimas; ni paciente ni impaciente, sino como uno que se ha olvidado también de la paciencia —porque ha dejado de ser un "paciente".

Pues mi destino se hace esperar; ¿me habrá olvidado? ¿O estará acurrucado detrás de alguna grande piedra, a la sombra, cazando moscas?

Y por cierto que estoy agradecido a mi destino eterno porque no me urge y apremia, sino me deja tiempo para chuscadas y travesuras; así que hoy subí a esta alta montaña para pescar.

¿Pescó jamás hombre alguno peces en altas cimas? Y aun cuando es una estupidez lo que me propongo y hago aquí arriba, es preferible a ponerme solemne y verde y amarillo, allá abajo, de tanto esperar,—

—furibundo, intransigente, santa tempestad que baja de la montaña —impaciente que grita a los valles: "¡Escuchad; o si no, os fustigaré con el azote de Dios!"

No es que yo se lo tome a mal a tales furibundos; ¡son para mí cosa de risa! ¡Cómo no van a impacientarse esos bombos que se desatan hoy o nunca!

Yo y mi destino, en cambio, no nos dirigimos ni al hoy ni al nunca; nos sobra paciencia y tiempo para hablar. Pues un día Él llegará necesariamente y no podrá pasar de largo.

¿Quién llegará un día necesariamente y no podrá pasar de largo? Nuestro gran Hazar,[1] esto es, nuestro grande y lejano reino de los hombres, el Reino milenario de Zaratustra—

—¿Cuán lejana será tal "lejanía"? ¡Qué me importa! No por eso es menos sólido su fundamento, que yo piso con pie firme;—

—fundamento eterno, duro granito primario, la más alta y granítica montaña primaria donde convergen todos los vientos preguntando por ¿dónde?, ¿de dónde? y ¿a dónde?

¡Aquí ríe, ríe, mi sana y santa malicia! ¡Desde altas montañas arroja tu rutilante carcajada burlona! ¡Que tu brillo les haga morder el anzuelo a los más hermosos peces humanos!

Y lo que me pertenece en todos los mares lo que me es afín en todas las cosas —esto debes sacármelo, *esto* debes levantarlo a mi altura; he aquí lo que espero yo, pescador malicioso como no hay otro.

¡Vuela, vuela, mi mirada! ¡oh, cuántos mares me rodean! ¡qué porvenires humanos apenas entrevistos! Y en lo alto —¡qué quietud rosada! ¡Qué silencio despejado de nubes!»

EL GRITO DE SOCORRO

Al día siguiente, Zaratustra estaba sentado otra vez en la piedra junto a la entrada de su cueva, en tanto los animales recorrían el mundo en procura de alimento —también de nueva miel, pues Zaratustra había gastado y derrochado totalmente la que tenía. Mientras estaba sentado ahí, recorriendo —a punta de vara el contorno de la sombra que proyectaba sobre la arena y meditando—¡por cierto que no sobre sí y su sombra!—, se estremeció de pronto, sobresaltado, al ver otra sombra junto a la suya propia. Y cuando se dio vuelta rápidamente y saltó en sus pies, vio de pie, a su lado, al adivino que cierta vez había agasajado; al predicador del gran cansancio que enseñaba: "Todo da igual; nada vale la pena; el mundo carece de sentido; el saber ahoga." Pero entretanto había mudado su semblante y cuando Zaratustra le miró a los ojos, se sobresaltó otra vez al ver los presagios siniestros y rayos lúgubres que recorrían ese rostro.

1 Período de mil años. (*N. del T.*)

El adivino, percatado de lo que tenía lugar en el alma de Zaratustra, se pasó la mano por la cara, como si quisiese limpiarla, y Zaratustra hizo lo mismo. Cuando ambos se habían dominado y fortalecido así en silencio, se dieron la mano en señal de que estaban dispuestos a reconocerse.

«¡Bien venido seas —dijo Zaratustra—, adivino del gran cansancio; no has de ser en balde un antiguo huésped y comensal mío! ¡Come y bebe también hoy conmigo y perdona que un viejo alegre te acompañe en la mesa!»

«¿Un viejo alegre? —contestó el adivino sacudiendo la cabeza—. Pero quienquiera que seas o pretendas ser, oh Zaratustra, no lo serás mucho tiempo más aquí arriba —¡dentro de poco estará a flote tu barca.»

«¿Es que ha quedado varada?», preguntó Zaratustra riéndose.

«Las olas que lamen tu montaña —contestó el adivino— suben cada vez mis: estas olas del gran apremio y aflicción pronto levantarán también tu barca y te arrastrarán —Zaratustra calló, sorprendido y el adivino prosiguió—: ¿No oyes aún nada? ¿No llega a tus oídos el bramido y rumor de abajo?»

Zaratustra calló, en actitud de escucha; y entonces oyó un grito interminable que rodó entre los abismos, pues ninguno quería quedarse con él, tan maligno sonaba.

«Mal vaticinador —dijo al fin Zaratustra—: éste es un grito de socorro, el grito de un hombre lanzado desde quién sabe qué mar tenebroso. Pero, ¡qué me importa a mí la miseria humana! El último pecado que me está reservado, ¿sabes cómo se llama?»

«¡*Compasión!* —contestó el adivino desde el fondo de su corazón y levantando los brazos—. ¡Oh, Zaratustra, he venido a seducirte a tu último pecado! —Y no bien hubo hablado así, volvió a sonar el grito, más prolongado y angustioso aun que la primera vez y también mucho mas cerca. —¿Oyes, oh, Zaratustra? —exclamó el adivino—. Este grito se dirige a ti, te llama: ¡ven, ven, *ven*, que ya es hora!»

Zaratustra calló, desconcertado y conmovido; al fin preguntó, como uno que está indeciso en su fuero interno: «¿Quién es el que allí me llama?»

«Bien lo sabes —repuso el adivino con brusquedad—; ¿por qué te escondes? ¡Te llama *el hombre superior*!»

«¿El hombre superior? —gritó Zaratustra, presa de espanto—. ¿Qué quiere ese? ¿Qué quiere ese? ¿El hombre superior? ¿Qué quiere ése aquí?» —Y la piel se le cubrió de sudor.

Pero el adivino no reaccionó a la angustia de Zaratustra, sino que escuchó con el oído atento. Cuando había pasado mucho tiempo sin que se repitiese el grito desde las profundidades, volvió a fijar la mirada en Zaratustra y se dio cuenta de que temblaba de pies a cabeza.

«¡Oh!, Zaratustra —dijo entristecido—, no pareces por cierto un hombre abrumado por su felicidad. ¡Tendrás que bailar para no desplomarte!

Pero, aunque pretendieses bailar y brincar ante mí, nadie habría de decirme: "¡Aquí baila el último hombre alegre!"

En vano subiría a esta cima quien aquí lo buscase. Encontraría cuevas ocultas y escondites para gentes dadas a jugar al escondite, pero no pozos de la suerte ni nuevas vetas de oro de la felicidad.

La felicidad —¡como para hallar la felicidad entre tales lobos solitarios y ermitaños! ¿Habré de ir a buscar la felicidad última a islas felices y lejanas, allá por mares olvidados?

¡Mas todo da igual; nada vale la pena; se busca en vano; tampoco hay más islas felices!»

Así se lamentó el adivino. Pero a su último lamento Zaratustra recuperó su serenidad luminosa, cual uno que emerge de un pozo profundo.

«¡No! ¡No! ¡Tres veces no! —exclamó con voz firme alisando su barba.

¡Nada de eso! ¡Hay todavía islas felices! ¡De *eso* no hables, viejo llorón! ¡Para tu lluvia! Ya estoy empapado hasta los huesos.

Me voy para secarme y no has de sorprenderte de ello.

En cuanto a tu hombre superior, bien, voy a buscarlo a aquellos bosques, que desde allí llegó su grito. Quizá lo acosa allí alguna bestia maligna.

Está en *mis* dominios, y aquí no ha de sufrir daño. Y a fe mía que abundan por aquí las bestias malignas.»

Diciendo esto, Zaratustra se apartó con ánimo de irse. Entonces dijo el adivino:

«¡Oh, Zaratustra, eres un pícaro!

Ya sé que quieres librarte de mi presencia. ¡Prefieres incluso ir a los bosques a cazar bestias malignas!

Pero es en vano. A la noche volverás a tenerme encima; estaré sentado ahí, en tu propia cueva, paciente y pesado como un bloque —¡allí te esperaré!»

«Muy bien —le gritó Zaratustra volviendo la cabeza, pues ya se había alejado un trecho—; ¡y lo que es mío en la cueva te pertenece también a ti, mi huésped!

Y si encontraras allí todavía miel, ¡lámela, oso gruñón, y endulza tu alma! Pues a la noche estaremos de fiesta, ¿eh?—

—¡y celebraremos el que haya concluido esta jornada! Y tú mismo habrás de bailar al son de mis cantos.

¿No lo crees? ¿Sacudes la cabeza? ¡Vamos! ¡Vamos ¡Viejo oso! Yo también soy adivino.»

Así habló Zaratustra.

CONVERSACIÓN CON LOS REYES

1

Cuando Zaratustra aún no había recorrido por espacio de una hora sus montañas y bosques, vio de pronto una comitiva curiosa. Por el camino que se proponía bajar, subían dos reyes ataviados con sendas coronas y cinturones de púrpura y ropas abigarradas cual plumaje de flamenco, que arreaban un burro cargado. «¿Qué andarán buscando esos reyes en mis dominios?» —se preguntó, sorprendido, y se ocultó rápidamente tras un arbusto. Mas cuando los reyes habían llegado muy cerca de él, dijo a media voz, como quien habla para sus adentros: «¡Qué raro! ¿Cómo es esto? ¡Dos reyes y un solo burro!»

Entonces, los dos reyes detuvieron el paso, se sonrieron, miraron hacia el lugar de donde había partido la voz y finalmente cambiaron una mirada.

«También ahí abajo piensan cosas así —dijo el rey de la derecha—, pero se las callan.»

El rey de la izquierda se encogió de hombros y contestó:

«Será algún cabrero. O algún ermitaño que hace demasiado tiempo que vive entre rocas y árboles. Pues también la falta de compañía pierde las buenas costumbres.»

«¿Las buenas costumbres? —repuso el otro rey con tono malhumorado y amargo—. ¿Acaso no estamos huyendo precisamente de las "buenas costumbres" —de nuestra "buena sociedad"—

—bien que se llame "nobleza". Allí todo es falso, todo está podrido, empezando por la sangre, por culpa de viejas enfermedades perniciosas y terapeutas aún más perniciosos.

Lo mejor y más grato es hoy para mí el campesino hecho y derecho, torpe, ladino, terco y tenaz; esto es hoy lo más distinguido que hay.

El campesino es hoy lo mejor; ¡y debiera prevalecer hoy día el modo de ser campesino! Sin embargo, reina la plebe, a mí no me engañan. Y la plebe quiere decir mescolanza escandalosa.

En la mezcolanza plebeya hay de todo: santo y bribón, noble y villano, y cualquier bicho del arca de Noé.

¡Las buenas costumbres! ¡Pero si ahí abajo todo es falso, todo está podrido! Nadie quiere ya venerar; de esto precisamente nos escapamos. Son perros importunos y aduladores.

¡Lo que más asco me da es que los reyes mismos nos hemos vuelto falsos, muñecos presupuestos luciendo atavío caduco, para los más tontos y los más listos y cuantos trafican hoy día con el poder!

No somos los primeros —y sin embargo, *tenemos que aparentarlo*. Nos hemos cansado y asqueado al fin de esta farsa.

Hemos huido de la chusma; de todos esos gritones y chupatintas venales, del hedor de los mercaderes viles, del forcejeo de los ambiciosos, del mal aliento. ¡Qué asco alternar con la chusma!—

—¡qué asco ser los primeros entre la chusma! ¡Ay!, ¡asco! ¡asco! ¡asco! ¡Qué importamos aun los reyes!»

«Te ataca tu vieja enfermedad —dijo el rey de la izquierda—, el asco, pobre hermano. Pero ya sabes que alguien nos está escuchando.»

Al momento Zaratustra, que había seguido con máxima atención este diálogo, salió de su escondite, se adelantó hacia los reyes y dijo:

«El que os escucha, y complacido por cierto, oh reyes, se llama Zaratustra.

Yo soy Zaratustra que en un tiempo predicaba: "¡Qué importan hoy los reyes!" Perdonadme; me gustó oíros decir: "¡Qué importamos ya los reyes!"

Estos son *mis* dominios y señorío; ¿qué andáis buscando en mi reino? Mas quizás hayáis *hallado* en el camino lo que ando buscando: el hombre superior.»

Al oír los reyes estas palabras, se golpearon el pecho y exclamaron a un tiempo: «¡Nos ha adivinado! Con la espada de esta palabra, ¡oh!, Zaratustra, cortas la noche más cerrada de nuestro corazón. Has descubierto nuestro apremio; pues has de saber que hemos salido en busca del hombre superior;—

—del hombre superior a nosotros; por más que seamos reyes. Le llevamos este burro. Pues el hombre supremo debe ser también el amo supremo en la tierra.

Nada hay tan calamitoso en todo destino humano como cuando los poderosos de la tierra no son también los primeros hombres. Entonces todo resulta falso y al revés.

Y cuando para peor son los últimos y, más que hombres, bestias, la plebe se cotiza cada vez más alto y al final hasta proclama la virtud plebeya: "¡Yo sola soy virtud!".»

«¡Hay que ver! —exclamó Zaratustra— ¡Cuánta sabiduría vertida por boca de rey! ¡Estoy encantado, y ya me dan ganas de ponerlo en verso;—

—aunque salga un verso que no sirve para todos los oídos. Hace tiempo que ya no tengo consideraciones con los que tienen las orejas largas y puntiagudas. ¡Bien! ¡Sea!»

(En este punto ocurrió que el burro terció en la conversación rebuznando con malicia).

> *Cierta vez —allá por el año de gracia uno—*
> *Dijo la Sibila, ebria, sin haber bebido:*
> *"¡Ay, que ya no hay honor alguno!*
> *¡Jamás el mundo estuvo tan podrido!*
> *¡Roma se ha hecho punto de cita de todo extravío,*
> *¡El César se ha hecho bestia vil; Dios mismo —judío!".»*

2

Festejaron los reyes estos versos de Zaratustra, y el rey de la derecha dijo: «¡Oh, Zaratustra, hemos hecho muy bien en venir a verte!

Tus enemigos nos mostraban tu imagen en su espejo; reflejaba éste una facha sardónica y asquerosa, así que te teníamos miedo.

¡Pero no había nada que hacer! Una y otra vez tus palabras hacían impacto en nuestros oídos y nuestro corazón. Hasta que al fin dijimos: ¡Qué importa el aspecto que tiene!

Tenemos que *oír* al hombre que enseña: ¡debéis amar la paz como medio para nuevas guerras, y la paz breve más que la larga!

Nunca nadie pronunció palabras belicosas como éstas: "¿Qué es bueno? Ser valiente es bueno. La buena guerra santifica todas las causas."

¡Oh, Zaratustra!, al oír tales palabras se agitaba en nuestras venas la sangre de nuestros padres; era como si la primavera hablase a viejas cubas.

Cuando las espadas se entrecruzaban cual serpientes manchadas de rojo, la vida se les hacía buena a nuestros padres; el sol de toda paz se les antojaba tibio y flojo, y la paz larga los abochornaba.

¡Los suspiros que daban nuestros padres cuando veían espadas bien limpitas y ociosas colgadas de las paredes! Al igual de ellas ansiaban la guerra. Pues las espadas son sedientas de sangre y brillan con avidez.»

Al hablar y parlotear los reyes así de la felicidad de sus padres, le dieron a Zaratustra grandes ganas de burlarse de su entusiasmo; pues eran a todas luces unos reyes muy pacíficos de facciones viejas y finas los que tenía delante. Pero se contuvo.

«¡Muy bien! —dijo—. Por allá sube el camino a la cueva de Zaratustra, y esta jornada debe concluir en una noche bien larga. Pero ahora un grito de socorro me obliga a separarme de vosotros sin tardanza.

Honra mi cueva el que reyes me esperen en ella; por cierto que tendréis que esperar mucho.

¡Y bueno! ¡No importa! ¿Dónde se aprende hoy día mejor a esperar que en las cortes? Y la virtud que les queda aún a los reyes, ¿no se llama hoy día: *Saber esperar?*»

Así habló Zaratustra.

LA SANGUIJUELA

Prosiguió Zaratustra su camino, abstraído en pensamientos, pasando por bosques y junto a pantanos. Y como ocurre siempre cuando uno medita sobre cosas profundas, pisó, sin darse cuenta, un hombre. De improviso le saltaron a la cara un ¡ay! de dolor, dos juramentos y veinte invectivas de grueso calibre, así que de puro sobresaltado blandió el bastón y encima pegó al que había pisado. Pero seguidamente recobró el dominio de sí mismo, y su corazón se regocijó por la estupidez que acababa de cometer.

«Perdóname —dijo al hombre pisado, que se había incorporado, furioso, y sentado en el suelo—, perdóname y escucha ante todo la siguiente alegoría.

Como un caminante, que sueña con cosas lejanas, pisa de improviso un perro que se ha echado a dormir al sol en la calle desierta;—

—como los dos se sobresaltan y se enfrentan, bajo los efectos del susto mortal, cual enemigos mortales —así nos ha ocurrido a los dos.

¡Y sin embargo, poco faltó para que cambiaran caricias, ese perro y ese caminante! ¡Como que uno y otro son solitarios!»

«Quienquiera que seas —contestó el hombre pisado, todavía furioso—, ¡me pisas aun con tu alegoría, no solamente con tus pies!

¡Mira que yo no soy un perro!», y diciendo esto se levantó el hombre y sacó del pantano su brazo desnudo. Pues al principio había estado tendido en el suelo cuan largo era, oculto y camuflado, como los que acechan algún animal palustre.

«¿Qué estás haciendo aquí? —exclamó Zaratustra alarmado, pues veía correr por el brazo abundante sangre— ¿Qué te ha sucedido? ¿Te mordió algún bicho maligno, desgraciado?»

El otro rió, todavía enojado.

«¿A ti qué te importa? —dijo, con ánimo de alejarse—. Estos son mis dominios. Pregúnteme quien quiera, pero no estoy dispuesto a contestar a un bruto.»

«Estás equivocado —dijo Zaratustra con tono compasivo reteniendo al hombre—. Estás muy equivocado, estos no son tus dominios sino los míos, y nadie ha de sufrir daño en ellos.

Llámame como quieras —yo soy el que he de ser. Yo mismo me llamo Zaratustra.

¡Bien! Por allá el camino sube a la cueva de Zaratustra; no queda lejos —¿no quieres curar allí tus heridas?

La pasaste muy mal, desdichado, en esta vida; ¡primero te mordió la bestia y luego —te pisó el hombre!»

Al oír el pisado el nombre de Zaratustra, cambió del todo de actitud.

«¡Vamos! —exclamó— ¿quién se interesa todavía por mí en esta vida, sino este solo hombre llamado Zaratustra y ese solo animal que se alimenta de sangre, la sanguijuela?

Por las sanguijuelas estaba yo en acecho aquí, como un pescador, y ya en mi brazo sumergido se habían fijado diez, cuando se fijó en mí otro bicho aún más hermoso, Zaratustra mismo.

¡Qué ventura! ¡Qué milagro! ¡Loado sea el día que me atrajo a este pantano! ¡Loada sea la mejor y más viva ventosa que existe hoy en día, la gran sanguijuela de la conciencia: Zaratustra!»

Así habló el pisado y Zaratustra se alegró de sus palabras y su modo de decir delicado y reverente.

«¿Quién eres? —preguntó y le tendió la mano—. Queda aún mucho por dilucidar y aclarar entre nosotros, pero me parece que ya despunta un día claro y diáfano.»

«Yo soy el *escrupuloso del espíritu* —contestó el otro—. En las cosas del espíritu difícilmente hay quien proceda con mayor estrictez, rigor y estrechez, salvo aquel del que lo he aprendido: Zaratustra mismo.

¡Más vale no saber nada, que saber muchas cosas a medias! ¡Más vale ser un loco por su cuenta, que un sabio según criterio ajeno! Yo voy al fondo de las cosas;—

—¿qué importa que sea grande o pequeño? ¿que se llame fango o cielo? ¡Con un palmo de fondo me basta siempre que sea fondo de verdad!—

—un palmo de fondo basta para afirmar en él los pies. En la verdadera ciencia —conciencia no hay ni cosas grandes ni cosas pequeñas.»

«¿Así que te aplicas acaso a conocer la sanguijuela —preguntó Zaratustra— penetrando hasta los fondos últimos, escrupuloso del espíritu?»

«¡Oh, Zaratustra! —respondió el otro—, esto sería una empresa tremenda; ¡cómo podría yo aventurarme a eso!

¡Lo que sí domino y conozco muy bien es el *cerebro* de la sanguijuela —éste es mi mundo!

¡Y qué mundo! Perdona mi jactancia, pero en este terreno no hay quien me iguale. Por eso dije que éste era mi dominio.

¡El tiempo que vengo persiguiendo el cerebro de la sanguijuela, para que aquí ya no se me escurra la verdad escurridiza! ¡Éste es mi dominio!

Por este solo objetivo dejé a un lado todo lo demás, me desentendí de todas las demás cosas; e inmediatamente detrás de mi saber está mi negra ignorancia.

La conciencia de mi espíritu exige que yo conozca una sola cosa e ignore todo lo demás; me repugnan todas las medias tintas del espíritu; todos los vagos, fluctuantes y errantes.

Donde termina mi honestidad estoy ciego, y quiero estarlo. En cambio, donde quiero saber quiero también ser honesto, esto es, duro, severo, cruel, implacable.

Lo que cierta vez predicaste: "El espíritu es la vida que desgarra la vida", me condujo y sedujo a tu doctrina. ¡Y a fe mía que con sangre propia acrecenté mi saber!»

«¡Evidentemente!» —dijo Zaratustra; pues todavía se escurría la sangre por el brazo desnudo del escrupuloso del espíritu. El caso es que diez sanguijuelas se habían fijado en él.

«¡Cuántas cosas me enseña esta evidencia, o sea tú mismo! ¡Y no todo es, acaso, conveniente para tus oídos estrictos!

¡Bien! ¡Ha llegado el momento de separarnos! Pero me gustaría volverte a ver. Por allá sube el camino a mi cueva; esta noche has de ser allí mi grato huésped.

Quisiera reparar también en tu cuerpo el haberte pisado. ¡Voy a pensarlo! Ahora un grito de socorro me obliga a irme sin tardanza.»

Así habló Zaratustra.

EL MAGO[1]

Cuando Zaratustra dobló una roca, vio en el mismo camino, no muy abajo de él, a un hombre que se retorcía como en un acceso de locura y finalmente se desplomó en tierra. «¡Alto! —dijo Zaratustra para sus adentros— ¡ése ha de ser el hombre superior que profirió aquel angustioso grito de socorro. Voy a ver si puedo ayudarle.» Cuando llegó al lugar donde el hombre estaba tendido en el suelo, encontró a un viejo que temblaba de pies a cabeza, con los ojos puestos en blanco; y por más que Zaratustra se esforzase por levantarlo, fue en vano. Por otra parte, el desdichado parecía no darse cuenta de que alguien estaba a su lado; con

---

1 Otro de los títulos pensados por Nietzsche era «El penitente del espíritu». (N. del T.)

ademanes conmovedores miraba constantemente en torno como uno que está desamparado y abandonado por todo el mundo. Al fin, tras mucho temblar y estremecerse y retorcerse, empezó a lamentarse así:

«¿Quién me calienta y ama todavía?
¡Vengan manos calientes!
¡Vengan braseros del corazón!
¡Postrado, estremecido,
Como medio muerto al que le calientan los pies
Consumido, ¡ay!, por fiebres desconocidas,
Tiritando de puntiagudas flechas de frío,
Acosado por ti, pensamiento!
¡Inefable! ¡Oculto! ¡Terrible!
¡Cazador al acecho tras nubes!
¡Fulminado por ti, ojo burlón,
Que me mira desde las tinieblas—
Estoy tendido aquí y me retuerzo,
Torturado por todos los tormentos eternos,
Herido,
Por ti, cruelísimo cazador,
¡Oh —Dios desconocido!

¡Hiere más abajo!
¡Hiere una última vez!
¡Traspasa, desgarra este corazón!
¿A qué esta tortura.
Con flechas romas?
¿Por qué lanzas otra vez,
No cansado aún del suplicio humano,
Tu maliciosa y fulminante mirada divina?
¿No quieres matar,
Sino tan sólo torturar sin tregua?
¿A qué me torturas a mí,
Malicioso dios desconocido?—
¡Ah! ¿Te acercas con sigilo?
¿Qué quieres? ¡Habla!
En esta medianoche
Me acosas, me aprietas—

¡Ah! ¡Demasiado cerca ya!
¡Vete! ¡Vete! Espías mi aliento,
Auscultas mi corazón, Celoso—
¿De qué tienes celo?
¡Vete! ¡Vete! ¿A qué la escalera?
¿Pretendes penetrar,
En mi corazón;
En mis más íntimos
Pensamientos?
¡Descarado!
¡Oh —ladrón desconocido!
¿Qué quieres robar?
¿Qué quieres espiar?
¿Qué quieres arrebatar torturando?
¡Atormentador!
¡Oh —Dios-verdugo!
¿O he de arrastrarme
Ante ti cual perro?
¡Devoto, frenético de entusiasmo,
Colear amor por ti?
¡En vano! ¡Sigue punzando,
Cruelísimo aguijón! No;
No soy perro —tan sólo tu caza,
¡Cruelísimo cazador!
¡Tu prisionero más orgulloso,
Salteador que acechas tras nubes!
¡Habla por fin!
¿Qué quieres, asaltante, de mí?
¡Envuelto en rayos! ¡Desconocido! ¡Habla!
¿Qué quieres, oh —Dios desconocido?
¿Cómo? ¿Rescate?
¿Cuánto pides?
¡Exige mucho —así lo aconseja mi orgullo!
¡Y sé breve —así lo aconseja mi otro orgullo!
¡Ah!

¿Me quieres a mí? ¿A mí?
¿A mí —entero?...

¡Ah!
¿Y me torturas, estúpido?
¿Torturas mi orgullo hasta dejarlo deshecho?
Dame amor —¿Quién me calienta todavía?
¿Quién me ama todavía? —Da manos calientes:
Da braseros del corazón;
Dame al más solitario,
Al que el hielo, ¡ay!, séptuplo hielo
Enseña a ansiar
Incluso enemigos;
Dame, ríndeme,
Cruelísimo enemigo,
A ti—
¡Se fue!
¡Huyó también él,
Mi último, único, compañero,
Mi gran enemigo,
Mi Desconocido,
Mi Dios-verdugo!
—¡No! ¡Vuelve!
Con todos tus tormentos!
¡Oh, vuelve al lado del último!
De todos los solitarios!
¡Todos mis torrentes de lágrimas
Corren hacia ti!
¡Y la última llama de mi corazón
Arde para ti!
¡Oh, vuelve,
Mi Dios desconocido! ¡Mi dolor! ¡Mi última ventura!»

2

En este punto, Zaratustra, no pudiendo contenerse más, blandió su bastón y lo descargón con toda la fuerza de que era capaz sobre el que así se lamentaba.

«¡Cállate! —le gritó prorrumpiendo en una risa áspera—. Cállate, farsante! ¡Embustero! ¡Mentiroso desvergonzado! ¡A mí no me engañas! ¡Yo te haré entrar en calor, repelente mago! ¡Entiendo muy bien de hacer sudar a gentes de tu laya!»

—¡No me pegues, oh, Zaratustra! —dijo entonces el viejo levantándose del suelo de un salto—. ¡Se trata tan sólo de una broma!

Prácticas así forman parte de mi arte, ¿sabes? ¡Pensaba ponerte a ti mismo a prueba al darte esta prueba! ¡Y a fe mía que saliste airoso!

Pero también tú me diste de ti una prueba nada pequeña. ¡Eres *duro*, sabio Zaratustra! Pegas duro con tus "verdades"; tu bastón me arranca —*esta* verdad!»

«¡No pretendas halagarme, archifarsante! —replicó Zaratustra, todavía fastidiado y ceñudo—. ¡Véanlo al embustero hablando de verdad!

Fatuo, océano de vanidad, ¿qué comedia representaste, asqueroso brujo?, ¿en qué pretendiste hacerme creer cuando te   lamentaste bajo tal figura?»

«*En el penitente del espíritu* —contestó el viejo— ¡tú mismo acuñaste este término;—

—en el poeta y mago que concluye por volver contra sí su espíritu, el cambiado que sucumbe al frío de su maléfica ciencia y conciencia.

¡Y has de admitir, oh, Zaratustra, que tardaste en descubrir mi arte y mentira! Creíste efectivamente en mi desventura cuando tomaste mi cabeza entre tus manos.

Te oí lamentarte: "¡No lo han amado lo suficiente! ¡No lo han amado lo suficiente!" Mi malicia se exultó en secreto por haberte engañado hasta tal punto.»

«Bien puedes haber engañado a otros más sutiles que yo —dijo Zaratustra con dureza—. Yo no me pongo en guardia contra los embusteros; yo *tengo que* vivir sin precauciones; así lo quiere mi destino.

En cambio tú —*tienes que* mentir; eso me consta sobre ti. ¡Tienes que ser siempre ambiguo! ¡Tampoco lo que acabas de admitir fue, ni con mucho, tan cierto ni tan falso como debía serlo!

¡Cómo podrías ser de otro modo, mal embustero! Paliarías aun tu enfermedad si te presentases desnudo ante tu médico.

Así también paliaste ahora tu mentira, al decir: "¡fue tan sólo una broma!" No fue tan sólo una broma; ¡tienes en efecto algo de penitente del espíritu!

A mí no me engañas; has encantado a todo el mundo, pero ante ti mismo ya no te quedan mentiras ni trucos —¡ante ti mismo estás desencantado!

Has cosechado el hastío como tu única verdad. Palabra que dices es mentira, pero tu boca es sincera —es decir, el hastío que a ella asoma.»

«¿Quién crees que eres? —gritó entonces con tono de porfía el viejo mago—. ¿Quién se atreve a hablar de esta manera a mí, al más grande que vive hoy día? —Y sus ojos fulminaron un rayo verde contra Zaratustra. Pero al momento cambió de actitud y dijo entristecido—: ¡Oh, Zaratustra!, estoy harto de mis artes; no soy grande; ¿a qué fingir? ¡Más bien sabes que busqué la grandeza!

Quise hacerme pasar por un gran hombre y por cierto que convencí a muchos; pero esta mentira fue superior a mis fuerzas. Esta mentira me hunde.

¡Oh, Zaratustra, todo en mí es mentira, pero el que me hundo es la pura verdad!»

«El que buscaste la grandeza —dijo Zaratustra con tono sombrío, apartando la mirada—, te honra, pero también te delata. Tú no eres grande.

Mal mago, lo que tienes de mejor y más honesto y honro en ti, es que estás harto de ti mismo y admitiste: "Yo no soy grande".

En esto te honro como penitente del espíritu, y siquiera por un segundo, por ese instante, fuiste sincero.

Pero dime, ¿qué andas haciendo aquí en *mis* bosques y cerros? Y al tenderte aquí en el camino para mí, ¿a qué prueba te proponías ponerme?»

Y al hacer estas preguntas le brillaban los ojos. El viejo mago calló un rato; luego dijo: «¿Te puse a prueba? Tan sólo ando buscando.

¡Oh, Zaratustra!, ando buscando un hombre genuino, íntegro, simple, inequívoco; un dechado de honestidad, un pozo de sabiduría, un santo del conocimiento, un gran hombre.

¿No sabes, oh Zaratustra, que *ando buscando a Zaratustra*?»

Hízose entonces entre los dos un largo silencio, y Zaratustra se abismó en sí mismo cerrando los ojos. Al fin se volvió de nuevo hacia su interlocutor, le tomó la mano y le dijo gentil y maliciosamente:

«¡Bien! Por allá sube el camino a la cueva de Zaratustra. Te permito buscar en ella al que ansías encontrar.

Y dirígete a mis animales, mi águila y mi serpiente, para que te ayuden. Mi cueva es espaciosa.

Yo mismo hasta ahora por cierto, no he visto a ningún gran hombre. Para la grandeza, aun la vista de los más finos es hoy tosca. Hoy día impera la plebe.

He encontrado a más de uno que se pavoneaba tan ufano, que la gente gritaba: "¡He aquí un gran hombre!" Pero, ¿de qué sirven los fuelles? A la postre escapa el aire.

A la postre revienta esa rana que se infla demasiado tiempo, y escapa el aire. Lindo pasatiempo se me antoja pincharle el vientre a tal inflado. ¡Tomad nota de ello, mocosos!

El presente pertenece a la plebe. Lo que quiere decir que se ha perdido la noción de lo grande y lo pequeño. ¡Cómo para buscar hoy día con fortuna la grandeza! Sólo lo hacen los locos; y que les sale bien la empresa.

¿Andas buscando grandes hombres, pobre loco? ¿Quién te metió en la cabeza esta idea? ¡Estos no son tiempos para búsqueda semejante! Mal buscador, ¿por qué me tientas?»

Así habló Zaratustra, sereno, y prosiguió su camino riendo para sus adentros.

RETIRADO DEL SERVICIO

Poco después de haberse librado del mago, Zaratustra vio a alguien sentado a la vera del camino que recorría: un hombre grande vestido de negro, de cara pálida y demacrada. A la vista de este hombre se fastidió sobremanera. «¡Ay! —dijo para sus adentros— ahí hay aflicción tapujada que huele a clerigalla; ¿qué anda buscando ése en mis dominios?

¡Cómo! ¡No bien he escapado de aquel mago y se me cruza en el camino otro brujo;—

—algún mago de esos que trabajan con imposición de las manos y cosas por el estilo, un tenebroso taumaturgo por la gracia de Dios: un ungido difamador del mundo, ¡maldito sea! ¡Que se lo lleve el diablo!

Pero el diablo nunca está allí donde se lo necesita. Siempre llega tarde ese maldito enano y pateta!»

Así maldecía Zaratustra, exasperado, para sus adentros, y pensó deslizarse con la mirada apartada junto al hombre negro. Pero en ese instante, éste reparó en él y como quien reacciona a un inesperado golpe de fortuna, saltó a sus pies y se dirigió a Zaratustra.

«Quienquiera que seas, caminante —dijo—, ¡ayuda a uno que se ha extraviado y busca; a un viejo hombre que fácilmente sufre daño por aquí!

Este mundo me es desconocido y extraño; también he sentido aullidos de fieras; y el que hubiera podido ampararme ha desaparecido.

Andaba buscando yo al último hombre pío, un santo y ermitaño que sólo él no se había enterado aún en su bosque de lo que todo el mundo sabe hoy día.»

«¿Qué es lo que todo el mundo sabe hoy día? —preguntó Zaratustra—. ¿Acaso que ya no vive el viejo Dios en el que creía antaño todo el mundo?»

«Eso es —respondió el anciano, apesadumbrado—. Y yo serví a ese viejo Dios hasta su postrera hora.

Ahora ya no sirvo a nadie; pero no por eso soy libre, ni soy feliz salvo cuando me abandono a mis recuerdos.

Por eso he subido a estas montañas, para celebrar por fin de nuevo una fiesta como cuadra a un viejo papa y jefe eclesiástico, pues yo soy el último papa—una fiesta de recuerdos piadosos y oficios divinos.

Pero él también ha muerto —el hombre más pío, aquel santo en el bosque que alababa constantemente a su Dios canturreando y componiendo canciones.

A él mismo no lo encontré cuando llegué a su choza; pero sí a dos lobos que aullaban lamentando su muerte —pues todos los animales lo habían querido. Entonces eché a correr.

¿Habría subido, pues, en vano, a estos bosques y montañas? Entonces resolvió mi corazón que yo debía buscar al más pío de todos los que no creen en Dios —¡a Zaratustra!»

Así habló el anciano mirando fijamente a su interlocutor. Zaratustra le tomó la mano al viejo papa y la contempló largamente, lleno de admiración.

«¡Qué mano tan hermosa y fina, oh, anciano venerable! —dijo finalmente—. Es la mano de uno que siempre ha impartido la bendición. Ahora descansa ella en la del hombre que buscas, Zaratustra.

Soy yo, el impío Zaratustra que dice: "¿Quién es más impío que yo, para que me imparta enseñanza?".»

Así habló Zaratustra, penetrando con su mirada los pensamientos abiertos y secretos del viejo papa. Al fin éste dijo:

«Quien más lo amó y poseyó, más lo ha perdido ahora;—

—¿no soy ahora más hombre sin Dios que tú? ¡Pero cómo para que cualquiera se alegre de ello!»

«Tú le serviste hasta el fin —dijo Zaratustra con aire pensativo rompiendo un profundo silencio—. ¿Sabes cómo murió? ¿Es cierto lo que dicen: que sucumbió a la compasión;—

—que vio *al hombre* clavado en la cruz y no tuvo fuerzas para soportar el espectáculo; que el amor al hombre llegó a ser su suplicio y finalmente le acarreó la muerte?»

El viejo papa no contestó. Tímidamente, y con una expresión doliente y sombría, apartó la mirada.

«Déjalo —dijo Zaratustra tras larga meditación, mirándolo todavía fijamente a los ojos.

Déjalo, que se ha ido y no ha de volver más. Y aun cuando te honra el piadoso recuerdo que le guardas a este muerto, sabes tan bien como yo *quien* fue, y que anduvo por caminos raros.»

«Entre los dos —declaró el viejo papa, más alegre—, en materia de Dios yo estoy más al tanto que el mismísimo Zaratustra— y es muy natural.

Mi amor le sirvió durante largos años y mi voluntad se plegó dócilmente a la suya. Y bien, un servidor leal está enterado de todo y aun de no pocas cosas que su amo se oculta a sí mismo.

Fue aquél un Dios reticente que siempre andaba por caminos furtivos. Hasta a su hijo lo tuvo así. En la puerta de su credo está inscrita la palabra "adulterio".

Quien lo exalta como Dios del amor, no tiene del amor un concepto lo suficientemente elevado. ¿No se erigió ese Dios también en juez? Pero el amante ama más allá de premio y castigo.

En sus mocedades, ese Dios de Oriente fue duro y vindicativo, y se construyó un infierno para deleite de sus favoritos.

Pero al fin se hizo viejo y blando, transigente y compasivo, más parecido a un abuelo, y aún más a una decrépita abuelita, que a un padre.

Agotado y achacoso, estaba sentado junto a la estufa, afligido porque le flaqueaban las piernas, cansado del mundo, con la voluntad cansada; y un día sucumbió a su compasión excesiva.»

«¿Viste *esto* con tus propios ojos, viejo papa? —le interrumpió Zaratustra—. Bien puede haber ocurrido así la cosa; así y de otro modo. Los dioses, cuando mueren, siempre mueren muchas clases de muerte.

¡Pero no importa! ¡Así o así —se ha ido y no ha de volver más! Por cierto que lastimó mis oídos y mi vista. En fin, no está bien hablar mal de un muerto.

Me gusta el mirar franco y el lenguaje sincero. Pero él —en fin, bien sabes, viejo sacerdote, que tuvo algo de ti y de los que son como tú —fue ambiguo.

Y también fue vago. ¡Lo enojado que estaba con nosotros aquel furibundo porque lo entendíamos mal! Pero, ¿por qué no habló más claro?

Y si la culpa la tuvieron nuestros oídos, ¿por qué nos dio oídos que le oían mal?

¡Lo que pasa es que se le malogró demasiado a ese alfarero torpe! Pero eso de vengarse en sus hechuras de que le habían salido mal, fue un pecado contra el *buen gusto*.

Hay también en la piedad un buen gusto; éste proclamó al fin: "¡Fuera *semejante* Dios! ¡Más vale no tener Dios alguno y hacer destino por cuenta propia! ¡Más vale ser un loco, ser uno mismo dios!".»

—¡Cómo! —exclamó el viejo papa, que le escuchaba atentamente—. ¡Oh, Zaratustra, eres más pío de lo que crees, con semejante descreimiento! ¡Algún Dios dentro de ti te ha convertido a tu impiedad!

¿No es tu piedad misma la que ya no te deja creer en un dios? ¡Y tu probidad excesiva un día te arrastrará más allá del bien y del mal!

¿Qué te está reservado? Tienes ojos y manos y una boca que desde todas las eternidades están destinados a bendecir. No se bendice sólo con la mano.

En torno tuyo, por más que pretendas ser el más impío, percibo secreto perfume e incienso de largas bendiciones, que me llena el alma de gozo y de congoja a un tiempo.

¡Déjame ser tu huésped, oh, Zaratustra, por una sola noche! ¡En ninguna parte de la tierra me siento ahora tan bien como a tu lado!»

«¡Amén! ¡Que así sea! —dijo Zaratustra, muy sorprendido—. Por allá sube el camino a la cueva de Zaratustra.

Me gustaría muy de veras servirte de guía, venerable anciano, pues amo a todos los hombres píos; pero un grito de socorro me obliga a despedirme de ti sin tardanza.

En mis dominios nadie ha de sufrir daño; mi cueva es puerto seguro. Y nada me agradaría tanto como poner a todos los tristes de nuevo en tierra firme y pies firmes.

Pero, ¿quién puede quitarte de encima tu melancolía? Yo no tengo fuerzas suficientes para ello. ¡Ya podemos esperar a que viniera uno a resucitar a tu dios!

Pues ese viejo dios ha muerto; bien muerto está.»

Así habló Zaratustra.

EL HOMBRE MÁS FEO

Y otra vez Zaratustra recorrió bosques y montañas, y sus ojos buscaron y rebuscaron; pero en ninguna parte vieron al que ansiaban ver: al gran angustiado que había proferido el gran grito de socorro. Mas su corazón se exultaba sin cesar, traspasado de gratitud. «¡Qué cosas tan buenas —decía para sus adentros— me ha deparado esta jornada a cambio de su mal comienzo! ¡Qué interlocutores tan singulares he encontrado enmi camino!

Voy a mascar largamente sus palabras cual buenos granos; ¡mis dientes han de molerlas hasta que se me derramen como leche por el alma!»

Pero cuando dobló otra vez una roca, el paisaje cambió de golpe y entró en un reino de la muerte. Surgían por doquier peñascos negros y rojos y no había pasto, árboles ni canto de pájaros. Pues se trataba de un valle que evitaban todos los animales, incluso las fieras; sólo una especie de repelentes y gruesas serpientes verdes iba allá a morir cuando se habían hecho viejas. De ahí que los pastores llamaban a este valle "Muerte de Serpientes".

Y Zaratustra se abismó en un negro recuerdo, pues le pareció que hubiera estado ya alguna vez en este valle. Y su mente se fue sumiendo en creciente negrura, así que retardó cada vez más el paso y finalmente se detuvo. Pero cuando volvió a abrir los ojos, entonces vio algo sentado a la vera del camino que se parecía a un ser humano; y sin embargo apenas si podía ser tenido por tal —algo inenarrable. Y de pronto asaltó a Zaratustra la gran vergüenza de haber mirado algo semejante; ruborizándose hasta las raíces de sus níveos cabellos, apartó la mirada y se dispuso a alejarse de tal mal lugar. Pero he aquí que el desolado yermo cobró voz: del suelo brotó un áspero y estertoroso sonido, como cuando de noche el agua se abre paso por caños obstruidos; y este sonido se transformó en una voz humana que habló como sigue:

«¡Zaratustra! ¡Zaratustra! ¡Resuelve mi adivinanza! A ver, *¿qué significa el vengarse del testigo?*

¡Mira que te atraigo a una pista de hielo! ¡Cuida de que tu orgullo no resbale y se fracture las piernas!

¡Te tienes por sabio, orgulloso Zaratustra! ¡Resuelve la adivinanza, duro cascanueces —la adivinanza que represento yo mismo! A ver, ¿quién soy yo?»

Cuando Zaratustra oyó estas palabras, ¿qué creéis que tuvo lugar en su alma? *Le embargó la compasión* y de pronto se desplomó en el suelo como un roble que durante largo tiempo ha resistido a muchos leñadores—pesada y repentinamente, asustando aun a los que querían derribarlo. Pero al momento se levantó y su semblante asumió una expresión dura.

«Bien te reconozco —dijo en una voz de bronce—; *¡tú eres el asesino de Dios!* ¡Déjame tranquilo!

¡No *soportaste* al que te veía siempre, te miraba hasta el fondo de tu ser, hombre más feo! ¡Te vengaste de este testigo!»

Así habló Zaratustra y se dispuso a marcharse; pero el inenarrable lo sujetó por la ropa y empezó de nuevo a proferir sonidos inarticulados en un esfuerzo por hablar.

«¡Quédate! —dijo al fin—. ¡Quédate! ¡No te vayas! He adivinado el hacha que te derribó. ¡Dichoso de ti, oh, Zaratustra, por estar de nuevo en pie!

Adivinaste, bien lo sé, el estado de ánimo del que lo mató —del asesino de Dios. ¡Quédate! Siéntate a mi lado, que vale la pena.

¿A quién me proponía buscar sino a ti? ¡Quédate Siéntate! ¡Pero no me mires! ¡Honra así —mi fealdad!

Me persiguen; ahora tú eres mi último refugio. No me persiguen con sus odios, sus esbirros —¡oh, me burlaría y enorgullecería y alegraría de tal persecución!

¿No ha correspondido todo éxito hasta ahora a las víctimas de persecución sañuda? Y quien persigue con saña, fácilmente aprende a *seguir* —¡como que va detrás! Su *compasión*—

—su compasión es lo que me hace huir y buscar refugio en ti. ¡Protégeme, oh, Zaratustra, mi último refugio, el único que me adivinó!

Adivinaste el estado de ánimo del que le mató a ése. ¡Quédate! Y si insistes en irte, impaciente, no te vayas por el camino por el cual he llegado, pues es un mal camino.

¿Estás enojado conmigo porque no para mi torpe hablar? ¿porque ya te dé consejos? Has de saber que yo, el hombre más feo,—

—tengo también los pies más grandes y pesados. Donde yo he caminado es malo el camino. Yo echo a perder todos los caminos.

El que pasaste junto a mí en silencio; el que te ruborizaste —bien lo vi—, me reveló que eras Zaratustra.

Cualquier otro me hubiera arrojado su limosna y compasión, con su mirada y su palabra. ¡Pero tú adivinaste que no soy mendigo suficiente para eso;—

—que para eso soy demasiado *rico* en cosas grandes y terribles, en lo más feo e inenarrable! ¡Tu vergüenza, oh Zaratustra, me *honró*!

A duras penas me libré del asedio de los compasivos, para encontrar al único que hoy día enseña: "La compasión es importuna"—¡a ti, oh, Zaratustra!

Ya sea la compasión de un dios o la de los hombres, la compasión es un atentado contra la vergüenza. Y negarse a ayudar puede ser más noble que la virtud solícita.

Pero aún entre la pequeña gente, la compasión es considerada hoy como la virtud. Esa gente no siente respeto por la gran desgracia, la gran fealdad, el gran fracaso.

Miro por sobre todos esos como un perro mira por sobre los innumerables lomos de grandes rebaños. Son gente pequeña y gris, animada de buenas intenciones.

Como un jinete mira con desdén por sobre aguas bajas, miró por sobre el hormigueo de pequeñas olas y voluntades y almas grises.

Demasiado tiempo se le daba la razón a esa pequeña gente; así que se ha terminado por darle también el poder. Ahora enseñan: "sólo es bueno lo que la pequeña gente tiene por bueno."

Y "verdad" se llama hoy lo que enseñó el predicador salido de su seno —ese santo raro y defensor de la gente pequeña que dijo de sí mismo: "Yo soy la verdad".

Hace mucho que ese inmodesto tiene ensoberbecida a la pequeña gente; —ese inmodesto que enseñó un error de bulto al enseñar: "Yo soy la verdad".

¿Jamás se dio respuesta más cortés a un inmodesto? Pero tú, oh, Zaratustra, pasaste de largo y dijiste: "¡No! ¡No! ¡Tres veces no!

Previniste contra su error; fuiste el primero en prevenir contra la compasión —no a todos, no a nadie, sino a ti y a los que son como tú.

Te avergüenza la vergüenza del que sufre grandemente. Y a fe mía que cuando dices: "¡Por el lado de la compasión amenaza un negro nubarrón; tened cuidado, hombres!";—

—cuando enseñas: "Todos los creadores son duros, todo gran amor está por encima de su compasión", ¡cuán versado te me antojas en los signos del tiempo!

¡Pero prevente también a ti mismo contra tu compasión! Pues van hacia ti muchos que sufren, dudan, desesperan, naufragan y fallecen de frío.

Te prevengo también contra mí. Descifraste mi mejor y peor enigma: a mí mismo y lo que he hecho. Conozco el hacha que te derriba.

Pero, ése *debía* absolutamente morir. Veía con ojos que veían *todo;* —veía las profundidades y fondos del hombre, toda su ignominia y fealdad ocultas.

Su compasión desconocía la vergüenza; se metía en mis más sórdidos rincones. Ese harto curioso, importuno, demasiado compasivo, debía absolutamente morir.

Siempre me miraba; estaba yo resuelto a vengarme de tal testigo o morir yo mismo.

¡El Dios que veía todo, *incluso al hombre,* debía absolutamente morir! El hombre no *soporta* a testigo semejante!»

Así habló el hombre más feo. Y Zaratustra se levantó y se dispuso a marcharse; pues sentía un frío que le penetraba hasta el tuétano.

«Inenarrable —dijo—, me has prevenido contra tu camino. En señal de gratitud te recomiendo el mío. Por allá se sube a la cueva de Zaratustra.

Mi cueva es espaciosa y profunda y cuenta con muchos rincones; allí el más oculto encuentra donde ocultarse.

Y por sus alrededores abundan los escondrijos y guaridas para toda clase de seres que se arrastran, saltan o vuelan.

Expulsado que te expulsaste a ti mismo, ¿no quieres vivir entre los hombres y la compasión humana? ¡Muy bien, haz como yo! Así aprenderás también de mí. Sólo quien obra aprende.

¡Y habla ante todo con mis animales! El animal más orgulloso y el más sabio —¡cómo no han de aconsejarnos bien!»

Hablado que hubo así Zaratustra, prosiguió su camino, con aire aún más pensativo y paso aún más lento que antes, pues en su fuero interno se hacía muchas preguntas nada fáciles de contestar.

«¡Cuán pobre es el hombre! —pensó para sus adentros— ¡cuan feo y doliente y lleno de vergüenza oculta!

Dicen que el hombre se ama a sí mismo —¡ay, lo grande que tiene que ser este amor propio! ¡El desprecio que tiene que afrontar!

Jamás he encontrado tan profundo desprecio de sí mismo; esto también es altura. ¡Ay!, ¿sería ése el hombre superior cuyo grito oí?

Amo a los hombres del gran desprecio. Mas el hombre es algo que tiene que ser superado.»

EL MENDIGO VOLUNTARIO

Cuando Zaratustra se había separado del hombre más feo, tenía frío y se sentía solo; pues cruzaban por su mente muchas cosas frías y solitarias, al punto que se le enfriaban también los miembros. Pero conforme proseguía su camino cuesta arriba y cuesta abajo, ora pasando junto a verdes praderas, ora cruzando fragosas y pedregosas cañadas donde en tiempos pasados se precipitaría un tumultoso torrente, se sintió de pronto más confortable y alegre.

«¿Qué me ha pasado? —se preguntó—. Me recrea algo cálido y palpitante, que debe estar cerca de aquí.

Ya no estoy tan solo; rodéanme compañeros y hermanos inadvertidos cuyo aliento caliente roza mi alma.»

Pero cuando miró en torno buscando a los que así confortaban su soledad, he aquí que se trataba de vacas que se apiñaban en lo alto de una loma y cuya proximidad y emanación habían animado su corazón. Estas vacas parecían escuchar atentamente a uno que hablaba, al punto que no reparaban en el que se acercaba. Cuando Zaratustra había llegado muy cerca de ellas, oyó distintamente una voz humana que partía de entre las vacas, las que evidentemente estaban allí con la cabeza vuelta hacia el que hablaba.

Entonces Zaratustra subió prestamente y separó los animales, pues temía que alguien hubiera sufrido daño —daño que la compasión de las vacas ciertamente no podía remediar. Pero se equivocaba; pues he aquí, sentado en el suelo, un hombre que parecía empeñado en convencer a los animales de que no tenían por qué tenerle miedo; un hombre pacífico y manso cuyos mismos ojos predicaban bondad. «¿Qué andas buscando aquí?». preguntó Zaratustra, sorprendido.

«¡Pues lo mismo que tú, perturbador! —contestó el otro—; la felicidad sobre la tierra.

Para tal fin quiero aprender de las vacas. Llevo horas hablándoles y justamente estaban a punto de contestarme. ¿Por qué las estorbas?

Si no nos volvemos atrás y somos como las vacas no ganaremos el cielo. Pues debiéramos aprender de ellas el rumiar.

Aunque el hombre conquistase el mundo entero y no aprendiese el rumiar, ¿de qué le valdría? No se libraría de su aflicción;—

—de su gran aflicción, que hoy se llama asco. ¿Quién no tiene hoy el corazón, la boca y los ojos llenos de asco? ¡Tú también! ¡Tú también! ¡En cambio mira a estas vacas!»

Así habló el hombre; luego volvió los ojos hacia Zaratustra —pues hasta aquí había hablado con la mirada fija amorosamente en las vacas —y de pronto cambió de actitud.

«¿Con quién estoy hablando? —exclamó, presa de alarma, y saltó sobre sus pies.

¡Pero si es el hombre sin asco, Zaratustra mismo, el vencedor del gran asco; el ojo, la boca y el corazón de Zaratustra mismo!»

Y mientras hablaba así besó, con lágrimas en los ojos, las manos del hombre al que hablaba y se comportaba en un todo como uno al que cae de improviso del cielo un don precioso. Las vacas presenciaban la escena con extrañeza.

«¡No hables de mí, hombre raro y encantador! —dijo Zaratustra, atajando su efusión—; ¡háblame primero de ti! ¿No eres el mendigo voluntario que un día renunció a una gran riqueza;—

—que se avergonzó de su riqueza y de los ricos y se refugió entre los pobres para brindarles su plenitud y su corazón? Pero no lo aceptaron.»

«Pero no lo aceptaron —confirmó el mendigo voluntario—; tú lo has dicho. De suerte que al fin me junté a los animales y a estas vacas.»

«De ellos aprendiste —le interrumpió Zaratustra—, que es más difícil dar bien que tomar bien y que regalar bien es un arte, el arte último y más delicado de la bondad.»

«Sobre todo hoy en día —contestó el mendigo voluntario—; pues hoy en día todo lo bajo y vil se ha vuelto rebelde y esquivo y arrogante a su manera, a la manera de la plebe.

¡Pues bien sabes que ha llegado la hora de la grande y funesta, larga y lenta sublevación de los plebeyos y los esclavos, que se acentúa!

¡Ahora, toda caridad y regalo pequeños indignan a los bajos; y que tengan cuidado los ricachones!

Codicia concupiscente, envidia enconada, resentimiento vindicativo, orgullo plebeyo —todo esto me saltó a la cara. Ya no es cierto eso de bienaventurados los pobres. Y el reino de los cielos es de las vacas.»

«¿Y por qué no de los ricos?», preguntó Zaratustra tentando al otro, mientras atajaba a las vacas que le resoplaban cariñosamente en la cara al pacífico.

«¿Por qué me tientas? —contestó éste—. ¡Si tú mismo lo sabes aún mejor que yo! ¿Qué me impulsó a alternar con los nuestros ricachones?;—

—los esclavos de la riqueza que con ojos fríos y pensamientos viles hurgan en cualquier basura en busca de ventajas; esa chusma que huele a putrefacción;

—esa plebe dorada y pervertida cuyos padres fueron ladrones o asaltantes o traperos, con mujeres complacientes, lascivas y olvidadizas, que todas ellas son poco menos que vulgares prostitutas.

¡Plebe arriba y plebe abajo? ¡Qué significan hoy en día todavía las palabras "pobre" y "rico"? Yo ya no conozco tal diferencia. De esto hui, cada vez más lejos, hasta que fui a parar a estas vacas.»

Así habló el pacífico, dando a su vez resoplidos y sudando mientras hablaba, así que las vacas se extrañaron de nuevo. Zaratustra escuchó su diatriba con la mirada fija, sonriente, en su cara y sacudiendo la cabeza en silencio.

«Te haces violencia gastando un lenguaje tan duro —le dijo—. Ni tu boca ni tus ojos están hechos para semejante dureza.

Ni tampoco, me parece, tu estómago; no le sienta tanto fulminar y odiar y tronar. Tu estómago necesita cosas más suaves. Tú no eres un carnicero.

Antes bien te me antojas un hortelano y entendido en raíces. Quizá muelas granos. En todo caso eres un enemigo de los placeres carnales y te gusta la miel.»

«Bien me adivinaste —respondió, aliviado, el mendigo voluntario—. Me gusta la miel y también muelo granos; pues busqué lo que agradara al paladar y purificara el aliento;—

—y requiriera mucho tiempo; algo que llenara la jornada y la boca, para mansos, holgazanes y gandules.

Por cierto que quienes más lejos llegaron en esto han sido las vacas, que se inventaron el rumiar y estar al sol. También se abstienen de todo pensamiento pesado que hace mal al corazón.»

«¡Muy bien! —exclamó Zaratustra—. Quiero que veas también a mis animales, a mi águila y mi serpiente—que hoy no tienen par en el mundo.

Por allá sube el camino a mi cueva; sé mi huésped esta noche. Y habla con mis animales de la felicidad de los animales;—

—hasta que yo vuelva. Pues ahora un grito de socorro me obliga a despedirme de ti sin tardanza. En mi cueva encontrarás también miel nueva; fresca y lozana miel dorada. ¡Pruébala!

¡Pero ahora despídete en seguida de tus vacas, raro! ¡simpático! Aunque te cueste; pues son tus más cordiales amigas y maestras.»

«Excepción hecha de uno que quiero aún más—contestó el mendigo voluntario—. ¡Tú mismo eres bueno, y aún mejor que una vaca, oh, Zaratustra!»

«¡Eh! ¡Vete! ¡Adulador vil! —gritó Zaratustra maliciosamen-te—. ¿Por qué me echas a perder con tal elogio y zalamería?

¡Vete! ¡Vete de aquí!» —gritó otra vez amenazando con su bastón al cariñoso mendigo. Y éste echó a correr.

LA SOMBRA[1]

No bien se hubo marchado el mendigo voluntario y Zaratustra estaba de nuevo solo, oyó a sus espaldas otra voz que llamaba: «¡Alto, Zaratustra! ¡Espera! ¡Soy yo, oh, Zaratustra!, ¡tu sombra!» Pero Zaratustra no esperó, pues le embargó una súbita contrariedad por la afluencia de extraños a sus montañas.

«Se acabó mi soledad —dijo para sus adentros—. Ya estoy harto. Mi reino ya no es de *este* mundo; necesito nuevas montañas.

¿Me llama mi sombra? ¡Y qué me importa mi sombra ¡Que corra tras mí! Yo echo a correr para escaparle.»

Así habló Zaratustra para sus adentros y echó a correr. Mas el que estaba a sus espaldas lo siguió; de suerte que al pronto eran tres los que corrían unos tras otros: el mendigo voluntario, Zaratustra y, por último, su sombra. Cuando aún no habían corrido un largo trecho, Zaratustra se dio cuenta de su estupidez y se quitó de encima, de un solo golpe, toda su contrariedad y fastidio.

«¡Cómo! —se dijo— ¿no hemos sido siempre los viejos ermitaños y santos los que hacíamos las cosas más ridículas?

¡Cómo ha crecido mi estupidez en la montaña! ¡Seis viejas piernas corriendo unas tras otras!

Pero, ¿está bien que Zaratustra le tenga miedo a una sombra? Además, me parece que ella corre más ligero que yo.»

Así habló Zaratustra, riendo con los ojos y las entrañas, se detuvo y se dio vuelta tan rápidamente que por poco derriba al suelo a su perseguidor y sombra, de tal modo éste le pisaba los talones y tan flojo era. Zaratustra, al mirarlo de cerca, se sobresaltó como a la vista de un repentino fantasma al verlo tan flaco, negruzco, frágil y decrépito.

«¿Quién eres tú? —preguntó Zaratustra con brusquedad— ¿Qué estás haciendo aquí? ¿Y por qué te llamas mi sombra? No me gustas nada.»

«Perdona —contestó la sombra— que lo sea; y si no te gusto, bueno, por eso te elogio a ti y tu buen gusto, ¡oh!, Zaratustra.

Soy un caminante que lleva ya mucho tiempo pisándote los talones; siempre en camino, pero sin rumbo fijo, y sin hogar: en verdad, poco me falta para ser el judío eterno, salvo que no soy eterno ni tampoco judío.

---

1 Aquí retorna la sombra de «De los grandes acontecimientos». Tema que desarrollará más ampliamente en su libro *El viajero y su sombra* (1879). *(N. del T.)*

¿Cómo? ¿He de estar siempre en camino? ¿Zarandeado por todos los vientos, trashumante, corrido a través del mundo? ¡oh!, tierra, ¡demasiado redonda me resultas!

Me he posado ya en todas las superficies; cual polvo cansado me he echado a dormir en espejos y vidrios de ventanas; todo me quita algo, nada me da nada; voy mermando a ojos vistas —poco falta para que me parezca a una sombra.

Y tras ti, ¡oh!, Zaratustra, he volado y corrido más tiempo; y si bien me escondía ante ti, era tu mejor sombra; donde quiera que te sentaras yo también me sentaba.

Contigo me he ido a los mundos más lejanos y fríos, cual un fantasma que voluntariamente anda por tejados nevados y la nieve.

Contigo he penetrado en todo lo prohibido, más malo y remoto; y si hay en mí algo que merece que se le llame virtud, es el no haber temido a prohibición alguna.

Contigo he roto todo lo que veneraba antes mi corazón, he derribado todos los mojones e ídolos y he corrido tras los deseos más peligrosos; en verdad que no hay crimen por encima del cual no haya pasado.

Contigo he perdido la fe en las palabras y los valores y los nombres altisonantes. Cuando el diablo muda la piel, ¿no se desprende de él también su nombre? Pues éste también es una piel. A lo mejor el propio diablo es —una piel.

"Nada es cierto; todo es permitido"—así me persuadía a mí mismo. Me zambullía de cabeza y corazón en las aguas más frías. ¡Cuántas veces estuve luego ahí, desnudo, cual cangrejo cocido!

¡Ay!, ¿dónde han ido a parar todo el bien y toda vergüenza y toda fe en los buenos? ¡Ay!, ¿dónde ha ido a parar la inocencia falaz que poseía en un tiempo; la inocencia de los buenos y sus nobles mentiras?

Con demasiada frecuencia le pisé los talones a la verdad; entonces ella me golpeó en la cabeza. A veces creí mentir; pero he aquí que sólo entonces di con la verdad.

Demasiadas cosas se han dilucidado para mí; ahora ya no me interesan. Ya no hay nada que yo ame ¡nada para amarme todavía a mí mismo!

"Vivir como me da la gana o no vivir" —así lo quiero yo y así lo quiere aún el más santo varón. Pero, ¡ay!, ¿acaso me dan todavía ganas?

¿Tengo yo todavía una meta?, ¿un puerto hacia el cual enfilar *mis* velas?

¿Un viento propicio? ¡Ay, sólo el que sabe *adónde* va, sabe también qué viento es propicio para él!

¿Qué me ha quedado? Un corazón cansado e insolente; una voluntad inquieta; alas cortadas; una columna vertebral fracturada.

Esa búsqueda de *mi* hogar, ¡oh!, Zaratustra, era *mi* tribulación; me consume.

"¿Dónde está *mi* hogar?" Por él pregunto, y lo he buscado, y busco todavía; pero no lo he encontrado. ¡Oh, eterno En Todas Partes! ¡Oh, eterno En Ninguna Parte! ¡Oh, eterno —En Vano!

Así habló la sombra, y conforme hablaba, el rostro de Zaratustra asumió una expresión de pesadumbre. «¡Eres mi sombra! —dijo al fin, entristecido.

¡Corres un grave peligro, espíritu y caminante libre! Tu jornada ha sido mala, ¡ten cuidado de que la noche no te resulte aún peor!

Los inquietos y trashumantes como tú terminan por entusiasmarse incluso con la prisión. ¿Viste jamás dormir a un criminal apresado? Duerme como un ángel, gozoso de su flamante seguridad.

¡Ten cuidado de que a la postre no te aprese alguna fe estrecha, alguna ficción rígida y severa! Pues te seduce y tienta ahora todo lo estrecho y sólido.

Has perdido la meta; ¡ay!, ¿cómo sobrellevarás esta pérdida? ¡Al perder la meta has perdido también el camino!

¡Pobre errante, mariposa cansada! ¿Quieres disfrutar esta noche de descanso y hogar? ¡Pues sube a mi cueva!

¡Por allá sube el camino a mi cueva! Y ahora voy a escaparme de ti de nuevo sin tardanza. Ya siento como si una sombra estuviese proyectada sobre mí.

Quiero correr solo, para que todo vuelva a ser claro en torno mío. Para tal fin tengo que andar aún largo trecho a pie firme. ¡Y esta noche habrá baile en mi cueva!»

Así habló Zaratustra.

A MEDIODÍA

Y Zaratustra corrió a pie firme y ya no encontró a nadie; estuvo solo y durante horas se encontró, una y otra vez, a sí mismo gozando con deleite de su soledad y pensando pensamientos luminosos. A la hora del mediodía, cuando el sol estaba directamente sobre su cabeza, pasó junto a un añoso árbol nudoso y retorcido que estaba abrazado por el generoso amor de una vida y se hallaba oculto a sí mismo: de él colgaban abundantes racimos de gualdas uvas ofreciéndose al caminante. Entonces tuvo ganas de apagar su leve sed y arrancar un racimo; pero cuando ya extendía el brazo, deseó aún más vivamente tenderse al pie del árbol a la hora del pleno mediodía y echar la siesta.

Así lo hizo Zaratustra: y en cuanto estuvo tendido en el suelo, sumergido en la quietud e intimidad del variado pasto, se olvidó de su leve sed y quedó dormido. Pues como reza la sentencia de Zaratustra: "Unas cosas, más necesarias que otras". Sólo que sus ojos permanecían abiertos; pues no se cansaban de mirar y ensalzar el árbol y el amor de la vid. Y cuando estaba a punto de adormecerse, Zaratustra habló así para sus adentros:

«¡Chitón! ¡Chitón! ¿No alcanza el mundo en este momento su perfección? ¿Qué me pasa?

Como brisa ligera que, invisible, baila con pies alados sobre mar liso como artesonado, baila sobre mí el sueño.

No me cierra los ojos, y me deja despierta el alma. En verdad que baila con pies alados.

Me persuade no sé cómo; me toca por dentro con mano insinuante; me obliga. Sí, obliga mi alma a echarse a dormir;—

—¡cómo se estira y está de cansada mi alma extraña! ¿Le llegó justamente a mediodía la noche de un séptimo día? ¿Habrá deambulado demasiado tiempo, ebria de felicidad, por entre cosas buenas y maduras?

Se estira ella todo lo que puede, cada vez más; está tendida ahí, inmóvil, mi alma extraña. Ha saboreado ya demasiadas cosas buenas; esta tristeza áurea la agobia; tuerce la boca.

—Como un barco que entró en su banda serena: se recuesta contra la tierra, cansado de los largos viajes y los mares inciertos. ¿No es la tierra más fiel?

Como tal barco se recuesta tiernamente contra la tierra: basta con que una araña hile hacia él desde la tierra su hilo; no hacen falta amarras más sólidas.

Como tal barco cansado, fondeado en la bahía más serena, descanso también yo ahora, recostado contra la tierra, fiel, confiado y expectante, atado a ella por los más tenues hilos.

¡Oh, dicha! ¡Oh, dicha! ¿Quieres cantar, alma mía? Estás tendida en el pasto. Pero ésta es la hora íntima y solemne en que ningún pastor toca su flauta de Pan.

¡No te animes! Un mediodía abrasador duerme tendido sobre la tierra. ¡No cantes! ¡Chitón! El mundo está perfecto.

¡No cantes, insecto cobijado en el pasto; alma mía! ¡No susurres siquiera! Mira —¡Chitón! duerme el viejo mediodía; mueve los labios —¿no bebe en este instante una gota de felicidad,—

—una rancia gota flava de felicidad dorada, vino dorado? Sobre su rostro pasan tenues reflejos; ríe su felicidad. Así —ríe un dios. ¡Chitón!—

En un tiempo decía yo : "¡Cuán poco hace falta para ser feliz!", y me tenía por sabio. Sin embargo tales palabras eran una blasfemia —he aquí lo que acabo de aprender. Los sabios locos están mejor enterados.

Justamente lo mínimo, lo más sutil y ligero, el movimiento fugaz de un lagarto, un hálito, un leve soplo, un abrir y cerrar de ojos —*poco* determina la esencia de la mejor felicidad. ¡Chitón!

¿Qué me ha pasado? ¡Chitón! Siento una punzada, ¡ay! —en el corazón. ¡En el corazón! ¡Oh, deja de latir, corazón, tras dicha semejante, punzada semejante!

¿Cómo? ¿No ha alcanzado el mundo en este momento su perfección? ¿Su redondez y madurez? ¡Oh, el circular aro de oro —¿adónde volará? ¿Corro tras él? ¡Ah!

Chitón —(y en este punto Zaratustra estiró los miembros sintiendo que dormía).

¡Arriba! —dijo para sus adentros. ¡Arriba, durmiente! ¡Durmiente a mediodía! ¡Ea, arriba, viejas piernas. Ya es hora; os queda aún por recorrer un buen trecho.

Habéis dormido lo suficiente, ¿cuánto tiempo? ¡Media eternidad! ¡Ea, arriba, viejo corazón! Después de tal sueño, ¿cuánto tiempo podrás estar despierto? —¿lo suficiente?"

(Pero he aquí que Zaratustra volvió a dormirse, y su alma le contradijo y se resistió y volvió a echarse a dormir.)

¡Déjame! ¡Chitón! ¿No alcanzó el mundo en este momento la perfección? ¡Oh, la redonda pelota de oro!—

¡Levántate —dijo Zaratustra—, ladronzuela, holgazana! ¿Cómo? ¿Todavía estirarse y bostezar y suspirar y caer a pozos profundos?

¡Hay que ver! ¡Oh, alma mía! (y en este punto se sobresaltó, pues un rayo de sol descendió del cielo y dio de lleno en su cara.)

Oh, cielo en lo alto —dijo dando un suspiro, y se incorporó—, ¿me estás mirando? ¿Estás escuchando a mi alma extraña?

¿Cuándo reabsorberás esta gota de rocío que ha caído en todas las cosas terrenas? —¿cuándo reabsorberás esta alma extraña?—

—¿cuándo, ¡oh, pozo de la eternidad! ¡plácido, pavoroso abismo de mediodía!, ¿reabsorberás mi alma?»

Así habló Zaratustra y se levantó como de una ebriedad extraña. Y he aquí que el sol estaba todavía directamente sobre su cabeza. De lo cual pudiera inferirse que Zaratustra no durmió mucho tiempo.

LA SALUTACIÓN

Sólo muy entrada la tarde, Zaratustra, tras de correr y vagar largo tiempo en vano, regresó a su cueva. Cuando ya ni veinte pasos lo separaban de ella, aconteció lo que entonces menos hubiera esperado: oyó de nuevo un gran *grito de socorro*. ¡Y esta vez partía de su propia cueva! Era un grito prolongado, múltiple y extraño, y Zaratustra notó claramente que se componía de muchas voces, aunque de lejos sonase como un grito proferido por una sola boca.

Entonces Zaratustra corrió hasta su cueva, y he aquí un espectáculo que lo asombró aún más que el grito que acababa de oír. ¡Ahí estaban sentados juntos todos los que había encontrado durante la jornada: el rey de la derecha y el rey de la izquierda, el viejo mago, el papa, el mendigo voluntario, la sombra, el escrupuloso del espíritu, el adivino triste y el burro; el hombre más feo se había ataviado con una corona y dos cinturones de púrpura —pues como todos los feos le gustaba disfrazarse y alardear. En medio de tan tétrico grupo estaba el águila de Zaratustra, inquieta y con el plumaje erizado, pues se le hacían demasiadas preguntas que su orgullo no le permitía contestar; a la serpiente sabia la tenía arrollada al cuello.

Miró Zaratustra esta escena con gran extrañeza; luego observó a sus huéspedes uno por uno, con curiosidad cordial, leyó en sus almas y se extrañó otra vez. Entretanto, los reunidos se habían puesto de pie y esperaban respetuosamente a que Zaratustra les dirigiera la palabra. Y Zaratustra les habló como sigue:

«¡Desesperados! ¡Extraños! ¡De modo que oí *vuestro* grito de socorro! Y ahora sé también dónde ha de buscarse a aquel que en vano busqué todo el día: *el hombre superior:—*

—¡en mi propia cueva se halla el hombre superior! Pero, ¿y cómo me extraña esto? ¿No lo he atraído yo mismo por ofrenda de miel y reclamo artero de mi felicidad?

Pero me parece que no os lleváis bien; que os exasperáis mutuamente cuando estáis juntos aquí. Hace falta uno que os haga reír de nuevo; un bueno y alegre hazmerreír, un bailarín y viento y diablo de travieso; algún viejo loco —¿no os parece?

¡Perdonadme, desesperados, que gaste ante vosotros un lenguaje tan frívolo, indigno de tales huéspedes! Mas no adivináis lo que me envalentona el corazón:—

—¡vosotros mismos y vuestro aspecto, con perdón vuestro! ¡Pues a la vista de un desesperado no hay quien no se envalentone! Todo el mundo se cree lo suficientemente fuerte para prodigar a un desesperado palabras de aliento.

¡A mí mismo me habéis infundido esta fuerza, augustos huéspedes! ¡Un don precioso, por cierto! ¡En verdad un magnífico obsequio! Permitid, pues, que yo os ofrezca también de lo mío.

Éste es mi reino y señorío; pero lo mío ha de ser también lo vuestro por esta noche. Mis animales han de estar a vuestra disposición y mi cueva debe serviros de albergue.

En mi reino nadie ha de desesperarse; en mis dominios protejo a cada cual contra sus fieras. He aquí lo primero que os ofrezco: ¡seguridad!

Lo segundo es mi meñique. Y teniendo éste, ¡tomad la mano entera, y el corazón encima. ¡Bienvenidos a mi cueva, mis huéspedes!»

Así habló Zaratustra y se rió con cariño y malicia. Tras esta salutación, los huéspedes se inclinaron de nuevo y observaron un silencio respetuoso. Y en nombre de todos ellos el rey de la derecha contestó:

«Por la forma como nos ofreciste tu mano y saludo, ¡oh!, Zaratustra, te reconocemos como Zaratustra. Te humillaste ante nosotros; poco faltó para que lastimaras nuestro respeto;—

—mas ¿quién sería capaz de humillarse, como tú, con orgullo semejante? Esto nos *eleva;* esto recrea nuestra vista y nuestro corazón.

Sólo para ver esto subiríamos de buen grado a montañas más altas que ésta. Pues hemos venido a ver; a ver lo que tiene la virtud de aclarar los ojos velados.

Y he aquí que ya está olvidado nuestro grito de socorro. Ya están abiertos y encantados nuestro ánimo y corazón. Poco falta para que se desborde nuestro buen humor.

Nada hay tan grato sobre la tierra, ¡oh!, Zaratustra, como una voluntad sublime y fuerte; tal es su árbol más hermoso. Un paisaje entero se deleita con semejante árbol.

Con un pino comparo a quien crece como tú, oh Zaratustra: alto, callado, duro, solitario, de la madera más flexible, magnífico;—

—mas tomando posesión, al fin, con recias ramas verdes, de su señorío, interrogando con gallardía a los vientos y las tempestades y cuanto mora en las alturas;—

—dando respuestas aún más gallardas, autoritario, triunfante. ¡Oh!, ¡quién no estaría dispuesto a subir altas montañas para ver cosa semejante!

Con tu árbol, ¡oh!, Zaratustra, se recrea aun el sombrío y adusto, el malogrado; tu vista infunde tranquilidad y firmeza aun al que se debate en la zozobra, y cura su corazón.

Y en verdad que en tu montaña y árbol están fijas hoy muchas miradas; un gran anhelo se ha puesto en camino y más de uno ha aprendido a preguntar: "¿Quién es Zaratustra?"

Y a quien un día vertiste en el oído tu canción y tu miel —todos los retraídos y solitarios, los de a dúo inclusive, dijeron de pronto en su fuero interno:

"¿Vive Zaratustra todavía? ¡La vida ya no vale la pena de vivirse, todo da igual, todo es en vano, si no convivimos con Zaratustra!"

"¿Por qué no viene el que se ha anunciado mucho ha? —preguntan muchos—. ¿Se lo habrá tragado la soledad? ¿O habremos de ir en busca de él?"

Ahora acontece que la soledad misma se resquebraja y rompe, como una tumba que se rompe y no puede contener más a sus muertos. Por doquier se ven resucitados.

Ahora el oleaje va subiendo alrededor de tu montaña, ¡oh! Zaratustra. Y por muy grande que sea tu altura, muchos tienen que escalarla; tu barca no ha de estar varada mucho tiempo más.

Y el que los desesperados hayamos subido a tu cueva y ya nos hayamos librado de la desesperación no es sino símbolo y presagio de que otros mejores están en camino hacia ti;—

—pues está en camino hacia ti el último resto de Dios entre los hombres, esto es, todos los hombres del gran anhelo, del gran asco, del gran hastío;—

—todos los que no quieren seguir viviendo a menos que aprendan de nuevo a *esperar* —a menos que aprendan de ti ¡oh, Zaratustra, la *gran esperanza*!»

Así habló el rey de la derecha y le tomó la mano a Zaratustra para besarla; pero Zaratustra lo atajó y retrocedió, sobresaltado —mudo y como si huyese de pronto a tierras lejanas. Pero al poco tiempo volvió al lado de sus huéspedes, fijó en ellos una mirada clara y penetrante, y habló como sigue:

—Huéspedes míos, hombres superiores, os voy a ser franco. No sois *vosotros* los que he esperado aquí en la montaña. No dudo de que todos vosotros seáis hombres superiores, pero para mí no sois lo suficientemente fuertes y elevados.

Para mí —quiero decir, para lo inexorable que dentro de mí calla, pero no ha de callar siempre. Y si me pertenecéis, ciertamente no es como mi brazo derecho.

Pues quien anda, como vosotros, en piernas enfermas y débiles, quiere ante todo, lo sepa o se lo oculte, que se tengan consideraciones con él.

Pero yo no tengo consideraciones con mis brazos y piernas; yo *no tengo consideraciones con mis guerreros;* ¿cómo podríais servir vosotros para *mi* guerra?

Vosotros me echaríais a perder aun todas las victorias. Y más de uno se amilanaría al sólo oír el redoble agudo de mis tambores.

Tampoco sois lo suficientemente hermosos y agraciados para mí. Necesito espejos límpidos y tersos para mis doctrinas, en vuestra superficie queda deformada aun mi propia imagen.

Vuestros hombros se doblan bajo no pocas cargas, no pocos recuerdos; más de un trasgo maligno está agazapado en vuestros rincones. Hay plebe oculta también en vosotros.

Y aunque seáis superiores y de clase superior, hay en vosotros muchas cosas torcidas y contrahechas. No existe en el mundo herrero capaz de enderezaros a golpe de martillo.

No sois más que puentes; ¡qué hombres superiores pasen por vosotros a la orilla opuesta! Sois gradas; ¡no estéis enojados, pues, con el que sobre vosotros escale su altura!

Puede que vuestro semen engendre un día un hijo legítimo y heredero perfecto; pero este día es lejano. Vosotros mismos no sois los que estáis destinados a recoger mi legado y nombre.

No sois vosotros los que espero en esta montaña; no he de bajar con vosotros una última vez a los valles. Sólo habéis llegado como presagios de que otros, superiores a vosotros, ya están en camino hacia mí;—

—*no* los hombres del gran anhelo, del gran asco, del gran hastío y lo que habéis llamado el último resto de Dios.

—¡No! ¡no! ¡tres veces no! *Otros* son los que espero en esta montaña y sin los cuales no quiero irme de aquí;—

—hombres más elevados, más fuertes, más triunfantes, más gallardos, limpios en cuerpo y alma. ¡Han de venir *leones rientes*!

¡Oh! mis huéspedes, extraños, ¿no habéis oído aún hablar de mis hijos?, ¿y que están en camino hacia mí?

Habladme de mis jardines, mis islas felices, de mi nueva y hermosa estirpe. ¿Por qué no me habláis de eso?

Pido de vuestro amor, a título de obsequio, que me habléis de mis hijos. Para eso soy rico; para eso he empobrecido; qué no he dado,—

—¡qué no daría por tener *estos* hijos, *este* plantío viviente, *estos* árboles de vida de mi voluntad y más alta esperanza!»

Así habló Zaratustra; y de repente se calló, abrumado por su anhelo; embargado por intensa emoción cerró los ojos y la boca. Y también todos sus huéspedes callaban y estaban ahí, inmóviles y confundidos; sólo el viejo adivino hacía señas mediante gestos y mímica.

LA CENA

Pues en este punto, el adivino interrumpió la salutación de Zaratustra y sus huéspedes; se adelantó a empellones, como uno que tiene mucha prisa, le tomó la mano a Zaratustra y exclamó:

«¡Pero, Zaratustra! Tú mismo enseñas que unas cosas son más necesarias que otras; pues bien, hay para mí ahora una cosa más necesaria que cualquier otra.

Una palabra oportuna: ¿no me invitaste a *cenar*? Y aquí están muchos que han andado un largo camino. ¿Te propones, acaso, alimentarnos con palabras?

También estoy harto de oíros hablar de perecer de frío, ahogado, asfixiado y otros trances; pero ninguno se ha ocupado de *mi* problema —el de morir de hambre.»

(Así hablaba el adivino; y los animales de Zaratustra, al oírle, huyeron presas de alarma, pues se daban cuenta de que las provisiones que habían traído durante la jornada, con ser abundantes, no serían suficientes para saciar el hambre del adivino.)

«Y sediento —prosiguió el adivino—. Aun cuando oigo correr agua cual torrente de palabras sabias, esto es, caudalosa e infatigablemente, ¡yo —quiero *vino*!

No todo el mundo es como Zaratustra, un bebedor de agua nato. El agua no conviene, por otra parte, a los cansados y agotados. ¡A *nosotros* nos hace falta vino, que sólo él brinda solaz instantáneo y salud robusta!»

Al pedir así vino el adivino, también el rey de la izquierda rompió por una vez su mutismo.

«Del vino —dijo— hemos cuidado nosotros, mi hermano, el rey de la derecha, y yo; trajimos vino de sobra —un burro cargado de vino. De modo que sólo falta pan.»

«¿Pan? —contestó Zaratustra riéndose—. Es lo único que no tienen los ermitaños. Pero no sólo de pan vive el hombre, sino también de buena carne de cordero.

Tengo dos corderos; vamos a sacrificarlos prestamente y aderezarlos con salvia, que así es como los prefiero. Y no faltan tampoco raíces y fruta buena para satisfacer el paladar más exigente, ni nueces y otros acertijos para cascar.

Vamos a preparar, pues, una opípara cena. Pero quien quiera comer tiene que ayudar, incluso los reyes. En el reino de Zaratustra hasta un rey puede hacer de cocinero sin rebajarse.»

Esta proposición halló unánime aprobación; sólo que el mendigo voluntario puso reparos a la carne, el vino y el condimento:

«¡Hay que ver la gula que tiene Zaratustra! —exclamó en son de broma—. ¿Se va a cuevas y a la montaña para preparar festín semejante?

Ahora comprendo su prédica: "¡Loada sea la pobreza humilde!", y por qué quiere acabar con los mendigos.»

«Cálmate —le respondió Zaratustra—. ¡Masca tus granos y bebe tu agua como siempre, amigo mío, y alaba tu cocina siempre que te guste!

Yo soy ley únicamente para los míos, no para todo el mundo. Mas quien se cuenta entre los míos debe ser fuerte y ágil,—

—dado a guerrear y a comer y beber; ni cabizbajo ni soñador; pronto a acometer tanto lo más arduo como la fiesta; sano y santo.

Lo mejor corresponde a los míos y a mí; y si nos lo niegan, nos lo tomamos por la fuerza; ¡el mejor alimento, el cielo más diáfano, los pensamientos más poderosos, las mujeres más bellas!»

Así habló Zaratustra. Y el rey de la derecha comentó:

«¡Qué raro! ¡Jamás han salido palabras tan cuerdas de boca de sabio!

Y un sabio que encima es un hombre cuerdo, ciertamente es lo más raro que pueda darse.»

Así habló, extrañado, el rey de la derecha. Y así comenzó esa larga comida que en los libros de historia se denomina «la Cena». Y durante la misma no se habló más que del *hombre superior*.

DEL HOMBRE SUPERIOR

1

«La primera vez que fui a los hombres, cometí la estupidez propia de los que han vivido en soledad, la grande estupidez de hablar en la plaza pública.

Y hablando a todos no hablé a nadie. A la noche, mis compañeros fueron volatineros y cadáveres; y poco faltó para que yo mismo fuera cadáver.

Mas al despuntar el nuevo día se me reveló nueva verdad; entonces aprendí a decir: "¡Qué me importan la plaza y la plebe y el bullicio de la plebe y las orejas largas de la plebe!"

Hombres superiores, aprended de mí esta lección: en la plaza nadie cree en hombres superiores. Y si os empeñáis en hablar allí, daos el gusto; pero la plebe dice, guiñando un ojo: "Todos somos iguales."

"Hombres superiores —dice la plebe guiñando un ojo—, no hay hombres superiores; todos somos iguales; hombre es hombre; ¡ante Dios todos somos iguales!"

¡Ante Dios! —¡Pero este Dios ha muerto! Mas ante la plebe no queremos ser iguales. ¡Hombres superiores no vayáis a la plaza!»

2

«¡Ante Dios! —¡Pero este Dios ha muerto! Hombres superiores, este Dios fue vuestro mayor peligro.

Al bajar él a la tumba, vosotros habéis resucitado. ¡Sólo ahora llegará el gran mediodía! ¡Sólo ahora el hombre superior llegará a ser —amo!

¿Habéis entendido esta palabra, hermanos, en su plena significación? ¿Sois presas de sobresalto? ¿Da vértigo a vuestro corazón? ¿Se abre ante vosotros un abismo?

¡Ea! ¡Arriba, hombres superiores! Sólo ahora está de parto la montaña del porvenir humano. Dios ha muerto; viva el superhombre —tal es *nuestra* voluntad.»

3

«Los más preocupados preguntan hoy día: "¿Cómo podrá ser conservado el hombre?" Zaratustra en cambio es el único y primero en preguntar: "¿Cómo podrá ser *superado* el hombre?"

A mí me interesa el superhombre, éste es *mi* primordial y único afán; *no* el hombre, no el prójimo, no el más pobre, no el más atribulado, no el mejor.

¡Oh!, hermanos, lo que yo puedo amar en el hombre es que es tránsito y hundimiento. Y también en vosotros hay mucho que me hace amar y abrigar esperanzas.

Vuestro desprecio, hombres superiores, me hace abrigar esperanzas. Pues los hombres del gran desprecio son los hombres más reverenciados.

Vuestra desesperación os honra. Puesto que no habéis aprendido a resignaros, no habéis aprendido las pequeñas corduras.

Pues hoy día señorea la pequeña gente, que predica la resignación y la conformidad sumisa y la cordura y la laboriosidad y la consideración y el largo catálogo de las pequeñas virtudes.

Lo que tiene mentalidad de mujer y de siervo, y sobre todo la plebe vil, pretende hoy regir todo destino humano —¡oh asco! ¡asco! ¡asco!

Esas gentes no se cansan de preguntar: "¿Cómo puede conservarse el hombre mejor, más tiempo y del modo más agradable?" Con esto —son los amos del presente.

A esos amos del presente los debéis superar, hermanos. ¡Esa pequeña gente es el mayor peligro del superhombre!

¡Superad, hombres superiores, las pequeñas virtudes, las pequeñas corduras, las consideraciones mezquinas, el hormiguero, el contento vil, la "felicidad del mayor número posible"!

Y antes que resignaros, arrojaos en brazos de la desesperación. ¡Os amo, hombres superiores, porque no sabéis vivir en el presente! Pues así es como *vosotros* vivís —mejor!»

4

«¿Tenéis valor, hermanos? ¿Sois intrépidos? ¿No el valor de vivir ante testigos, sino un valor de lobo solitario y águila al que ni aún un dios mira ya?

Yo no les llamo intrépidos a las almas frías, las mulas, los ciegos ni a los ebrios. Sólo puede ser intrépido quien conoce el miedo, pero lo supera; quien ve el abismo, pero con orgullo.

Quien ve el abismo, pero con ojos de águila; quien con garras de águila se *aferra* el abismo —ése tiene valor.»

5

«"El hombre es malo" —así hablaron para consuelo mío todos los sabios. ¡Oh, si fuera cierto todavía! Pues el mal es la mejor fuerza del hombre.

"El hombre debe volverse mejor o peor" —he aquí lo que enseño yo… Lo peor es menester para lo mejor del superhombre.

El haber sufrido y haber llevado la carga del pecado de los hombres, le convendría a aquel predicador de la pequeña gente. Yo gozo del gran pecado como de mi gran *consuelo*.—

Pero no digo esto para las orejas largas. Y no todas las palabras han de salir de todas las bocas. Se trata de cosas sutiles y distantes que no han de ser accesibles a todo el mundo.»

6

«Hombres superiores, ¿creéis que es mi tarea reparar lo que vosotros habéis hecho mal?

¿O que he de aliviar vuestros sufrimientos?, ¿o que os debo enseñar nuevas sendas más fáciles a los desorientados, extraviados, descaminados?

¡No! ¡No! ¡Tres veces no! Deben sucumbir cada vez más y mejores hombres como vosotros —pues habéis de pasarla cada vez peor.

Únicamente así, el hombre se elevará a las alturas donde lo alcance y aniquile el rayo; ¡lo suficientemente alto para ponerse al alcance del rayo!

Mi mente y anhelo están puestos en lo poco, lo largo y lo lejano; ¡qué me importa vuestra miseria pequeña, mucha y breve!

¡No sufrís aún lo suficiente! Pues sufrís por vosotros mismos; no habéis sufrido aún *por el hombre*. ¡No lo neguéis, pues sería mentira! Ninguno de vosotros sufre por aquello por lo que yo he sufrido.»

7

«No me basta con que ya no cause daño el rayo. No quiero neutralizarlo, sino que ha de aprender a trabajar para mí.

Desde mucho ha, mi sabiduría se condena cual una nube; vuélvese más queda y oscura. Así pasa con toda sabiduría que un día ha de engendrar rayos.

Para la humanidad de hoy no quiero ser ni parecer luz. La quiero cegar. ¡Rayo de mi sabiduría, vacíale los ojos!»

8

«No aspiréis a nada que sea superior a vuestras fuerzas. Orígínase una falsía funesta en los que aspiran a algo superior a sus fuerzas.

¡Máxime cuando aspiran a cosas grandes! Pues esos sutiles falsarios y farsantes hacen que se desconfíe de las cosas grandes;—

—hasta que concluyen por ser falsos ante sí mismos, bizcos, carcoma barnizada, encubierta por palabras altisonantes, virtudes ostensibles y obras de relumbrón.

¡Mucho cuidado, hombres superiores! Nada se me antoja hoy día tan precioso y raro como la probidad.

¿No pertenece el presente a la plebe? Mas la plebe es ajena a las nociones de lo grande y pequeño, de lo honesto y recto; es torcida como todo candor, miente siempre.»

9

«¡Practicad hoy un sano recelo, hombres superiores! ¡Intrépidos! ¡Sinceros! ¡Y mantened en secreto vuestras razones! Pues el presente pertenece a la plebe.

Ya que la plebe ha aprendido a creer sin razones ¿cómo se puede disuadirla de ello con razones?

Y en la plaza se convence por ademanes. Las razones le hacen recelar a la plebe.

Y cuando alguna vez ha triunfado una verdad, preguntaos con sano recelo: "¿Qué poderoso error ha luchado por ella?"

¡Cuidado también con los eruditos! Os odian, ¡pues son estériles! Tienen los ojos fríos y secos; ante ellos todas las aves se presentan despojadas de su plumaje.

Esa gente se jacta de que no miente nunca; ¡pero de la impotencia para mentir al amor a la verdad, hay un gran trecho. ¡Mucho cuidado!

¡No por desconocer la fiebre se es un cognoscente! Yo no creo en los espíritus enfriados. Quien no es capaz de mentir no sabe lo que es la verdad.»

10

«¡Si aspiráis a las alturas, usad vuestras propias piernas! ¡No os dejéis *llevar* arriba; no os encaraméis en hombros y cabezas ajenos!

¿Has montado a caballo? ¿Subes a caballo briosamente a tu meta? ¡Muy bien, amigo mío! ¡Pero ha montado también tu pie cojo!

Cuando hayas llegado a tu meta y desmontes, justamente en tu *altura*, hombre superior —¡darás un traspié!»

11

«¡Creadores! ¡Hombres superiores! Uno no engendra más que su propio hijo.

¡No os dejéis engañar! ¿Quién es *vuestro* prójimo, vamos a ver? Y aunque obréis "por el prójimo", no creáis por él.

Olvidaos de ese "por", hombres creadores; precisamente vuestra virtud exige que vuestra acción no sepa de "para", "por" ni "porque". Debéis tapar vuestros oídos para estas pequeñas palabras falsas.

Ese "por el prójimo" es únicamente la virtud de la pequeña gente; para ésta "todos son iguales" y "uno por todos y todos por uno". Esa gente no tiene ni el derecho ni la fuerza para *vuestro* egoísmo.

¡En vuestro egoísmo, hombres creadores, está la precaución y providencia de las grávidas! Lo que nadie ha visto aún, el fruto, lo protege y ampara y nutre todo vuestro amor.

¡Donde está todo vuestro amor, o sea en vuestro hijo, está también toda vuestra virtud! Vuestra obra, vuestra voluntad, es *vuestro* "prójimo"; ¡no os dejéis inducir a creer en valores falsos!»

12

«¡Creadores, hombres superiores! Quien ha de dar a luz está enfermo; mas quien ha dado a luz es impuro.

Preguntad a las mujeres y os dirán que no se da a luz por gusto. El dolor hace cacarear a las gallinas y a los poetas.

Hombres creadores, hay en vosotros mucha impureza. Es que os ha tocado ser madres.

¡Cuánta nueva suciedad viene al mundo al nacer una nueva criatura!
¡Apartaos! ¡Y quien ha dado a luz debe purificar su alma!»

13

«¡No seáis virtuosos en un grado superior a vuestras fuerzas! ¡Y no
forcéis nada contra la probabilidad!

¡Seguid las huellas de la virtud de vuestros padres! ¿Cómo vais a subir alto si no sube con vosotros la voluntad de vuestros padres?

Y quien quiere ser el primero, debe cuidar de que no llegue a ser también el último. ¡Y no habéis de aspirar a santidad en lo que ha sido el
vicio de vuestros padres!

Aquel cuyos mayores fueron dados a las mujeres y los vinos fuertes y
la lujuria; ¿qué sería de él si pretendiera vivir en castidad?

¡Sería una locura! Para uno así, ya me parece mucho que sea el ma-
rido de una, dos o tres mujeres.

Y aunque fundase conventos y encima de la puerta escribiese: "el
camino de la santidad" yo diría: ¿A qué? ¡Es otra locura más!

Fundó para sí mismo un asilo y casa de corrección; ¡allá él! Pero tengo
mis dudas al respecto.

Crece en la, soledad lo que uno lleva a ella; también la bestia que lleva por dentro. De ahí que a muchos no conviene la soledad.

Jamás ha habido sobre la tierra nada tan inmundo como los santos
retirados al desierto. Alrededor de *ellos* andaba suelto, además del diablo,
el cerdo.»

14

«Muchas veces os he visto apartaros furtivamente, abochornados y
torpes, como tigre al que ha fallado un salto. Os había fallado una *juga-
da*. Pero, jugadores, ¿y qué importa? ¡No habéis aprendido a jugar y
burlar como hay que jugar y burlar! ¿No estamos sentados en todo momento a una grande mesa de juego y burla?

Y si os ha fallado algo grande, ¿quiere decir esto que vosotros mismos
sois unos —fallidos? Y si habéis fallado vosotros, ¿quiere decir esto que
ha fallado —el hombre? Mas si ha fallado el hombre, ¡ea! ¡adelante!»

15

«Cuanto más noble y elevada es una cosa, tanto más raro es que salga bien. Hombres superiores aquí reunidos, ¿no habéis todos —salido mal? ¡Animo! ¡Qué importa! ¡Cuántas cosas son todavía posibles! ¡Aprended a reíros de vosotros mismos como hay que reír!

Y no es de extrañar que hayáis salido mal y tan sólo a medias, ¡oh hombres medio rotos! ¿No se revuelve en vosotros el *porvenir* del hombre?

Lo más remoto, lo más profundo y lo más sublime del hombre, su fuerza tremenda, ¿no hierve todo esto en vuestra olla?

No es de extrañar, así, que se rompa más de una olla. ¡Aprended a reíros de vosotros mismos como hay que reír Hombres superiores, ¡cuántas cosas son todavía posibles!

¡Y cuántas cosas ya han salido bien! ¡Cómo abunda esta tierra en pequeñas cosas buenas, perfectas, bien logradas!

¡Rodeaos de pequeñas cosas buenas, perfectas, hombres superiores! Su áurea madurez cura el corazón. Lo perfecto enseña a abrigar esperanzas.»

16

«¿Cuál ha sido hasta ahora el pecado más grave sobre la tierra? ¿No era la palabra del que dijo: "¡Ay de los que aquí ríen!"?

¿No encontró él sobre la tierra motivos para reír? Pues buscó mal. Abundan sobre la tierra los motivos.

Ése —no amó lo suficiente; de lo contrario nos hubiera amado también a nosotros que reímos. Pero nos odió y nos hizo víctimas de su escarnio vaticinándonos llanto y castañeteo de dientes.

¿Hay que maldecir donde no se ama? Se me antoja esto mal gusto. Sin embargo, así lo hizo ese incondicional. Surgió de la plebe.

Sólo él mismo no amó lo suficiente; de lo contrario, no se hubiera enojado tanto porque no se le amara. Todo gran amor *quiere* algo más que amor.

¡Evitad a todos los incondicionales así! Son pobre gente enferma, gente plebeya; ven con malos ojos esta tierra, la encaran con el mal de ojo.

¡Evitad a todos los incondicionales así! Tienen los pies de plomo y el corazón apesadumbrado. No saben bailar cómo la vida no ha de ser para ellos una carga pesada!»

17

«Todas las cosas buenas van hacia su meta por caminos sinuosos. Cual gatos se encorvan; hacen rondón para sus adentros ante la proximidad de su dicha. Todas las cosas buenas ríen.

El modo de andar revela si uno recorre ya, o no, su camino. ¡Así, debéis mirarme andar! Mas quien se acerca a su meta, baila.

No soy, por cierto, una estatua; aún no estoy ahí inmóvil, rígido, petrificado, cual una columna; me gusta correr.

Y aun cuando hay sobre la tierra pantanos y negra aflicción, quien es —ligero de pies corre también por sobre el fango y baila como sobre una pista de hielo.

¡Arriba los corazones, hermanos! ¡Cada vez más arriba! ¡Y no olvidéis tampoco las piernas! ¡Arriba también las piernas, buenos bailarines; y mejor aún andad pies para arriba!»

18

«Esta corona del que ríe, esta corona de rosas, yo mismo me la he ceñido; yo mismo he santificado mi risa. No he encontrado a ningún contemporáneo que tuviera fuerzas suficientes para hacerlo.

Zaratustra el bailarín, Zaratustra el ligero, que hace señas a todos los pájaros, pronto y listo, traspasado de ligereza venturosa;—

—Zaratustra el vidente; Zaratustra el riente, ni impaciente ni intransigente, dado a saltar y brincar; ¡yo mismo me he ceñido esta corona!»

19

«¡Arriba los corazones, hermanos! ¡Cada vez más arriba! ¡Y no olvidéis tampoco las piernas! ¡Arriba también las piernas, buenos bailarines; y mejor aún, andad pies para arriba!

Hay también en la felicidad bichos pesados; como si dijéramos cojitrancos natos. Es gracioso verlos afanarse como un elefante que se afanase por andar patas para arriba.

Pero más vale estar hecho un loco de tan feliz que de tan desgraciado; más vale bailar torpemente que andar cojeando. Aprended esta sabiduría mía: aun la cosa más mala tiene dos buenos reversos;—

—aun la cosa más mala tiene buenas piernas de bailarina. ¡Aprended, hombres superiores, a poneros en vuestras piernas firmes!

¡Desechad la aflicción y toda la tristeza plebeya! ¡Oh, cuán tétricos se me antojan hoy hasta los payasos de la plebe! Mas el presente pertenece a la plebe.»

20

«Haced como el viento cuando se precipita fuera de sus cuevas en la montaña; quiere bailar al son que él mismo toca y los mares se estremecen y brincan bajo sus pisadas.

El que da alas a los burros y ordeña leonas —¡alabado sea este buen espíritu indómito que barre cual huracán todo el presente y toda plebe!

El que es enemigo de todo lo árido y reseco y de todas las hojas marchitas y malas hierbas —¡alabado sea este bueno. y libre espíritu huracanado que por sobre pantanos y aflicciones baila como si fuesen praderas!

El que odia a la plebe menguada y todo lo trunco y tétrico —¡alabado sea este espíritu de todos los espíritus libres, la tempestad riente que sopla polvo en los ojos de todas las las caras fúnebres!

Hombres superiores, lo peor de vosotros es que no habéis aprendido a bailar como hay que bailar —¡por encima de vosotros mismos! ¡Qué importa que hayáis salido mal!

¡Cuántas cosas son todavía posibles! ¡*Aprended* a reír por encima de vosotros! ¡Arriba los corazones, buenos bailarines! ¡Cada vez más arriba! ¡Y no olvidéis la buena risa!

Esta corona del riente, esta corona de rosas —¡os la arrojo a vosotros, hermanos! He santificado la risa; hombres superiores, ¡*aprended* a reír!»

LA CANCIÓN DE LA MELANCOLÍA

1

Así habló Zaratustra de pie, cerca de la entrada de su cueva; no bien hubo dejado de hablar, se escapó de sus huéspedes y por un breve tiempo huyó al aire libre.

«¡Oh, fragancias pura en torno mío! Pero, ¿y dónde están mis animales? ¡Acercaos, mi águila y mi serpiente!

Decid, mis animales, todos esos hombres superiores, ¿por ventura no huelen bien? ¡oh, fragancias puras en torno mío! Nunca como ahora he sabido y sentido cuán entrañablemente os amo, mis animales.»

Y Zaratustra repitió: «¡Os amo, mis animales!» —El águila y la serpiente, al oírle hablar así, se apretaron contra él y alzaron los ojos hacia él. Así permanecieron inmóviles los tres, olfateando y saboreando juntos el aire puro. Pues allí fuera había mejor aire que en la cueva llena de hombres superiores.

2

Pero no bien Zaratustra hubo abandonado su cueva, se levantó el viejo mago y lanzando miradas de inteligencia en derredor, dijo: «¡Salió!

Y ya, hombres superiores, por halagaros al igual de él con este nombre honroso y lisonjero, ya me asalta mi mal espíritu dado a engañar y embrujar, mi demonio de la melancolía,—

—que es un enemigo jurado de ese Zaratustra; no se lo toméis a mal. Quiere ahora hacer de las suyas ante vosotros, que le da por ahí; no puedo con este espíritu maléfico.

A todos vosotros, cualesquiera que sean los títulos que os arrogáis; ya os llaméis "los espíritus libres" o "los verdaderos" o "los penitentes del espíritu" o "los emancipados" o "los hombres del gran anhelo";—

—a todos vosotros que como yo sufrís del gran asco; para los que ha muerto el antiguo dios y no ha nacido aún ningún dios nuevo; a todos vosotros tiene simpatía mi espíritu maléfico y demonio del engaño.

Os conozco a vosotros, hombres superiores, y lo conozco a él —conozco también a Zaratustra, ese bárbaro que amo a pesar mío; mas frecuentemente se me aparece como una hermosa máscara de santo,—

—como un nuevo y curioso disfraz en que se complace mi espíritu maléfico, el demonio de la melancolía: —amo a Zaratustra, muchas veces se me antoja, por mi espíritu maléfico.

Pero ya me asalta y obliga el espíritu de la melancolía, este demonio del crepúsculo tétrico; y se complace —¡qué cosa, hombres superiores!— en presentarse *desnudo*, no sé aún si masculino o femenino; pero ya viene y me obliga, ¡ay!; abrid vuestros sentidos!

Declina el día; para todas las cosas, aun las mejores, llega ahora la noche. ¡Escuchad y mirad, hombres superiores, qué demonio, hombre o mujer, es este espíritu de la melancolía crepuscular!»

Así habló el viejo mago, miró en torno con aire de inteligencia y tomó su arpa.

3

«Cuando ya raya el alba
Y la confortación del rocío
Se derrama sobre la tierra,
Invisible, también inaudita
Pues delicado calzado porta
El rocío confortante, como todo cuanto conforta—
¿Recuerdas, corazón ardiente,
Cómo en un tiempo tenías sed
De lágrimas celestes y gotas de rocío,
Abrasado y agobiado por la sed,
Mientras por sendas de amarillenta hierba,
Corrían en derredor tuyo por entre negros árboles,
Miradas abrasadoras del sol vespertino,
Deslumbrantes y llenas de malicia?

"¿Pretendiente de la verdad? ¿Tú?", se burlaban.
"¡Oh, no! ¡Nada más que un poeta!"
Un animal ladino, rapaz y rastrero
Que tiene que mentir
A sabiendas, deliberadamente;
Ávido de presa,

Disfrazado,
Máscara para sí mismo,
Presa de sí mismo—
¿El pretendiente de la verdad?
¡No! ¡Nada más que payaso! ¡Nada más que poeta!
Nada más que barajando frases huecas,
Vociferando frases desde disfraz de payaso,
Trepando por falaz andamiaje de palabras.
Por multicolores arcos iris,
Entre cielos falsos
Y tierras falsas,
Vagando, flotando por ahí,
¡Nada más que payaso!
¡Nada más que poeta!
¿Pretendiente de la verdad?
No inmóvil, rígido, liso, frío.
Tornado en estatua.
En pedestal de Dios;
No apostado delante de templos
Como portero de un Dios
¡No! Hostil a tales estatuas de la verdad.
Más a gusto en todas las selvas que delante de templos.
Lleno de petulancia felina,
Saltar por todas las ventanas
Precipitarse adentro de todos los azares.
Husmear todas las selvas,
Ávida y anhelosamente,
Para correr por selvas
Entre fieras variegadas,
Pecaminosamente sano y abigarrado y hermoso,
Con las fauces codiciosas de presa,
Inefablemente sañudo, feroz y sediento de sangre,
Entregado al robo y a la acechanza;—

¡Oh semejante al águila que largamente
Tiene la mirada fija en abismos,
En sus abismos;—

¡Oh, cómo se van despeñando
En profundidades cada vez más pavorosas:—
Luego, de repente,
En rauda picada,
Caer sobre corderos,
Atenaceado por el hambre,
Avido de corderos,
Hostil a todas las almas de cordero.

Hostil a todo lo que tiene
Aspecto ovejuno,
Mirar de cordero,
Apariencia gris,
Mansedumbre de oveja.
Aguileños y fieros así
Son los anhelos del poeta,
Tus anhelos bajo mil máscaras.
¡Oh, payaso! ¡Oh, poeta!

Habiendo visto al hombre
Bajo forma de Dios y oveja,—
Destruir al Dios en el hombre
Y la oveja en el hombre,
Y reír destruyendo,—
¡Tal es tu dicha inefable!
¡Dicha de pantera y de águila!
¡Dicha de poeta y de payaso!

Cuando ya raya el alba
Y la pálida luna
Se desliza verde y envidiosa
Entre glorias de púrpura;
Hostil al día,
Segando a cada paso
Furtivamente las rosaledas,
Hasta que caen, pálidas,
Hacia el seno de la noche;—

Así también yo caí
De mi locura de verdad,
De mis anhelos de día,
Cansado del día, enfermo de la luz,
Hacia abajo, hacia el seno de la noche,
Abrasado por una verdad
Y consumido por la sed;—
—¿Recuerdas todavía, corazón ardiente,
Cómo entonces te agobió la sed?—
De ser un desterrado
De toda verdad,
¡Nada más que payaso!
¡Nada más que poeta!»

DE LA CIENCIA

Así cantó el mago; y todos los presentes cayeron cual pájaros en la red de su astuta y melancólica voluptuosidad. Sólo el escrupuloso del espíritu no se dejó atrapar; le arrebató al mago el arpa de las manos al tiempo que exclamaba:

«¡Aire! ¡Que entre aire puro! ¡Que entre Zaratustra ¡Cómo vicias y envenenas el aire en esta cueva, viejo mago!

Seduces, falso, sutil, con apetitos y selvas ignotos. Y la cosa es grave cuando hombres como tú se ponen a hablar de la *verdad*.

¡Ay de todos los espíritus libres que no se ponen en guardia contra magos semejantes! Adiós su libertad; tu prédica les atrae de vuelta a prisiones;—

—¡viejo demonio de la melancolía, tu lamento suena con dejos de seducción; te pareces a esos que con su elogio de la cantidad incitan solapadamente al libertinaje!»

Así habló el escrupuloso del espíritu. El viejo mago miró en torno y gozó de su triunfo, reprimiendo el discurso que le causaba el escrupuloso.

«¡Cállate! —le dijo en voz baja—; una buena canción requiere buena resonancia; tras una buena canción se impone un prolongado silencio.

Así lo entienden todos estos hombres superiores. Parece que tú no has comprendido bien mi canción. En ti no hay espíritu de magia.»

«Me elogias —repuso él escrupuloso— distinguiendo así entre tú y mí. ¡Pero vosotros! ¡Vaya! Estáis todos sentados ahí como extasiados.

¿Qué ha sido de vuestra libertad, almas libres? Estáis ahí como si largo tiempo hubieseis mirado bailar a pícaras muchachas desnudas; ¡vuestra propia alma baila!

En vosotros, hombres superiores, debe haber más de aquello que el mago llama su espíritu maléfico y demonio del engaño. Se ve que yo soy distinto de vosotros.

Y en verdad que cambiamos suficientes palabras e ideas en espera del regreso de Zaratustra a su cueva, para haberme dado cuenta —de que efectivamente soy distinto de vosotros.

Hasta aquí arriba yo busco otra cosa que vosotros. Yo busco más certidumbre; por eso he venido a ver a Zaratustra. Pues éste es hoy día la torre y voluntad más sólida;—

—en estos días en que todo se tambalea y tiembla toda tierra. Vosotros en cambio, a juzgar por las caras que ponéis, parece que buscáis más incertidumbre;—

—más estremecimiento, más peligro y temblor de tierra. Casi me parece— y os pido perdón por mi soberbia, hombres superiores— que ansiáis la vida más mala, más peligrosa, que yo temo más que a ninguna otra cosa; la vida de las fieras, bosques, cuevas, escarpadas montañas y abismos pavorosos.

Y los que más os atraen no son aquellos que libran del peligro, sino aquellos que apartan de todos los caminos, los seductores. Pero aunque realmente experimentéis tal ansia, se me antoja imposible.

Pues el sentimiento original y primario del hombre es el miedo; por el miedo se explican todos los pecados y virtudes originales. En el miedo se ha originado también mi virtud: la ciencia.

Ningún sentimiento viene arraigando en el hombre desde hace tanto tiempo, como el miedo a las fieras; a la suya propia inclusive, —Zaratustra le llama "la bestia por dentro".

Ese largo e inveterado temor, vuelto al fin sutil, clerical, espiritual —me parece que se llama hoy *ciencia*.»

Así habló el escrupuloso; pero Zaratustra, que acababa de volver a su cueva y había oído y adivinado sus últimas palabras,   le arrojó un puñado de rosas riéndose de sus "verdades".

«¡Cómo! —exclamó— ¿Qué dices? ¡Vamos, uno de los dos está loco! Y tu "verdad" la pongo en seguida patas para arriba.

Pues el *miedo* —es nuestra excepción. Todos los antecedentes del hombre se me antojan *valor* y aventura y deleite de la incertidumbre, de la empresa jamás aventurada.

A los animales más salvajes y bravos les ha envidiado y arrebatado todas sus virtudes; sólo así se convirtió en —hombre.

Este valor, vuelto al fin sutil, clerical, espiritual; *este* valor humano dotado de alas de águila y sabiduría de serpiente, tengo entendido que se llama hoy.»—

«¡Zaratustra!» —gritaron a un tiempo todos los reunidos y prorrumpieron en una risa estrepitosa, que era como un nubarrón que se levantara de ellos. También el mago se rió y dijo cuerdamente:

«¡Bien! ¡Se fue mi espíritu maléfico! ¿Y no os advertí yo mismo haciendo notar que era un demonio del engaño?

Máxime cuando se presenta desnudo. Pero yo no tengo la culpa de que sea tan pérfido. ¿Acaso lo he creado yo a él y al mundo?

¡Bien! ¡Vuelva pues el buen humor! Y aunque Zaratustra ponga una cara ceñuda —¡ay, está enojado conmigo!—

—antes de que caiga la noche habrá aprendido de nuevo a quererme y elogiarme, que no puede pasarse sin tales estupideces.

El ama a sus enemigos; en este arte no hay quien lo iguale. ¡Pero se venga de ello —en sus amigos!»

Así habló el viejo mago, y los hombres superiores lo aplaudieron; de suerte que Zaratustra estrechó con malicia y cariño las manos de sus amigos, como uno que tiene que pedir perdón a todo el mundo. Mas cuando así se acercó a la entrada de su cueva sintió de nuevo deseos de disfrutar del aire puro de afuera y de la compañía de sus animales, —e hizo además de salir de la cueva.

ENTRE HIJAS DEL DESIERTO

1

«¡No te vayas! —dijo entonces el viajero que se llamaba la sombra de Zaratustra—. Quédate aquí, o si no, a lo mejor sucumbimos otra vez a la negra aflicción.

No bien ese viejo mago nos dio lo peor de sí y ya el bueno y piadoso papa tiene lágrimas en los ojos y navega de nuevo por el mar de la melancolía.

Esos reyes ciertamente ponen buena cara, que es lo que ellos entienden hoy día mejor que nadie; pero si no hubiese testigos, apuesto cualquier cosa a que también ellos se abandonarían de nuevo al mal viento;—

—y a las nubes bajas, la melancolía húmeda, el cielo encapotado, el sol soslayado, los ululantes vientos de otoño —a nuestro gimoteo y gritos de socorro y demás.

¡Quédate aquí, Zaratustra! Hay aquí mucha miseria oculta ansiosa de hablar; mucha noche, mucha nube, mucho aire sofocante.

Nos has alimentado con comida fuerte y palabras recias; ¡no permitas que de sobremesa nos acometan de nuevo los espíritus blandos y enervantes!

¡Sólo tú despejas y tonificas el aire en tu derredor! ¡En ningún lugar de la tierra como aquí en tu cueva he respirado un aire tan puro!

He recorrido muchas tierras y mi olfato ha aprendido a catar muchos aires; pero aquí es donde más se regala mi nariz.

Voy a cantar pues —¡oh, perdona!, un viejo recuerdo que acude a mi mente. Perdona una canción de sobremesa que compuse un día entre hijas del desierto.

Pues allí, ¿sabes?, respiré un aire límpido de Oriente igualmente bueno; allí estuve más lejos que en ninguna otra parte, de la vieja Europa encapotada, húmeda y gris.

En aquel entonces me gustaban tales muchachas de Oriente y otro reino celestial diáfano, despejado de nubes y de pensamientos.

¡Si vierais cuán gentilmente estaban sentadas esas niñas cuando no bailaban; profundas, pero sin pensamientos; cual secretillos, cual enigmas bien dispuestos, cual nueces de sobremesa;—

—desconcertantes y extrañas, sí ¡pero despejadas de nubes; enigmas indescifrables, —para tales muchachas compuse entonces un salmo de sobremesa.»

Así habló el viajero que se llamaba la sombra de Zaratustra; y antes de que le contestara ninguno de los presentes, empuñó el arpa del viejo mago, se sentó en cuclillas y miró en torno con aire sabio y sereno, olfateando lenta e inquisidoramente, como quien en país extraño explora aire desconocido y extraño. Luego empezó a cantar, o más propiamente, a rugir:

2

«Crece el desierto; ¡ay de quien alberga desiertos!

¡Ah! ¡Muy solemne!
¡Muy solemne, en efecto!
¡Digno comienzo!
¡Solemnidad africana!
Digno de un león
O de un mono aullador moralista.
Pero inconveniente para vosotras,
Encantadoras amigas,
A cuyos pies me es dado
Por primera vez sentarme,—
Europeo bajo palmeras. Selah.

¡Maravilloso, en efecto!
Héme aquí sentado
Cerca del desierto, y ya
De nuevo alejado de él.
Tragado, ¡ah!
Por este minúsculo oasis.
Abrió él en un bostezo
Su encantadora boca,
Deliciosa boquita;
¡Y caí adentro,
Abajo, a través,
Yendo a parar a vosotras,
Encantadoras amigas! Selah.

¡Loada sea aquella ballena
Si brindó así placer
A su huésped! —¿Entendéis
Mi alusión erudita?
¡Loado sea su vientre,

Si fue como éste
Exquisito vientre-oasis!
Que vengo de Europa,
Más dada a recelar
Que cónyuge madurita.
¡Dios la corrija!
¡Amén!

Héme aquí sentado,
Semejante a un dátil,
Sazonado, pleno, concupiscente
De suave boquita de muchacha,
Y aún más de puntiagudos,
Fríos y blancos dientecitos de muchacha:
Que eso es lo que ansia
Todo dátil caliente.
Selah.

Semejante, demasiado semejante
A susodicho fruto,
Héme aquí tendido,
Acosado por multitud
De pequeños insectos,
Como también de aún más pequeños
Deseos y ocurrencias
Estúpidos y pecaminosos;—
Asediado por vosotras,
Vibrantes muchachas,
Dudú y Suleika—
—Esfingeado,[1] por expresar
Muchos sentimientos
Con una sola palabra;

---

1 *Umsphinxt* (rodeado de esfinges), en el original. *(N. del T.)*

(¡Dios me perdone
Este pecado lingüístico!)—
—Héme aquí sentado
Olfateando óptimo aire,
Aire paradisíaco,
Aire ligero, luminoso,
Aire moteado de oro,
Aire como nunca cayó
Mejor de la luna—
Ya por azar,
¿O por picardía?
Según cuentan los antiguos poetas.
Pero yo lo pongo en duda,
Que vengo de Europa,
Más dada a recelar
Que cónyuge madurita.
¡Dios la corrija ¡Amén!

Respirando este aire más exquisito
Por fosas nasales dilatadas cual copas,
Ajeno al futuro y huérfano de recuerdos,
Estoy sentado aquí,
Encantadoras amigas,
Mirando a la palmera
Contonearse cual bailarina;
—¡su ejemplo incita!—
Cual bailarina, me parece,
Que demasiado tiempo ha estado ahí
Apoyada en una sola pierna;
Así que acabó por olvidarse,
Me parece, de la otra pierna.
En vano, por cierto,
Busqué la joya gemela
—o sea la otra pierna—
En la santa proximidad

De su muy exquisita,
Delicada y flotante
Faldita bordada con lentejuelas.
Os aseguro, encantadoras amigas,
¡Que la perdió!
¡Se fue la pierna!
¡Se fue para siempre!
¡Qué pena! —¡tan linda pierna
¿Dónde se habrá metido?
¿Llora ella acaso su soledad?
¡Quién sabe si no teme
A algún fiero león!
Siempre que no esté ya roída—
Lastimosamente, ¡ay!, ¡roída! Selah.

¡Oh, no lloréis,
Blandos corazones!
¡No lloréis, palomitas,
Dulces corazoncitos!
¡No llores más,
Pálida Dudú! ¡Animo, Suleika!
¿O se impone acaso,
Algún tónico,
Una fórmula consagrada,
Un conjuro solemne?

¡Ah! ¡Arriba, dignidad!
¡Dignidad virtuosa!
¡Dignidad de europeo!
¡Sopla una vez más,
Fuelle de la virtud!
¡Ah!
¡Rugir una vez más!
¡Rugir moralmente!
¡Como león moral

Ante las hijas del desierto!
¡Pues clamor de virtud,
Encantadoras amigas,
Es, por sobre todas las cosas,
Fervor y ansia de europeo!
Y aquí estoy, ya
como europeo,
No puedo hacer otra cosa.
¡Válgame Dios!
¡Amén!

Crece el desierto; ¡ay de quien alberga desiertos!»

LA RESURRECCIÓN

1

Tras la canción del viajero que se llamaba la sombra de Zaratustra, la cueva se llenó *de pronto* de algazara y risa; y como todos los huéspedes hablaban a un tiempo y también el burro, alentado por el barullo, rebuznaba de lo lindo, Zaratustra no pudo reprimir un leve disgusto e ironía, aun cuando se alegraba del regocijo de sus visitantes por antojársele síntoma de curación. Salió pues de la cueva y habló a sus animales.

«¡Se les pasó la angustia! —dijo, y ya se le pasó su propia leve contrariedad—. ¡Parece que en mi cueva se han olvidado de sus gritos de socorro!;—

—aunque todavía no, por desgracia, de gritar.» Y se tapó los oídos, pues justamente los rebuznos del asno se combinaban de modo singular con el clamor de los hombres superiores.

«Se divierten —prosiguió—, y quién sabe si no a expensas de su anfitrión; y si han aprendido de mí a reír, no es, sin embargo, mi risa la que han aprendido.

¡Pero no importa! Son gente vieja; se curan a su manera; se ríen a su manera; cosas peores ya han tenido que soportar mis oídos sin impacientarse.

Ésta es una jornada de triunfo; ¡ya se retira y huye *el espíritu de la pesadez,* mi enemigo mortal de siempre! ¡Qué bien termina esta jornada que tan mal empezó!

Rápidamente toca ella a su término. Ya viene la noche. ¡Por sobre el mar viene la amazona! ¡Cómo se columpia en sus sillas de púrpura la venturosa que retorna!

Diáfana se tiende en lo alto la bóveda del cielo. Abajo se dilata la tierra. ¡Oh, huéspedes raros que habéis subido a mi montaña, vale la pena el convivir conmigo aquí arriba!»

Así habló Zaratustra. Y otra vez llegó de la cueva la algazara y risa de los hombres superiores. Entonces Zaratustra habló como sigue:

«Muerden el anzuelo, mi cebo es eficaz; también de ellos se retira el enemigo, el espíritu de la pesadez. Ya saben reírse de sí mismos, si no me equivoco.

Obra eficazmente mi comida fuerte, mis palabras tonificantes. ¡Y en verdad que no los alimenté con legumbres flatulentas, sino con platos adecuados a guerreros, conquistadores; desperté en ellos apetitos nuevos!

En sus brazos y piernas hay nueva esperanza; se les expande el corazón. Bailan palabras nuevas; su espíritu no tardará en trasuntar picardía.

Tal alimento no conviene, por cierto, a los niños, ni a las mujercitas anhelosas, viejas o jóvenes. A ésos se les persuaden de otra manera las entrañas; y no soy yo su médico y maestro.

Retírase el asco de esos hombres superiores; ¡he aquí mi triunfo! En mis dominios cobran seguridad y aplomo; líbranse de toda vergüenza estúpida; se desahogan.

Desahogan su corazón. Les retornan las buenas horas. Celebran y rumian. Se vuelven *agradecidos.*

Su gratitud se me antoja el signo más auspicioso. Pronto se idearán fiestas y erigirán monumentos en memoria de sus alegrías pasadas.

¡Son *convalecientes!*» —así habló Zaratustra para sus adentros, exultante, con la mirada fija en la lejanía. Y sus animales se apretaron contra él y respetaron su felicidad y su silencio.

2

Pero de pronto se sobresaltó el oído de Zaratustra; pues en la cueva donde hasta entonces se habían sucedido sin cesar los gritos y las risotadas, se hizo repentinamente un silencio sepulcral; —y su olfato percibió un humo aromático, como de piñas quemadas.

«¿Qué pasa? ¿Qué estarán haciendo?» —se preguntó extrañado, y se acercó furtivamente a la entrada de la cueva para observar en secreto a sus huéspedes. Ofrecióse entonces a sus ojos un espectáculo en verdad sorprendente.

«¡Se han vuelto todos de nuevo *piadosos*! ¡Están *rezando*! ¡Se han vuelto locos!» —dijo Zaratustra para sus adentros, presa de estupor. Y en efecto, todos esos hombres superiores —los dos reyes, el papa retirado, el mal mago, el viajero y sombra, el viejo adivino, el escrupuloso del espíritu y el hombre más feo —estaban arrodillados como niños y viejas beatas, adorando al burro. Y justamente el hombre más feo empezaba a proferir sonidos inarticulados y lanzar bufidos, como si algo inenarrable pugnase en su garganta; y cuando al fin atinaba a pronunciar palabras coherentes, he aquí que se trataba de una piadosa y extraña letanía en loor del burro adorado. Y esta letanía rezaba como sigue:

«¡Amén! ¡Y alabanza y honor y sabiduría y gratitud y fuerza para nuestro Dios por todas las eternidades!»

—Y rebuznó el burro.

«El carga con nuestra carga; se hizo siervo, es manso y sufrido y no dice nunca que no; y quien ama a su Dios, lo castiga, probando así su amor.»

—Y rebuznó el burro.

«El no habla, como no sea para afirmar siempre el mundo creado por él; así alaba su mundo. Su astucia hace que no hable; así, rara vez no se le da la razón.»

—Y rebuznó el burro.

«Humilde recorre el mundo. Gris es el color dilecto de su virtud. Si tiene espíritu lo oculta; todo el mundo cree en sus orejas largas y puntiagudas.»

—Y rebuznó el burro.

«¡Qué sabiduría oculta la de tener las orejas largas y puntiagudas y decir siempre que sí y nunca que no! ¿No ha creado el mundo a su imagen y semejanza, esto es, de lo más estúpido?»

—Y rebuznó el burro.

«Andas por caminos rectos y tortuosos; no te importa lo que los hombres tengan por recto o tortuoso. Tu reino está más allá del bien y del mal. Consiste tu inocencia en desconocer la inocencia.»

—Y rebuznó el burro.

«No rechazas a nadie, ya sea mendigo o rey. Dejas a los niños que vengan a ti, y cuando quieren seducirte los malos, rebuznas con todo candor.»

—Y rebuznó el burro.

«Te gustan las burras y los higos frescos; sabes apreciar un bocado sabroso. Un cardo te cosquillea el corazón cuando tienes hambre. Hay en esto sabiduría divina.»

—Y rebuznó el burro.

LA FIESTA DEL BURRO

1

En este punto de la letanía, Zaratustra no pudo contenerse más; imitó a voz en cuello el rebuzno del burro y se precipitó por entre sus huéspedes ofuscados.

«¿Qué estáis haciendo, hombres? —exclamó tirando de ellos con fuerza para obligarles a levantarse—. ¡Ay de vosotros si os ve otro que no sea Zaratustra!

¡Todos dirían que con vuestro nuevo credo sois los peores blasfemos o las viejas más estúpidas!

Y a ver, viejo papa, ¿cómo se te ocurre adorar así a un burro?»

«¡Oh, Zaratustra! —respondió el papa—; perdóname, pero en materia de Dios yo entiendo aún más que tú. Y así debe ser.

¡Más vale adorar a Dios en esta forma que en forma alguna! Medita sobre estas palabras, mi sublime amigo; te darás en seguida cuenta de que encierran sabiduría.

El que proclamó "Dios es un espíritu", ha dado hasta ahora sobre la tierra el paso y salto más grande hacia el descreimiento. ¡Es poco menos que imposible reparar una doctrina así sobre la tierra!

Mi viejo corazón brinca y salta de alegría porque todavía hay sobre la tierra algo que uno pueda adorar. ¡Perdona esto, oh, Zaratustra, al corazón de. un viejo y piadoso papa!»

«Y tú —dijo Zaratustra al viajero y sombra—, ¿te llamas y crees un espíritu libre, y sin embargo doblas la rodilla como cualquier idólatra y sacerdote ?

¡Las gastas aquí aún peor que entre las malas hijas del desierto, estúpido creyente flamante!»

«Tienes razón —contestó el viajero y sombra—; pero no me eches la culpa a mí. Ha resucitado el antiguo Dios, ¡oh!, Zaratustra; digas lo que digas.

El hombre más feo tiene la culpa de todo; él lo ha resucitado. Y si dice que un día lo mató, tratándose de dioses la *muerte* siempre es tan sólo un prejuicio.»

«Y tú —dijo Zaratustra—, mal mago, ¡qué has hecho!

¿Quién va a creer en ti en adelante, en estos tiempos emancipados, si tú crees en superstición semejante?

Cometiste una gran estupidez. ¡Cómo fuiste capaz de ser tan estúpido!»

«¡Oh! Zaratustra —contestó el astuto mago, tienes razón; fue una estupidez —¡y vaya si me costó cometerla!»

«Y tú —dijo Zaratustra al escrupuloso del espíritu—, ¡recapacita bien! ¿Cómo es que no se levanta la voz de tu conciencia? ¿No es tu espíritu demasiado limpio como para rezar y respirar el vaho de estos beatos?»

«Hay en este espectáculo —respondió el escrupuloso— algo que hasta recrea mi conciencia.

Quizá no me sea permitido creer en Dios; pero lo cierto es que bajo esta forma, es como Dios me parece más posible.

Afirman los más piadosos que Dios es eterno. Quien dispone de tanto tiempo, se toma todo el tiempo que quiera. Con la máxima lentitud y la máxima estupidez, uno así puede ir lejos.

Y quien tiene demasiado espíritu fácilmente se enamora de la estupidez y la locura. ¡Seguramente tú sabes esto mejor que nadie, oh, Zaratustra!

¡Vaya! ¡A ver si no eres capaz de convertirte en un burro de tan pleno y sabio!

¿No le gusta, acaso, al sabio perfecto andar por los caminos más tortuosos? Así lo enseña la evidencia, ¡oh!, Zaratustra —¡*tu* evidencia!»

«Y tú, por último —se dirigió Zaratustra al hombre más feo, que todavía estaba postrado alzando los brazos hacia el burro (pues le daba de beber vino)— ¡qué has hecho, inenarrable!

Pareces todo cambiado; brillan tus ojos y tu fealdad se ha revestido del manto de lo sublime. ¿Qué has hecho?

¿Es cierto que lo resucitaste? ¿Y para qué? ¿No estaba él con razón muerto, y bien muerto?

Tú mismo pareces un resucitado. ¿Qué hiciste? ¿Por qué te volviste atrás? ¿Por qué te convertiste? ¡Habla, inenarrable!»

«¡Oh, Zaratustra! —contestó el hombre más feo— ¡Eres un pícaro!

¿Cuál de los dos sabe mejor si ése vive todavía o ha resucitado, o está muerto, y bien muerto, vamos a ver?

De todos modos es un hecho que de ti mismo, ¡oh, Zaratustra!, he aprendido que para matar y dejar bien muerto no hay como la risa.

Tú mismo enseñaste un día: "No la ira, sino la risa mata". Oh Zaratustra, oculto, matador sin ira, peligroso santo, ¡eres un pícaro!»

2

Entonces, Zaratustra, sorprendido de tantas respuestas maliciosas, se colocó junto a la entrada de su cueva y volviéndose hacia todos sus huéspedes gritó con fuerte voz:

«¡Pícaros! ¡Payasos! ¡Cómo fingís y os ocultáis ante mí!

¡Cómo os brincaba a todos el corazón de alegría y malicia porque por fin erais una vez más como los niños; esto es, piadosos;—

—porque hacíais una vez más como los niños; esto es, entrelazabais las manos y rezabais al "buen Dios"!

¡Pero ahora salid de *este* cuarto de niños donde se comete hoy pura niñada! Enfriad afuera vuestros ardores de niños traviesos y el alboroto de vuestro corazón!

Por cierto que como no seáis como los niños, no ganaréis el cielo. (Y Zaratustra señaló hacia lo alto con las manos.)

Pero es que no nos interesa el reino de los cielos; nos hemos vuelto hombres —*queremos el reino de la tierra*.»

3

Y una vez más Zaratustra tomó la palabra.

«¡Oh, mis nuevos amigos! —dijo—, extraños, hombres superiores, ¡cómo me gustáis desde que estáis de nuevo de buen humor! Es como si os hubieseis abierto en flor; me parece que flores como vosotros han menester *nuevas fiestas*;—

—algún pequeño y valiente absurdo, algún oficio divino y fiesta del burro, algún viejo y alegre loco a lo Zaratustra, un vendaval que os despeje el alma.

¡No olvidéis esta noche y esta fiesta del burro, hombres superiores! ¡He aquí lo que os inventasteis en mi cueva; se me antoja un signo auspicioso —¡una cosa así sólo se la inventan convalecientes!

Y cuando celebréis otra vez esta fiesta del burro, hacedlo por vosotros, y también por mí! ¡Y en *mi* memoria!»

Así habló Zaratustra.

LA CANCIÓN EBRIA[1]

Entretanto, habían salido uno tras otro al aire libre, adentro de la noche fresca y pensativa; Zaratustra mismo conduciendo de la mano al hombre más feo para enseñarle su mundo nocturno y la luna grande y llena y los argentinos saltos de agua cercanos a su cueva. Estaban ahí, al fin en silencio; todos ellos cargados de años, pero serenos y animosos, sorprendidos en su fuero interno de que se sintieran tan a gusto sobre la tierra. Y la intimidad callada de la noche se les acercaba cada vez más al corazón. Y de nuevo Zaratustra pensó para sus adentros: «¡Oh, cómo me gustan ahora estos hombres superiores!» Pero no dio expresión a su sentimiento, honrando la dicha y el silencio de sus huéspedes.

Entonces aconteció lo más asombroso de esa larga jornada asombrosa: una vez más, y por última vez, el hombre más feo empezó a proferir sonidos inarticulados y lanzar bufidos; y cuando atinó a pronunciar

---

1 Nietzsche había puesto como título, en la primera edición, *"La canción del noctámbulo"*.

palabras coherentes, le saltó de la boca una pregunta limpia y plena —una pregunta buena, profunda y clara que conmovió a todos los que le escuchaban.

«Amigos míos —dijo el hombre más feo—, ¿qué os parece? Por este día yo estoy por primera vez satisfecho de toda mi vida pasada.

Y aun no me basta con este testimonio. Vale la pena de vivir sobre la Tierra. Un solo día, una sola fiesta en compañía de Zaratustra me ha enseñado a amar la tierra.

"¿Fue *esto* —la vida? —diré a la muerte— ¡Muy bien! ¡Otra vez!"

¿Qué os parece, amigos míos? ¿No diréis como yo a la muerte: "¿Fue eso —la vida? ¡Muy bien! ¡Por Zaratustra, otra vez!"»

Así habló el hombre más feo, poco antes de medianoche. Y he aquí que los hombres superiores, no bien oyeron su pregunta, tuvieron de pronto conciencia de su cambio y curación y a quién lo debían; y se agolparon en torno a Zaratustra, agradecidos, reverentes y cariñosos, besándole las manos; cada uno a su manera, o sea unos riendo y otros llorando. El viejo adivino daba brincos de alegría; y aun cuando, según opinan ciertos cronistas, estaba a la sazón lleno de dulce vino, lo cierto es que estaba a la sazón más lleno de dulce vida y había dicho adiós al abatimiento. Hasta hay quienes cuentan que entonces bailó el burro, señalando que no en balde el hombre más feo le había dado de beber vino. Sea ello como fuere, aunque el burro no bailara aquella noche, acontecieron entonces cosas aun más grandes y singulares que baile de burro. En fin, haciendo nuestro el modo de decir de Zaratustra, ¡qué importa!

2

Al hablar así el hombre más feo, Zaratustra quedó ahí como un ebrio; se le nubló la vista, su boca profirió sonidos inarticulados y le desfallecieron las piernas. ¡Quién sería capaz de adivinar los pensamientos que en esos instantes relampagueaban por su mente! Evidentemente su espíritu retrocedía y huía hacia adelante y moraba en lejanías; dijérase "caminando cual negro nubarrón, como está escrito, en alta cresta entre dos mares; entre lo pasado y lo por venir". Paulatinamente, sostenido por los brazos de los hombres superiores, volvió en sí un poco y atajó la solicitud de los reverentes y alarmados; pero no dijo palabra. De pronto volvió rápidamente la cabeza, pues le parecía oír algo; entonces se llevó el índice a la boca y dijo: «¡*Venid*!»

Y al punto se hizo en derredor un silencio entrañable y desde abajo subió despaciosamente el tañido de una campana. Zaratustra prestó atención, como también los hombres superiores; luego se llevó otra vez el índice a la boca y dijo: «¡*Venid! ¡Venid! ¡Va para medianoche*!» —y su voz había cambiado. Pero todavía no se movió de su sitio. Entonces el silencio se hizo aún más profundo e íntimo y todos prestaron atención, también el burro y los animales de Zaratustra: el águila y la serpiente, así como la cueva de Zaratustra y la grande y fresca luna y la noche misma. Y Zaratustra se llevó por tercera vez el índice a la boca y habló como sigue:

«¡*Venid! ¡Venid! ¡Venid! ¡Caminemos! ¡Ha llegado la hora!, ¡caminemos por la noche*!»

3

«Hombres superiores, va para medianoche; voy a susurraros al oído algo que me susurra al oído esa vieja campana;—

—en la misma forma íntima, sobrecogedora y cordial como me habla a mí esa campana de medianoche, que ha experimentado más que cualquier hombre;—

—que dio ya las horas emocionales de vuestros padres. ¡Ay! ¡Ay! ¡Cómo suspira! ¡Cómo ríe en sueños! ¡La vieja medianoche profunda!, ¡ah, tan profunda!

¡Chitón! ¡Chitón! No pocas cosas que de día no pueden hacerse oír.

—ahora que sopla una brisa fresca y se ha extinguido también todo ruido de vuestro corazón;—

—ahora hablan, ahora se hacen oír, ahora penetran furtivamente en las lúcidas almas nocturnas. ¡Ay! ¡Ay! ¡Cómo suspira! ¡Cómo ríe en sueños!

¿No oyes la vieja medianoche profunda, ¡oh!, tan profunda, *hablarte* a ti en forma íntima, sobrecogedora y cordial?

¡Atención, oh, hombre!»

4

«¡Ay de mí! ¿Qué se ha hecho el tiempo? ¿No he caído a profundos, pozos? Duerme el mundo.—

¡Ay! ¡Ay! Aulla el perro; brilla la luna. Prefiero morir, morir, antes que revelaros lo que piensa en estos instantes mi corazón de medianoche.

Ya he muerto. Se acabó. ¿Por qué tejes, araña, en mi derredor? ¿Apeteces sangre? ¡Ay! ¡Ay! Cae el rocío, llega la hora;—

—la hora en que tirito de frío; la hora que pregunta con insistencia: "¿Quién es lo suficientemente valiente para esto?

¿Quién ha de ser el amo de la tierra? Quien está dispuesto a decir: "¡Así debéis correr, corrientes grandes y pequeñas!"

Llega la hora; ¡atención, oh hombre, hombre superior! Estas palabras están destinadas a oídos finos, a tus oídos. *¿Qué dice la medianoche profunda?*»

5

«Floto por ahí; mi alma baila. ¡Obra! ¡Obra! ¿Quién ha de ser el amo de la tierra?

La luna es fresca; calla el viento. ¡Ay! ¡Ay! ¿Ya habéis volado suficientemente alto? Habéis bailado; pero las piernas no son alas.

Hábiles bailarines, se acabó todo placer. El vino se ha tornado en heces, se han vaciado todas las copas, balbucean las tumbas.

No volasteis suficientemente alto; ahora balbucean las tumbas: "¡Redimid a los muertos! ¿Por qué se prolonga tanto la noche? ¿No nos embriaga la luna?"

Hombres superiores, ¡redimid las tumbas! ¡Resucitad a los muertos! ¡Ay!, ¿por qué roe todavía el gusano? Se acerca, ah, se acerca la hora;—

—suena la campana, late todavía el corazón, roe todavía la carcoma, el gusano agazapado en el corazón. ¡Ay! ¡Ay! *¡El mundo es profundo!*»

6

«¡Dulce lira! ¡Dulce lira! ¡Amo tu sonido, tu ebrio sonido quejumbroso! —¡De qué lejanías de tiempo y de espacio me llega tu sonido! ¡de los lagos del amor!

¡Vieja campana, dulce lira! Cada dolor te ha desgarrado el corazón —dolor de padre, de mayores, de antepasados. Tu verbo ha madurado;—

—madurado cual otoño y tardes de oro; cual mi corazón de solitario. Ahora hablas: el mundo mismo ha madurado, doróse la uva;—

—ahora quiero morir; morir de tan feliz. Hombres superiores, ¿no lo oléis? Surge un olor secreto,—

—un olor y efluvio de la eternidad, un perfumado e inefable olor a dorado vino de añeja dicha;—

—de ebria dicha desfalleciente de medianoche que canta: *¡el mundo es profundo; y más profundo de lo que creía el día!*»

7

«¡Déjame! ¡Déjame! Soy demasiado puro para ti. ¡No me toques! ¿No acaba de alcanzar mi mundo su perfección?

Mi piel es demasiado pura para tus manos. ¡Déjame, torpe, tonto, tétrico día! ¿No es la medianoche más clara?

Amos de la tierra han de ser los más puros, los más incomprendidos, los más fuertes, las almas de medianoche que son más claras y profundas que cualquier día.

¡Oh!, día, ¿me tientas? ¿Palpas mi felicidad? ¿Me tienes por rico, un tesoro, una veta de oro?

¡Oh!, mundo, ¿me quieres? ¿Te parece profano? ¿Te parezco espiritual? ¿Te parezco divino? Pero, día y mundo, sois demasiado torpes;—

—tened manos más cuerdas; apeteced felicidad más profunda, desgracia más profunda, un Dios cualquiera, pero no a mí;—

—mi desgracia y felicidad son profundas, extraño día, pero no por eso soy un dios, un infierno de Dios; *profunda es su pena.*»

8

«¡La pena de Dios es más profunda, extraño mundo! ¡Apetece la pena de Dios, no a mí! ¿Qué soy yo? Una dulce lira ebria;—

—una lira de medianoche, una campana quejumbrosa que nadie entiende, pero que *tiene* que hablar ante sordos hombres superiores. ¡Pues no me entendéis!

Os fuisteis, ¡ay!, ¡oh juventud! ¡oh mediodía!, ¡oh tarde! Ahora ha llegado la noche y la medianoche; —aulla el perro, el viento,—

—¿no es el viento un perro *?* Gime, ladra, aulla. ¡Ay! ¡Ay! ¡Cómo gime, ríe, da estertores y jadea la medianoche!

¡Cómo está hablando en estos momentos con sobriedad esa ebria poetisa! ¿Habrá excedido su ebriedad? ¿Ha cobrado una lucidez extrema? ¿Rumia?

Rumia la vieja medianoche profunda en sueños su pena, y en mayor grado aún, su gozo. Pues por muy profunda que sea la pena, *el gozo es aún más profundo que el sufrimiento.*»

9

«¿Por qué me alabas, vid? ¡Si te podé! Soy cruel; sangras —¿por qué elogias mi ebria crueldad?

Dices: "¡Lo que ha alcanzado la perfección, todo lo maduro, quiere morir!" ¡Bendita sea la podadera! Pero todo lo falto de madurez quiere vivir, ¡ay!

Dice el mundo: "¡Vete! ¡Vete!, ¡Vete, dolor!" Pero todo lo que sufre quiere vivir, para que se vuelva maduro y alegre y anheloso,—

—anheloso de cosa más lejana, más elevada, más luminosa. "¡Quiero herederos!", dice todo lo que sufre. "Quiero hijos. No me quiero a mí mismo."

En cambio, el gozo no quiere herederos, hijos. Se quiere el gozo a sí mismo; quiere eternidad, retorno; quiere que todo sea eternamente así.

Dice la pena: "¡Sucumbe, sangra, corazón! ¡Camina, pie! ¡Vuela, ala! ¡Hacia arriba! ¡Hacia las alturas! ¡Dolor!" ¡Ea!, mi viejo corazón: dice la pena: *¡Pasa!*»

10

«Hombres superiores, ¿qué os parece? ¿Soy un adivino? ¿un soñador? ¿un ebrio? ¿un intérprete de sueños? ¿una campana de medianoche? ¿Una gota de rocío? ¿Vaho y efluvio de la eternidad? ¿No lo oís? ¿No lo oléis? Mi mundo acaba de alcanzar su perfección; la medianoche es también mediodía;—

—la pena es también gozo, la maldición es también bendición, la noche es también sol; —huid, o si no aprended que un sabio es también un loco.

¿Dijisteis jamás sí a *un* gozo? ¡Oh!, amigos míos, en tal caso también sí a *toda* pena. Todas las cosas están entrelazadas, trabadas, entretejidas por el amor;—

—si *una* vez deseasteis que una vez fuera dos veces; si alguna vez dijisteis: "¡Me gustas, dicha! ¡Instante!", deseasteis el retorno de *todo*.—

Si alguna vez deseasteis todo otra vez, todo eterno, todo entrelazado, trabado, entretejido por el amor, ¡oh!, entonces *amasteis* el mundo;—

—eternos, le amáis eternamente, y también a la pena decís: "¡Pasa, pero retorna!" *¡Pues todo gozo quiere —eternidad!*»

11

«Todo gozo quiere la eternidad de todas las cosas; miel, levadura y medianoche ebria; tumbas, lágrimas confortantes y dorado crepúsculo vespertino;—

—¡*qué* no quiere el gozo! Es más sediento, más cordial, más hambriento, más terrible, más íntimo que toda pena; se quiere a *sí mismo*, se muerde a *sí mismo*; pugna en él la voluntad del anillo;—

—quiere amor y odio; pleno y pletórico, regala, disipa, suplica que uno lo acepte, agradece al que lo acepta, quisiera ser odiado;—

—tan pleno y pletórico es el gozo, que ansia pena, infierno, odio, oprobio, al inválido, al *mundo* —pues este mundo, ¡oh, bien lo conocéis!

¡Hombres superiores, a vosotros ansía el gozo desbordante e inefable, vuestra pena, seres truncos! Todo lo trunco —he aquí lo que ansía todo gozo eterno.

Pues todo gozo se quiere a sí mismo; ¡de ahí que quiere también la pena! ¡oh, dicha! ¡Oh, dolor! ¡Oh, sucumbe, corazón! Hombres superiores, aprended que el gozo quiere eternidad;—

—que el gozo quiere la eternidad de *todas* las cosas; que quiere *eternidad profunda, ¡oh, tan profunda!*»

12

«¿Habéis aprendido mi canción? ¿Habéis adivinado la significación que encierra? ¡Ea! Hombres superiores, ¡entonad ahora en coro mi canción!

Cantad ahora vosotros mismos la canción cuyo título reza: "¡Otra vez!" y cuyo sentido es "¡Por todas las eternidades!" ¡Cantad, hombres superiores, la canción de Zaratustra!:

> *¡Oh hombre! ¡Atención!*
> *¿Qué dice la profunda medianoche?*
> *Dormía yo; dormía,—*
> *De profundo sueño me desperté:—*
> *El mundo es profundo,*
> *Y más profundo de lo que creía el día.*
> *Profunda es su pena.—*
> *El gozo —aún más profundo que la pena.*
> *Dice la pena: ¡Pasa!*
> *Pero todo gozo quiere eternidad,—*
> *—quiere eternidad profunda, oh, tan profunda!*»

LA SEÑAL

A la mañana siguiente, Zaratustra saltó de su lecho, se ciñó los riñones[1] y salió de su cueva ardiente y fuerte como el sol cuando sale detrás de montañas oscuras.

---

1 Expresión bíblica. *(N. del T.)*

«¡Radiante astro! —dijo como ya había dicho antes— ¡Profundo ojo venturoso! ¿Qué sería tu dicha si no tuvieses aquellos para los que brillas?

Y si permaneciesen encerrados en sus cuartos en tanto ya estás levantado y vienes a obsequiar y repartir, ¡cómo se encolerizaría tu orgullosa vergüenza!

Pues bien, duermen todavía esos hombres superiores en tanto yo estoy levantado. ¡No son ellos los compañeros que me faltan! No son ellos los que espero aquí en mi montaña.

Ansío mi obra, mi jornada; pero ellos ignoran las señales de mi mañana, mi paso no los despierta.

Duermen todavía en mi cueva; su sueño se abreva todavía en mis canciones ebrias. Falta a sus miembros empero el oído pendiente de *mí* —el oído *obediente.*»

Así habló Zaratustra para sus adentros al salir el sol; luego, de pronto, miró hacia arriba con aire interrogador, pues oyó en lo alto el grito agudo de su águila.

«¡Muy bien! —exclamó— Así me gusta y me corresponde. Mis animales se han despertado, ya que yo me he despertado.

Mi águila se ha despertado y al igual que yo, honra el sol. Con garras aguileñas prende la nueva luz. Sois en verdad animales muy de Zaratustra; os amo.

¡Pero faltan todavía los hombres muy de Zaratustra!»

Así habló Zaratustra; entonces, de repente, sintió en torno suyo como revoloteo de innumerables pájaros, y el rumor de tantas alas batientes alrededor de su cabeza lo abrumó a tal punto que cerró los ojos. Y lo envolvió en verdad como una nube; nube de flechas que se vuelca sobre un nuevo enemigo. Pero he aquí que era una nube del amor que se volcaba sobre un nuevo amigo.

«¿Qué me pasa?», pensó Zaratustra para sus adentros, presa de asombro, y se sentó lentamente en la gran piedra, junto a la entrada de su cueva. Pero cuando agitó los brazos atajando a los pájaros cariñosos, le ocurrió algo aún más raro: su mano se hundió de improviso en espesa y caliente melena; y al mismo tiempo sonaron delante de él rugidos —suaves y prolongados rugidos de león.

«*Llega la señal*» —dijo Zaratustra, y su corazón mudó. Y cuando recobró la lucidez, vio una grande bestia de color pardo tendida a sus pies, con la cabeza apretada contra la rodilla y demostrando exclusivamente su

cariño, como perro que vuelve a encontrar a su amo. Mas las palomas no
le quedaban en zaga en demostrar su amor; y cada vez que una de ellas
pasaba rozando la nariz del león, éste sacudía la cabeza, sorprendido, y
reía.

Zaratustra, al ver este espectáculo, sólo dijo: «*Ya vienen mis hijos —mis
hijos*»; luego enmudeció. Mas su corazón estaba conmovido y de sus ojos
brotaban lágrimas que iban a caer en sus manos. Estaba sentado ahí, inmóvil, sin reparar ya en nada y sin atajar más a los animales. Entonces las
palomas iban y venían con suave batir de alas, se posaban en sus hombros,
le acariciaban los blancos cabellos y no se cansaban de demostrar su cariño y júbilo. Y el poderoso león lamía las lágrimas conforme iban cayendo
en las manos de Zaratustra, lanzando tímidos rugidos y gruñidos.

Duró todo esto largo o breve tiempo, que para cosas así no existe
propiamente el tiempo en la tierra. Entretanto, en la cueva de Zaratustra se habían despertado los hombres superiores y formaron una comitiva para ir en busca de Zaratustra y cumplimentarlo; pues cuando se
despertaron, habían comprobado que ya no se hallaba entre ellos. Pero
cuando se asomaron a la entrada de la cueva y se les adelantó el ruido de
sus pasos, el león se sobresaltó, se apartó de pronto de Zaratustra y se
precipitó hacia la cueva profiriendo unos rugidos terroríficos. Y los hombres superiores al oírlo rugir, gritaron todos a un tiempo y retrocedieron
bruscamente desapareciendo al instante.

Zaratustra, aturdido y como fuera de sí, se levantó de su piedra; miró
en torno presa de estupor y recapacitó en soledad. «¿Qué es lo que acabo de oír? —dijo al fin lentamente—¿Qué me ha pasado hace un momento?»

Y de golpe recordó y comprendió todo lo que había acontecido desde
el día anterior.

«Aquí está la piedra —dijo alisando su barba—: en *ella* estaba sentado yo ayer a la mañana. Y aquí se me acercó el adivino, y aquí oí por
primera vez el grito que acabo de oír, el gran grito de socorro.

¡Oh!, hombres superiores, de *vuestra* angustia me habló ayer a la
mañana aquel viejo adivino; a vuestra angustia quiso seducirme y ten-
tarme; "¡Oh Zaratustra! —dijo—, he venido a seducirte a tu último pecado."

¿A mi último pecado? —exclamó Zaratustra, riéndose exasperado de
su propia palabra—; ¿qué me está reservado como último pecado?»

Y una vez más se abismó en sí mismo y se sentó de nuevo en la grande piedra, abstraído en pensamientos. De pronto se levantó de un salto.

—*¡Compasión! ¡La compasión con el hombre superior!* —gritó y sus facciones se endurecieron—. ¡Muy bien! *¡Esto* —ha tenido su hora!

¡Qué importan mi sufrimiento y mi compasión!

¿Aspiro acaso a la *felicidad*? ¡Yo aspiro a mi obra!

¡Muy bien! Llegó el león; ya vienen mis hijos; ha llegado mi hora.

¡Esta es *mi* mañana, despunta mi día; *¡ven, ahora, gran mediodía!*»

Así habló Zaratustra y abandonó su cueva, ardiente y fuerte como el sol cuando sale detrás de montañas oscuras.

MÁS ALLÁ DEL BIEN
Y EL MAL

PRIMERA PARTE

LOS PREJUICIOS DE LOS FILÓSOFOS

1

El amor por la verdad, que nos conducirá hacia muchas peligrosas aventuras, esa famosísima veracidad de la que todos los filósofos han hablado siempre respetuosamente, ¡cuántos problemas nos han planteado ya! ¡Y problemas singulares, malignos, ambiguos! A pesar de lo vieja que es la historia, parece que acaba de suceder. ¿Si acabásemos, por agotamiento, siendo desconfiados e impacientes, qué tendría de extraño? ¿Es que puede extrañar que esa esfinge nos haya llevado a plantearnos toda una serie de preguntas? ¿Nos hemos detenido ante el problema del origen de esa voluntad, para terminar en suspenso ante otro problema aún más importante? Nos hemos interrogado sobre el valor de esa voluntad. Puede ser que deseemos la verdad, pero ¿por qué rechazar lo *no-verdadero,* o la incertidumbre y hasta la ignorancia? ¿Ha sido el problema de la validez de lo verdadero quien se ha puesto frente a nosotros, o hemos sido nosotros quienes lo hemos buscado? ¿Quién es Edipo aquí? ¿Y quién es la Esfinge? Nos encontramos frente a una encrucijada de cuestiones y problemas. Y parece, a final de cuentas, que no han sido planteados hasta ahora, que hemos sido nosotros los primeros en percibirlos, en atrevernos a enfrentarnos con ellos, ya que implican un riesgo; quizá el mayor de los riesgos.

2

Nuestras mentes rechazan la idea del nacimiento de una cosa que puede nacer de su contraria, por ejemplo: la verdad del error; la voluntad de lo verdadero, de la voluntad del error; el acto desinteresado del egoísmo o la contemplación pura del sabio, de la codicia. Tal origen parece imposible: pensar en ello parecería propio de locos. Las realidades más sublimes deben tener otro origen, que les sea peculiar. No puede ser su madre este mundo efímero, engañoso, ilusorio y miserable, esta enmarañada madeja de ilusiones, deseos y frustraciones. En el seno del ser, en lo que no morirá nunca, en un dios oculto, en la "cosa en sí", es donde debe hallarse su principio, ahí y en ninguna parte más.

Es este el prejuicio característico de los metafísicos de todos los tiempos; este género de estimación se halla en la base de todos sus procedimientos lógicos. A partir de esta "creencia" se esfuerzan en alcanzar un "saber", crean la cosa que, al final, será bautizada pomposamente con el nombre de "verdad". La creencia medular de los metafísicos es *la creencia en la antinomia de los valores*. Sin embargo, hay que dudar, por de pronto, de la existencia de antinomias; después habría que preguntarse si las evaluaciones y las oposiciones de valores usuales a los que los metafísicos han colocado su sello, no son sino evaluaciones superficiales, perspectivas momentáneas, tomadas desde un ángulo determinado. Cualquiera que sea el valor que concedamos a lo verdadero, a la veracidad, al desinterés, podría suceder que nos viésemos obligados a atribuir a la apariencia, a la voluntad de la ilusión, al egoísmo y a la codicia, un valor superior y más esencial para la vida; se podría llegar a suponer incluso que las cosas buenas tienen un valor por la forma insidiosa en que están enmarañadas, y quizá hasta lleguen a ser idénticas en esencia a las cosas malas que parecen sus contrarias. ¡Quizá! Pero, ¿hay quién se preocupe de estos peligrosos "quizá"? Para ello habrá que esperar la llegada de una nueva especie de filósofos, diferentes en gustos e inclinaciones a sus predecesores: filósofos del peligroso "quizá", en todos los sentidos de la palabra. Hablo con toda seriedad, pues veo venir a esos nuevos filosofos...

3

He terminado por creer que la mayor parte del pensamiento consciente debe incluirse entre las actividades instintivas sin exceptuar el pensamiento filosófico. He llegado a esta idea después de examinar detenidamente el pensamiento de los filósofos y de leerlos entre líneas. An-

te esta perspectiva será necesario revisar nuestros juicios sobre este punto, como ya lo hemos hecho a propósito de la herencia y de las llamadas
cualidades "innatas". Así como el acto del nacimiento tiene poca importancia respecto al proceso hereditario, así también lo "consciente" no se
opone nunca de forma decisiva a lo instintivo. La mayor parte del pensamiento consciente de un filósofo está gobernado por sus instintos y
forzosamente conducido por vías definidas. Detrás de toda la lógica y de
la aparente libertad de sus movimientos, hay evaluaciones de valores, o,
mejor dicho, exigencias *fisiológicas* impuestas por la necesidad de mantener un determinado género de vida. De ahí la idea, por ejemplos de
que tiene más valor lo determinado que lo indeterminado, la apariencia
menos valor que la "verdad". A pesar de la importancia que tienen para
nosotros semejantes juicios podrían ser sólo superficiales, una especie de
tontería, necesaria para la conservación de seres como nosotros. Naturalmente, aceptando que el hombre no sea, precisamente, la medida de
las cosas"...

4

Pensamos que el hecho de que un juicio sea falso no constituye, en
nuestra opinión, una objeción contra ese juicio. Podría ser ésta una de las
afirmaciones más sorprendentes de nuestro lenguaje. La cuestión es saber en
qué medida este juicio nos sirve para conservar la especie, para acelerar,
enriquecer y mantener la vida. En principio, nos inclinamos a afirmar que
los juicios más falsos (y entre éstos los juicios sintéticos *a priori*) son para
nosotros los más indispensables, que el hombre no podría vivir sin las ficciones de la lógica, sin relacionar la realidad con la medida del mundo puramente imaginario de lo incondicionado y lo idéntico, sin falsear constantemente el mundo introduciendo en él el concepto de número. Esto llega
hasta un punto en que renunciar a los juicios falsos sería renunciar a la vida,
negarla. Admitir que lo no-verdadero es la condición de la vida, es oponerse
audazmente al sentimiento que se tiene habitualmente de los valores. Una
filosofía que se permita tal intrepidez se coloca, por este solo hecho, más allá
del bien y del mal.

5

Lo que nos incita a englobar a todos los filósofos en una mirada, mezcla de desconfianza y de burla, no es que se advierta inmediatamente cuán inocentes son, ni con qué facilidad se engañan repetidamente. En otras palabras: no es frivolidad ni infantilismo señalar la falta de sinceridad con que se elevan un conjunto unánime de virtuosas y lastimeras protestas cuando se toca, aunque sea superficialmente, el problema de su sinceridad. Reaccionan con una actitud de conquista de sus opiniones a través del ejercicio espontáneo de una dialéctica pura, fría e impasible, cuando la realidad de muestra que la mayoría de las veces sólo se trata de una afirmación arbitraria, de un capricho, de una intuición o de un deseo íntimo extractado que defienden con razones rebuscadas durante mucho tiempo y, de cierta manera, bastante empírica. Aunque lo nieguen, todos sus abogados y a menudo también astutos defensores de sus prejuicios, que ellos llaman "verdades". Y aunque ellos no lo crean, están muy lejos de poseer el heroísmo propio de la conciencia que se confiesa a sí misma su mentira, es decir, muy lejos del valor que se deja oír, ya sea para advertir a un amigo o poner en guardia al enemigo o para burlarse de sí mismo. La hipocresía rígida y virtuosa con que el viejo Kant nos lleva por los estrechos vericuetos de su dialéctica para inducirnos a aceptar su imperativo categórico, es un espectáculo que nos hace sentir el inmenso placer de descubrir las pequeñas y maliciosas sutilezas de los viejos moralistas y de los predicadores. Sumemos a todo esto el malabarismo, pretenciosamente matemático, con que Spinoza termina por abroquelar y enmascarar su filosofía, tratando de intimidar así, desde el principio, la audacia del asaltante que se atreve a poner los ojos en una virgen invencible: Palas Atenea. ¡Cómo se ve a través de tan pequeño broquel e inútil máscara la timidez y la vulnerabilidad de un ente enfermo y solitario!...

6

Paso a paso, he ido descubriendo que hasta el presente, en toda gran filosofía se encuentran injertadas no sólo la confesión espiritual, sino sus sutiles "memorias", tanto si lo ha querido su autor como si no se ha percatado de ello. Asimismo he observado que en toda filosofía las intenciones morales (o inmorales) constituyen la semilla de donde nace la planta, completa. En efecto, si queremos explicar cómo han nacido realmente las afirmaciones metafóricas más trascendentes de ciertos filósofos, sería conveniente preguntarnos ante todo: ¿A qué moral quieren conducirnos? La respuesta, a mi juicio, es que no se puede creer en la existencia de un "instinto del conocimiento" que sería el padre de la filosofía. Por el contrario, creo más bien que otro instinto se ha servido del conocimiento (o del desconocimiento) como instrumento. Pero si examinamos los instintos fundamentales del hombre con la intención de saber hasta qué punto los filósofos han podido divertirse en su papel de genios *inspiradores* (o de *duendes),* encontraríamos que todos han hecho filosofía un día u otro y que cada uno de ellos considera su filosofía como fin único de la existencia, como *dueño* legítimo de los demás instintos. Pues no es menos cierto que todo instinto quisiera llegar a dominar y, *en tanto que tal,* aspira a filosofar. Puede, sin embargo, que sea de otra forma, incluso, "mejor", si se quiere, entre los sabios, entre los espíritus verdaderamente científicos, porque, pienso, quizá haya en ellos algo parecido al instinto del conocimiento, parecido a una pequeña pieza de relojería independiente que, bien montada, cumpla su tarea sin que los demás instintos del sabio participen en ella de manera esencial. De acuerdo con lo que vemos y pensamos, los verdaderos "intereses" del sabio se encuentran generalmente en otra parte: por ejemplo, en la política, en su familia, en su medio de subsistencia. De ahí resulta incluso indiferente, que el sabio aplique su pequeño mecanismo a un determinado problema científico, y poco importa que el sabio del "porvenir" (el joven sabio) se convierta en un buen filósofo, en un buen conocedor de hongos o en un buen químico. En el filósofo no hay nada que pueda considerarse impersonal. En cuanto a su moral, ofrece particular y muy especialmente un testimonio claro y decisivo de lo que es, es decir, de la jerarquía que siga en él los instintos más íntimos de su naturaleza.

7

¿Hasta qué grado puede llegar la malévola intención de los filósofos? Repasando la historia del pensamiento filosófico quizá no se encuentre nada más venenoso que la broma que Epicuro se permitió contra Platón y sus seguidores: los llamaba *dionysiokolakes*. Esta palabra significa etimológicamente y a primera vista "aduladores de Dionisio",[1] es decir, que literalmente expresa: esbirros del tirano, viles cortesanos; pero significa además que no eran más ni menos que simples comediantes, sin la menor sombra de seriedad. En esta última interpretación se hacía patente el veneno que Epicuro lanzaba contra Platón. Se sentía humillado por el porte majestuoso, por las hábiles salidas a escena que tan bien hacían Platón y sus discípulos y que él no sabía ejecutar, a pesar de haber sido autor de trescientos volúmenes de gran valor. ¿Por qué esta manifestación de maldad? ¿Quizá por despecho y envidia hacia Platón? Lo que sí se puede afirmar sin lugar a dudas es, que fueron necesarios cien años para que Grecia descubriese quién era en realidad Epicuro, aquel Dios de los jardines. En el supuesto caso de que llegara a darse cuenta.

8

Por lo tanto, cabe repetir afirmativamente que en toda la filosofía la "convicción" del filósofo, en un preciso momento, se muestra de manera que bien podríamos expresarla con el lenguaje de un antiguo misterio:

Adventavit asinus
pulcher et fortissimus.

9

¡Cómo se engañan aquellos que quieren vivir "de acuerdo con la naturaleza"! En efecto, imaginad un ser modelado por la naturaleza, prodigio como ella, infinitamente indiferente, carente de intenciones y miramientos de piedad y justicia, fecundo, estéril e incierto al mis-

---

1 Platón es amigo de Dión, sobrino de Dionisio, tirano de Siracusa. Los comediantes eran los servidores de Dionisios, Dios de la tragedia. Hay un juego de palabras entre Dionisios y Dionisio, que son casi la misma palabra.

mo tiempo; pero imaginad también lo que significa la indiferencia misma convertida en poder: *¿podríais* vivir de acuerdo a esa indiferencia? ¡Vivir es querer ser diferente de la naturaleza, formar juicios de valor, preferir, ser injusto, limitado, querer ser *diferente!* Admitiendo que el lema "de acuerdo con la naturaleza" significara en el fondo "de acuerdo con la vida", ¿sería posible que actuarais de otra forma? ¿Por qué entonces hacer un principio de lo que ya sois, de lo que podéis dejar de ser? Ved, pues, que, en realidad, sucede todo lo contrario: cuando pretendéis fervorosamente desentrañar en la naturaleza los preceptos de nuestras leyes, lo que en realidad buscáis es algo muy distinto a lo que quisierais encontrar. ¡Oh actores de la impostura, queriendo engañar a los demás vengáis a vosotros mismos! Vuestro orgullo siempre demolido, pretende imponer a la naturaleza vuestra moral y vuestro ideal. Sí, porque querríais que todo cuanto existe se redujera a vuestra propia imagen, haciendo una prodigiosa y eterna apoteosis y una generalización del estoicismo. Pero, a pesar de todo vuestro amor por la verdad, os empeñáis en ver la naturaleza como no es, en verla estoica y, al fin, termináis por no poderla ver de otra manera. No sé qué orgullo ilimitado os inspira esa insensata esperanza, puesto que, aun siendo conscientes de que sois vuestro propio tirano, insistís en vuestro error creyendo que la naturaleza se dejará tiranizar a su vez, como si el estoicismo no fuera también parte de la naturaleza. Todo esto, sin embargo, es una historia vieja y eterna. La filosofía, en el fondo de la naturaleza y su contexto visible, no es más que ese instinto tiránico: la voluntad de poder en su aspecto más intelectual, la voluntad de "crear el mundo" e implantar en él la *causa prima*.

10

La sutileza, y casi podría decirse la malicia, con la cual en toda Europa es atacado el problema del "mundo real" y del "mundo aparente", da mucho que pensar y escuchar: los que sólo oyen la repetida canción de la "voluntad de lo verdadero" no tienen el sentido del oído muy desarrollado. Puede que, en ciertos casos, esa "voluntad de lo verdadero" entre a formar parte del juego; lo que no dejaría de ser una tontería extravagante y aventurera, un orgullo metafísico empecinado en mantener

una posición perdida y que siempre preferiría un puñado de "certidumbre" a una carretada de insulsas posibilidades. También puede suceder
que existan fanáticos de la conciencia, puritanos que prefieren morir
sobre una vana ilusión y no sobre una incierta realidad. Pero esto no es
sólo nihilismo, es también el síntoma de un alma que se siente desespe-
rada y fatigada hasta la muerte, por muy valerosas que puedan parecer
las actitudes de semejante virtud. Parece, sin embargo, que en los pensadores más vigorosos y vivaces y que aún sienten el deseo de vivir, las
cosas suceden de otra forma; esos filósofos no conceden más crédito a la
apariencia que a su cuerpo físico, según la cual la tierra está inmóvil, re-
nunciando así, con fingido buen humor, a su propio cuerpo, a su bien
más seguro (pues ¿hay acaso algo más seguro que el propio cuerpo?).
¿Quién tiene la certeza de que el propósito sea algo más que tratar de re-
conquistar una posesión de otro tiempo, más segura que el cuerpo, un
vestigio de la antigua creencia en el "alma inmortal' o en el "Dios de antaño", o quizá algunas de esas ideas con las que se vivía mejor, más seguro, más alegre que con las "ideas modernas"? Esta actitud de *desconfianza* respecto a las "ideas modernas" consiste en negarse a creer en
todo lo edificado ayer y hoy. A esto se une quizá un ligero malestar, un
sarcasmo para ese "bric-à-brac" (baratillo, en francés en el original) de
conceptos heteróclitos que el llamado positivismo ofrece hoy día a los
compradores; pues quien posee un gusto refinado siente repugnancia
frente a esa entremezcla de feria y ese montón de piezas que presentan
los filosofastros de lo real, para quien nada es nada nuevo ni verdadero.
Me parece que en ese punto hay que dar la razón a los escépticos enemigos de lo real, a esos minuciosos analistas del conocimiento: el instinto
que los aleja de la realidad *presente* no ha sido refutado. ¿Qué ofrecen los
escabrosos caminos que nos conducen hacia atrás? Lo esencial en ellos
no es el retroceso, sino el hecho de que quieran caminar solos. Con un
poco más de vigor, de valentía, de sentido artístico, podrían ir *más allá*
y no hacia atrás.

11

En mi concepto, todo el mundo se esfuerza hoy por minimizar la
influencia real que Kant ha ejercido en la filosofía alemana y por restar

importancia al problema del valor que él mismo se atribuía. Kant estaba sumamente orgulloso de su tabla de categorías. Con esta tabla en la mano decía: "Esto es lo más difícil que jamás se haya emprendido en aras de la metafísica." Entendamos bien estas palabras: *que jamás se haya emprendido.* Kant sentía el orgullo de *haber descubierto* en el hombre una nueva facultad, la de formar juicios sintéticos *a priori.* Reconozcamos que se equivocaba en este punto, mas no por eso el desarrollo y el rápido florecimiento de la filosofía alemana deja de ser producto de este orgullo que incitó a todos los jóvenes pensadores, a descubrir algún otro motivo de orgullo, o, por lo menos, algunas "nuevas facultades". Ahora bien, reflexionemos un poco, puesto que aún estamos a tiempo. ¿De qué manera son *posibles* los juicios sintéticos *a priori?*, se preguntaba Kant. En pocas palabras, su respuesta fue ésta: *por medio de una facultad.* Desgraciadamente, no se expresó con tanta concisión sino de un modo prolijo, pomposo, con ostentoso lujo de pensamientos oscuros y de confuso lenguaje hasta hacer incognoscible la jocosa tontería alemana que se oculta en el fondo de esa respuesta. Todos se sintieron embriagados de alegría ante la idea de esta nueva facultad, y el entusiasmo llegó al colmo cuando Kant descubrió además en el hombre una facultad moral. En esa época los alemanes eran todavía morales e ignoraban "el realismo político". Esta fue la luna de miel de la filosofía alemana. Todos los jóvenes teólogos del seminario de Tubinga se dedicaron a la búsqueda de "facultades nuevas". ¡Y qué fue lo que no descubrieron en esa inocente época de juvenil riqueza, en que el hada maligna del romanticismo embargaba el espíritu de los alemanes con sus fanfarrias y canciones! No se distinguía aún entre "descubrir" e "inventar". El principal descubrimiento fue el de la facultad "suprasensible". Shelling le puso el nombre de intuición intelectual, satisfaciendo así los más fervorosos deseos de sus queridos alemanes, cuyos corazones sólo aspiran a la piedad. La peor injusticia que se puede cometer contra ese desbordado y novelesco movimiento que era sólo juventud —aunque se le disfrazara con un velo de ideas grises y seniles—, sería la de tomarlo en serio y aplicarle, por ejemplo, las sanciones de la indignación moral. El final fue que envejecieron y el sueño se esfumó. Llegó un momento en que abrieron los ojos. Habían soñado, y Kant el primero. "Por medio de una facultad" había dicho, o por lo menos había querido decir. Pero ¿es esto una respuesta, una explicación? ¿O no es más bien la simple repetición de la pregunta? ¿Por qué hace dormir el opio? "Por medio de una facultad", por la *virtus dormitiva* dijo el médico de Molière:

> *Quia est in eo virtus dormitiva*
> *cuyus est natura sensus assoupire.*

Creo que ha llegado el momento de reemplazar la pregunta de Kant: "¿Cómo son posibles los juicios sintéticos *a priori?*", por esta otra pregunta: "¿Por qué es necesario creer en esta clase de juicios?" Debemos recordar que la conservación de los seres de nuestra especie necesita de estos juicios que deben ser tenidos como verdaderos, lo que no impide por supuesto que puedan ser *falsos*. O, para explicarlo más claramente, más llana y radicalmente: los juicios sintéticos *a priori* no deberían ser "factibles". Nosotros no tenemos ningún derecho sobre ellos, son como otros tantos juicios falsos que pronunciamos. No obstante, necesitamos considerarlos verdaderos: esto no es más que una suposición imprescindible para vivir. Y si todavía hay que referirse a la prodigiosa acción que la "filosofía alemana" —espero que todos comprendan el derecho al entrecomillado— ha ejercido en toda Europa, hemos de confesar que ha contribuido a ello cierta *virtus dormitiva*. Los ociosos de la clase alta, los moralistas, los místicos, los artistas, las tres cuartas partes de los cristianos y los oscurantistas políticos de cualquier nacionalidad se sentían dichosos por poseer en la filosofía alemana un antídoto contra el sensualismo aún floreciente que transmitía el siglo anterior a éste; en resumidas cuentas, *sensus assoupire...*

12

La teoría atómica de la materia es una de las cosas mejor rebatidas que existen, y quizá no existe en Europa un solo sabio que sea tan ignorante como para conferirle aún cierta importancia, además de aquella de uso doméstico (como medio de abreviación de las fórmulas). En primer lugar hemos de agradecérselo al dálmata Boscovich (Roger José Boscovich, matemático y astrólogo, nacido en Regussa, hoy Dobrovnik, en Dalmacia, Yugoslavia, en el año 1711). Para él el átomo es un centro de fuerza que explica todas las propiedades de la materia. Y es que Boscovich ha sido, con el polaco Copérnico, el más grande y vigoroso adversario de la apariencia. En efecto, si Copérnico logró hacernos creer, contra los testimonios de nuestros sentidos, que la tierra no está inmóvil, Boscovich nos ha enseñado a renegar del último artículo de fe que subsistía aún en el terreno de la creencia en los "cuerpos", en la "materia". Y antes que Boscovich ya había enseñado Berkeley, lo que había de cierto en este último residuo, en esta parcela ínfima de la tierra que es el átomo. Fue el mayor triunfo jamás alcanzado sobre los sentidos. Sin embargo, es necesario ir más lejos y declarar una guerra sin cuartel contra la tan traída y llevada "necesidad atómica" que continúa rondando peligrosamente por terrenos insospechados, como lo hace también la "necesidad metafísica", más famosa aún. Habrá que sacrificar también a ese otro atomismo más funesto aún, que el cristianismo ha enseñado mejor y por más tiempo: el *atomismo psíquico*. Me tomo la libertad de denominar así la creencia que convierte al alma en cosa indestructible, invisible, eterna, un *atomon*. Es de esta creencia que hay que liberar a la verdadera ciencia y a toda investigación científica que se reclame como tal. Por lo demás, queda claro entre nosotros que no es necesario suprimir "el alma" de un golpe y renunciar a una de las más antiguas y venerables hipótesis del alma, es decir, ideas como la del "alma inmortal", el "alma múltiple", "el alma edificio colectivo de instintos y pasiones", ideas que desde ahora reclaman derecho de ciudadanía en la ciencia. El *psicólogo nuevo*, para acabar con la superstición que se ha multiplicado alrededor de la noción de alma, se ha lanzado en cierto modo a un nuevo desierto y a una nueva desconfianza. Probablemente la tarea de los antiguos psicólogos haya sido más alegre y haya tenido más suerte; pero, no obstante, el psicólogo nuevo se siente por eso mismo impulsado, condenado a *inventar*, y, ¿quién sabe?, quizá también a *descubrir*.

13

Antes de afirmar que el instinto de conservación es el instinto motor del ser orgánico, se debería pensar. El ser vivo necesita ante todo y por sobre todas las cosas dar libertad de acción a su fuerza, a su potencial. La vida misma es voluntad de poderío. El instinto de conservación viene a ser una consecuencia indirecta, y, en todo caso, de las más frecuentes. En resumen, en este punto como en otros, hay que desconfiar de los principios teológicos inútiles tales como el instinto de conservación y el esfuerzo de perseverar en el ser, que se debe a la inconsecuencia de Spinoza. Así lo exige el método, que debe ser esencialmente parco en sus principios.

14

En nuestra época quizá existan cinco o seis cerebros que comienzan a sospechar que tal vez la física no sea más que un instrumento para interpretar y arreglar el mundo, *una adaptación para nosotros mismos,* si se nos permite decirlo, y no una explicación del universo. Sin embargo, en la medida en que la física se apoya en la creencia de los datos proporcionados por los sentidos, ésta vale más y seguirá valiendo más —durante mucho tiempo— que una verdadera explicación. Cuenta con el testimonio de los ojos y los dedos, es decir, la vista y el tacto. En una época de gustos profundamente plebeyos ofrece una atracción sugestiva, embriagadora, *convincente,* puesto que nuestro siglo adopta con extraordinaria facilidad las normas del sensualismo eternamente popular. ¿Qué hay de claro aquí? ¿Qué es lo que parece "claro"? Ante todo, lo que se puede ver y tocar. Por lo tanto, es necesario llevar hasta este punto los problemas. Y de ahí, precisamente, que la oposición a la evidencia perceptible haya sido el encanto del pensamiento platónico, que era un pensamiento *aristocrático* propio de hombres dotados quizá de sentidos más vigorosos y exigentes que los de nuestros contemporáneos, pero que sabían saborear un triunfo superior manteniéndose dueños de sí mismos y arrojando sobre la heterogénea muchedumbre de los sentidos, como decía Platón, una red de pálidos conceptos de cara fría y triste. Esta manera platónica de someter al mundo, de interpretarlo, tenía en sí misma un goce de una cualidad muy distinta a las que nos ofrecen los físicos de hoy o esos obreros de la filosofía, darwinistas y antifinalistas, con su principio del "mínimum de energía" que es el máximun de estupidez. "Allí donde el hombre no puede ver ni tocar nada, no hay nada que buscar"; lo que no deja de ser un imperativo muy distinto del de Platón, pero adaptable a una raza dura y laboriosa de futuros mecánicos y de futuros ingenieros que sólo tengan que hacerse cargo de trabajos superlativamente *burdos.*

15

Para estudiar seriamente la fisiología, es preciso alejarse de la idea de que los órganos son *fenómenos,* tal como lo considera la filosofía idealista y que, por lo tanto, no podrían ser causas. Por consiguiente habría que aceptar el sensualismo, al menos a título de la hipótesis reguladora, por no decir de principio heurístico. ¡Cómo! ¿Pues no hay quien llega a decir que el mundo exterior es obra de nuestros órganos? Luego siendo así, nuestros órganos mismos serían obra de nuestros órganos. He aquí lo que yo llamaría una radical *reductio ad absurdum,* admitiendo que la noción de *causa sui* sea algo fundamentalmente absurdo. Pues, ¿no es el mundo exterior la obra de nuestros órganos?

16

Aún hay ingenios acostumbrados a la introspección que creen que existen "certidumbres inmediatas", por ejemplo, el "yo pienso" o, como era la creencia supersticiosa de Schopenhauer, el "yo quiero"; como si en este caso el conocimiento consiguiese aprehender su objeto pura y simplemente, en tanto que "cosa en sí", sin alteración de parte del objeto ni del sujeto. Yo afirmo que la "certidumbre inmediata", así como el "conocimiento absoluto" o la "cosa en sí", encierra una *contradictio in adjecto;* sería, pues, ésta la ocasión de librarse del engaño que encierran las palabras. El vulgo cree que el conocimiento consiste en llegar al fondo de las cosas; en cambio, el filósofo, debe decirse: Si analizo el proceso expresado en la frase "yo pienso", obtengo un conjunto de afirmaciones arriesgadas, difíciles y tal vez imposibles de justificar; por ejemplo, que soy yo quien piensa, que es absolutamente necesario que algo piense, que el pensamiento es el resultado de la actividad de un ser concebido como causa, que exista un "yo"; en fin, que se ha establecido de antemano lo que hay que entender por pensar y que yo sé lo que pensar significa. Pues si yo anticipadamente no hubiera dado respuesta a la cuestión por mi propia razón, ¿cómo podría juzgar que no se trata de una voluntad o de un "sentir"? Resumiendo lo expuesto, este "yo pienso" implica que *comparo* mi estado momentáneo con otros estados observados en mí para establecer lo que es; puesto que es preciso recurrir a un "saber de origen diferente", pues "yo pienso" no tiene ciertamente para mí ningún valor de "certidumbre inmediata". En lugar de esta seguridad en la que el vulgo tal vez creerá, el filósofo por su parte no recoge más que un puñado de problemas metafísicos, de verdaderos casos de conciencia intelectuales que pueden plantearse así: ¿De dónde extraigo mi noción de "pensar"? ¿Por qué debo creer en la causa y en el efecto? ¿Con qué derecho puedo hablar de un "yo" y de un "yo" como causa, y para colmo, causa del pensamiento? El que se atreva a contestar inmediatamente a estas cuestiones metafísicas alegando una especie de *intuición* del conocimiento, como se hace cuando se dice: "yo pienso y sé que esto al menos es verdad, que es real, seguramente provocará en el filósofo de hoy una sonrisa y una doble interrogación: "Señor —dirá al filósofo—, parece increíble que usted no se equivoque nunca, mas ¿por qué ansia encontrar la verdad por sobre todas las cosas, sin limitación de esfuerzo?"

17

Cuando se habla de la superstición de los lógicos no dejo nunca de insistir en un pequeño hecho que las gentes que padecen este mal, no confiesan sino obligatoriamente. Es, pues, el hecho de que un pensamiento viene cuando *él* quiere y no cuando "yo" quiero, de manera que es falsear los hechos decir que el sujeto "yo" es determinante en la conjugación del verbo "pienso". Algo piensa, pero no es menos cierto, que el antiguo e ilustre "yo", para decirlo en términos moderados, no es más que una hipótesis, pero no ciertamente una certidumbre inmediata. Ya es demasiado decir que algo piensa, pues ese "algo" contiene una interpretación del proceso mismo. Se razona según la rutina gramatical: Pensar es una acción; toda acción supone la existencia de un sujeto; por consiguiente... En virtud de un razonamiento parecido, y aun igual, el atomismo antiguo que unía la "fuerza actuantes a la parte de materia en que se encuentra esta fuerza, a partir de ésta actúa: el átomo". Espíritus de los más rigurosos han terminado por pasar sin este último "residuo terrestre", e incluso puede llegar el día en que los lógicos prescindan de ese pequeño "algo", que quedará como residuo al evaporarse el antiguo y venerable "yo".

18

No es el menor de los encantos el hecho de que una teoría pueda ser rebatida; por el contrario, parece que la teoría mil veces rechazada del "libre arbitrio" no deba su supervivencia más que a esa cualidad, por cuanto siempre vemos reaparecer de nuevo a alguien que se siente con fuerzas para refutarla aún.

19

Los filósofos gustan hablar de la voluntad como si fuera la mejor cosa conocida del mundo. Schopenhauer dio a entender incluso que la voluntad es algo que realmente distinguimos, algo perfectamente reconocido sin demasía y sin falta; pero siempre me ha parecido que Schopenhauer, en este como en otros casos, ha seguido la misma ruta que todos los filósofos: ha adoptado y exagerado al máximo un prejuicio popular. La voluntad se me presenta ante todo, como algo *complejo*, algo que no posee más unidad que la de su nombre, y en esta unicidad del nombre es precisamente donde encuentra su asiento el prejuicio que ha engañado a la prudencia siempre muy deficiente de los filósofos. Seamos, pues, más discretos, menos filósofos y admitamos que en cada voluntad existe, ante todo, una infinidad de sentimientos: el sentimiento del estado del que se quiere salir, el del estado al cual se tiende, la sensación de estas dos direcciones mismas, o sea "desde aquí" "hasta allá"; en fin, una sensación muscular que, sin llegar a poner en movimiento brazos y piernas, entra a formar parte de él tan pronto como nos disponemos a "querer". Del mismo modo que el sentir, un sentir múltiple, es evidente que uno de los componentes

de la voluntad, contiene también un "pensar"; en todo acto voluntario hay un pensamiento directriz, y, por tanto, hay que cuidarse de
creer que se puede aislar este pensamiento del "querer" para obtener
un precipitado que seguiría siendo voluntad. En tercer lugar la voluntad no es únicamente un conjunto de sensaciones y pensamientos,
sino también y ante todo un estado afectivo, la emoción derivada del
mando, del poderío. Lo que se llama el "libre arbitrio" es esencialmente el sentimiento de superioridad que se siente ante un subalterno. "Yo
soy libre, él debe obedecer", he aquí lo que hay en el fondo de toda
voluntad, la certidumbre íntima de que constituye el estado de ánimo
de quien manda. Querer significa ordenar a algo en sí mismo que
obedece o, por lo menos, es considerado como obediente. Mas observemos ahora la esencia propia de la voluntad, esa cosa tan compleja
para la que el vulgo no posee más que una sola palabra. Si fuéramos a
un mismo tiempo el que manda y el que obedece, sentiríamos al obedecer la impresión de sentirnos obligados, presionados y simultáneamente impulsados a resistirnos al movimiento, impresiones que siguen
inmediatamente al acto de la volición; pero en la medida en que, por
otra parte, tenemos la costumbre de no hacer caso a esta ambivalencia;
de engañarnos a su respecto gracias al concepto sintético del "yo" toda
una cadena de conclusiones erróneas y, consecuentemente, de falsas
apreciaciones de la voluntad misma, se ligan también al *querer*. Como
quien *quiere* cree de buena fe que *basta querer* para actuar, así, en la
mayoría de los casos, uno se ha contentado con querer, y como también se ha de esperar al efecto del mandato, es decir, a la obediencia,
al cumplimiento del acto prescrito, la *apariencia* se traduce por el sentimiento de que el acto debía producirse *necesariamente*. En otras palabras, el que "quiere" cree que querer y obrar se reducen a una sola
cosa. Para él el éxito y la ejecución del querer, son efectos del querer
mismo, y esta creencia hace más fuerte en él el sentimiento de poder que el éxito lleva como compañero. El "libre arbitrio": tal es la denominación de este complejo estado de placer del hombre que quiere,
que manda y que, a la vez, se confunde con el que ejecuta, gozando así
el placer de superar obstáculos con la idea de que es su propia voluntad la que triunfa sobre las resistencias. Así, pues, el acto voluntario
suma, de este modo, al placer de dar una orden, el placer del instrumento que lo ejecuta con éxito; a la voluntad se añaden voluntades

"subalternas", almas subalternas y dóciles, para nuestro cuerpo no es más que la habitación de muchas almas. Aquí sucede lo mismo que en toda colectividad feliz y bien organizada; la clase dirigente se apropia los éxitos de la colectividad. En todo querer se trata simplemente de mandar y de obedecer dentro de una estructura colectiva compleja, constituida, como he dicho, por "muchas almas". Por lo tanto, el filósofo debería considerar el querer desde el ángulo de la moral, la moral como concepto de ciencia de una jerarquía dominante, de donde brota el fenómeno de la vida.

20

Diríase que los diferentes conceptos filosóficos no son nada arbitrarios, que no se desarrollan separadamente, sino que sostienen cierto parentesco. Precisamente por eso, al hacer su aparición en la historia del pensamiento, no dejan de formar parte de un mismo sistema, exactamente lo mismo que los diversos representantes de la fauna del continente. Es esto lo que se percibe en la seguridad con que los filósofos más diversos vienen a su vez a ocupar su puesto dentro de un determinado esquema previo de las *posibles* filosofías. Una magia invisible los obliga a recorrer sin cesar el mismo círculo; por independientes que se crean unos de otros en su voluntad de elaborar sistemas, algo les impulsa a sucederse en un determinado orden, que es, sin embargo, el orden sistemático innato de los conceptos de su parentesco esencial. En realidad, su pensamiento consiste menos en investigar que en reconocer, recordar, volver atrás, reintegrar una zona muy antigua y lejana del alma de donde salieron esos conceptos que no intentan descubrir. La actividad filosófica, en este aspecto, es una especie de herencia del más rancio abolengo. El singular aire de familia que tienen entre sí todas las filosofías indias, griegas y alemanas, tiene una sencilla explicación. Efectivamente, cuando hay parentesco lingüístico, es inevitable que en virtud de una común filosofía gramatical, ejerciendo en el inconsciente las mismas funciones gramaticales su dominio y su dirección, todo se encuentra preparado para un desarrollo y un desenvolvimiento análogo a los sistemas filosóficos, mientras que el camino parece cerrado para cualesquiera otras posibilidades de interpretación del universo. Las filosofías del grupo lingüístico uralaltaico (en las que la noción del sujeto está poco desarrollada), probablemente observaron e interpretaron el mundo con otros ojos y siguieron por caminos diferentes de los de los indoeuropeos o los musulmanes. El embrujo que ejercen ciertas funciones gramaticales es, en el fondo, el ejercido por determinadas evaluaciones *fisiológicas* y ciertas particularidades raciales. Digo esto para rebatir las afirmaciones superficiales de Locke respecto al origen de las ideas.

21

No existe mejor contradicción interna que la *causa sui;* una especie de violación y de golpe mortal a la lógica. Pero el orgullo ilimitado del hombre le ha conducido a enmarañarse cada vez más en la intrincada madeja de este absurdo; el anhelo del "libre arbitrio" entendido en el sentido superlativo y metafísico que domina aún (por desgracia, en los cerebros semicultivados), que es la necesidad de soportar la completa y absoluta responsabilidad de sus actos y de no adjudicársela a Dios, al mundo, a la herencia, a la suerte, a la sociedad, esta *causa sui* no es otra cosa que la necesidad de ser uno mismo; y, con esta audacia desbordante que supera la del barón de Munchausen (héroe de un cuento popular alemán, *cuyo* símil fue empleado por primera vez por Schopenhauer en su obra *La cuádruple raíz del principio de la razón suficiente),* prueba a tirarse a sí mismo de los cabellos para salir del pantano de la nada y entrar en la luz de la existencia. Si alguien llegase a vislumbrar la necia rusticidad del famoso concepto del "libre arbitrio", hasta llegar a borrarlo de su espíritu, yo le rogaría que diese un paso más y borrase también de su cerebro lo contrario de este seudoconcepto, es decir, el "determinado", el cual conduce al mismo abuso de las nociones de causa y de efecto. No hay que concretizar la "causa" y el "efecto" como hacen equivocadamente los sabios naturalistas y todos los que como ellos piensan en términos de naturaleza. Conviene, sin embargo, no servirse de la "causa" y del "efecto" sino en calidad de puros *conceptos,* o sea, como ficciones convencionales que sirven para designar, para ponerse de acuerdo, pero de ninguna forma para explicar algo. En el "en sí" no hay ningún vestigio de "lazo causal", de "necesidad", de "determinismo psicológico"; allí el "efecto" no

sigue a la "causa"; ninguna "ley" rige allí. Nadie más que nosotros hemos sido los inventores de tantas ficciones como: la causa, la sucesión,
la reciprocidad, la relatividad, la necesidad, el número, la ley, la libertad, la razón, el fin; y cuando introducimos falsamente en las "cosas" este
mundo de símbolos inventados por nosotros, cuando lo incorporamos
a las cosas como si les perteneciese "en sí", obramos una vez más, como
lo hemos hecho siempre, creando una mitología. El "determinismo" no
es más que un mito. En realidad, estamos frente a *voluntad fuerte* o *débil*. Cuando un pensador trata de descubrir de una vez en todo "encade-
namiento causal" y en toda "necesidad psicológica" algo que se parezca
a una frustración, a una necesidad, a una concatenación obligada, a una
presión, a un servilismo, es casi siempre el síntoma de que hay algo que
falla en el ente en cuestión, y al sentir de este modo es incuestionable
que la personalidad se descubre allí. De esta manera general, si mis observaciones son exactas, el problema del determinismo se considera desde
dos aspectos absolutamente diferentes, pero siempre de manera absolutamente subjetiva: unos, no queriendo compartir la "responsabilidad" de
su creencia en sí mismos, su derecho personal, producto de su propio
mérito (es el caso de las castas vanidosas); otros, por el contrario, rehu-
yendo de toda responsabilidad, impulsados por el desprecio de sí mismos
y ansiosos de desprenderse sin importar en dónde o sobre quién caiga la
pesada carga de su yo. Cuando éstos escriben libros tienden a emprender la defensa de los malhechores; su disfraz más sutil es simular una
especie de socialismo de la piedad y, natural y efectivamente, el fatalismo
de los abúlicos se embellece en sumo grado en cuanto que logra presentarse como la "religión de la *souffrance humaine*" (religión del sufrimiento
humano). Esta es sin duda alguna su peculiar manera de demostrar su
"buen gusto".

22

Perdonen a este viejo filósofo que soy, si no renuncia a abdicar del
maligno placer que representa poner el dedo en la llaga de las explicacio-
nes erróneas, de vuestras flaquezas filológicas. Porque, en verdad, no es un
hecho ni un texto, sino una componenda ingenuamente humanitaria de
los hechos, una torsión del sentido, un halago obsequio a la habilidad

de los instintos democráticos del alma moderna. "En todas partes, igualdad ante la ley; a este respecto, la naturaleza, no ha sido mejor tratada que nosotros." Seductora segunda intención que encubre una vez más, el odio de la plebe contra toda fachada de privilegios y de tiranía, así como una segunda forma más sutil del ateísmo. "*Ni dieu ni maître*" (ni Dios ni maestro). Vosotros también queréis que sea así y por eso gritáis: "¡Vivan las leyes de la naturaleza!" Pero, repito, esto es interpretación y no texto. Podría venir alguien armado con intenciones opuestas y con muy otros artificios de interpretación que descifrase, en esta misma naturaleza y partiendo de los mismos fenómenos, el misterio del triunfo brutal y despiadado de voluntades tiránicas; en cuyo caso, este nuevo intérprete nos revelaría la "voluntad de poder" en su realidad y en su fuerza absoluta hasta el punto de que casi todas las palabras serían inutilizables, e incluso la palabra "tiranía" parecería un eufemismo. Este filósofo acabaría, sin embargo, por afirmar, respecto a este mundo, lo mismo que vosotros, es decir, que tiene un curso "necesario" "previsible", no por el hecho de que esté sometido a leyes, sino porque las leyes faltan en absoluto y porque toda fuerza, a cada instante, va hasta el fin de sus consecuencias. Mas como esto no es más que una interpretación, ya sé que objetaréis; pues bien, ¡tanto mejor!

23

Toda la psicología se ha mantenido sujeta hasta hoy en prejuicios y en aprensiones de orden moral; no se ha osado internarse en las profundidades. Concebirla, como yo lo hago, bajo las especies de una morfología y de una genética de la *voluntad de poder,* es una idea que nadie ha abordado ni siquiera en la superficie, suponiendo que, partiendo de lo que se ha escrito, se pueda adivinar lo que ha permanecido en el silencio. La poderosa fuerza de los prejuicios morales ha penetrado profundamente el círculo de la espiritualidad pura, en apariencia la más fría y desprovista de ideas preconcebidas, y, como es natural, ha influido perjudicialmente en ella una acción paralizante, deslumbradora y deformante. Una psicofisiología auténtica se estrella contra resistencias inconscientes en el corazón del investigador. La simple teoría de la interdependencia de los instintos "buenos" y "malos" parece un refinamiento de inmoralidad y despierta el peligro y el disgusto incluso en una conciencia valiente y vigorosa. Y el disgusto es mayor ante la doctrina que hace derivar los buenos instintos de los malos. Admitiendo, sin embargo, que exista alguien que llegue a considerar como pasiones esenciales de la vida las pasiones de odio, envidia, codicia y mando como principios fundamentales de la vida, este hombre sufrirá algo así como un mareo a causa de la orientación de su propio juicio. No obstante, esta hipótesis no es ni mucho menos la más penosa y la más extraña, en este inmenso dominio casi virgen de los conocimientos, del que todos tienen mil y una buenas razones para mantenerse a distancia..., si pueden. Pero si a pesar de todo habéis decidido llevar vuestra nave sobre estas playas, pues entonces sólo os queda el remedio de mantener ese valor, estar alerta y mantener firme el timón. ¡Qué importa nuestro destino! Nunca hasta ahora encontraron abierto los navegantes e intrépidos aventureros un mar de conocimientos *más profundos;* y el psicólogo que hace tales "sacrificios" (éste no es el *sacrifizio dell'intelletto,* expresión italiana cuyo uso se hizo frecuente después de la proclamación de la infalibilidad papal), reclamará como propio el derecho de que la psicología sea de nuevo instaurada como la reina de las ciencias, aquélla a la que las demás ciencias tienen "la obligación" de servir y preparar, pues la psicología se ha convertido de nuevo en el camino que conduce a los problemas fundamentales.

SEGUNDA PARTE

EL ESPÍRITU LIBRE

24

¡En qué mundo más extrañamente simplificado y falsificado vive la humanidad! No tiene fin el asombro ante semejante prodigio. ¡Cuán claro, libre, fácil y sencillo hemos conseguido hacer todo cuanto nos rodea! ¡Qué brillantemente hemos sabido dejar que nuestros sentidos caminen por la superficie, e inspirar a nuestro pensamiento un deseo de piruetas caprichosas y de falsos razonamientos! ¡Cuánto nos hemos esmerado para conservar intacta nuestra ignorancia, para lanzarnos en brazos de una libertad, de una despreocupación, de una imprudencia, de un entusiasmo y de una alegría de vivir casi inconcebibles, para gozar de la vida! Y sobre esta ignorancia nuestra las ciencias se han edificado basando la voluntad de saber en otra aún más poderosa, la voluntad de permanecer en la incógnita, en la contra-verdad, no siendo esta voluntad lo contrario de la primera, sino su forma más refinada. El lenguaje, aquí como en todas partes, tiene que arrastrar consigo toda torpeza y continuar hablando de oposiciones, cuando se trata de matices y de sutiles graduaciones; además, la hipocresía consuetudinaria de la moral, que se ha convertido, de manera invencible, en "carne de nuestra carne y sangre de nuestra sangre", nos ha desnaturalizado también las palabras de nuestra propia boca. Nosotros, que estamos alertas, de vez en cuando, advertidos de la superchería, escapamos de ella y reímos al ver que la mejor de las ciencias sigue siendo aún la que mejor pretende detenernos en este mundo *simplificado,* absolutamente artificial, alineado y falsificado para nuestro uso, porque esta ciencia también, un poco a su pesar, ama el error, ya que por ser *viviente,* ama la vida.

25

Después de un preámbulo un tanto irónico, pronunciaré ahora una palabra seria, que va dirigida a los espíritus más serios. ¡Sed prudentes, filósofos y amigos del sufrimiento, y guardaos del martirio proveniente del "amor a la verdad"! Guardaos incluso de defenderos. Esto perjudica a la inocencia y a la delicada imparcialidad de vuestra conciencia; pues la lucha contra el peligro, la injuria, la sospecha, el ostracismo y las consecuencias más brutales del odio, os impulsarán a desempeñar el papel de defensores de la verdad en esta tierra. ¡Cómo si la verdad fuera tan ingenua y tan torpe que tuviera necesidad de defensores! ¡Y de defensores como vosotros, caballeros de la Triste figura, rufianes del espíritu que le tejéis sus telarañas! En resumen, bien sabéis que da lo mismo que no seáis vosotros quienes digáis la última palabra; que incluso jamás filósofo alguno ha pronunciado la última palabra y que ofreceríais una prueba de una veracidad más digna de alabanza al colocar algunos puntos de interrogación detrás de vuestras fórmulas favoritas y de vuestras teorías preferidas (y detrás de vuestra persona misma si llega la ocasión). ¡Es preferible que os apartéis, que os refugiéis en algún retiro! ¡Colocaos vuestros disfraces, haced uso de la astucia para ser confundidos con otros, o incluso para que aprendan a temeros un poco! ¡Y no olvidéis el jardín, os lo ruego, el jardín de la verja dorada! Rodeaos de amigos semejantes a un jardín o al reflejo del sol en el agua, pues cuando cae la tarde el día ya no es más que un recuerdo. Escoged la *buena* soledad, la soledad libre, la que os permite seguir siendo buenos en cualquier sentido. ¡Cuánta perfidia, astucia y maldad adquirimos después de una larga guerra que no se puede hacer abiertamente! ¡Cuán recelosos nos hacen el temor prolongado, la angustiosa espera con los ojos puestos en el enemigo, en todos los enemigos posibles! Estos desterrados de la sociedad, estos persegui- dos, estos acosados e incluso estos eremitas a pesar suyo, como Spinoza o Giordano Bruno, terminan siempre por convertirse, aunque sea bajo la mascarada más intelectual y tal vez sin saberlo, en unos maestros en materia de odio, y en unos envenenadores, sin hablar siquiera de esa vacilante indignación moral que, en un filósofo, atestigua de una manera infalible que ha perdido todo su humor filosófico. El calvario del filósofo, su "sacrificio por la verdad", hace salir a la luz lo que éste tenía aún de agitador y de comediante, y por poco que se le haya observado, se comprenderá que se pueda experimentar el deseo de ver, al menos una vez, a ciertos filósofos en un estado de degeneración, como "mártires", como comediantes, como tribunos. Pero es necesario darse cuenta de la farsa que se representa una vez caído el telón, prueba de que la larga tragedia propiamente dicha ha terminado; suponiendo que el conocimiento de toda filosofía haya sido una larga tragedia.

26

El hombre perteneciente a la élite busca instintivamente su torre de marfil, un baluarte que lo libere de la masa, del vulgo, de la muchedumbre, donde poder olvidar "al hombre", cuya "regla", sin embargo, constituye la excepción. Quienquiera que en el trato con los hombres, no se haya sentido pasar por todos los matices de la angustia: el rubor y la palidez de la compasión, la necesidad imperiosa del aislamiento, ese no es verdaderamente un hombre de gusto superior. Pero si permanece altivo y taciturno en su refugio, entonces es que no está hecho para el conocimiento, que no está predestinado para él. Si lo estuviera, llegaría a decirse un día: "¡Al diablo con mi buen gusto!" La regla es más interesante que la excepción, más interesante que yo, que soy la excepción. Y bajaría de su torre con la sublime decisión de "mezclarse" con la multitud. El estudio del hombre de la calle, estudio prolongado y serio, que requiere mucho tacto, repugnancia dominada, familiaridad, malas compañías —y toda compañía es mala, excepto la de nuestros iguales—, es un capítulo necesario en la vida de todo filósofo, el más desagradable tal vez, y, quizá también, el más pródigo en decepciones. Pero si tiene suerte, como suele suceder a todo favorito del conocimiento, hallará ayudas que harán más llevadera su tarea; me refiero a los cínicos, a los que confiesan ingenuamente la animalidad, la vulgaridad, "la regla" que llevan en sí, y que, sin embargo, conservan bastante espíritu y aguijón para sentirse obligado a hablar ante *testigos* de sí mismos y de sus semejantes; a veces incluso se revuelcan en su propio estercolero. El cinismo es la única fuerza bajo la cual las almas vulgares rozan lo que se llama sinceridad; y en presencia de todos los matices de sí mismo, el hombre superior deberá aguzar el oído y considerarse dichoso cada vez que perciba las payasadas sin pudor o los extravíos del sátiro científico. En ocasiones el encanto acompaña al asco, cuando, por un capricho de la naturaleza, el genio ha sido entregado a un mono impudente, como el abate Galiani, el hombre más profundo, el más penetrante y posiblemente también el más tenebroso de su siglo; era mucho más profundo que Voltaire y, por consiguiente, sobresalía más que él al callarse. A menudo sucede también que la cabeza de un sabio viene seguida por el cuerpo de un mono, que una inteligencia sutil y excepcionalmente dotada suele estar en compañía de un alma vulgar; ese caso no es raro entre los médicos y los fisiólogos de la moral especialmente. Siempre que se hable *mal* del hombre sin poner malicia en ello, el amante del conocimiento debe prestar a ello oídos y estar atento siempre que oiga hablar sin indignación. Pero si la irascibilidad es la madre de la mentira, entonces nadie miente más que el hombre indignado.

27

Es difícil hacerse comprender, sobre todo cuando se piensa y se vive *gangasrotogati*. Estas tres palabras sánscritas: gangasrotogati, kurmagati, mandeikagati, significan despectivamente: al paso del Ganges, o sea presto; al paso de la tortuga, que expresa lento; al paso de la rana, o *staccato*. Así, pues, cuando se está en medio de hombres que viven y piensan de otro modo, ya sea *kurmagati,* o todo lo demás *mandeikagati,* todo es según la manera de andar de las ranas. Yo hago todo lo que es preciso para que se me entienda y habría que agradecer acaloradamente a quienes tienen la buena voluntad de interpretar con cierta sutileza lo que nosotros decimos. Mas por lo que se refiere a los "buenos amigos", siempre demasiado indolentes, que creen tener el derecho de ahorrarse el escuerzo, seria conveniente concederles por anticipado un poco de juego, cierto campo libre para su carencia de inteligencia. De este modo tendríamos que reírnos. O bien, desembarazarnos de ellos…, ¡y seguir riendo!

28

El ritmo del estilo es lo más difícil de traducir de un idioma a otro, depende del carácter de la raza o, para hablar en términos más fisiológicos, del ritmo medio de su respiración. Hay infinidad de traducciones que fueron hechas con buenas intenciones, pero que son casi falsificaciones, porque se olvidaron del carácter verdadero del texto original, o de su tono valiente y alegre, que le gusta saltar sobre todo lo que hay de peligroso en el tópico y en la expresión. La lengua alemana está casi negada para el ritmo vivo; se puede deducir de ello sin temor a equívoco que el alemán no puede emplear los matices más alegres y audaces, propios de un espíritu libre e independiente, como se podría decir también, del mismo modo, que no tienen en su cuerpo y en su conciencia nada del payaso ni del sátiro; pero tampoco sabrían traducir a Aristófanes ni a Petronio. Se encuentran entre los alemanes con mucha prolijidad todas las variedades de gravedad majestuosa, de pesadez, de pompa solemne, todos los géneros interminables y enojosos. ¿Se me perdonará, pues, que afirme que la prosa de Goethe, con su mezcla de gravedad y de elegancia, no constituye una excepción? Su prosa es el espejo del "buen tiempo antiguo" al que pertenecía y la expresión del "gusto alemán", el del barroco, *in moribus et artibus*. Lessing representa una excepción gracias a su naturaleza de comediante que comprenda muchas cosas; él, que no en vano fue traductor de Bayle y que le gustaba refugiarse en los parajes de Diderot y de Voltaire, más gusto aún encontraba en los autores cómicos antiguos. A Lessing le gustaba la independencia hasta en el ritmo de su estilo, era su manera de evadirse de Alemania. Pero ¿cómo podría la lengua alemana, aunque fuera mediante la prosa de un Lessing, imitar el ritmo de un Maquiavelo, que en su *Príncipe* nos hace respirar el aire seco y sutil de Florencia, y que no puede menos de plantear las más graves cuestiones con impetuoso ritmo de *allegrissimo,* quizá con un delicioso placer al atreverse a este contraste: pensamientos largos, pesados, peligrosos, presentados bajo un ritmo de "galop" del más insolente buen humor? ¿Quién se atrevería, en fin, a traducir al alemán a Petronio, el cual, más que cualquier otro gran músico, es el virtuoso del *presto* tanto por sus giros y agudezas como por su vocabulario? ¿Qué importan, en suma, todas las vilezas de un mundo enfermizo y perverso aunque fueran las del mundo antiguo, cuando se galopa, como él, en las alas del viento, con el ímpetu, el soplo y la ironía libertadora de un sano huracán que vivifica todas las cosas? En cuanto a Aristófanes, ese espíritu que transfigura y completa la antigüedad y por amor al cual puede perdonarse al helenismo el haber existido (suponiendo que se haya comprendido hasta la raíz misma todo lo que tiene necesidad de ser perdonado y transfigurado), no sé de nada que me haya hecho soñar tanto acerca de la naturaleza enigmática de Platón, como ese pequeño hecho que tan felizmente nos ha sido transmitido: bajo la almohada de su lecho de muerte no se encontró ni "Biblia", ni escrito egipcio-pitagórico o platónico, sino un ejemplar de Aristófanes. ¿Cómo hubiera podido soportar la vida Platón —aquella vida griega a la cual decía *no*— sin Aristófanes?

29

La independencia es el privilegio de los fuertes, de la reducida minoría que tiene el valor de autoafirmarse. Y el que trata de ser independiente, sin estar obligado a ello, demuestra que no sólo es fuerte, sino también poseedor de una audacia rebosante. Se aventura en un laberinto, multiplica los mil peligros que implica la vida; se aísla y se deja arrastrar por algún minotauro oculto en la caverna de su conciencia. Si semejante hombre se extinguiese estaría tan lejos de la comprensión de los hombres, que éstos ni lo sentirían ni se conmoverían en lo absoluto. Su camino está trazado, ya no puede volver atrás, ni siquiera puede volver a la compasión de los humanos…

30

Difícil es evitar que nuestras visiones más elevadas parezcan locuras, y a veces hasta crímenes, cuando llegan a oídos de quienes no están capacitados para comprenderlas. La distinción entre lo esotérico y lo exotérico, adoptada antiguamente por los filósofos indios, griegos, persas y musulmanes, es decir, en todas partes donde se creía en una jerarquía y no en la igualdad de hecho y de derecho, dicha distinción no descansa tanto como se cree en el hecho de que la filosofía exotérica permanece en lo exterior y todo lo ve, lo evalúa, lo mide y lo juzga desde fuera y no desde dentro; lo esencial es que ve las cosas *desde abajo,* mientras que la filosofía esotérica mira desde arriba. Por encima de ciertas cumbres, la tragedia misma deja de parecer trágica. Y si se reuniesen en una sola masa todos los malos del mundo, ¿quién se atrevería a decidir si este aspecto nos llevaría necesariamente a la piedad, es decir, a un aumento de los males?... Lo que sirve de alimento para el espíritu de una categoría de hombres superiores es casi siempre un veneno para una especie diferente e inferior. Las virtudes del hombre ordinario transferidas a un filósofo serían, posiblemente, vicios y debilidades. Un hombre superior tendría que degenerar para adquirir las cualidades que obligarían a considerarlo un santo, en el mundo inferior en el cual cayese. Existen libros de efectos contrarios para el alma y para la salud siempre que sea un alma inferior, una energía vital débil, un alma superior o una energía poderosa. En el primer caso, estos libros son peligrosos, corruptores y disolventes; en el segundo caso, son una llamada a las armas que inducen a los más valientes a poner a prueba toda su fuerza.

31

Cuando se es joven se venera o se desprecia indiscriminadamente, sin tomar en cuenta el concepto de valor del matiz, que es el mejor beneficio de la nada. Pagar un alto precio por no haber sabido oponerse a los hombres y a las cosas más que con un sí y un no, se considera justo, todo está dispuesto en el mundo para que el peor de los gustos, el gusto de lo absoluto, sea cruelmente burlado y escarnecido. La inclinación a la cólera o a la veneración, propia de la juventud, no parece darse reposo hasta después de haber desfigurado las cosas y los hombres, lo cual les sirve de desahogo. La juventud tiene, por naturaleza, una inclinación a falsear y a engañar. Cuando el alma joven, torturada por mil desilusiones, se vuelca al fin llena de sospechas contra ella misma, se desgarra con impaciencia ardiente y violenta, y en sus remordimientos se venga de su larga ceguera, como si ésta hubiese sido voluntaria. En esta edad de transición, se castiga uno a sí mismo, desconfía de su propio sentimiento; se inflige a su entusiasmo el tormento de la duda; la buena conciencia aparece como un peligro, como un velo que arrojase sobre sí mismo; y, ante todo, se toma partido, pero a fondo, contra la *"juventud"*. ¡Diez años más tarde nos percatamos de que todo aquello era también... juventud!

32

Característica del período más largo de la historia de la humanidad —la época prehistórica— fue conferir valor a una acción según sus consecuencias. El acto mismo importaba tan poco como sus orígenes, era más o menos como en nuestros días en China, donde honor o vergüenza los reciben los hijos como herencia de los padres; era el efecto retroactivo del éxito o del fracaso lo que inducía a pensar bien o mal de una acción. Convengamos, pues, que aquél fue el período *premoral* de la humanidad. El imperativo "conócete a ti mismo" era, por el contrario, desconocido. En el transcurso de los últimos diez años, se ha cambiado el camino, y ahora, el valor se atribuye no a las consecuencias de la acción, sino a sus causas. Representa esto un acontecimiento importante, producto de un gran refinamiento del juicio, el lejano e inconsciente efecto de los valores aristocráticos, de la creencia en los "orígenes", el signo distintivo de un período que podríamos denominar el período *moral* de la humanidad; era, en definitiva, el primer paso para el conocimiento de sí mismo. Por eso se actúa a la inversa, y en vez de buscar las consecuencias, se trata de encontrar el origen. ¡Qué inversión de la perspectiva! Una inversión producto de largas luchas y prolongadas tribulaciones, pero, en realidad, una nueva superstición de funestas consecuencias, una singular estrechez de interpretación, que llegó para dominar atravesando este camino. Se atribuyó el origen de un acto, en el sentido más estricto del término, a una *intención* y se estuvo de acuerdo con la creencia de que el valor de un acto reside en el valor de su intención. La intención era por sí sola el origen y la prehistoria de la acción; y por este prejuicio se diferenció hasta nuestros días la alabanza o la censura, se formularon juicios e incluso se filosofó. ¿No deberíamos sentir hoy la necesidad de un trastrueque total de los valores, gracias a un nuevo retorno sobre nosotros mismos, a un sondeo nuevo del hombre? ¿No hemos llegado al principio de un nuevo período al cual se podría calificar, negativamente desde luego, de *extra-moral,* puesto que entre nosotros al menos, in-moralistas, se comienza a entrever que el valor decisivo de un acto reside precisamente en lo que tiene de *no intencional,* y que todo lo que tiene de intencional, todo lo que puede verse o saberse de él, todo lo que forma su superficie y su epidermis que, como toda epidermis, es más lo que oculta que lo que revela? En resumen, vemos que la intención no es más que un signo y un síntoma que tiene necesidad de ser interpretado, un signo cargado de demasiadas significaciones, para tener una sola para él. Mantenemos la opinión de que la moral, tal como se la ha concebido hasta hoy, la moral de las intenciones ha sido un prejuicio, un juicio precipitado y provisional que la coloca a la misma altura que la astrología y la alquimia, y en todo caso algo que debe ser superado. El superamiento de la moral y el triunfo de ésta sobre sí misma, sería la denominación de la larga y misteriosa tarea reservada a las conciencias más sutiles y más rectas y también a las malignas de la actualidad, esas vivientes piedras de toque del alma.

33

Los sentimientos que pretenden existir "para los demás" y "no para mí", poseen un excesivo encanto y una dulzura que por insinuantes, nos hacen desconfiados. Y nos preguntamos: "¿No se tratará tal vez de intentos de seducción?" Que tales sentimientos sean del agrado de quienes los experimentan, e incluso del simple espectador, no es un argumento *en su favor,* sino todo aquello que invita a la prudencia. Seamos, pues, prudentes.

34

Sea cual fuere el punto de vista filosófico en el cual nos coloquemos, se reconocerá que la *falsedad* del mundo en que creemos vivir es la cosa más verdadera y firme que nuestra vista puede aprehender. Hallamos repetidamente razones que nos hacen suponer que existe en la *esencia* de las cosas un principio que induce a juicios falsos. Por lo tanto, quizá sea una errónea conclusión hacer responsable de la falsedad del mundo a nuestro pensamiento. No obstante, pensamos: ¿No sería motivo para aprender al menos a desconfiar, por fin, de todo pensamiento? ¿No nos habrá jugado el pensamiento la más macabra de sus bromas? ¿Qué garantía tenemos para evitar que continúe haciendo de las suyas? Hablando seriamente, la inocencia de los pensadores tiene algo de conmovedor que inspira respeto. Esta inocencia les permite presentarse aún hoy ante la conciencia psicológica y pedirle que responda sinceramente a sus preguntas: por ejemplo, que confiese si es "real), por qué huye del mundo exterior, y otras cuestiones de la misma naturaleza. Quizá sea esto una ingenuidad; pero algo que nos honra a nosotros los filósofos es la creencia en las "certidumbres inmediatas". ¿Pero —con toda sinceridad— no deberíamos dejar de considerarnos únicamente como seres morales? Esta teoría es una puerilidad que nos hace poco honor, prescindiendo de la moral. Es un concepto poco halagador y, por lo tanto, una imprudencia que se ha de evitar; pero aquí, entre nosotros, más allá del mundo burgués, de sus afirmaciones y negaciones, ¿qué es lo que podría impedirnos cometer una imprudencia y decir: "El *filósofo,* tiene derecho a tener "mal carácter", porque ha sido continuamente el ser más engañado"? Tiene hoy el *deber* de desconfiar; desde el fondo del abismo de todas las sospechas, tiene derecho a mirar al mundo escudriñándolo con malignidad, si es preciso. Perdóneseme esta broma, esta triste caricatura, este triste artificio, pues he aquí que desde hace mucho tiempo, he examinado por mi parte mis pensamientos y mis afectos respecto a los engañadores y a los engañados, y me guardo algunas buenas dentelladas para los filósofos cuya cólera ciega se rebela contra la idea de haber sido motivo de burla. ¿Y por qué no iban a serlo? Es un simple prejuicio creer que la verdad es mejor que la apariencia; es incluso la hipótesis peor fundada que existe. Hay que confesarlo: la vida no sería posible sin todo un engranaje de apreciaciones y de apariencias, y si se suprimiese el "mundo aparente", con toda la indignación que con él ponen ciertos filósofos, suponiendo que esto fuese posible, no quedaría nada tampoco de nuestra "verdad". Pues, ¿qué es lo que nos obliga a admitir que haya un muro divisorio entre lo "verdadero" y lo "falso"? ¿No bastaría con admitir grados en la apariencia, como quien hablase de matices y de armonía, más o menos claros u obscuros, valores diferentes, para emplear el lenguaje de los pintores? ¿Por qué el mundo en que vivimos no podría ser ficticio? Y si se objetase aún que toda ficción debe tener un autor, se podría responder con toda franqueza: *"¿Por qué?"* La expresión "debe tener", ¿no constituye también parte de la ficción. Se nos disculpará un poco de ironía tanto respecto del verbo y complemento? El filósofo tiene razón al declararse en rebeldía contra la confianza ciega que se le concede a la gramática? Yo respeto mucho a los gobernantes, pero, ¿no sería ya hora de que la filosofía renunciara a la fe en los gobernantes?

35

¡Oh Voltaire! ¡Oh humanidad! ¡Oh estupidez! La "verdad", la *búsqueda* de la verdad son cosas delicadas. Desde el que el hombre se conduce en ese aspecto de manera demasiado humana, cuando "no busca la verdad más que para hacer el bien", puede decirse, y yo lo sostengo, que no encuentra nada.

36

Aun en el caso de que admitiésemos que fuera de nuestro mundo de deseos y pasiones no nos es dado nada "real"; que no podemos alcanzar "realidad " más alta o más profunda que la de nuestros instintos —pues el pensamiento no expresa más que la relación de estos instintos entre sí—,¿no sería razonable lanzar esta pregunta?: "Este mundo dado, ¿no bastaría para comprender, a partir de lo que nos es semejante el mundo que se llama mecánico (o material)?" No quiero decir percibirlo y entenderlo como una ilusión, como "apariencia" o "representación", en el sentido de Berkeley o de Schopenhauer, sino como una realidad del mismo orden que como una forma más primitiva del mundo de las pasiones, de un mundo que ha englobado en una poderosa unidad, todo lo que en el proceso orgánico se ramifica y se diferencia (y, por consiguiente, se afina y se debilita), como una especie de vida instintiva en la que todas las funciones orgánicas: nutrición, secreción, cambios orgánicos, se encuentran sintéticamente ligados, y confundidos entre sí, o sea, una forma preliminar de la vida. No sólo es permisible aventurar esta pregunta, sino que así lo requiere la conciencia de nuestro *método*. La cuestión es saber si consideramos la voluntad como realmente *actuante*, o si creemos en la cualidad de la voluntad; si es así —y en el fondo es esto lo que implica nuestra creencia en la casualidad—, estamos obligados a hacer esta experiencia, a plantearla como hipótesis, como una casualidad de la voluntad. La "voluntad", naturalmente, no puede obrar más que sobre una "voluntad" y no sobre una "materia" (sobre los nervios, por ejemplo); en una palabra, hay que llegar a plantear que siempre que se constatan "efectos", es que una voluntad actúa sobre otra voluntad. Todo proceso mecánico, en la medida en que está alimentado para una fuerza actuante, revela precisamente una "voluntad-fuerza". Suponiendo, por último, que se llegara a explicar toda nuestra vida instintiva como el desarrollo de la voluntad —de la voluntad de poder, es mi tesis— habría adquirido el derecho de llamar a toda energía, sea cual fuere, *voluntad de poder*.

37

Si alguien interpretara esto en el sentido de que Dios está refutado y el diablo no lo está, sería cuestión de advertirle que todo es al contrario si no habla en términos vulgares; pero que nadie está obligado a expresarse en términos propios de la vulgaridad. He ahí el error.

38

De la misma manera que, en pleno siglo de las luces, estalló la Revolución francesa, acontecimiento tan falso y siniestro como inútil, pero en la que los nobles y los entusiastas espectadores de toda Europa han mezclado apasionadamente y durante tanto tiempo sus propias revueltas y sus propios entusiasmos, dándole ilusorias interpretaciones, una noble posteridad podría hacerse ilusiones respecto al pasado y quizá llegara a interpretarlo de un modo tolerable. Pero, ¿no ha sucedido esto ya? ¿No somos nosotros esa "noble posteridad"? Y, desde el momento en que nos percatamos de ello, ¿no pertenece todo esto —ipsofacto— al pasado?

39

Nadie, por muy complaciente que sea, admitirá que una doctrina es verdadera por el simple motivo de que nos haga felices y virtuosos, exceptuados tal vez los amables idealistas, entusiastas de lo *bueno,* lo *verdadero* y lo *bello,* que creen estar circundados de toda clase de cosas que, aun abigarradas, son tan rústicas como apacibles. La felicidad y la virtud no son argumentos. Sin embargo, existen espíritus reflexivos con tendencia a olvidar que la desgracia y la maldad no son tampoco objeciones válidas. Una cosa puede ser verdadera, aun cuando sea perjudicial y peligrosa en el más alto grado, pues podría suceder que el fundamento radical de la existencia implicara que no se pudiera conocer a fondo, sino a costa de morir; de suerte que el vigor de un espíritu se midiese por la dosis de "verdad" que, en rigor, pudiese soportar, o, más exactamente, en el grado en que fuera preciso dulcificar la verdad, velarla, falsearla. Pero está fuera de toda duda que los malos y los desdichados poseen más y mejores dotes para descubrir ciertas partes de la verdad y tienen más posibilidades de conseguirlo; y esto se aprecia sin necesidad de hablar aquí de los malos que son felices, especie que los moralistas pasan en silencio. Es posible que para el nacimiento del espíritu vigoroso e independiente, sean más favorables la dureza y la astucia que esa dulce, fina y complaciente frivolidad y ese arte de aceptarlo con facilidad, que apreciamos con justo título en el hombre cultivado. Stendhal añade un último trazo al boceto del filósofo de pensamiento libre, trazo que no quiero dejar de subrayar para refinamiento del gusto alemán y porque va contra ese gusto: "Para ser filósofo —dice este último gran psicólogo— es necesario ser claro, seco, ecuánime...; es decir, para ver claro dentro de lo que es."

40

Todo lo que es profundo tiene un gusto por el disfraz; las cosas más profundas tienen incluso odio a la imagen y al símbolo. ¿Al pudor de un dios no le gustaría pavonearse bajo la forma de *su propio contrario?* Problema difícil. Sería extraño que no se encontrase algún místico que se atreviera a obrar por su cuenta. Más de uno se dedica a perturbar y a maltratar su propia memoria, para así, al menos vengarse de su único cómplice. No son las cosas peores las que nos causan más vergüenza. Detrás de una máscara no hay más que felonía. ¡Hay tanta bondad en la astucia! En cambio, por delicadeza del pudor, el hombre bien dotado de este sentimiento encuentra su propio destino y sus decisiones más delicadas en caminos poco andados por los hombres. Disimula a sus ojos los mortales peligros que corre, y también la seguridad que ha reconquistado. Y, así, aunque no haya querido, llegará un día en que descubrirá que, a pesar de todo, sólo se conoce una máscara de él, y que está bien que sea así. Todo espíritu profundo tiene necesidad de una máscara. Más todavía, en torno a todo espíritu profundo se forma constantemente una máscara, gracias a la interpretación, continuamente falsa, es decir, *superficial,* dada a todas sus palabras y a todas las manifestaciones de su vida.

41

Es importante demostrarse a sí mismo que se está destinado a la independencia y al mando, pero precisa hacerlo a tiempo. No hay que eludir la obligación de hacer estas pruebas, pero tampoco no ligarse a nadie, porque toda persona es una prisión. Y mucho menos ligarse a una patria, aunque sea la más maltrecha e indigente, y no olvidar que es menos difícil desligarse de una patria victoriosa. No dejarse atar por un sentimiento de compasión, aunque sea en favor de hombres superiores, cuyo martirio y angustia no los haya descubierto el azar. No apegarse a una ciencia, aunque nos seduzcan los descubrimientos que parece reservarnos. No apegarnos a nuestras virtudes; no sacrificarnos por completo a una inclinación particular. Hay que saber conservarse y concentrarse, que es la mejor prueba de independencia.

42

Veo aparecer en el horizonte una nueva especie de filósofos, los cuales querrían tener justamente y tal vez también injustamente el derecho de

ser llamados sugestivos. El nombre no es en sí mismo más que una tentativa, o, si se quiere, una tentación.

43

¿Serán amigos de la "verdad" estos filósofos del mañana? Posiblemente, pues todos los filósofos han sido siempre amigos de sus verdades.
Pero no serán, ciertamente, pensadores dogmáticos. Hay que renunciar
al mal gusto de querer estar de acuerdo con un gran número de gente.
Lo que es "bueno" para mí, no es bueno para el paladar del vecino. Y
¿cómo podría haber un "bien común"? Esta frase encierra una contradicción. Lo que puede ser disfrutado en común es siempre cosa de poca
entidad, de poco valor. En fin, las grandes cosas están reservadas para los
grandes espíritus; los abismos para los espíritus profundos; las deli-
cadezas y los estremecimientos para los delicados; en una palabra, las ra-
rezas para los raros.

44

Después de todo lo anterior, ¿tendré necesidad de decir que también
serán espíritus libres los filósofos del porvenir, quienes serán algo más
elevado, radicalmente diferente, que no quiere ser ni desconocido ni
confundido? Al decir esto me siento obligado con ellos y con nosotros,
espíritus libres, que somos sus mensajeros y sus precursores, a apartar de
ellos y de nosotros un viejo y estúpido prejuicio, un absurdo malentendido que ha nublado durante mucho tiempo la noción del "espíritu libre." Para decirlo sin ambages, son *niveladores,* de esos que se llaman
erróneamente "librepensadores", esclavos al servicio del gusto democrático, hombres privados de soledad, de una soledad que les sea propia;
son en definitiva, ridículamente superficiales, sobre todo por tendencia
fundamental a ver en las formas de la antigua la causa de toda miseria humana. Su máxima aspiración es la felicidad del rebaño, los verdes
pastizales, la seguridad y el bienestar. Las dos cantinelas que repiten hasta el cansancio son "la igualdad de derechos" y "la compasión hacia todo
ser que sufre"; consideran que el sufrimiento es algo que hay que exter-

minar. Nosotros vemos las cosas desde otro punto de vista opuesto a éste, y nuestro espíritu está abierto ante este problema: ¿En qué condiciones y en qué forma la planta humana ha llegado a desarrollarse más vigorosamente hasta aquí? Creemos que esto se produjo siempre en circunstancias completamente opuestas; que ha sido necesario que el peligro que acecha continuamente a la vida humana aumente hasta la enormidad. Creemos que la insensibilidad, el peligro, la esclavitud, que se encuentran siempre en la calle y en los corazones, la clandestinidad, la austeridad, toda clase de brujerías, todo lo que es malo, terrible, tiránico, todo lo que hay en el hombre de animal de presa o de reptil, es igual que su contrario, útil para elevar el nivel de la especie humana. Y con esto no decimos bastante: lo que tenemos que declarar y callar aquí nos sitúa contra la teología moderna y contra todos los deseos del rebaño. ¿Y de qué sorprenderse si nosotros, "espíritus libres", somos apenas en ínfima parte comunicativos? Si nosotros en ninguna forma ni bajo ningún aspecto, no nos preocupamos de descubrir, *¿de qué cosa* debe el espíritu librarse y *hacia qué* debe lanzarse después? Y en cuanto a la fórmula que implica gran riesgo: "más allá del bien y del mal", nos es útil al menos para ponernos al abrigo de confusiones, para indicar que somos algo diferente de los librepensadores, bien que se les denomine en francés, italiano o alemán, según gusten estos extravagantes defensores de las "ideas modernas". Nosotros, somos hombres recelosos del servilismo que implican los honores, el dinero, cargos públicos o los arrebatos de los sentidos, con cierto agradecimiento a la desgracia y a las enfermedades; agradecidos a Dios, al diablo, a la oveja y al insecto que se reúnen en nosotros; con una curiosidad que raya en la enfermedad. Somos investigadores hasta la crueldad, dispuestos a llenar nuestras manos con lo que repugna a los demás estómagos capaces de digerir lo más indigesto, capaces de todos los oficios que requieran astucia, penetración y sentidos aguzados, dispuestos a todos los peligros —gracias a un exceso de "libre arbitrio"—; ricos en primeros planos y en segundas intenciones que nadie escruta hasta el fondo, diestros para saber distinguir entre lo que hay que aprender y lo que hay que olvidar, inventores de esquemas, a veces orgullosos de ellos, a veces pedantes, a veces hormigas laboriosas de día y de noche y, cuando es preciso, espantapájaros (y hay necesidad de serlo, por lo menos en la medida en que la soledad es nuestra amiga, amigos innatos, jurados y celosos de nuestra propia y profunda soledad). Ante vuestros ojos la especie de hombres que somos, espíritus libres…, vosotros a quienes veo llegar, vosotros, los *nuevos* filósofos… tendréis, quizá un poco de nosotros.

TERCERA PARTE

EL FENÓMENO RELIGIOSO

45

El alma humana y sus fronteras, sus cumbres, sus abismos, sus lejanas perspectivas de esta experiencia, su pasado y sus potencialidades aún no explotados o aún no agotadas; es éste el tesoro reservado al psicólogo nato, al aficionado a la "caza mayor". Repetidas veces gritará con dolor su soledad en este bosque tan grande e inexplorado. Hay que hacer todo *uno mismo,* si quiere aprender algo; es decir, ¡hay mucho que hacer! Para mí mi desbordante curiosidad es el más agradable de todos los vicios. Perdón; quería decir que el amor a la verdad tendrá su recompensa en el cielo, pero ya también en la tierra.

46

La fe cristiana, es en principio el sacrificio del espíritu, de su libertad, de toda su dignidad, de toda confianza en sí mismo, y, además, es servilismo, burla y mutilación de sí mismo. Da cabida a la crueldad. Esta fe que requiere una conciencia propicia a sufrir la humillación, supone ante todo que la sumisión del espíritu es infinitamente *dolorosa.* Hoy, la insensibilidad ha invadido la terminología cristiana, no se percibe ya el horror que había en la fórmula paradójica del "Dios en la cruz" para el gusto antiguo. Jamás en lugar alguno se había visto inversión tan audaz, tan lúgubre o tan inquietante, tan enigmática: fórmula que era el anuncio de la próxima decadencia de todos los valores antiguos. Era el *Oriente,* el esclavo que se vengaba así de Roma y de su tolerancia frívola y distinguida del "catolicismo" romano de la incredulidad. Lo que movió a los esclavos contra sus amos y los sublevó contra ellos no siempre fue su fe, sino su indiferencia hacia toda fe, esa indiferencia semisonriente y semiestoica frente al señorío de la fe. El esclavo aspira a lo absoluto, comprende sólo lo tiránico, incluso en moral; es ambivalente, ama al mismo tiempo que odia, sin matices, profundamente, hasta el dolor, hasta la enfermedad; todo su dolor oculto se vuelve contra el gusto aristocrático que parece *negar* el dolor. El escepticismo que no es, en el fondo, más que una actitud de la moral aristocrática, ha contribuido en gran medida a alimentar la última gran revuelta de esclavos que comenzó con la Revolución francesa.

<h2 style="text-align:center">47</h2>

Todo brote de neurosis religiosa lo encontramos acompañado de tres peligrosos mandatos: soledad, ayuno y castidad. Nos resulta difícil descubrir con toda certeza dónde se encuentra la causa y dónde está el efecto. Lo que conduce a esta última duda es el encontrar los síntomas más constantes de esta neurosis. Tanto en los pueblos salvajes como en los civilizados, se encuentra también una súbita explosión de desenfrenada sensualidad que se transforma en convulsiones de penitencia, de renuncia al mundo y aniquilamiento de la voluntad. Ningún otro fenómeno ha dado origen a tal cantidad de absurdos y de supersticiones; nada ha parecido haber interesado más a los hombres, incluyendo a los filósofos, y ya es tiempo de considerar un poco más fríamente las cosas. La segunda intención de la última de las filosofías, la de Schopenhauer, conserva, casi como un problema esencial, esta angustiosa cuestión de la crisis y del despertar de la religión. El impacto de las preguntas: ¿Cómo es posible matar la voluntad? ¿Cómo es posible que existan los santos? Parece ser que este problema hizo de Schopenhauer un filósofo y le sirvió de punto de partida. Si se nos preguntase qué es lo que ha podido apasionar a los hombres de todas clases y de todos los tiempos, incluso a los filósofos, del fenómeno de la santidad, se podría responder sin temor a errar que es la apariencia de milagro que toma este fenómeno. Creemos observar en este fenómeno, la metamorfosis súbita del "malo" en santo, en hombre de bien. Es contra esto que la psicología antigua ha venido a estrellarse. ¿No será la causa el hecho de que se había colocado bajo el dominio de la moral, porque creía ella misma en las oposiciones morales de los valores y porque introducía en los textos y en los hechos como una versión errónea, una interpretación? ¿Cómo? ¿Acaso el "milagro" no es más que un error de interpretación, una falta de la filología?

48

Parece que el cristianismo ha penetrado en las razas latinas más íntimamente que en nosotros, habitantes del Norte. Por lo tanto, la incredulidad en un país católico presenta un cariz muy diferente al de los países protestantes; quiero decir, que significa una especie de rebelión contra el espíritu de la raza mientras que entre nosotros es más bien un retorno al espíritu "o a la ausencia de él". Nosotros, habitantes del Norte, descendemos, sin duda alguna, de razas bárbaras, lo que es manifiesto hasta en nuestras actitudes religiosas; estamos mal dotados para la religión. No así los celtas, quienes han proporcionado al cristianismo un terreno propicio en los países del Norte. Fue en Francia donde el ideal cristiano floreció en la medida en que lo permite el pálido sol del Norte. ¡Qué extraña sensación de compasión nos causan esos escépticos franceses, en cuanto tienen un poco de sangre céltica en las venas! La sociología de Augusto Comte con su lógica romana de los instintos, ¡qué mal olor a catolicismo exhala!

49

Lo que intriga en la religiosidad de los griegos antiguos es la exuberante gratitud. ¡Qué noble humanidad aquella que adopta tal actitud frente a la naturaleza y la vida! Después, cuando el populacho llegó a ser preponderante en Grecia, *el temor invadió también a la religión; era el embrión del cristianismo que comenzaba a prepararse.*

50

La pasión por Dios es brutal, sincera e importuna, como lo fue la pasión de Lutero. El protestantismo entero carece de *delicadeza* meridional. Hay también formas de exceso oriental, el arrebato del esclavo agradecido o liberado sin haberlo merecido; es el caso, por ejemplo, de San Agustín en quien la falta de nobleza de sus actitudes y deseos llega a ser ofensiva.

51

Los hombres más poderosos han adorado siempre ante el santo como ante un enigma. ¿Por qué esta actitud? ¿Es que sospechaban que el santo, bajo el misterio de su apariencia enclenque y raquítica, era la fuerza superior que intentaba afirmarse en el dominio de sí mismo? En resumen, los poderosos de la tierra conocieron, gracias al santo, un temor nuevo, presintieron un poder nuevo, un enemigo desconocido, aún no sojuzgado; fue la "voluntad" lo que les obligó a detenerse ante el santo. No podían reprimir sus deseos de interrogarle...

52

En el *Antiguo Testamento* judío, el libro de la justicia divina, se encuentran hombres, acontecimientos y discursos en un estilo de tal grandiosidad que no hay nada en los textos sagrados de los griegos y de los indios que pueda considerarse superior. Nos sentimos invadidos por el temor y el respeto ante las huellas maravillosas que nos muestran lo que el hombre fue en otros tiempos, y es motivo de tristeza al reflexionar respecto a la antigua Asia y a su pequeño promontorio, Europa, que se obstina en creer que ella significa, por comparación, el "progreso de la humanidad". Sin duda, si no se es más que un animal doméstico, dócil y complaciente, que no conoce otras necesidades que las del animal doméstico (como las gentes civilizadas de nuestra era, incluyendo a las más cultas), no se encuentra de qué maravillarse ni, sobre todo, de qué acongojarse ante esas ruinas. El gusto por el *Antiguo Testamento* es una piedra de toque para conocer la grandeza o la mediocridad de las almas. Aunque muchos encuentran más de su gusto el *Nuevo Testamento*, el libro de la gracia, reina en él un olor de hipocresía, de beatería y de espíritus limitados. Asociar, uniéndolos, en un mismo volumen ("La Biblia") los dos Testamentos, ha sido quizá la mayor imprudencia y el peor "pecado contra el espíritu" que actualmente gravita sobre la conciencia de la Europa literaria.

53

¿Qué causa o motivo hay para ser ateo en nuestros días si el Dios "padre" ha sido totalmente rechazado, lo mismo que el "juez" "remunerador"? Se ha rebatido "su libre arbitrio": no nos comprende, y si nos comprendiera no podría respondernos. Y lo que es peor, parece que no tiene la facultad de expresarse con claridad. Es lo que he sacado como consecuencia de múltiples conversaciones e investigaciones. Por eso precisamente veo la causa del decaimiento del ateísmo en Europa; y, sin embargo, me parece que el instinto religioso manifiesta un vigoroso renacimiento, pero, a decir verdad, creo que rechaza el apaciguamiento que precisamente le ofrece el ateísmo.

54

En la antigüedad se creía en el "alma" como se creía en la gramática y en el sujeto gramatical. Se decía: "yo", determinante; "pienso", predicado determinado; pensar en una actividad que necesita un sujeto como causa. Más tarde, con una obstinación y una agudeza admirables se trató de deshacer ese nudo, y se pretendió que la verdad era precisamente lo contrario: "pienso", determinante; "yo", determinado; "yo" vendría a ser una síntesis *operada* por el pensamiento. En el fondo, Kant quiso demostrar partiendo del sujeto, que éste no podía ser demostrado, ni el objeto tampoco. No obstante la idea de que el sujeto individual no podía tener otra existencia que la *puramente fenoménica*, quizá pasó en más de una ocasión por su mente, pensamiento que, por otra parte, ya se había manifestado en la filosofía de los Vedanta con una fuerza colosal.

¿Qué hace, en suma, la filosofía moderna? Descartes y los demás filósofos —éstos, con espíritu contradictorio— se lanzan desde todas partes contra el antiguo concepto del alma, con el pretexto de criticar los conceptos de sujeto y predicado, lo que constituye un ataque a una de las hipótesis fundamentales de la doctrina cristiana. La filosofía más reciente, que es incrédula respecto al conocimiento es, de una manera abierta o velada, *anticristiana,* pero aquellos que posean los sentidos más abiertos a la realidad, podrán darse cuenta de que esta filosofía no es decididamente antirreligiosa.

55

La crueldad religiosa ofrece diversas manifestaciones. Antiguamente se ofrecía a los dioses el sacrificio de seres humanos, a veces a quienes más se quería; por ejemplo, el sacrificio de los recién nacidos que se efectuaba en todas las religiones primitivas y el sacrificio que el emperador Tiberio ofreció en la guerra de Mitra, en Capri, el error anacrónico más horripilante de la historia romana. Más tarde, en el período "moral" de la humanidad, ésta hacía a sus dioses el sacrificio de sus más fuertes instintos, su "naturaleza"; es ésta la alegría solemne que brilla en la mirada cruel del asceta. ¿Acaso no era necesario inmolar todo consuelo, toda santidad, toda esperanza, toda salvación, toda fe, en una armonía oculta, en una felicidad y justicia futuras? ¿No era preciso sacrificar al mismo Dios, ejerciendo la crueldad en sí mismo, y rendir culto a lo muerto, a la tontería, al destino, a la nada? Sacrificar a Dios a la nada, al paradójico misterio de la suprema crueldad, estaba reservado a la generación presente; de ello todos nosotros sabemos algo.

56

Quien se ha dedicado por mucho tiempo a penetrar sus últimas consecuencias en el pesimismo y a liberarlo de la estrechez de espíritu, y ha llegado hasta el fondo del pensamiento más negativo que haya existido (más allá del bien y del mal y no ya como Buda y Schopenhauer, bajo el afán y la ilusión de la moral), abrirá los ojos para el ideal opuesto, es decir, al ideal del hombre más impetuoso, más vivo, más afirmador del universo; del hombre que, además de haber aprendido a adaptarse por completo a todo lo que ha sido y lo que es y a soportarlo, desea volver a ver todas las cosas *tal como han sido y tal como son,* para toda la eternidad…

57

Posiblemente llegará el día en que los conceptos más solemnes, aquellos por los que más se ha combatido y sufrido, los conceptos de "Dios" y del "pecado", no nos parecerán más importantes que los juguetes o los enojos de la infancia ante los ojos de un anciano. Posiblemente "el anciano" necesite entonces un nuevo juguete, sentir un nuevo enojo…. ¡siempre niño, eternamente niño! Porque el hombre ve ensancharse ante él el espacio y el horizonte a medida que se perfila la agudeza de su intelecto y la amplitud de su perspicacia. Su mundo se vuelve más profundo, surgen nuevas estrellas, e imágenes nuevas aparecen sin cesar ante sus ojos. Tal vez las cosas que su perspicacia y su penetración tocaron, no constituían más que una especie de juego, propio de niños y de espíritus superficiales.

58

En toda vida verdaderamente religiosa, la ociosidad o una semiociosidad está siempre presente (el estado de dulce beatitud que se llama oración y que es un estado de preparación perpetua de la "venida de Dios"). La ociosidad a la cual me refiero va unida a una buena conciencia, aquella que no carece de un cierto sentimiento aristocrático, que sugiere que el trabajo es una vergüenza que corrompe el alma al igual que el cuerpo. Sin embargo, ¿habéis reflexionado que ese gusto por el trabajo, característico de la época moderna, esa actividad ruidosa, con su tiempo, orgullosa de sí misma —estúpidamente orgullosa—, nos dirige y nos impulsa hacia la "incredulidad"? Entre aquellos de nosotros que en Alemania viven apartados de la religión, hay "librepensadores", víctimas por generaciones de la fiebre de actividad que han acabado por destruir los instintos religiosos hasta el grado de que se desconoce actualmente hasta la razón de existir de las religiones. Estos hombres no registran más que una especie de asombro indolente ante la presencia de estas religiones en el mundo. Esas buenas gentes están absorbidas por sus negocios o por sus placeres, además de su "patria", de sus periódicos y de sus "deberes de familia", que, al parecer, no hallan tiempo para la religión. No se dan cuenta exacta de si se trata de un nuevo negocio o de un nuevo placer, pues no pueden creer que se asista a la iglesia únicamente para ensombrecer el buen humor. No es que sean enemigos de las prácticas religiosas; si se necesitara que tomasen parte en ellas, por ejemplo en circunstancias oficiales, hacen lo que se les pide, de la misma forma que hacen tantas otras cosas, con aire grave, paciente y modesto, sin mucho interés ni desagrado. Viven muy al margen y apartados de la religión para experimentar la necesidad de pesar la serie de factores, sentimientos e ideas que coinciden en las religiones con ayuda de la historia; el sabio llega a considerar las religiones con una seriedad salpicada de respeto y de condescendencia algo temerosa. Sin embargo, aunque lograse elevar su sentimiento hasta sentir gratitud por las religiones, no ha dado aún ni un paso por sí mismo hacia lo que subsiste todavía con el nombre de iglesia y de piedad, sino más bien lo contrario. La indiferencia práctica hacia las cosas religiosas, en medio de la cual se educó se suele plasmar en esa forma de prudencia y de gusto por la limpieza intelectual que le hacen temer el contacto con las cosas y los hombres religiosos. Tal vez es la profundidad de su tolerancia y de su humanidad lo que le impulsa a huir de las situaciones delicadas que la tolerancia trae consigo. Cada época tiene su propia verdad, con una adorable ingenuidad que es envidiada por las otras épocas. Cuánta ingenuidad venerable, sutil e infinitamente torpe encierra esa creencia del sabio en su propia superioridad, en el candor de su tolerancia y en la seguridad ciega y cándida con que trata instintivamente al hombre religioso que considera como a un hombre mediocre, inferior, a quien ha rebasado y superado él, cuando no es más que un pretencioso plebeyo ágil y laborioso, un obrero intelectual y manual de las "ideas", de las "ideas modernas".

59

Aquel que haya examinado el fondo de las cosas intuye toda la sabiduría residente en la superficialidad de los hombres. Es un instinto de conservación el que les obliga a ser más ligeros y falsos. Encontramos por todas partes, incluso en filósofos y artistas, el culto apasionado y excesivo de las "formas puras": artistas natos para quienes no hay otra forma de gozar la vida más que la de falsear su imagen (lo que representa una especie de venganza contra la vida). Podría deducirse el grado o medida en que les resulta detestable la vida según la forma en que desean ver falsear su imagen, diluirla, trascenderla, divinizarla. El temor profundo de caer en un pesimismo incurable obliga a aferrarse a una interpretación religiosa de la exigencia. El instinto teme a la verdad que llega al hombre antes de que éste se haya convertido en un ser fuerte, duro y bastante artista. En este aspecto, la "compasión", la "vida en Dios", aparecerían como el producto más refinado y exquisito del *temor* a la verdad, como una devoción y embriaguez de artista ante la más sistemática de todas las falsificaciones. Posiblemente no haya habido jamás medio más eficaz de embellecer al hombre que la piedad; la piedad es la que lo transforma en arte, en superficie, en juego de colores, en bondad, llegando hasta dejar de sufrir. Así, pues, se podría considerar a esos artistas como *homines religiosi* del más alto grado.

60

El sentimiento más noble y distinguido por el que han pasado los hombres, ha sido el de amar a sus semejantes por *amor* a Dios. El amor a los hombres, sin alguna reserva mental que lo santifique, es una tontería y una brutalidad además. La inclinación por este amor a los hombres recibe su medida y su delicadeza de una inclinación superior. El primero que sintió y experimentó esas cosas delicadas debiera permanecer para siempre sagrado y venerable, como aquel que llegó a la cima más alta y se extravió más bellamente.

61

El filósofo, según nuestro concepto, forma parte del grupo de espíritu libres; éstos son los hombres que asumen la responsabilidad más amplia y que se sienten responsables de la evolución global de la humanidad. Estos hombres podrán servirse de las religiones para su obra de selección y de educación, así como se servirían, llegada la ocasión, de las circunstancias económicas y políticas. La acción selectiva, educativa, tanto destructiva como creadora, que se ejerce mediante las religiones, es una acción muy firme y diversa, según la idiosincrasia de aquellos a quienes se la confían. Para los fuertes, los independientes, para los que están preparados y predestinados al mando, la religión es un medio más para superar las resistencias y llegar a dominarlas; es un lazo de unión entre señores y súbditos, siendo estos últimos los que entregan a los primeros sus propias conciencias y todo lo que tienen de más último y oculto. Si hay hombres que se inclinan, debido a su elevada espiritualidad, a llevar una vida más retirada y contemplativa (reservándose solamente la forma más sutil de la dominación, sobre unos discípulos elegidos o hermanos de su comunidad), la religión puede servirles como medio para encontrar la paz, lejos del ruido y los problemas que implican una dominación *más grosera,* pues es su forma de conservarse puros de la suciedad que entraña toda acción política. Los brahmanes, por ejemplo, así lo entendían. Por medio de una organización religiosa, se confiere al pueblo el poder de nombrar sus reyes, manteniéndose ellos mismos al margen de la vida pública, como hombres dedicados a tareas superiores. No obstante, la religión sirve también de guía a numerosos subalternos y les da la posibilidad de prepararse para dominar y mandar algún día. Me refiero a las clases y castas más vigorosas en lenta ascensión, porque a éstas la religión las impulsa y las incita a elevarse a una espiritualidad superior y a experimentar las emociones de la gran victoria sobre sí mismas, del silencio y de la soledad. El ascetismo y el puritanismo son medios casi indispensables de educación y de ennoblecimiento, cuando una raza quiere superar su origen plebeyo y elevarse por medio de su esfuerzo al mando. En cuanto a los hombres vulgares, por último, al mayor número, que no están allí más que para servir y ser útiles, y no tienen otra razón de ser, la religión les proporciona el enorme beneficio de mantenerlos conformes con su destino y con su índole; les concede un poco más de dicha y un poco más de amor para vivir con sus semejantes y llegar a transfigurar y a embellecer toda la tristeza y miseria de la vida cotidiana. Posiblemente no haya nada tan venerable en el cristianismo y en el budismo como el arte de enseñar, incluso al más humilde, a elevarse por medio de la compasión a un orden de cosas ficticio y superior, y, por lo mismo, a resignarse con el orden real que le hace la vida tan dura, dureza que precisamente es en todo caso necesaria.

62

En resumen, sobre el balance de las religiones hay que decir que se paga siempre excesivamente caro el hecho de que las religiones, en lugar de permanecer como procedimientos de selección y educación en manos de los filósofos, pretenden ser fines últimos y no medios entre otros medios. En el hombre, así como en las demás especies animales, existe un gran número de fracasados, de enfermos, de degenerados, de seres débiles entregados al sufrimiento. Los éxitos de nomalidad deseables, son siempre la excepción, pese a las mchas consideraciones que pudieran hacerse respecto al hombre. Pero hay aún más: mientras más alto está en la jerarquía el tipo humano que representa a la especie, tanto más inverosímil es que logre prosperar. La suerte, la ley del absurdo en la economía global de la humanidad no se manifiesta en ninguna parte de forma más espantosa que en la acción despectiva que estos factores ejercen sobre los hombres superiores cuyas condiciones de *existencia son delicadas, complejas y difícilmente previsibles.* ¿Cómo se comportan las dos grandes religiones, el cristianismo y el budismo, respecto de estos numerosos fracasados? Intentan hacerles supervivir, conservar todo lo que sea posible conservar; incluso inclinarse sistemáticamente a favor de ellos; y puesto que son las religiones de los que sufren, dan la razón a todos los que soportan la vida como si fuera una enfermedad y que desearían obligar a considerar falso cualquier otro sentimiento de la vida y a hacerlo imposible. Las religiones que han reinado como soberanas hasta hoy, han ayudado bastante a mantener el tipo del hombre a un nivel inferior; han conservado demasiados seres que hubiera sido mejor que fallecieran. ¡Sólo invertir todos los valores es lo único que les faltó hacer! Pero han sabido quebrantar a los fuertes y debilitar las grandes esperanzas, hacer sospechosa la vida que ofrece la belleza, minimizar todos los sentimientos de orgullo, de virilidad, de potencia y todos los instintos característicos del tipo humano más elevado y más logrado: tal fue la tarea que se impuso la Iglesia y que debía preponderar hasta que lograse fundir en una misma noción el renunciamiento al mundo y la mortificación de los sentidos, de una parte, y la noción de "hombre superior", por otra. Si pudiéramos contemplar con mirada irónica e indiferente la comedia singular y dolorosa, vulgar y refinada a la vez, que nos ofrece la cristiandad europea, creo que acabaríamos prisioneros del asombro y de una risa inagotable. ¿Se creería que ha gobernado en Europa como monarca absoluto durante los siglos una sola y única voluntad: la de hacer del hombre un *sublime aborto?* Aquel que al encontrar en su camino esta forma degenerada del hombre que representa a la Europa cristiana, Pascal, por ejemplo, exclama con ira, con pasión y espanto: "¡Oh torpes, torpes presuntuosos, los que os apiadáis de ese modo, ¿qué habéis hecho! ¿Era ésa una tarea digna de vuestras manos? ¡Cómo habéis estropeado y profanado mi más bello mármol! ¿Qué es lo que habéis permitido?" De esta manera, es como expreso mi sentimiento de que el cristianismo ha sido hasta ahora la forma más funesta de la vanidad del individuo. Rigieron nuestros destinos en Europa, con su principio de la "igualdad ante Dios", hombres que no eran suficientemente grandes ni suficientemente duros para tener el derecho de modelar al hombre; hombres que no eran bastante fuertes ni suficientemente perspicaces para aceptar con sublime abnegación la ley que impone fracasos y caídas innumerables; hombres que no eran suficientemente nobles para prever los abismos que separan al hombre del hombre. Gobernaron hasta que, obviamente, hizo su aparición una raza disminuida, casi ridícula, un animal gregario, un ser dócil, enfermizo, mediocre: el hombre que conocemos como tipo representativo del europeo de hoy.

CUARTA PARTE

MÁXIMAS E INTERMEDIOS

63

El hombre que ha nacido con espíritu de maestro toma las cosas en serio para beneficio suyo y de sus discípulos.

64

La última trampa que nos pone la moral es la del "conocimiento por el conocimiento mismo". Y terminamos por caer atrapados una vez más en sus redes.

65

Sería muy poco el atractivo que nos ofrece el conocimiento si no hubiera que vencer tantos obstáculos, tanto pudor, para alcanzarlo.

66

Con quien más deslealtad mostramos es con Dios, al que no le permitimos pecar.

67

¿No sería el pudor de un dios vivo entre los hombres la tendencia a rebajarse, a dejarse engañar, explotar y quitar lo que con tanto esfuerzo se ha conseguido?

68

El hecho de que una sola cosa o persona merezca nuestro amor es una forma de barbarie, pues excluye a todos los demás. Así el amor a Dios, en este caso.

69

Cuando la memoria nos recuerda que uno ha sido el sujeto actuante en una determinada acción, el orgullo contesta inexorable que no es verdad, pero, a fin de cuentas, el orgullo vence a la memoria.

70

No se es buen observador cuando solamente se observa la mano que mata y no quien la dirige.

71

Poseer firmeza de carácter, es tener en la vida una experiencia característica que constantemente se repite.

72

El sabio como astrónomo.—Mientras veas y sientas a las estrellas más arriba de tu persona, no posees aún la mirada del conocimiento.

72-bis

No es la intensidad, si no la duración de un gran sentimiento lo que hace de su poseedor un hombre superior.

73

Conseguir un ideal, es superarlo al mismo tiempo.

73-Bis

Ocultar a todos la cola de pavo real que posees, es a lo que llamas tu orgullo.

74

Cuando el hombre de genio carece de las virtudes de gratitud y pureza es insoportable por grande que sea su genio.

75

El grado y la naturaleza de la sexualidad en el hombre penetran hasta la más alta cima de su espíritu.

76

Cuando no hay guerra en la cual participar, el hombre belicoso sostiene una lucha contra sí mismo.

77

Los principios se utilizan para tiranizar, para justificar, para honrar, para infamar o para disimular nuestros hábitos. Dos hombres que ten-

gan los mismos principios, pueden hacer que éstos sirvan para fines diametralmente opuestos.

78

Quien se menosprecia a sí mismo, por lo menos se honra como despreciador.

79

Cuando un corazón que se sabe amado es incapaz de corresponder,
hace traición a su fondo y los posos suben a la superficie.

80

Pierde interés a nuestros ojos una cosa que se explica. ¿Qué quería
decir aquel dios que aconsejaba: "Conócete a ti mismo"? ¿Quería decir:
"Deja de interesarte por ti mismo; hazte objetivo"? ¿Y Sócrates? ¿Y los
"hombres de ciencia"?

81

Es preciso mitigar la sed de vuestra verdad aunque ésta no sea buena,
ya que morir de sed en el mar sería espantoso.

82

"Piedad para todos": ¡eso sería crueldad y tiranía para ti, amigo vecino!

83

El instinto.—Cuando hay fuego, el dueño de lo que se quema se olvida hasta de comer. Sí, para luego desquitarse haciendo una comida sobre las cenizas.

84

A medida que la mujer va olvidando el arte de agradar, aprende a odiar.

85

Las mismas pasiones arden a un ritmo diferente en el hombre y en la mujer; he ahí la causa de sus interminables malentendidos.

86

Las mujeres mismas, en el fondo de su desmedida vanidad personal, mantienen siempre vivo un menosprecio impersonal por "la mujer".

87

¿Corazón encadenado? Espíritu libre.— Cuando se aprisiona el corazón y se le mantiene en cautiverio, entonces se puede conceder gran libertad al espíritu. Ya lo había dicho en otra ocasión; pero, exceptuando a quienes lo saben, los demás no me creen.

88

Cuando una cierta sensación de inseguridad inunda a las personas inteligentes, comenzamos a desconfiar de ellas.

89

Una vida de aventuras terribles nos hace sospechar si aquel a quien le han sucedido, no será él mismo un ser igualmente terrible.

90

Los hombres graves y melancólicos sienten más ligero su espíritu con aquellos sentimientos que pesan a los demás: el odio y el amor. Y se les ve remontar por un tiempo a su propia superficie.

91

¡Tan frío, tan helado que, al posar la mano, los dedos se queman; y la mano que lo toca retrocede horrorizada! Y por eso mismo algunos lo creen ardiente.

92

¿Hay alguno entre nosotros que no se ha sacrificado ya a sí mismo, en aras de su buena reputación?

93

En la humildad no hay aversión, y si la hay, ésta manifiesta un gran desprecio hacia el hombre.

94

La madurez del hombre es haber vuelto a encontrar la seriedad con que jugaba cuando era niño.

95

Sentir vergüenza por los actos o pensamientos inmorales es el primer grado de la escala mediante el cual llegamos sentir vergüenza de nuestra moralidad.

96

Hay que abandonar la vida, como Ulises abandonó a Nausicaa: con más gratitud que amor.

97

¿Opináis que ése es un gran hombre? Yo no veo en él más que el comediante de su propio ideal.

98

Una conciencia bien aleccionada nos acaricia, y al mismo tiempo nos hace sentir la mordedura de su doble intención.

99

Un desencantado.— Esperaba oír el eco y a mis oídos no llegaron más que elogios.

100

Ante nosotros mismos, fingimos ser siempre más ingenuos de lo que en realidad somos; así logramos descansar de nuestros contemporáneos.

101

En nuestros días, quienes se aproximan a la verdad tienden a creer que en ellos encarna un dios, trasformado en animal.

102

Saber que somos amados por reciprocidad, desengaña al enamorado del ser que ama. "¿Cómo? ¿Qué es bastante modesto para amarte? ¿O bastante tonto? ¿O bien, o bien…?"

103

El peligro de la felicidad.— "Para lo sucesivo todo me es sonriente; de ahora en adelante amaré cualquier destino. ¿Quién tiene deseos de ser mi destino?"

104

No es la caridad, sino la impotencia de ésta lo que calma el deseo de los cristianos de hoy… para quemarnos vivos.

105

Al espíritu libre, al que con devoción dedica su vida al conocimiento, le repugna más aún la *pia fraus,* que choca con su "piedad", que la *impia fraus.* De aquí su profundo repudio a la Iglesia tradicional en los espíritus libres; que es incluso el sojuzgamiento del "espíritu libre".

106

Las pasiones encuentran en la música el ofrecimiento de gozar de sí mismas.

107

Una vez decidida una acción, no debemos reparar en el camino ni detenernos ante la objeción mejor fundada. Este es el signo de un carácter fuerte; aunque a veces implique la voluntad llevada hasta la estupidez.

108

Los fenómenos morales no existen, sólo existen interpretaciones morales de los fenómenos.

109

Sucede a menudo que el criminal no está a la altura de su acto: le empequeñece o le calumnia.

110

Hay pocos abogados dotados de un espíritu artístico susceptible de utilizar la terrible belleza de un acto criminal, en favor de quien lo ejecuta.

111

Cuando se acaba de herir el orgullo de una persona es el momento más difícil para herir su vanidad.

112

El que siente inclinación a la contemplación y no a la fe encuentra a todos los creyentes demasiado escandalosos e indiscretos, y, por lo tanto, los evita.

113

¿Quieres que alguien esté dispuesto a hacer algo por ti? El camino es mostrarte asombrado ante él.

114

La prodigiosa esperanza, y el pudor de esta esperanza, que las mujeres ponen en el amor carnal, les hacen estropear todas las perspectivas.

115

Allí donde las armas del amor y del odio no entran en juego, la mujer no es más que una mediocre actriz.

116

Las épocas de mayor esplendor de nuestra vida son aquellas en las cuales reunimos el valor suficiente para declarar que lo malo que hay en nosotros es lo mejor de nosotros mismos.

117

La voluntad de triunfar de una pasión no es más que la voluntad de una o de varias pasiones.

118

Hay un estado de inocencia de la admiración; pero el que no lo conoce no se percata de que tal vez se le admire algún día.

119

La repulsión que sentimos hacia la suciedad puede ser tan grande, que no nos deje limpiarnos, "justificarnos".

120

La sensualidad suele crecer más rápidamente que el amor, de ahí que sus raíces sean endebles y fáciles de estirpar.

121

Fue un acto de delicadeza que Dios, cuando se decidió a escribir, aprendiese el idioma griego y que no lo aprendiese mejor.

122

Alegrarse de un elogio es algunas veces una cortesía del corazón; pero lo contrario es, sin duda, una vanidad del espíritu.

123

El concubinato mismo ha sido corrompido por el matrimonio.

124

El hombre no se entristece ni aun ardiendo en la hoguera, no triunfa del dolor, sino de no sentir el dolor que esperaba. Ello tiene toda la significación de un símbolo.

125

Cuando nos vemos obligados a cambiar de opinión respecto a alguna persona, nos cuesta trabajo disimular la contrariedad que nos causa.

126

Un pueblo es el rodeo que da la naturaleza para llegar a seis o siete grandes hombres…, y para evitarlos en seguida.

127

Toda mujer siente su pudor ofuscado por la ciencia. Le parece como si la miraran por debajo de la piel; peor aún, por debajo de sus ropajes.

128

Cuanto más abstracta sea la verdad que enseñes, más necesidad tendrás de concentrar todos tus sentidos en ella.

129

El diablo es el que tiene respecto a Dios las más vastas perspectivas; por eso se mantiene tan lejos de él. ¿No es el diablo el amigo más viejo del conocimiento?

130

El ser verdadero empieza a manifestarse cuando el talento decae, cuando deja de mostrar lo que *sabe hacer*. El talento es también un adorno como otro cualquiera, que, a veces, hace el papel de disfraz.

131

Los sexos se engañan mutuamente. ¿No es esto la prueba de que en el fondo, no se quieren y que sólo se respetan a sí mismos (o a su propio ideal, para expresarme en términos más halagadores)? Así, el hombre quiere que la mujer sea toda dulzura; pero la mujer, como la gata, es *por naturaleza*, algo muy lejano a la dulzura, por extraordinaria que sea su habilidad para mostrar que la posee.

132

Por nuestras virtudes es por lo que más somos castigados.

133

El camino de la vida de quien no encuentra su propio ideal, le conduce a una existencia más difícil e imprudente que la de aquel que no tiene ningún ideal.

134

De los sentidos proviene toda manifestación de certidumbre, toda buena conciencia, toda evidencia de verdad.

135

La hipocresía no es una degeneración de la virtud, sino todo lo contrario; y, en gran parte, es su condición.

136

Entre quien busca una comadrona para sus pensamientos y otro que busca quien pueda ayudarlo a parirlos, nace un diálogo fructuoso.

137

Mediante el trato con sabios y artistas, en ocasiones descubrimos en un sabio notable un hombre mediocre, y en un artista mediocre, a veces, un hombre muy notable.

138

Así en la vigilia como en el sueño, empezamos por inventar y crear a nuestro interlocutor; para después empeñarnos en olvidarlo.

139

En la venganza, como en el amor, la mujer es más arrebatada que el hombre.

140

Consejo en forma de adivinanza.— ¡Si quieres estar seguro de que la cadena es resistente, muérdela!

141

Lo que al hombre le impide considerarse como un dios es su bajo vientre.

142

La siguiente es la frase más púdica que he oído jamás: "En el verdadero amor, el alma es la que envuelve al cuerpo."

143

El origen de muchas morales no está más que en el deseo de nuestra vanidad de hacer que pase por muy difícil lo que hacemos mejor.

144

Cuando una mujer siente inclinación hacia la ciencia, es muy frecuente que haya algo anormal en su sexualidad. La esterilidad predispone a cierta virilidad de los gustos. El hombre es, dicho sea con respeto, un animal estéril.

145

Al comparar en conjunto el hombre y la mujer, puede decirse que la mujer no tendría el genio del adorno si no poseyera también el instinto de ser la actriz que siempre representa el *segundo* papel.

146

En la lucha contra bestias hay que cuidarse de no convertirse en bestias uno mismo. Si tu mirada se dirige sólo hacia el abismo, el abismo acaba por infiltrarse en ti.

147

En una colección de antiguas novelas florentinas, se lee esta chispa de ingenio confirmada por la vida: *Buona femmina e mala femmina voul bastone.* (Tanto la buena como la mala mujer, quieren un sostén. Sacchetti, Nov. 86.)

148

Inducir al prójimo a que tenga una buena opinión de nosotros y después creer de buena fe en esa opinión: en este alarde ¿quién sería capaz de emular a las mujeres?

149

Lo que una época considera malo suele ser el residuo anacrónico de lo que en otro tiempo pasaba por ser bueno: la herencia de un ideal anterior.

150

Todo lo que rodea a un héroe se convierte en tragedia; alrededor de un semidios todo se convierte en drama satírico; en torno a Dios todo se transforma… ¿en qué? Tal vez en "universo".

151

No basta tener talento, sino que hace falta también el permiso para tenerlo. ¿No es eso, amigos míos?

152

"Allí donde crece el árbol del conocimiento, se encuentra el paraíso"; ésta es la opinión de las serpientes más jóvenes y de las más viejas.

153

Lo que se hace por amor siempre se hace más allá del bien y del mal.

154

El espíritu de contradicción, las travesuras, la desconfianza alegre, la ironía, son signos de salud. Toda forma de absoluto pertenece al dominio de la patología.

155

El sentimiento de lo trágico crece o disminuye según sea la sensualidad.

156

La locura raramente la sufren los individuos; sin embargo, en los grupos, en los partidos y en las naciones, ha sido la regla de ciertas épocas.

157

El pensamiento del suicidio es un poderoso consuelo; ayuda a sentirse confortado más de una mala noche.

158

Nuestro instinto más fuerte domina por igual a nuestra razón y a nuestra conciencia.

159

Es verdad que hay que devolver el bien y el mal; pero, ¿por qué precisamente a la persona que nos ha hecho el bien o el mal?

160

Desde el momento en que comunicamos nuestro conocimiento, ya no nos gusta tanto.

161

Los poetas no tienen el pudor de sus aventuras; las explotan.

162

"Nuestro prójimo no es nuestro vecino, sino el vecino de éste"; así piensan todas las naciones.

163

La causa de que nos engañemos con tanta facilidad respecto a lo que en el enamorado es la regla, está en el poder que tiene el amor para sacar a la luz las mejores cualidades, aparentes y ocultas, del enamorado, es decir, cuanto hay en él de raro y excepcional.

164

Jesús decía a sus compatriotas judíos: "La ley era para los esclavos; amad a Dios como yo lo amo, como hijo. ¡Qué nos importa a nosotros, hijos de Dios, la moral!"

165

En provecho de todos los partidos.— Cada pastor necesita un carnero que sirva de guía al rebaño; si no lo tiene, le tocará a él hacer de carnero cuando llegue la ocasión.

166

La boca puede mentir, pero el gesto que se hace en ese momento dice toda la verdad.

167

Entre los hombres duros, la intimidad no sólo es cosa púdica, sino también superlativamente hermosa.

168

El cristianismo ha pervertido a Eros; éste no ha muerto en él, pero se ha convertido en un vicioso.

169

Hablar mucho de sí mismo puede ser un medio para ocultarse.

170

Hay en el elogio más indiscreción que en la censura.

171

La compasión en el hombre entregado al conocimiento parece casi risible; tan risible como unas manos delicadas en el cíclope.

172

Por amor a la humanidad abrazamos al primero que llega, en vista de que no podemos abrazar a todos los hombres; pero esto lo debemos hacer ver a ese primero que llega.

173

No se odia a quien se desprecia, sino al adversario considerado como igual o superior a uno mismo.

174

¡También vosotros, oh utilitaristas, no amáis lo útil, sino el *vehículo* de vuestras inclinaciones, y también vosotros encontráis a veces intolerable el rechinar de sus ruedas!

175

Llegamos a olvidar el objeto de nuestro deseo, para amar simplemente el deseo.

176

La vanidad del prójimo sólo ofende nuestro gusto cuando choca con nuestra propia vanidad.

177

Quizá nadie haya tenido la virtud de ser lo suficientemente sincero para definir la sinceridad.

178

Nos resistimos obstinadamente a creer en las tonterías de los sabios. ¡Qué pérdida para los derechos del hombre!

179

Las consecuencias de nuestras acciones nos agarran inexorablemente por los cabellos siéndoles indiferente que en el intervalo nos hayamos corregido.

180

Toda mentira implica una inocencia que es signo de buena fe.

181

Es inhumano e indigno bendecir cuando somos maldecidos.

182

Porque no podemos devolvérsela nos irrita la familiaridad de un hombre superior.

183

Lo que más me agobia, no es que me hayas mentido, sino que en lo sucesivo no podré creer lo que me digas.

184

Cuando percibimos la exuberancia en bondad, nos acordamos de la malignidad.

185

"Eso me agrada." "¿Por qué?" "Porque no estoy a su misma altura." ¿Se ha dado alguna vez una respuesta semejante?

QUINTA PARTE

CONTRIBUCIÓN A UNA HISTORIA
NATURAL DE LA MORAL

186

Así como el sentimiento moral en la Europa moderna es sutil, susceptible y refinado, de igual manera la "ciencia moral" se mantiene joven y, por lo tanto, torpe. Y en vista de lo que designa, el término "ciencia moral" no sólo resulta ambicioso, sino también contrario al buen gusto. Sería preferible confesar que la única tarea legítima en este dominio sería reunir documentos, a fin de definir lógicamente los sentimientos sutiles de diferenciaciones entre los valores que lo mismo se producen que perecen. Porque por extraño que parezca, lo que más ha faltado a todas las "ciencias morales" constituye de por sí el problema mismo de la moral. Lo que los filósofos llamaban el "fundamento de la moral", no era, bien mirado, más que una forma ingenua de la moral reinante y una manera de expresarla. Por lo tanto, un estado de hecho dentro de una moralidad, viene a ser lo mismo que una manera de negar que esta moral pudiese ser considerada, en última instancia, como un problema. Escúchese, por ejemplo, con qué candor casi venerable Schopenhauer definía su tarea y saquemos las conclusiones respecto al carácter científico de una "ciencia" cuyos últimos maestros hablan todavía con los niños y las viejas. "El principio —dice Schopenhauer *(El fundamento de la moral,* Cap. II, Pág. 6)— respecto al cual todos los moralistas están realmente de acuerdo: *Neminen laede; imno omnes, quanta potes, iuva* es el *verdadero* principio que todos los moralistas se empeñan en justificar. La dificultad de dar solidez a este principio moral, hace ya muchos siglos que se busca de la misma

manera que se trató de hallar la piedra filosofal. Sin embargo, sabemos
también que Schopenhauer, según su biografía, también fracasó en dicho empeño. Así, pues, Schopenhauer, aunque pesimista tocaba la
flauta todos los días después de comer. Y si un pesimista negador
de Dios y del universo se detiene ante la moral y dice sí a la moral del
neminem laede, ¿es un verdadero pesimista?

187

Aunque parezca paradójico, la realidad es que más de un moralista insiste en ejercer su pretendida imaginación creadora aún a costa de
la humanidad, y Kant quizá sea uno de ellos, puesto que da a entender con su moral: "Lo que es respetable para mí está en que sé obedecer, lo cual no debe ser diferente en vosotros." Sin embargo, es obvio
que aun sin detenernos a examinar el valor de ciertas afirmaciones,
cabe poner atención en ésta: "Hay en nosotros algo que constituye un
imperativo categórico", de suerte que cabe preguntarse qué significado tiene una afirmación con relación a quien la profiere. Hay, por
tanto, morales que están destinadas a justificar la moral de su autor
ante el prójimo; otros, en cambio, le son útiles para ocultarse, trans-
figurarse o trasponerse en una esfera más elevada y, sobre todo, más lejana. Tal moral es olvidar y hacerse olvidar, sino total por lo menos
parcialmente. En resumen: Las morales también son una *semiología de
las pasiones*.

188

Convengamos, pues, en que toda moral, si es contraria al *laisser-aller*,
como lo es, forzosamente ha de ser también una fuerza tiránica contra
la naturaleza, y, por ende, contra toda razón; pero esto no es una objeción contra ella, a menos que quiera ordenar, en nombre de otra cualquier moral, la prohibición de toda tiranía y de toda sinrazón. Y,
naturalmente, para comprender el estoicismo, o el puritanismo (Port-
Royal) es preciso acordarse de que casi siempre y por efecto de una
sujeción es como el lenguaje ha llegado a tener libertad y vigor; es decir,

sujeción en cuanto a métrica, tirana de la rima y del ritmo. ¡Qué de trabajo se tomaron en todos los pueblos de la tierra de los poetas, los oradores y no pocos prosistas de nuestros días, cuyo oído les impone una
exigencia inexorable! Mas por extraño que esto pueda parecer, es incuestionable que todo lo que existe y ha existido sobre la tierra, en el arte de
gobernar, de hablar o de convencer, en las bellas artes y en las morales,
no ha florecido más que bajo la tiranía de esas "leyes arbitrarias". Parece, para decirlo de una vez, que la prolongada servidumbre del espíritu,
la desconfianza y la violencia en la comunicación de los pensamientos a
que se sujetaba todo pensador al someter sus pensamientos a una norma eclesiástica, a la etiqueta de una corte, o bien a los postulados de
Aristóteles; la voluntad del espíritu, persistente en imponer los hechos
conforme a un esquema cristiano y descubrir en el menor azar al Dios
cristiano; todo este esfuerzo, terriblemente arbitrario, duro y contrario
a la razón; todo, en fin, se ha revelado como manera de insuflar al espíritu europeo su vigor, su desenfrenada curiosidad y su agilidad. De ahí
precisamente que, durante miles de años, los pensadores europeos sólo
han pensado más que para demostrar alguna cosa (ahora, por el contrario, todo pensador nos parece sospechoso tan pronto como manifiesta
el propósito de "demostrar" algo); sin embargo, han sabido siempre
anticipadamente hacia dónde conducir su razonamiento más inflexible,
como sucedió con los antiguos astrólogos de Asia, por ejemplo, o como
sucede actualmente con los inofensivos devotos que explican los acontecimientos más íntimos según la moral cristiana "a la gloria de Dios" o
"para la salvación del alma". Esta tiranía, tanto ha "adiestrado" el espíritu, que hasta parece que la esclavitud, en todas sus manifestaciones, sea
el único e indispensable medio de disciplinar y educar el espíritu. Consideremos en todas las morales lo que hay en ellas de "naturaleza" y qué
es lo que nos induce a detestar el *laisser-aller;* es lo que enseña a *reducir
las perspectivas,* y, por consiguiente, a considerar la estupidez como condición imprescindible de la vida y del crecimiento. "Tú obedecerás, no
importa a quién, y por mucho tiempo, de lo contrario, marcharás hacia
la ruina y perderás hasta el último vestigio de tu propia estima." Tal
parece ser el imperativo categórico moral de la naturaleza, que, por otra
parte, no es verdadero ni "categórico", como exigía el viejo Kant (de ahí
el "de lo contrario"), ni destinado a los individuos (¡qué le importan a
la naturaleza los individuos!), sino a los pueblos, a las razas, a las épocas,

a las clases sociales y, ante todo, al animal hombre por entero, es decir, a la especie humana.

189

La ociosidad es un peso sobre las espaldas de las razas laboriosas. Mediante un golpe maestro el instinto inglés hizo del domingo un día santo y aburrido, tan aburrido que desea inconscientemente el retorno de los días de trabajo. Es necesario que haya diversas clases de ayuno. En todas partes donde reina el poder de los instintos y de los hábitos, es labor del legislador introducir días en que cada uno de estos instintos esté amordazado y encadenado para que aprenda a desear de nuevo. Consideradas las cosas desde un punto de vista superior, las generaciones y épocas enteras, que padecieron cualquier forma de fanatismo moral, son como estos períodos intercalados de sojuzgamiento y de ayuno. Durante estos períodos un instinto aprende a doblegarse y a someterse, y al mismo tiempo a purificarse y a *afinarse*. De la misma manera algunas sectas filosóficas permiten semejante interpretación (por ejemplo, el estoicismo en medio de un ambiente corrompido, como fue la civilización helenista, saturada de perfumes afrodisíacos). Resulta ahora más fácil explicar a cuál paradoja se debe precisamente la sublimación del instinto sexual en *amor-pasión* durante la era cristiana de Europa, y bajo la presión de juicios de valor cristianos.

190

Hay algo en la moral de Platón que no pertenece a su filosofía y que por caprichos del azar se encuentra en ella. Hablamos de socratismo, que en el fondo era rechazado por su naturaleza de aristócrata. "Nadie se hace daño voluntaria y conscientemente; por lo tanto, el mal sólo se hace involuntariamente. Ahora bien, el malo termina dañándose a sí mismo y no lo haría si supiese en qué consiste el *mal*. Por consiguiente, el malo no lo es más que por error. Que lo saquen de su error inmediatamente y se volverá bueno. Esta manera de discurrir tiene olor a *plebe*, la plebe para quien del acto malo sólo son importantes sus consecuencias nocivas y considera que es incongruente obrar mal, puesto que para el malo son sinónimos "el bien", "lo útil" y "lo agradable".

191

Hablemos del viejo problema teológico de la "fe" y de la "ciencia"; dicho de otra manera, el problema del instinto y de la razón, la cuestión de saber si el instinto puede juzgar las cosas con más autoridad que la razón. Ese viejo problema se encuentra representado por vez primera en la persona de Sócrates, mucho tiempo antes de que el cristianismo dividiera a los espíritus. Es verdad que el talento de Sócrates, talento eminentemente dialéctico, se inclinó en un principio hacia la razón. Verdad es también que toda su vida se rió de la ineptitud y de la incapacidad de los nobles atenienses, hombres instintivos como todos los aristócratas, que no podían nunca encontrar los motivos de sus acciones. Pero en secreto y en su intimidad, se rió también de sí mismo; ahondando en su conciencia y su fuero interno, encontraba en sí mismo la misma torpeza y la misma impotencia. Pero, ¿por qué se decía a sí mismo que debía renunciar a los instintos por eso? A los instintos y a la razón hay que educarlos; hay que obedecer a los instintos, para convencer a la razón que los apoye con buenos argumentos. Este fue, en verdad, el problema de aquel gran misterioso ironista. Redujo su conciencia a contentarse con una especie de engaño voluntario: en verdad, había sacado a la luz el carácter irracional de los juicios morales. Platón quiso persuadirse a sí mismo, luchando con todas sus fuerzas, que era superior a todos sus predecesores, que la razón y el instinto tienden espontáneamente al mismo fin, al bien, a "Dios". Desde Platón, que era más inocente en estas materias y carecía de toda socarronería plebeya, teólogos y filósofos han seguido el mismo camino; es decir, que en materia de moral, el instinto, o la "fe" —como dicen los cristianos—, ha triunfado hasta hoy. Descartes, padre del racionalismo (y, por consiguiente abuelo de la revolución), es una excepción. Descartes no reconocía más autoridad que la de la razón; pero la razón no es otra cosa que un instrumento y Descartes era superficial.

192

Siguiendo todo el curso de la historia de cualquier ciencia, será factible que se descubra en su evolución una línea general que servirá para comprender los fenómenos más antiguos y más generales del "saber" y del "conocer". En los dos casos, lo que se desarrolla primero son las hipótesis prematuras, las ficciones, la estúpida buena voluntad de "creer", la ausencia de desconfianza y de paciencia. No es hasta más tarde que nuestros sentidos aprenden, aunque nunca por completo, a ser los órganos del conocimiento. Para nuestro ojo es más fácil reproducir una imagen a menudo producida, que retener lo novedoso o diferente de una impresión; para que esto no sucediera sería necesaria más fuerza. Oír nuevos sonidos es difícil para el oído; comprendemos mal una lengua extranjera e involuntariamente tratamos de transformar estos sonidos en palabras que nos parecen más familiares. Es así como el alemán de otros tiempos hizo de *arcubalista* la palabra *Armbrust* (ballesta). Todo cambio, toda novedad nos provoca sentimientos de hostilidad. En los fenómenos sensoriales más simples, reinan las pasiones de temor, de amor y de odio, incluyendo la pasión pasiva de pereza. De la misma manera que ante ciertas cosas concretas vemos sólo una parte y nos imaginamos el resto, en presencia de los sucesos más extraños obramos igual, imaginando gran parte del acontecimiento. Un lector, por ejemplo, no lee las palabras, y menos aún todas las sílabas de una página: de veinte palabras capta cuatro o cinco al azar y "adivina" el sentido de la oración. Asimismo, no vemos un árbol de una manera exacta y en su totalidad, con sus hojas, sus ramas, su color y su forma; nos es mucho más fácil imaginar aproximadamente un árbol. Todo esto nos muestra que estamos *habituados a mentir*. O, para decirlo de una manera más adornada y velada: somos mucho más artistas de lo que creemos. Por ejemplo, durante una conversación animada, la figura de mi interlocutor se presenta ante mí según el pensamiento que expresa o que yo creo haber despertado en él. Por consiguiente, el delicado juego de los músculos y la expresión de la mirada deben haber sido inventados por mí. Es probable que dicha persona tuviese cualquier otra expresión, o que no tuviese ninguna.

193

Los que vivimos en sueños, cuando éstos se repiten periódicamente, termina por formar parte del curso general de nuestra alma, con la misma razón que las cosas "realmente vividas". Supongamos que un individuo haya soñado en repetidas ocasiones que volaba y que haya acabado por creer que puede y sabe volar. Este individuo, que conoce la sensación de cierta ligereza divina, que cree poder "subir" sin esfuerzo ni tensión, "descender" sin rebajarse, ¿cómo no habría de dar a la palabra "felicidad" una coloración y significación distinta? ¿Cómo no habría de desear de otro modo la felicidad? Comparando este "vuelo" con el "impulso" de que hablan los poetas, este último deberá parecernos demasiado terrestre, demasiado influido por la voluntad y demasiado "pesado". El sueño puede ser una fuente de riqueza o de pobreza, ya sea que nos añada o nos arranque una felicidad. En pleno día, incluso en los momentos más lúcidos en que nuestro espíritu, está más despierto, es cuando nos sentimos más dominados por nuestros sueños.

194

Es en la propiedad donde la diferencia entre los hombres se revela con más vigor. Esta diferencia se manifiesta en la diversidad de sus juicios de valor, en el hecho de ser diferentes y en que no opinan igual sobre castos valores. Si la posesión es una mujer, por ejemplo, un hombre modesto considerará como signo de propiedad suficiente y satisfactorio el poder disponer de su cuerpo y gozar de él. Uno que sea más desconfiado y exigente, tratará de observar lo que tiene de incierto, de puramente aparente, y exigirá pruebas más sutiles; no se conformará con la entrega, sino que exigirá que renuncie a lo que tiene o desee tener. Un tercero irá más lejos en su desconfianza y en su voluntad de *posesión;* se preguntará si la mujer ha renunciado a todo amor por él y si no lo hace por un fantasma de sí mismo; exigirá ser conocido a fondo; se atreverá a dejarse adivinar. Solamente sentirá que le pertenece por entero, si la mujer no se equivoca respecto a él. Solamente entonces creerá poseerla, cuando ella ame todo lo bueno y todo lo malo que en él existe. Quien deseara poseer una nación, encontraría que todos los ardides son buenos para conseguir ese efecto. Otro, más sutil en su deseo de posesión, dirá: "no hay que engañar; por lo tanto, es preciso que yo me haga conocer y, sobre todo, que me conozca a mí mismo". Este burdo artificio reside en casi todos los hombres caritativos y benévolos. Comienzan por acomodar a su voluntad a quien quieren socorrer, y dicen de él por ejemplo, que "merece ser ayudado", que es precisamente ayuda lo que necesita, que se mostrará infinitamente agradecido y, por lo tanto, ligado y sometido como respuesta al apoyo que le brindaron. Con tales ideas es como manipulan a los necesitados, cual una "propiedad", siendo su deseo de poseer el motor que los mueve a presentarse benévolos y caritativos. Estos bienhechores muestran celos si se les contraría o se les precede en su acción caritativa. Los padres, muchas veces inconscientemente, ha-cen de sus hijos algo semejante a ellos, y a esto le llaman educación. Ninguna madre duda, en el fondo de su corazón, que el hijo que ha traído al mundo sea de su propiedad; ningún padre rehusa el derecho de imponerle sus concepciones y sus juicios de valor. En otros tiempos se consideraba como un derecho de los padres la disposición de la vida o de la muerte del recién nacido (como ejemplo se podría citar a los antiguos germanos), y el educador, la clase social, el sacerdote, el soberano, y aun el padre, ven en cada nuevo ser humano la oportunidad de apropiarse sin miramientos de un nuevo objeto. De donde se deriva que…

195

Los judíos "pueblo nacido para la esclavitud", como dijo Tácito al unísono con toda la antigüedad", "pueblo elegido entre todos los pueblos", como dicen ellos mismos creyéndolo, han llevado a cabo esa milagrosa inversión de valores que ha dado a la vida durante milenios un nuevo y peligroso atractivo. Los profetas judíos han fundido en una sola definición al "rico", al "impío", al "violento", al "sensual", y por vez primera han puesto una mancha de infamia a la palabra "mundo". En esta inversión de valores (que ha hecho también de la palabra "pobre" sinónimo de "santo" y de "amigo") es donde radica la importancia del pueblo judío; con él empieza en moral la *insurrección de los esclavos.*

196

Que existan en las proximidades del sol innumerables cuerpos opacos que jamás veremos se puede *inferir*. Esto es un símbolo y podríamos decir que un moralista psicológico no descifra lo que está escrito en las estrellas sino como un lenguaje de símbolos y de signos, que permite callar muchas cosas.

197

Mientras busquemos no sé qué germen "mórbido" en el fondo de los seres robustos como las fieras y los vegetales de los trópicos; mientras busquemos un infierno interior, nos equivocaremos rotundamente sobre la bestia de presa y sobre el hombre de presa. Por ejemplo, desconoceremos la naturaleza de un César Borgia. Sin embargo, esto es lo que han hecho la mayoría de los moralistas. Tal parece que reinara entre ellos la repulsión a la selva virgen y a los climas tropicales, como si hubiera que desacreditar a cualquier precio al "hombre tropical", presentándolo como una forma mórbida y degenerada del hombre, o como si fuera su propio infierno y su propio tormento. ¿Y todo esto con qué fin? ¿Acaso en beneficio de zonas templadas"? ¿De los hombres "moderados", de los hombres "morales", de los mediocres? Esto puede servir como título para el capítulo de *"la moral del miedo"*.

198

Todas estas morales que se refieren al individuo para hacer su "felicidad", no son más que compromisos con el peligro que amenaza a la persona dentro de ella misma. ¿Acaso son algo más que recetas contra sus pasiones, contra sus buenas y malas inclinaciones, cuando tienden a mandar y dominar como amos; astucias y pequeñas o grandes artimañas con olor a remedio casero? Todas presentan formas oscuras y absurdas porque dirigen a todos y generalizan ahí donde habrían de concretizar. Todas se expresan de forma absoluta y se consideran ellas mismas absolutas. A todas les falta ser sazonadas, para poder ser soportables. Es preciso que tomen sabor a especias y comiencen a despedir un olor peligroso. Todo esto, desde el punto de vista intelectual, tiene poco valor y dista mucho de ser "ciencia", y menos aún "sabiduría". Podré repetir hasta el cansancio que no es más que astucia, astucia y astucia mezclada con tontería y frialdad marmórea, ya sea que se trate de la impasibilidad que los estoicos aconsejaban y empleaban, como antídoto contra la locura de las pasiones, o de esa renuncia a toda manifestación de los sentidos que elogiaba Spinoza, así como su ingenua prescripción, de destruir las pasiones mediante el análisis y la disección. O bien intentamos reducir las pasiones a una mediocridad que las transforme en inofensivas y permita satisfacerlas sin peligro, como el aristotelismo de la moral. O la moral consiste en gozar de ellas sublimándolas de manera arbitraria gracias al simbolismo del arte; nos refugiamos entonces en la música o en el amor a Dios y en el amor al prójimo por amor a Dios, pues las pasiones han hallado derecho de ciudadanía en la religión, a condición de que... O se acaba por enseñar ese abandono complaciente y jovial a las pasiones que caracterizan a Goethe y Hafiz, a esa manera atrevida de soltar las riendas de las pasiones en esos viejos alegres y ebrios, llenos de sabiduría, en quienes "eso ya no tiene consecuencias". Esto serviría también para el capítulo de la "moral del miedo".

199

La existencia de rebaños humanos es inmoral (cofradías sexuales, comunidades, tribus, naciones, iglesias y estados) y siempre ha habido un gran número de hombres que obedecen a un pequeño número de jefes. La obediencia ha sido lo que mejor se ha ejercitado y cultivado entre los hombres. Se podría deducir que cada uno de nosotros posee la necesidad innata de obedecer, como una especie de *conciencia formal* que ordena: "harás esto o aquello, sin discutir"; te abstendrás de esto o de aquello, sin objetar; en una palabra, es un "tú harás". La evolución marcha, por lo tanto, de una manera tan limitada como titubeante, lenta y a menudo regresiva, ya que el instinto gregario de la obediencia es el que se hereda más fácilmente y el que prospera a costa del arte de mandar. Es éste el estado de la Europa moderna. Y si a este instinto se le permitiera alcanzar el grado máximo, no existiría ya nadie para mandar y vivir independientemente, y yo lo llamo "la tartufería de los dirigentes". Para acallar su conciencia, se hacen pasar por los ejecutores de mandatos antiguos y supremos (los de los antepasados, los de la constitución, los del derecho, los de las leyes e incluso los de Dios), o recogen fórmulas pregarias de la mentalidad del rebaño y se ofrecen ya sea como "el primer servidor del Estado" o como "el instrumento" del bien público. En todos los casos en que resulte imposible pasarse sin jefes y sin carneros conductores se las ingenian en nuestros días para reemplazar a los dirigentes por un pequeño grupo de hombres inteligentes de tipo gregario. Este es, entre otros, el origen de las constituciones representativas. ¡Qué bienestar, a pesar de todo, sienten estos europeos gregarios; qué alivio de un yugo que se hace insoportable, como la aparición de un amo absoluto! El efecto que produjo el advenimiento de Napoleón fue el último gran ejemplo europeo.

200

El hombre de las épocas de descomposición lleva en sí una herencia de ascendencia híbrida, un fardo de instintos y normas ambivalentes, y, a menudo, más que contradictorios, en lucha constante. Este hombre de civilizaciones tardías y de aspiraciones intelectuales rotas, es frecuentemente un ser débil. Conforme a una medicina y a una mentalidad lenitivas —epicúreas o cristianas, por ejemplo— la felicidad le parecerá sobre todo como la felicidad de disfrutar el reposo, la paz, la saciedad de sentirse reconciliado consigo mismo. Pero si el conflicto y la guerra son para seres más fuertes un encanto y un estímulo más, entonces nacen esos hombres prodigiosos, incomprensibles e insondables, esos hombres enigmáticos predestinados a vencer y seducir, cuyos más bellos ejemplos son Alcibíades y César (y añadiría de buena gana el nombre de Federico II de Hohenstaufen, ese *primer* europeo, a mi juicio, y entre los artistas tal vez a Leonardo da Vince). Hacen su aparición precisamente en las épocas en que el tipo opuesto, el débil, se adelanta al primer plano con su aparición al pasivo reposo. Los dos tipos son solidarios y proceden de las mismas causas.

201

No puede haber moral del "amor al prójimo" mientras la mirada siga fija en la observación de la humanidad, mientras se considere inmoral exclusivamente lo que parece amenazar la supervivencia de la colectividad; mientras el utilitarismo de las ecuaciones morales permanezca subordinado únicamente a la utilidad del rebaño. En la época romana más floreciente un acto caritativo no se calificaba ni como bueno ni como malo, ni como moral e inmoral. Aun cuando se le alabase, su elogio era concedido con una especie de menosprecio involuntario en cuanto se comparaba esa acción con otra que sirviese a los intereses de la comunidad, de la *res pública*. Aunque existía en otras épocas una práctica limitada y constante de compasión, de igualdad, de ayuda recíproca, estaban todavía al margen de la moral. En resumen, el "amor al prójimo" es casi siempre cosa secundaria, convencional por una parte y arbitraria por otra, si se le compara con el *temor al prójimo*. Una vez que la estructura de la sociedad parece tener buenas bases al abrigo de peligros exteriores, ese temor al prójimo abre a los juicios morales perspectivas nuevas, instintos fuertes y peligrosos. Nace el espíritu de la aventura, de la loca temeridad, el rencor, la astucia, la rapacidad, el deseo de dominar que eran hasta entonces no sólo respetados, por supuesto que bajo otros nombres, y obligatoriamente cultivados y seleccionados, ya que constantemente se tenía necesidad de ellos contra los enemigos de la colectividad. Estos instintos se consideran más peligrosos ahora que ya no tienen otras canalizaciones de derivación, y, gradualmente, se ha llegado a difamarlos como inmorales y se termina abandonándolos a la calumnia. Los instintos más elevados y fuertes llevan al individuo más allá y por encima de la mediocridad y de la bajeza del instinto gregario; señalan la muerte del amor propio de la colectividad, le estirpan su fe en sí misma, se la quebrantan en cierto modo, y la reacción la calumnia de estos instintos. La decisión de estar solo aparece como peligrosa y todo lo que separa al individuo del rebaño, todo lo que asusta al prójimo, se le denominará en adelante el *mal*. Por otro lado, el espíritu tolerante, humilde, sumiso, respetuoso con la igualdad, con la *mediocridad* de los deseos cosecha epítetos y honores morales. En la historia de la sociedad hay un punto de delincuencia y de debilidad enfermiza, en que la sociedad misma toma partido por quien la perjudica. Castigar le parece en cierta medida injusto, o al menos la obligación de castigar le hace sufrir. Plantear así la solución es como impedirle al criminal que siga causando daño, sin necesidad de castigarlo; es así como la moral gregaria, la moral del miedo saca sus últimas consecuencias. Si escudriñamos la conciencia del europeo de nuestros días sacaremos de sus mil repliegues y de sus mil escondrijos el mismo imperativo, la timidez del rebaño. Se llama "progreso" al hecho de no querer que llegue un día en que no haya ya *nada que temer.*

202

Es necesario repetir lo que tantas veces hemos dicho, en virtud de que nuestras verdades, pocas veces encuentran para ellas oídos complacientes. Sabemos por otra parte, lo descortés que resulta mezclar al hombre en general, sin parábola adecuada, entre los animales. Y la verdad es que no estamos distantes de cometer una injusticia, al emplear asiduamente, refiriéndose a los defensores de las ideas "modernas", las palabras de "rebaño" y otras expresiones como "instintos gregarios" y algunas otras bastante parecidas a éstas. La realidad es que no podemos sustraernos a la repetición de estas expresiones, es decir, proceder de otra manera, por cuanto esa es nuestra verdad nueva. En más de una ocasión hemos comprobado que en todos los países de Europa, y en los que se hallan bajo su influencia, estamos de acuerdo en lo más esencial respecto de los juicios morales. En Europa sabemos lo que Sócrates afirmaba no saber y todo lo que la famosa serpiente de antaño se había comprometido a demostrar: ¡no ignoramos, pues, qué es el bien y qué es el mal! Respeto esto insistentemente, posiblemente parezca tan duro de oír como difícil de comprender; sin embargo, lo que se tiene por glorioso y como tal se aprueba, no es más que el instinto animal que llamamos hombre. Este instinto es, ya sea con alabanza o censura, el que haciendo irrupción en Europa trata de imponerse, o se impone, sobre todos los demás instintos según sea, naturalmente, la forma de asimilación fisiológica más o menos creciente, pero que, de ambas maneras, ya es por sí mismo un síntoma. Digamos, pues, que la *moral en Europa es actualmente una moral de rebaño.* A nuestro juicio es una variedad de moral humana que debería admitir la realidad existencial y concreta de otras morales, que aun siendo diferentes, son intrínsecamente superiores. Pero sucede que esta moral, no sólo se defiende con obstinada terquedad, sino que llega siempre a la misma conclusión analítica: "¡La única moral soy yo, y no existe ninguna otra moral fuera de mí!" Así, por imperativo y ayuda de una religión que se ha mostrado complaciente con los deseos del rebaño, hemos llegado a encontrar la moral hasta en las instituciones políticas y sociales; de suerte que cada vez es más evidente que para esta moral el movimiento democrático es el heredero del movimiento cristiano. He aquí la extravagancia de la "piedad" para con Dios. Y así, todos de acuerdo en sus desasosiegos respecto de la piedad universal y su fe en el rebaño colectivo, es decir en ellos mismos.

203

Nos encontramos con el deseo y la esperanza del advenimiento de precursores, los hombres del porvenir que desde ahora remacharán la cadena y apretarán el nudo, que forzarán la voluntad de miles de años para emprender nuevas vías. Será necesario enseñar al hombre a que comprenda que su porvenir dependerá de la fuerza de su *voluntad,* que este porvenir depende de un deseo humano. Será, pues, necesario preparar grandes empresas, grandes experiencias colectivas de disciplina y de selección, si es que se quiere poner fin a esta terrible dominación del absurdo y del azar que ha llevado hasta ahora el nombre de "historia" Para realizar esto será necesario una nueva especie de filósofos y de jefes, cuya imagen hará palidecer a todos los espíritus cultos y venerables que hasta ahora han existido en la tierra. La imagen de estos jefes es lo que nos obsesiona. Digamos entonces a los espíritus libres que hay que crear, descubrir los caminos, imaginar las pruebas que puedan conducir a un alma a ese grado de elevación y nobleza en que sienta la obligación de asumir esta nueva tarea: trastocar los valores, forjar a golpes de martillo una conciencia, templar el corazón como si fuese acero para hacerle capaz de soportar el peso de tal responsabilidad; sentir la necesidad de jefes semejantes, evocar el riesgo terrible que se corría si los guías desaparecieran, fracasaran o se corrompieran, son nuestros cuidados y nuestras propias tristezas; vosotros lo sabéis bien, espíritus libres. Estos son los pensamientos que pasan por el cielo de nuestra vida. Hay pocos dolores más agudos que el de haber visto o adivinado o presentido, cómo un hombre superior se ha desviado de su vida y ha caído; pero cuando se tiene el gran sentido del peligro total, del peligro universal, que sería el de que "el hombre mismo" *degenerase;* cuando se reconoce el azar prodigioso que hasta hoy ha representado el porvenir humano; cuando se adivina la fatalidad oculta bajo la estúpida inconsecuencia y la ciega credulidad de las "ideas modernas", y mas aún en toda moral europea y cristiana, se sufre entonces una ansiedad sin paralelo; se percibe con una ojeada todo lo que aún se podría *sacar del hombre* reuniendo y concentrando de manera favorable sus fuerzas y sus tareas; si tiene plena conciencia de que el hombre no ha agotado todavía sus posibilidades más nobles; se sabe cuántas veces el tipo humano se ha encontrado frente a decisivas e inquietantes encrucijada; se sabe mejor aún, y es éste el recuerdo más doloroso, contra qué realidades extremosas se ha estrellado generalmente en su evolución un hombre de primer rango. Esta es, sin duda, la *degeneración global de la humanidad,* que la conduce al nivel del perfecto animal del rebaño en el que los imbéciles reconocen en su ideal la reducción del hombre a un patrón único de pretensiones iguales. El que haya reflexionado en esta posibilidad hasta sus últimas consecuencias, conoce un estado más de náusea que los demás hombres, y quizá también una nueva *labor* a emprender.

SEXTA PARTE

NOSOTROS LOS SABIOS

204

Me atreveré a tomar aquí posición contra la inconveniente y dañina desnivelación que amenaza establecerse, sin que nos demos cuenta de ello, entre la ciencia y la filosofía. Lo haré aun corriendo el riesgo de que el gusto por moralizar se revele aquí como lo que siempre ha sido —la necesidad de "demostrar sus llagas", como decía Balzac—. Una de las consecuencias más sutiles de la naturaleza y de los extravíos del pensamiento, es que el sabio proclamó su independencia, su emancipación respecto a la filosofía. " ¡Basta ya de amos!", grita también el espíritu del populacho. Y ahora que la ciencia ha logrado defenderse de la teología, de la que fue durante mucho tiempo la sierva, se esfuerza, pletórica de insolencia y arrogancia, por imponer leyes a la filosofía y desempeñar a su vez el papel de "amo", casi el de *filósofo*. Mi memoria, una memoria de hombre de ciencia, dicho sea con vuestro permiso, se desborda de orgullosas ingenuidades que he oído de boca de jóvenes biólogos y de viejos médicos respecto a la filosofía y a los filósofos; por no hablar de los más eruditos y vanidosos de todos los sabios, los filósofos y los pedagogos, que poseen estas dos cualidades gracias a su profesión. Son, unas veces, el especialista y el hombre de horizontes ilimitados quienes se levantan contra toda especie de vocación o de talento de síntesis; otras, es el trabajador laborioso que percibe en el alma del filósofo algo parecido a un perfume de lujo aristocrático por el que se siente rebajado y lesionado. Unas veces es el daltonismo del utilitarista para el cual la filosofía no es más que una serie de sistemas *refutados* y un derroche escandaloso que no "aprovecha" a nadie. Otras, tenían miedo de encontrarse en presencia de un misticismo disfrazado y de una invasión en las fronteras del conocimiento. Además, el menosprecio de ciertos filósofos se ha extendido involuntariamente a toda la filosofía. Total, que es frecuente descubrir, en los jóvenes sabios, bajo su desdén altivo de la filosofía, la influencia perniciosa de un filósofo a quien habían renunciado a seguir en su conjunto, sin substraerse por ello a la influencia de sus juicios peyorativos respecto a los demás filósofos, siendo el resultado una hostilidad general a toda clase de filosofía. Me parece que éste es el caso de la influencia de Schopenhauer en la nueva Alemania, que con su furor poco inteligente contra Hegel llegó a cortar los lazos de unión entre los jóvenes alemanes y la cultura alemana, exaltada hasta una clarividencia profética. En su conjunto, son tal vez, y ante todo, los aspectos humanos, demasiado humanos, es decir, la miseria de la filosofía moderna misma lo que ha arruinado por completo el respeto debido a la filosofía. Confesemos que el genio de un Heráclito, de un Platón, de un Empédocles y de tantos otros solitarios soberanos del espíritu, no existe en nuestro mundo contemporáneo; confesemos también, que en presencia de tales representantes de la filosofía que la moda extrae de las capas inferiores de la sociedad, para llevarlos a la cima y despeñarlos después, como, por ejemplo, los dos leones de Berlín, el anarquista Eugenio Dühring, filósofo materialista, economista anticristiano y antisemita (contra él escribió Federico Engels su famosa obra *El Antiduring*), y el amalgamista Eduardo Von Hartmann, filósofo de lo inconsciente, en lo que "amalgamó" a Hegel (el espíritu), Schelling (el inconsciente) y Schopenhauer (la voluntad); y, así nos percatamos hasta qué punto un buen hombre "de ciencia" tiene razón al creerse de mejor clase y origen. La opinión de estos filósofos, que se intitulan "realistas" o "positivistas" es capaz de despertar en un sabio joven y ambicioso una desconfianza peligrosa. Estos "filósofos" son, favoreciéndolos mucho, sabios y especialistas; son todos vencidos que han sido reducidos a la obediencia de la ciencia; son espíritus que poco han exigido de él los mismos, sin la responsabilidad que implica ese pretender "más". Llenos de rabia concentrada manifiestan mediante sus actos y sus palabras que no creen en la misión soberana ni en la soberanía de la filosofía. ¿Y cómo podría ser de otro modo? La ciencia en nuestros días está en su esplendor y muestra una sonrisa de conciencia satisfecha. Sin embargo, la filosofía moderna ha empalidecido un poco, y lo que subsiste de ella despierta desconfianza y hostilidad, por no decir burla y compasión. La filosofía reducida a la "teoría del conocimiento", hace de ella una tímida teoría de la epochistik,[1] una doctrina de la abstención sistemática, una filosofía que no se atreve a cruzar su propio umbral y que lleva su escrúpulo hasta el límite de prohibirse la entrada; es una filosofía agonizante, un fin, algo que inspira compasión. ¿Cómo podría reinar semejante filosofía?

205

La sabiduría es para el vulgo como un refugio, un medio, un artilugio para sacar partido del juego de la vida. Pero el verdadero filósofo no vive ni como ''filósofo'' ni como "sabio" ni, especialmente, como hombre *prudente*. Siente sobre sí el peso y el deber de mil tentativas, de múltiples tentaciones de la vida. Se arriesga sin cesar en el juego, jugando el peor de los juegos. Los peligros que acechan el desarrollo del filósofo se han multiplicado hasta el punto en que dudamos que el fruto llegue a madurar. La ciencia es cada vez más complicada y su campo de acción cada vez más amplio. Y para el filósofo, la tentación de abandonarse al curso de su aprendizaje a de permanecer fijo en su punto o "especializarse", es cada vez mayor también. En consecuencia, no toca jamás la cima que le permitiría dominar un horizonte sin fin y abarcar con una mirada todo lo que se encuentra *por debajo de él*. O bien llega demasiado tarde, cuando su juventud y su vigor han pasado, después de haber perdido su integridad, su finura, cuando sus juicios no tienen ya gran validez. La sutileza de su conciencia intelectual es tal vez lo que le hace titubear y detenerse en su camino; teme la seducción del *dilettantismo*. Teme multiplicar sus tentáculos y sus antenas, porque sabe que ha perdido el respeto por sí mismo, que ya no es el jefe de su conocimiento, a menos que consienta en convertirse en un gran comediante, en un Cagliostro de la filosofía; en una palabra, en un seductor en el dominio intelectual. A fin de cuentas, todo es

---

1 Parece que la palabra epochistik fue creada por Nietzsche partiendo de la palabra girega, que significa detención, puesta en suspenso, duda.

cuestión de gusto, de conciencia. Y para aumentar las dificultades inherentes a los filósofos, se exige a sí mismo un juicio categórico sobre la vida y el valor de ella. Se persuade difícilmente de que existe el derecho e incluso el deber de exigir este juicio. Después de muchas vacilaciones, dudas y reticencias, pasando por las aventuras más diversas y tal vez más destructoras, es como llega a conquistar su derecho y su fe. En efecto, la muchedumbre ha ignorado durante mucho tiempo al filósofo o lo ha desconocido, confundiéndolo con el hombre de ciencia y el sabio ideal, o con el místico exaltado que, libertado de la moral, apartado del mundo, se embriaga de Dios; y cuando en nuestros días se oye hablar de un hombre que lleva la vida del "sabio y del filósofo", éste no se refiere más que a una vida "prudente y retirada".

206

Podría decirse del hombre de ciencia, que es ante todo una variedad plebeya de la humanidad, que posee las cualidades de la mediocridad y no tiene carácter fuerte ni está seguro de su propia opinión. Entre sus cualidades se cuentan la constancia en el trabajo, la docilidad de permanecer fiel, la regularidad predecible de las actitudes y de las necesidades. Olfatea instintivamente a sus semejantes y sabe de lo que tiene necesidad, como es, por ejemplo, un poco de independencia y de verde prado, sin el cual no se puede trabajar tranquilo; la necesidad de ver sus méritos, esa aureola de buen renombre, ese deseo de ver corroborados su valor y su utilidad, lo cual le ayuda a vencer la falta de confianza en sí mismo, arraigada en todos los hombres subalternos y las bestias de rebaño. Las palabras *procrear* y *engendrar,* con toda la fuerza del término, implican en el sabio, hombre de ciencia común, una condición de solterona, ya que, como ella, ignora las dos funciones más importantes del ser humano: "Engendrar" y "dar a luz". A unos y a otras, a los sabio y a las solteronas, se les concede una especie de respeto condescendiente. El sabio está afligido por las enfermedades y los defectos de una raza sin nobleza. Es rico en mezquindades, posee una visión agudísima para detectar las debilidades de los seres superiores a quienes no puede igualar; por eso, en presencia de las naturalezas desbordantes los sabios permanecen herméticos. Lo que un sabio pueda hacer de malo o peligroso procede de la conciencia de su mediocridad innata, de ese jesuitismo de la mediocridad que es la destrucción del hombre excepcional. La destrucción gradual de los hombres excepcionales es arte propio del jesuitismo, que ha sabido siempre hacerse pasar como religión de la piedad.

207

El hombre objetivo no es un modelo que se deba seguir, no procede ni sigue a nadie, vive demasiado aparte para tener necesidad de tomar partido entre el bien o el mal. Si se le ha confundido durante tanto tiempo con el *filósofo,* el educador cesariano o el déspota de las civilizaciones, se le ha conferido un gran honor. La realidad es que se le ha convertido en un instrumento, en un esclavo, el esclavo sublime entre todos; pero en sí mismo no es nada. Es un precioso instrumento de medida, un espejo frágil que hay que saber manejar y hacerle honor; pero no es un fin, una solución, un impulso. No es el hombre que viene a complementar y a justificar el *resto* de la existencia, no es una conclusión, y es aún menos una procreación. No existe en él nada que sea denso, poderoso, basado en sí mismo, sino una frágil copa que espera la llegada de un contenido. Suele ser un hombre sin forma y sin contenido, un ser carente de verdaderos intereses. El hombre objetivo que renuncia a jurar y a maldecir, como lo hace el pesimista y el sabio *ideal* (en quien el instinto científico, mediante la experiencia de un gran número de fracasos totales y parciales, alcanza su plena afloración), ese hombre es ciertamente uno de los instrumentos más preciosos que existen: pero es necesario que lo maneje alguien más poderoso. Podría decirse que no es más que un *espejo,* no un "fin en sí mismo". El espíritu objetivo es un espejo habituado a rendir penitencia a lo que reclama ser conocido, sin más deseo que el de conocer, "reflejar"; así espera los acontecimientos, para que su epidermis retenga la huella más leve. Lo poco que le queda de "personalidad" le parece accidental, a menudo arbitrario, y más a menudo incluso molesto, considerándose a sí mismo como un estado intermedio y pasadero, un simple reflejo de formas y cosas extrañas. Si intenta meditar sobre "sí mismo", precisa de un gran esfuerzo y muchas veces toma un falso camino; se confunde fácilmente con otro, se equivoca respecto a sus propias necesidades. Quizá esté atormentado por el estado de su salud, o por la vida mezquina y la atmósfera asfixiante en que lo retienen su mujer y sus amigos, o la falta de compañeros y de "comunicación"; su acción se reduce a reflexionar sobre sus propios sufrimientos; su pensamiento se abate, divaga hacia un caso *más general* y al día siguiente sabe lo mismo que la víspera, o sea que no ha encontrado aún la solución para remediar su mal. Ya no sabe tomarse en serio, ya no tiene tiempo para ello; está inundado de serenidad. Reinan sobre él la complacencia con que solía acoger cualquier cosa, cualquier experiencia, la hospitalidad radiante y espontánea e indiscriminada que brinda a todo lo que se presenta, su benevolencia un poro brutal, su peligrosa infancia respecto al sí y al no. ¡Innumerables veces se ha arrepentido de todas estas virtudes! En cuanto al odio y al amor no nos asombremos de que sea poca cosa ni que se muestre, en este punto, falso, frágil, incierto y vacilante. Su amor es exigido, su odio es artificial, propio de una vanidad mezquina, y un ligero exceso. No es sincero más que cuando puede ser objetivo; su alma de espejo amenaza permanecer lisa, no sabe ya afirmar ni negar. "No desprecia casi nada", dice con Leibnitz. Nótese bien la importancia de este "casi", no lo subestimemos.

208

Cuando un filósofo manifiesta que no es un ermitaño, o lo da a entender (y espero que esto se haya sobreentendido en la descripción que acabo de dar del espíritu objetivo), nadie está contento; se le observa con cierto recelo, se le querrían hacer mil preguntas…; entonces es considerado peligroso hasta por los oyentes tímidos, que forman legión en nuestros días. En ese repudio del escepticismo les parece oír un rumor maligno y amenazador, como si en alguna parte se experimentara un nuevo explosivo, una dinamita del espíritu, un pesimismo que no solamente dice no, exige un no, sino que —conmueve pensarlo— realiza ese "no". Contra esa especie de voluntad que niega la vida, todo el mundo sabe que no hay mejor calmante que el escepticismo, ese dulce y agradable opio que adormece nuestras inquietudes. Los médicos de nuestro tiempo no titubean para prescribir la lec tura de "Hamlet" como un remedio para el espíritu y sus agitaciones subterráneas. El escéptico amigo de la tranquilidad, que casi tiene el alma de un guardián de la paz, dice: "¿No tenemos ya los oídos llenos de ruidos siniestros?" Esta negación, que surge de la tierra, es terrible. ¡Silencio, pues, tipos del pesimismo! En efecto, es un ser delicado, que se asusta con mucha facilidad; su conciencia está pronta a sobresaltarse al menor "no" e incluso a un "sí" enérgico y rudo que le haga mover todos los engranajes de sus sentimientos. Le parece inmoral un "sí" y un "no"; por el contrario, ofrece a su virtud un festín de noble abstinencia, diciendo, por ejemplo, junto con Montaigne: "¿Qué sé yo?", o con Sócrates: "Sé que no sé nada", o: "Yo desconfié de mí mismo; ninguna puerta se me ha abierto aquí", o: "Suponiendo que estuviese abierta, ¿por qué habría de entrar?", o: "¿Para qué sirven las hipótesis apresuradas?" Abstenerse de todas las hipótesis podría ser una prueba de buen gusto. ¿Es preciso enderezar desde ahora mismo todo lo torcido, tapar todos los agujeros con cualquier clase de estopa? ¿No tenemos ya tiempo? ¿El tiempo no tiene tiempo? ¡oh gente diabólica!, ¿no podéis *esperar?* El escepticismo es la expresión más intelectual de una disposición física bastante frecuente, llamada neurastenia y debilidad nerviosa. En la nueva generación que recibe, en cierto modo, como herencia, normas o valores diversos, todo es desorden, turbación, veleidad; las facultades superiores mismas se impiden mutuamente crecer y afirmarse. El cuerpo y el alma carecen de equilibrio, de centro de gravedad, de aplomo. Pero lo que en estas mezclas se altera y degenera más categóricamente, es la *voluntad:* ignoran la independencia en las decisiones, el placer atrevido de desear, hasta en sus sueños dudan del "libre arbitrio". ¿Dónde no se padece hoy esta enfermedad? En ocasiones la encontramos revestida de cierta elegancia, adornada con verdadera seducción. Para esta enfermedad se usan los atavíos más hermosos y engañadores, como la "objetividad", el "espíritu científico", el del "arte por el arte", del "conocimiento puro y desinteresado", lo cual no es más que parálisis de la voluntad y escepticismo disfrazado. Este es mi diagnóstico de la enfermedad europea. Esta enfermedad de la voluntad se ha propagado de una manera desigual por Europa; más grave y más frecuente, en los países de vieja civilización, desaparece en la medida en que bajo las vestiduras sueltas de la cultura occidental el "bárbaro" reivindica todavía (o de nuevo) sus derechos. En Francia, que ha que ha poseído siempre el genio de trastocar en encanto y seducción, las peculiaridades más funestas de su espíritu, ejerce mejor que nunca su hegemonía de arte cultural en Europa, presentándose como la escuela y la exposición universal del escepticismo y de sus encantos. La voluntad de querer y de hacerlo por largo tiempo, es poco mayor ya en Alemania, sobre todo en la Alemania del Norte; es notablemente más fuerte en Inglaterra, en España y Córcega, ligada ya sea a la flema o a la rudeza de los cráneos, sin hablar de Italia, demasiado joven aún para saber lo que quiere y que tiene que probar ante todo que es capaz de querer. Pero donde esta voluntad tiene un vigor más impresionante, es en ese inmenso imperio del medio, donde Europa refluye en cierto modo sobre Asia, en Rusia; es aquí donde esa fuerza se ha ido acumulando y concentrando desde hace más tiempo; es aquí donde la voluntad, fuerza de afirmación o de negación, espera amenazante el momento de "liberarse", tomando de los físicos de hoy su palabra favorita.

209

Hasta qué punto podrá favorecer un escepticismo vigoroso la nueva era de guerra, es lo que expresaré provisionalmente por medio de una parábola que supongo comprensible para quienes conocen la historia de Alemania. Aquel fanático que, siendo rey de Rusia, dio vida a un genio militar y escéptico y, por ello mismo, al nuevo tipo del alemán que acaba por afirmarse victoriosamente, el padre algo extraño y algo loco del gran Federico, poseía en cierta medida, la mirada y la garra dichosa del genio; sabía de lo que carecía Alemania y cuál era la debilidad más angustiosa y apremiante que la ausencia de la cultura y de formas corteses. Su aversión por el joven Federico, expresaba la angustia de un instinto profundo. *Se carecía de hombres* y él sospechaba con vivo despecho que en su propio hijo estaba ausente la virilidad; pero en esto se engañaba; ¿y quién no se hubiera engañado en su lugar? Veía que su hijo se había entregado al ateísmo, al sibaritismo frívolo de los franceses espirituales; creía ver detrás la araña del escepticismo; presentía la miseria incurable de un corazón que no fue bastante duro, ni para el bien ni para el mal, por una voluntad rota, que no manda ya, ni puede mandar. Pero en su hijo se formaba una nueva variedad de escepticismo, más peligrosa y más dura, favorecida, *quién sabe hasta qué punto,* por el odio paterno, y la melancolía de una voluntad condenada a la soledad, un escepticismo viril y audaz, íntimamente ligado con el genio de la guerra y la conquista, y que se manifestó por vez primera en Alemania, en Federico el Grande. Este escepticismo enarbola un desprecio por las cosas y, sin embargo, se apodera de ellas, cava minas y redondea sus posiciones; no tiene fe, pero no pierde la conciencia de sí mismo, da al espíritu una peligrosa libertad, pero a su corazón, sujeto por la brida, no lo deja latir a ningún compás que él no quiera; es la forma *alemana* del escepticismo, que bajo las especies de un federicianismo prolongado, intensificado, e intelectualizado, ha mantenido bastante tiempo a Europa bajo la dominación del espíritu alemán y de su desconfianza histórica y crítica. Gracias a la energía viril y tenaz de los grandes filósofos y de los grandes historiadores alemanes, que han sido muy virtuosos en el arte de destruir y de disecar, vimos cristalizar poco a poco, en música y en filosofía, a despecho de todo romanticismo, una visión nueva del espíritu alemán, cuyo rasgo sobresaliente es ese escepticismo viril que se manifiesta en la intrepidez de la mirada, en la ruda fuerza de la mano, en la voluntad de emprender peligrosos viajes de descubrimientos, las expediciones polares del espíritu bajo cielos amenazadores y desolados. No les faltan motivos a los humanistas de cálido corazón y espíritu superficial para horrorizarse *ante este espíritu fatalista, irónico, mefistofélico,* como le llama Michelet. Al pensar en la idea antigua sobre la cual tuvo que dominar la nueva, comprendemos hasta qué punto nos honra este temor del carácter "viril" del espíritu alemán, que despierta a Europa de su "sueño dogmático". Recordemos, pues, el asombro de Napoleón en el momento de su encuentro con Goethe; ese asombro revela la idea que se habían forjado del espíritu alemán durante siglos. "¡He ahí a un hombre!"; lo que quería decir: "¡Esto es un *hombre!* ¡Y yo que no esperaba ver más que un alemán!"

210

Admitiendo, pues, que cualquier rasgo deje entrever en la imagen de los filósofos del porvenir su peculiar escepticismo, en el sentido que acabamos de indicar, no se habría hecho más que señalar una de sus peculiaridades y no su carácter esencial. Estos filósofos del porvenir no solamente se impondrán la disciplina crítica y todo lo que los habitúe a la claridad y al vigor en las cosas del espíritu, sino que harán ostentación de sus cualidades, como si fuera un bello ropaje, y, sin embargo, no por eso querrán ser llamados críticos. Considerarán que es un verdadero ultraje a la filosofía decretar como se hace hoy día con tanta facilidad, que la filosofía misma es una ciencia crítica y nada más. Este juicio sobre la filosofía puede obtener el favor de todos los positivistas de Francia y de Alemania; nuestros filósofos nuevos dirán a pesar de todo: "Las críticas son los instrumentos de los filósofos, y por lo tanto, no son más que filósofos. El gran chino de Koenigsberg no era más que un gran crítico." Podrían muy legítimamente pretender el título de críticos los filósofos del porvenir y seguramente serán experimentadores. El nombre con que me he atrevido a bautizarles es propio para enfatizar el hábito y el gusto que tendrán por la experimentación. ¿Será ésta la única razón por la que, críticos hasta el tuétano de sus huesos, les gustará hacer de la experiencia un uso nuevo tal vez más amplio y más peligroso? Dominados por sus deseos de conocimiento ¿deberán pasar los límites de lo que permite el sentimiento afeminado y debilitado de estos dos últimos siglos, en sus experiencias atrevidas y dolorosas? Sin duda alguna; estos futuros pensadores serán los que menos podrán prescindir de las cualidades serias un poco inquietantes que distinguen la crítica del escéptico, quiero decir, el rigor de las evaluaciones, la práctica constante de un método único, el valor comprobado que permite basarse solamente en sí mismo y aceptar sus responsabilidades. Confesarán que hay en ellos una inclinación a negar y analizar y una cierta crueldad meditada. *Serán más duros* con ellos y con los demás de lo que desearían los humanitarios. Si tienen tratos con la verdad, será porque encuentran en ello un placer, una exaltación o entusiasmo. Estos espíritus severos esbozarán una sonrisa cuando alguno de ellos diga: "Este pensamiento que me exalta, ¿cómo no ha de ser verdadero?", o: "Esta obra me encanta, ¿cómo no ha de ser bella?", o: "Este artista me hace más grande, ¿cómo no ha de ser grande él mismo?" No sólo sentirán el deseo de sonreír irónicamente de estas divagaciones de idealistas, de afeminados, sino un verdadero asco. Si se examinaba su corazón sería difícil descubrir la intención de conciliar los "sentimientos cristianos" con el "gusto antiguo" o el "parlamentarismo moderno", espíritu de conciliación que encontramos, al parecer, hasta en los filósofos, en ésta nuestra época incierta, conciliadora y conformista.

211

Suplico, en fin, que cese la manía de confundir a los obreros de la filosofía, y de manera general a los hombres de ciencia, con los filósofos. En este dominio precisamente hay que observar rigurosamente la regla de "a cada cual lo que es debido". Quizá sea necesario en la educación del verdadero filósofo que éste pase por todos los estudios en que se han detenido sus colaboradores subalternos, los obreros científicos de la filosofía. Tal vez haya tenido que hacerse él mismo crítico y escéptico, dogmático e historiador, y además de poeta y compilador, viajero y descifrador de enigmas, moralista y vidente, "espíritu libre", y, en fin, haber sido casi todo para recorrer el ciclo completo de los valores y de los juicios humanos y dotarse de todas las variedades de ojos y conciencias para explotar los lejanos horizontes, el fondo de los abismos, la cima de las montañas. Por esto no son más que las condiciones previas de su tarea; la tarea misma requiere de él que *cree* valores. Estos obreros de la filosofía, del tipo noble de Kant y Hegel, tendrán que formular otra masa de juicios de valor, partiendo de antiguas fijaciones de valores; de valores que se han hecho predominantes y que se llamaron un tiempo verdades en el dominio de la *lógica,* de la política (o de la moral) o de la estética. Será tarea de estos pensadores aclarar, hacer tangible y manejable todo el conjunto de los acontecimientos y de los juicios anteriores dar un resumen del "tiempo" mismo y triunfar del pasado: tarea inmensa y maravillosa capaz de satisfacer el orgullo más delicado y la voluntad más tenaz. *Sin embargo, los verdaderos filósofos son los que mandan y legislan.* Ellos son los que determinan el sentido y el porqué de la evolución humana, y para ello cuentan con el trabajo preparatorio de todos los obreros de la filosofía, de todos los que han liquidado el pasado; se inclinan hacia el porvenir con manos creadoras. Para ellos, "conocimiento" es *creación,* su obra consiste en legislar, su voluntad de verdad, es *voluntad de poder.* ¿Existen hoy en día semejantes filósofos? ¿Existieron alguna vez? ¿No será preciso que existan algún día?

212

La obligación de vivir de sus propios recursos, forma parte de la grandeza del filósofo. Éste revelará parte de su propio ideal al afirmar que el hombre más grande es el más solitario, el más oculto, el más aislado, cuyo reino está situado por encima del bien y del mal, el dueño de sus propias virtudes, el hombre que posee una voluntad arraigada y poderosa. La grandeza para nosotros es la unión de la multiplicidad con la unidad, la amplitud con la plenitud. Y nosotros preguntamos de nuevo: "¿Podemos ser grandes aún en nuestros días?" El filósofo, al ser necesariamente el hombre de mañana o de pasado mañana, se ha encontrado siempre en *contradicción* con el presente; ha vivido en un futuro y, por lo tanto, ha tenido siempre por enemigo el ideal de su época. Todos estos extraordinarios pioneros de la humanidad que se llaman filósofos, aunque rara vez ellos mismos se han creído los amigos de la sabiduría, se asignaron siempre una tarea dura; sin embargo no acabaron de descubrir la grandeza de su cometido, la de ser la mala conciencia de su época. Al elegir precisamente para valorar las virtudes de su época, revelaban *su* propio secreto: hacían un intento por descubrir la *nueva grandeza* del hombre, el nuevo camino, aún no pisado, para llegar a la humanidad magnificada. En cada intento descubrían todo lo que se ocultaba de hipocresía, de negligencia, de tolerancia, de mentira, bajo el tipo ideal de la moral de su tiempo. Se decían siempre: "Tenemos que ir más lejos dentro de estos dominios hasta que os sintáis desorientados, hombres de hoy". Ante un mundo de "ideas modernas" que desearía confinar a cada uno de nosotros en su rincón y en su "especialidad", el filósofo —si es que todavía existe esta especie en nuestros días— estaría obligado a situar la grandeza del hombre y la noción misma de la grandeza en la extensión y diversidad de las facultades; terminaría incluso el valor de cada uno según la amplitud que pudiese dar a su responsabilidad. Hoy en día la virtud y el gusto de la época debilitan la voluntad, nada refleja mejor la moda actual que la debilidad de la voluntad. Es necesario, por lo tanto, que en el ideal del filósofo la idea de "grandeza" signifique precisamente la fuerza de la voluntad, la aptitud para la responsabilidad de resoluciones trascendentales. La doctrina y el ideal de una humanidad tímida, abnegada, humilde y desinteresada, se adaptan a una época de carácter opuesto; como el siglo XVI, por ejemplo, que padecía de la energía acumulada de su voluntad, de los caudales furiosos y de los oleajes desencadenados de su egoísmo. En tiempo de Sócrates, en que el instinto era generalmente delimitado, los atenienses conservadores consideraban la ironía como un ingrediente indispensable para la grandeza del alma. Hoy en día, por el contrario, en Europa, donde el animal gregario es el único que recibe honores y los otorga, donde la "igualdad de derechos" tiene marcada tendencia a transformarse en una igualdad de injusticias, todo lo que es raro, singular y privilegiado en el hombre superior, es menospreciado.

213

Ha sido necesario que numerosas generaciones hayan preparado el camino para que el filósofo se produzca; cada una de sus virtudes debe haber sido adquirida por separado, debe haber sido cultivada en el curso ligero y sutil del pensamiento, pero sobre todo debe haber adquirido la disposición para la aceptación de las grandes responsabilidades; el sentimiento de estar aislado de la masa, de los deberes y de las virtudes de ésta; el apoyo y la defensa de todo lo que es mal comprendido y calumniado, ya sea Dios o el diablo; el gusto y la práctica de una justicia grandiosa, el arte de mandar, la envergadura de la voluntad, la mirada lenta que rara vez se digna admirar, que rara vez se eleva, que muy rara vez ama... Sin embargo, es difícil saber lo que es un filósofo, por ser cosa que no se puede enseñar. Hay que "saberlo" por experiencia, o tener el orgullo de ignorarlo. Hoy todos hablan de las cosas de las que no pueden tener experiencia, y en primer lugar se encuentra todo lo referente al filósofo y al espíritu filosófico. Escasos son quienes los conocen, quienes son aptos para conocerlos, siendo falsas todas las opiniones corrientes a este propósito. Es así como la convivencia de una intelectualidad atrevida y desbordante de un rigor lógico, es desconocida por la mayor parte de los pensadores y de los sabios, pareciéndoles increíble cuando se les habla de ello. Se representan toda necesidad como una desgracia, como la penosa obligación de obedecer y de soportar el sufrimiento de una coacción; de pensamiento mismo les parece actividad lenta, vacilante, tarea, a menudo, muy dura, digna del *sudor* de los sabios heroicos; pero de ningún modo les parece cosa ligera, pariente próxima de la danza y de la alegría. "Pensar y tomar una cosa en serio", "asumir el peso" de ella, es una sola cosa para ellos. En este punto los artistas tienen un olfato más sutil; saben muy bien que cuando siguen su capricho es cuando sienten llegar a su apogeo su sentimiento de libertad, de soberanía creadora; la necesidad y la libertad de querer se confunden en ellos. Existe, además, una jerarquía de estados psicológicos que se corresponden con la jerarquía de los problemas; y los problemas más elevados rechazan sin piedad a todos aquellos que se acercan sin estar predestinados a encontrarles solución mediante la elevación y la potencia de su espíritu. En vano algunos espíritus ágiles que creen saberlo todo, y algunos ingenieros mecánicos y empiristas, se afanan en torno a estos problemas; pero las puertas están cerradas para estos intrusos.

SÉPTIMA PARTE

NUESTRAS VIRTUDES

214

¿Nuestras virtudes? Posiblemente tengamos nosotros también nuestras *virtudes*, aunque no sean esas virtudes cordiales y bruscas que veneramos en nuestros antepasados. Nosotros, primogénitos del siglo XX, europeos de pasado mañana, aun cuando tuviésemos virtudes, no serían otras que aquellas que mejor sirvieran a nuestras inclinaciones más íntimas y queridas, a nuestras necesidades más ardientes. Todo esto a pesar de nuestros sabios disfraces, de nuestra curiosidad peligrosa, de nuestra versatilidad, hay que buscarlo en nuestros propios laberintos, en donde, como todos saben, se extravían tantas cosas y se pierden para siempre. ¿Hay algo más hermoso que entregarse a la investigación de sus propias virtudes? ¿No es eso ya creer en su propia virtud? Pero esta fe en nuestra propia virtud, ¿no es lo que se llamaba en otro tiempo la «buena conciencia»? Aunque nos agrade poco sentirnos cosa pasada y respetable, al margen de nuestros venerables abuelos, parece que al menos en un punto somos los dignos nietos de esos abuelos. También nosotros llevamos —o cargamos— esa buena conciencia. ¡Ay, si supieseis cómo va a cambiar todo eso..., y pronto, muy pronto!

215

De la misma manera que dos soles distintos suelen determinar la órbita de un planeta en el reino de las estrellas, unas veces con resplandores verdes y otros rojos, nosotros, hombres modernos, gracias a la

complicada mecánica de nuestro "cielo astral", nos contemplamos deter-
minados por morales diferentes; y como rara vez son inequívocas, en
ciertos aspectos nuestras propias acciones se ven tornasoladas por los
mismos efectos.

216

La actitud moral actual no es ya de nuestro agrado. Esto es un progreso, igual al desagrado de nuestros padres ante la actitud religiosa, así
como la actitud antirreligiosa y la actitud volteriana contra la religión
y contra todas las afectaciones de los librepensadores. Es la música interior de la conciencia la que no tolera ya las letanías de los puritanos,
los sermones de los moralistas y las máximas virtuosas de las buenas y
honradas gentes. Parece haber sido bien aprendida la lección de amor a
nuestros enemigos. Lo hacemos en nuestros días en múltiples ocasiones, en pequeña y grande escala. Sucede, incluso, que aprendemos a
despreciar lo que amamos y sobre todo lo que más amamos; y esta la-
mentable traición, pasa sin hacer ruido con ese pudor y esa discreción
de la bondad que hielan los labios al pronunciar las palabras virtuosas
y solemnes.

217

Bienaventurados los olvidadizos, pues olvidan incluso sus tonterías.
Hay que guardarse de aquellos que confieren enorme importancia a
nuestro reconocimiento de su tacto moral y delicadeza de discernimien-
to. Difícilmente nos perdonarán si se equivocan una vez en nuestra presencia (y sobre todo si se equivocan por nuestra culpa); llegarán infali-
blemente a calumniarnos y a perjudicarnos, aun cuando sigan siendo
amigos nuestros.

218

¡Estudiad, psicólogos, la filosofía de la "regla" en lucha con la excepción; tenéis ahí un espectáculo digno de los dioses y de una perversidad

divina!... O, para decirlo más explícitamente aún, ¡practicad en vosotros mismos la vivisección el "hombre bueno", del hombre de buena voluntad! Los psicólogos franceses (¿y en qué otro sitio hay aún psicólogos si no es en Francia?) no han agotado aún el placer amargo del estudio de la tontería burguesa. Flaubert, por ejemplo, ese honrado burgués de Rouen, acabó por no ver nada más que eso. Era su manera de torturarse a sí mismo, con un refinamiento coloreado de crueldad. Para evitar la monotonía, recomiendo otro objeto de delectación: la inconsciente doblez que los buenos y malos espíritus manifiestan respecto a los espíritus superiores, a su misión —doblez jesuítica muchísimo más fina que la inteligencia— y al gusto de esos mediocres en sus mejores momentos. Lo que prueba, una vez más, que, entre todas las variedades de la inteligencia, el instinto es la más inteligente de todas.

219

La venganza favorita de los espíritus limitados sobre aquellos de mente más amplia, es la de anunciar juicios y condenaciones morales; es una especie de indemnización que se conceden las personas que han sido desheredadas por la naturaleza. La malignidad favorece el desarrollo del espíritu. Se sienten dioses profundamente dichosos de que exista un plano en el que sean iguales aquellos ricos en bienes y privilegios del espíritu; luchan por la "igualdad de todos ante Dios", y, por lo tanto, tienen necesidad de creer en Dios. Entre ellos es donde se encuentran los más fervientes adversarios del ateísmo. Les resulta insoportable que se les diga que no hay medida común entre la espiritualidad más elevada y la honorabilidad de un hombre honrado, quien no posee en cuanto a sí más que su moralidad. En un caso así es mejor alagarles augurándoles que una elevada espiritualidad sólo tiene valor cuando ella misma es producto último de cualidades morales, cuando es una síntesis de todas las cualidades atribuidas al hombre "simplemente morales", síntesis que se opera una vez adquiridas esas cualidades una a una, al precio de una larga disciplina, de un prolongado ejercicio, tal vez en el curso de cadenas enteras de generaciones. Se podría añadir aún que una espiritualidad elevada no es más que la forma quintaesenciada de la justicia y de esa severidad benévola que se sabe

encargada de mantener la jerarquía en el mundo, entre las cosas y no
únicamente entre los hombres.

220

Hoy en día, que se ha generalizado el elogio del hombre desinteresado, es necesario considerar y librarse, quizá no sin peligro, de las cosas
que constituyen la preocupación esencial y profunda del vulgo, incluyendo en él las gentes cultivadas e incluso a los sabios, y también, según toda apariencia, hasta los filósofos. Todo lo que interesa o sucede
a los espíritus delicados y refinados, a las naturalezas superiores, aparece
ante el hombre medio desprovisto de todo "interés". Si advierte una
cierta inclinación a esas cosas, calificará esta entrega como "desinteresada" y se asombrará de que se pueda actuar de forma "desinteresada".
Algunos filósofos han sabido dar a este asombro una expresión seductora, mística y trascendente (tal vez porque desconocen por propia
experiencia lo que es una naturaleza superior), en lugar de presentar la
verdad desnuda y sencilla diciendo con toda franqueza que la acción
"desinteresada" es muy interesada y muy interesante. ¿Y qué me dice
usted del amor? —¡Cómo! ¿También obrar por amor sería, en su concepto, un acto "desinteresado"? —¿Y el sacrificio? — El que realmente ha hecho un sacrificio sabe que pedía y recibió algo a cambio. Sacri-
ficó una parte de sí mismo en provecho de otra, o dio por un lado para
recibir por otro, o intentaba llegar a ser, o al menos sentirse, "más grande". Pero éste es un terreno lleno de preguntas y respuestas en el cual se
encuentra molesto un espíritu delicado.

221

Se trata ante todo de saber quién es el que se sacrifica, y por quién.
En un hombre, por ejemplo, que tenga las dotes y la vocación de mando, el hecho de que se eclipsara voluntariamente no sería dar muestras
de virtud, sino despilfarrarla; esta es al menos mi opinión. Ante todo
hay que forzar a las morales a respetar la *jerarquía;* es necesario hacer de
sus pretensiones un caso de conciencia hasta que todas ellas se den cuenta por fin que es *inmoral* decir: "Lo que es bueno para uno también debe

serlo para otro." Toda moral altruista que se presenta como absoluta y que se refiere a todo sin distinción, no se contenta con atentar contra el buen gusto, nos incita a cometer pecados de omisión; bajo su máscara de amor a la humanidad no hace más que desorientar y perjudicar una vez más a los hombres superiores, a los más extraordinarios, a los verdaderos privilegiados.

222

Tengamos por hecho cierto, el descontento de sí mismo que siente el hombre de "ideas modernas", ese mono orgulloso. Sufre y, por vanidad, se permite solamente compadecerse. De ahí que se oiga predicar tanto la piedad —y si prestamos atención percibiremos que ya no se predica hoy otra religión—. A través de todas las vanidades, de todo el bullicio propio de estos predicadores, como de todos los predicadores, escuchará una voz ronca y quejumbrosa, la auténtica voz del desprecio de sí mismo.

223

Somos el primer siglo erudito en todo, en materia de costumbres, quiero decir en materia de morales, de artículos de fe, de gustos estéticos y de religiones; estamos preparados, como jamás lo estuvo época alguna, para un carnaval de gran estilo, para la alegría y los excesos de un martes de carnaval, para las cimas de la enfermedad mental y para la ironía aristofanesca que se burla del universo. Posiblemente descubramos aquí precisamente, el dominio reservado a nuestras facultades *inventivas*, aquel en que podamos todavía mostrarnos originales; por ejemplo, parodiando la historia universal, convirtiéndonos en los bufones de Dios. ¡Si nada de lo que existe hoy tiene porvenir, quizá nuestra risa sea la única cosa que aún tiene porvenir! El mestizo europeo tiene una ineludible necesidad de un disfraz; la historia le sirve de guardarropa lleno de diferentes ropajes. Sin embargo, advierte que ninguno le va del todo bien y cambia continuamente de indumentaria. Observemos en el siglo XIX esa rápida alternancia de modas y de máscaras históricas, por una parte, y de momentos de contrariedad, por otra, en los cuales nos damos cuenta de que nada "nos viene bien". Es inútil desplegar *in moribus et artibus* el vestido romántico o el clásico, el cristiano o el florentino, el barroco o el nacional; nada nos "viste" ya. Pero el espíritu, y en especial el espíritu "histórico", se aprovecha de esta desesperación misma; no deja de probarse nuevos vestidos arcaicos o exóticos, para, por fin, desecharlos y volver a arreglar sus patrones; y sobre todo "estudiarlos".

224

La facultad de adivinar rápidamente la jerarquía de los valores bajo la cual ha vivido un pueblo, una sociedad un hombre, es el *sentido histórico;* es el "instinto adivinatorio" de las relaciones que tienen entre sí las diversas apreciaciones y la relación entre estos valores y la autoridad de las fuerzas activas. Ese sentido histórico que ostentamos nosotros, los europeos, como nuestro don peculiar, ha surgido del estado de *semibarbarie* loca y seductora en que cayó Europa como consecuencia de las mezclas de clases y razas. El siglo XIX, es el primero que ha conocido ese sentido, su *sexto sentido.* La semibarbarie de nuestros cuerpos y de nuestras necesidades nos procura, un poco por todas partes, accesos secretos que han ignorado siempre las épocas aristocráticas; sobre todo nos hacen penetrar en el laberinto de las civilizaciones inacabadas y de todas las barbaries o semibarbaries que existieron en el globo. Y en la medida en que la mayor parte de la civilización humana no ha sido hasta hoy más que una semibarbarie, el "sentido histórico" significa casi el sentido y el instinto de todas las cosas, el gusto por todas las cosas, el lenguaje mismo para todas las cosas. Por ejemplo, hemos aprendido a saborear de nuevo a Homero, y éste tal vez es el progreso más meritorio que hemos hecho; cosa que los hombres de una cultura aristocrática, como los franceses del siglo XVII, no supieron asimilar y apenas les pudo agradar. Su muy preciso gusto, su pronto hastío, su reserva respecto a todo lo que les era extraño, su temor a dar prueba de mal gusto al testimoniar una curiosidad demasiado viva, y, sobre todo, esa repugnancia que experimenta la civilización aristocrática a confesar un nuevo deseo, a reconocer que lo que posee no le satisface y que admira lo extraño; todo esto orienta y predispone desfavorablemente a estos aristócratas respecto de las mejores cosas del mundo, desde el momento en que no son propiedad suya ni pueden servirle de presa. Más extraño en esos hombres es el sentido histórico y su curiosidad simplona y plebeya. Lo mismo sucede con Shakespeare, asombrosa síntesis de los gustos españoles, morisco y sajón, que hubiese hecho reventar de risa o de indignación a un ciudadano de la antigua Atenas, o un amigo de Esquilo. Nosotros, por el contrario, recibimos acaloradamente y con una secreta familiaridad ese embrollo insensato, esa mezcolanza de todo lo que hay de delicadeza, de grosería y de artificialidad en su mundo; gozamos en él de un refinamiento del arte preparado expresamente para nosotros sin incomodarnos por los olores repugnantes y la promiscuidad de la plebe inglesa de la cual se nutre el arte y el gusto de Shakespeare. Además de nuestro sentido histórico, poseemos nuestras propias virtudes, no hay que negarlo: carecemos de pretensiones, somos desinteresados, modestos, animosos, llenos de abnegación, de entrega, de reconocimiento, de paciencia, muy acogedores; a pesar de todo esto no tenemos mucho "gusto". Habrá que confesarlo de una buena vez: lo que parece más difícil de percibir, de sentir, de gustar y de agradar retrospectivamente, lo que despierta en nosotros casi la hostilidad es precisamente la perfección; el punto de madurez de toda civilización y de todo arte; es el instante en que no son más que mar tranquilo y beatitud íntima; es propiamente, la superficie brillante y fría, característica de las cosas acabadas, perfectas. Quizá nuestra virtud, nuestro sentido histórico, se oponga necesariamente al *buen* gusto, o al menos al mejor gusto; quizá no sepamos reproducir en nosotros más que de una torpe manera, vacilante y bajo la sugestión, esos breves y supremos encuentros felices, apoteosis de la vida humana que llamean acá y allá, esos instantes maravillosos en los que cualquier fuerza poderosa se detuvo voluntariamente ante lo atrevido y lo ilimitado. La *medida* no es extraña; lo que nos excita es el atractivo del infinito, de lo desmesurado. Como el jinete sobre un corcel encolerizado, dejamos caer las riendas ante lo infinito y nuestro encuentro con la felicidad suprema ocurre en el instante en que corremos el mayor peligro.

225

Nuestra compasión es de una esencia más elevada y de más vastos horizontes. Nosotros vemos al hombre empequeñecerse y vemos que sois vosotros quienes lo empequeñecéis. Hay momentos en que es vuestra compasión la que nos sobrecoge con una angustia indescriptible, en que vuestra seriedad nos parece más peligrosa que cualquier frivolidad. Deseáis, en lo posible, *abolir el sufrimiento,* y no hay "posible" más insensato; en cuanto a nosotros, nos parece que preferiríamos hacer la vida aún más elevada y difícil que nunca. Los sistemas que miden el valor de las cosas según el *placer* o el *dolor* que les acompañan (es decir, según circunstancias accesorias, como el pesimismo, el utilitarismo y el eudemonismo), son ingenuidades, indicios de pensamientos poco profundos. El hombre que siente en sí facultades *constructivas* y una conciencia de artista, no puede contemplarlas más que con ironía y compasión. Nuestra compasión por vosotros no es, a decir verdad, la que imagináis; no es la compasión por la "miseria social", por la "sociedad", por sus enfermos y lisiados, por sus viciosos y deformes de nacimiento que yacen en torno a nosotros en el suelo; y menos aún por las capas serviles, descontentas, oprimidas, rebeldes, que aspiran a la dominación, a lo que ellos llaman la "libertad". En el hombre se encuentran *el creador* y la *criatura,* ya que el hombre es materia, fragmento, residuo, arcilla, locura y caos; pero el hombre es también creador, escultor, duro martillo. ¿Comprendéis esta antítesis? ¿Comprendéis que vuestra compasión se dirige a la criatura en el hombre, a lo que debe ser formado, roto, forjado, fundido y purificado, a todo lo que necesariamente *sufrirá* y *debe sufrir?* ¿Comprendéis que nuestra compasión se vuelve contra la vuestra como contra la peor de las debilidades? ¡Compasión contra compasión! El bienestar, tal como vosotros lo entendéis no es una meta para nosotros; es el fin de todo, un estado que hace al hombre tan ridículo y despreciable, que nos hace desear su desaparición. La disciplina del sufrimiento, del gran sufrimiento, ¿no sabéis que es la que ha conducido al hombre hasta la cumbre de su ser? ¿No ha ganado el hombre su grandeza mediante el sufrimiento, mediante la disciplina del sufrimiento? Lo repito una vez más, hay problemas más elevados que todos esos problemas del placer, del dolor y de la compasión, y una filosofía que se reduce a ellos no es más que *ingenuidad.*

226

¡Nosotros los inmoralistas!.— Este mundo que es nuestro, en el cual tenemos que gozar y sufrir, este mundo casi invisible e inaudible de sutiles mandamientos, de sutil obediencia; este mundo de aproximaciones desde todos los puntos de vista, este mundo escabroso, seductor, está en guardia contra los espectadores groseros y la indiscreta curiosidad. Estamos oprimidos por deberes de los cuales no podemos desembarazarnos. A menudo, apretando los dientes nos irritamos por los secretos rigores de nuestro destino. Pero hagamos lo que hagamos, los tontos y la apariencia dicen de nosotros: son hombres "sin deber". Siempre tendremos en contra nuestra a los tontos y a la apariencia.

227

Nosotros los últimos estoicos, sigamos siendo *duros* y llamemos en nuestro auxilio a todo lo que hay de diabólico en nosotros, a nuestro ánimo aventurero, a nuestra curiosidad aguzada y prevenida, a nuestra voluntad de poder y de conquista universal más sutil, más sublimada, aquella que da vueltas incesantemente, si es que algún día nos sentimos tentados a seguir una vida más fácil y menos dolorosa. Suponiendo que la probidad sea nuestra virtud propia, aquella de la cual no podemos desembarazarnos, nosotros espíritus libres, pondremos toda nuestra malicia y todo nuestro amor para desarrollarla y no dejaremos de "perfeccionar" en nosotros esta virtud, la única que nos queda. ¡Corramos con todos nuestros "diablos" en ayuda de nuestro "Dios"! Es probable que a causa de esto se nos confunda con otros. Se dirá: "Su probidad es un maleficio nada más." ¡Qué importa! Y aun admitiendo que tuviesen razón, la verdad es que de todos los dioses diablos prebautizados hemos hecho santos. ¿Y qué sabemos nosotros del *nombre* que debe llevar el espíritu que nos guía? ¿Y cuántos espíritus hay en nosotros? Nosotros espíritus libres, debemos velar porque nuestra probidad no se convierta en nuestra vanidad, en nuestro adorno y nuestro atavío de parada, en nuestro límite, en nuestra estupidez. Toda virtud manifiesta una tendencia a la estupidez, toda estupidez, una tendencia a la virtud. ¿No es la vida demasiado corta para que la hagamos enojosa?

228

¿No es un moralista lo contrario de un puritano? Pues el moralista es un pensador en cuyo concepto la moral es cosa dudosa, hipotética, en una palabra, como un problema. Ojalá se me perdone si he descubierto que todas las filosofías morales son siempre enojosas y merecen ser incluidas entre los soporíferos, y que la virtud nunca estuvo más comprometida ante mis ojos que por los enojosos discursos de sus abogados. Lo que no quiere decir que desconozca su utilidad general. Importa mucho que disminuya el número de las gentes que reflexionan sobre la moral; importa, para que la moral no se convierte en *interesante*. ¡Pero no hay que temer! Sucede hoy lo mismo que siempre: no veo a nadie en Europa que piense (o dé que pensar) que la reflexión moral puede ser una cosa peligrosa y seductora, que puede ocultar una *fatalidad.* No ha aparecido ningún pensamiento nuevo, nada que se parezca al arte de dar un giro más sutil a un nuevo planteamiento, a un antiguo pensamiento, ni siquiera una verdadera historia de sus predecesores. Ninguno de estos animales gregarios de hoy en día, de conciencia inquieta, que intentan defender la causa del egoísmo como la del bien general, desea saber, ni siquiera percibir desde lejos, que el "bienestar de todos", no es más que un vomitivo; que lo que conviene a uno puede no ser en absoluto conveniente para otro; que exigir la existencia de una moral uniforme para todos es precisamente lesionar a los tipos humanos superiores. En suma, que si existe una *jerarquía* entre los hombres, también existe otra entre las morales. Los utilitarios ingleses son una especie de hombres modestos y radicalmente mediocres, y, como he dicho muy alto, dado lo enojosos que son, no se puede tener en mucha estima su utilidad. Habría que *animarlos* por esta vía como se ha intentado hacerlo, por ejemplo, en estos versos;

> *¡Yo os saludo, valientes carreteros,*
> *cuanto más dure el camino más contentos estaréis,*
> *cada vez más tiesos de la cabeza a los pies,*
> *sin bromas ni entusiasmo,*
> *irremediablemente mediocres,*
> *sin genio y sin ingenio!*

229

La dolorosa voluptuosidad de la tragedia la produce la crueldad; lo que nos causa una emoción agradable en la llamada piedad trágica y en todo lo que es sublime, hasta los estremecimientos supremos de la metafísica más sutil, no es más que el ingrediente de crueldad que se le mezcla, al cual debe su dulzura. Lo que era del agrado de los romanos en el circo, de los cristianos en el éxtasis de la cruz, de los españoles en los autos de fe o en las corridas de toros; lo que gusta en nuestros días a los japoneses que forman multitudes en los teatros, al obrero parisiense que siente la pasión de las revoluciones sangrientas a la wagneriana, que invalida toda voluntad, deja pasar sobre sí la música de Tristán; lo que todos saborean, lo que aspiran a beber con místico ardor, es el filtro de la gran Circe, cuyo nombre es Crueldad. Hay que desterrar la burda psicológica de antaño que enseñaba que la crueldad nace a la vista del sufrimiento *ajeno*. Existe también un goce, un placer desbordante en la tortura de sí mismo; siempre que el hombre se deja persuadir para renegar de sí mismo, o para mutilarse como los fenicios y los ascetas, o simplemente para mortificar sus sentidos y su carne, para humillarse en la penitencia, para disecar su conciencia y conseguir como Pascal el "sacrificio del intelecto", es su propia crueldad la que lo impulsa hacia adelante, el peligroso estremecimiento de una crueldad dirigida hacia sí mismo. En estos últimos siglos que se enorgullecen con justo título de su humanidad, subsiste aún un enorme terror tan supersticioso como el de la "bestia salvaje y cruel", que domina la gloria de esta época más humana, en la cual verdades incluso evidentes se pasan en silencio, como de común acuerdo, y permanecen inexpresadas durante siglos porque parecerían querer devolver a la vida a esas bestias exterminadas. Tal vez me expongo mucho al revelar esta verdad, pero es preciso cambiar todas nuestras ideas sobre la crueldad y abrir los ojos; es preciso aprender a ser impacientes para que esos grandes e imprudentes errores dejen de mostrarse con sus aires de virtud. Quiero decir, por ejemplo, los errores de los filósofos antiguos y modernos con respecto a la tragedia. Casi todo lo que nosotros llamamos civilización superior se basa en la espiritualización y la profundización de la crueldad; tal es mi tesis. Esta "bestia feroz" no ha sido abatida; lejos de ella vive, prospera, ha sido divinizada tan sólo. Consideremos, por último, que también la disciplina del conocimiento, al hacer un esfuerzo por conocer, contra la inclinación de su espíritu y a menudo de su corazón, al verse obligada a negar cuando en su lugar querría afirmar, amar, adorar, obra como artista y glorifica la crueldad. Sondear así todas las cosas hasta en sus profundidades, es ya una manera de violentarse, de hacer sufrir intencionalmente a la voluntad fundamental del espíritu que tiene siempre hacia lo aparente y lo superficial. Toda voluntad de conocer se encuentra mezclada, por lo menos, con una gota de crueldad.

230

Pasaré a dar una explicación de lo que yo entiendo por "voluntad fundamental del espíritu". Esa cosa imperiosa que el vulgo llama "el espíritu" desea dominar y sentirse dueño en sí y en torno a sí; maniatar; domar. Una voluntad verdaderamente soberana tiene como necesidades y facultades las mismas que los fisiólogos observan en todo lo que vive, crece y se multiplica. La capacidad del espíritu para asimilarse lo que le es extraño se revela en una inclinación resuelta a asimilar lo nuevo a lo viejo, a simplificar lo complejo, a ignorar o a rechazar lo que es absolutamente contradictorio. Subraya a su arbitrio ciertos rasgos, los valora y los falsifica según su conveniencia. Lo que busca es incorporar nuevas experiencias, ordenar los hechos nuevos dentro de las series antiguas; intenta, en fin, crecer. Siente una resolución brutal y repentina de ignorar, de aislarse, de cerrar sus ventanas, una negativa íntima opuesta a esto o aquello, una repulsa a dejarse abordar, como una actitud defensa respecto a lo que se podría descubrir, una decisión de dejar ciertas cosas en la sombra, de ignorar deliberadamente. Todo esto es necesario al espíritu, necesidad que varía según el grado de su fuerza de asimilación, de su "capacidad digestiva", para hablar en imágenes; y de hecho es a un estómago a lo que más se parece el espíritu. Habría que citar también la voluntad que tiene el espíritu de dejarse engañar a veces, quizá con la maliciosa sospecha de que las cosas no son tal como se le dice, aparentando creerlo; sin embargo, hay que contar con el gusto de la incertidumbre y del equívoco, el placer que se saborea al confinarse voluntariamente en un rincón bien oculto, el goce de ver las cosas muy de cerca, sin perspectiva, en su superficie solamente, de verlas engrandecidas, o aminoradas, sueltas, embellecidas, el deleite que gozamos en esta manifestación arbitraria de poderío. Y, finalmente, hay que contar también con esa tendencia un tanto sospechosa del espíritu de engañar a otros espíritus a llevar máscaras en su presencia; hay que tener en cuenta a esa presión, a ese impulso constante de una fuerza creadora, tan hábil para modelar como para metamorfosear. El espíritu encuentra un goce en la multiplicidad de sus máscaras y de su astucia, goza también del sentimiento de seguridad: esas condiciones de Proteo son las que mejor le defienden y le disimulan. Esta voluntad, que busca la pura apariencia, la simplificación, la máscara, en una palabra, lo superficial, actúa a la inversa del sublime instinto que impulsa al hombre a conocer, a ver, a *querer ver* las cosas hasta el fondo, en su esencia y en su complejidad. Reintegrar al hombre a la naturaleza, triunfar sobre numerosas interpretaciones vanas y vaporosas del texto primitivo eterno; hacer que, de ahora en adelante, el hombre endurecido por la disciplina científica adopte ante el hombre, tal como es hoy, la misma actitud que ante la *otra* naturaleza; que tenga la mirada intrépida de un Edipo y los oídos tapados de un Ulises, que sea sordo a los reclamos de los vicios metafísicos, que durante mucho tiempo le han repetido con molesta insistencia: "¡Tú eres mejor, tú eres más grande, de otro origen!" Esto puede ser una tarea extraña, insensata, pero es una *tarea*, ¿quién podría negarlo? ¿Por qué elegimos nosotros esa insensata tarea? O, en otros términos, ¿por qué el conocimiento? Hay una especie de crueldad de la conciencia y del gusto intelectuales que todo valeroso pensador percibirá en sí mismo, siempre que su mirada aguda y endurecida se haya habituado a una disciplina estricta y a un lenguaje riguroso. Dirá entonces: "Hay crueldad en la inclinación esencial de mi espíritu." A las gentes virtuosas y amables les costará mucho convencerse de ello. En efecto, sería más amable vanagloriarnos, en lugar de la crueldad, de algo como un exceso de sinceridad, nosotros espíritus libres, y muy libres. Tal vez sea éste un día nuestra gloria póstuma. Mientras tanto —pasará tiempo hasta entonces— estaremos menos tentados que nadie a adornarnos con ese oropel verbal; todo nuestro esfuerzo anterior nos hace precisamente odioso ese mal gusto y su exuberancia jovial. Son bellas palabras deslumbrantes y solemnes: providad, amor a la verdad, amor a la sabiduría, sacrificio por el conocimiento y por la verdad; hay en ellas algo que nos enorgullece. Pero, en lo que respecto a nosotros, eremitas y marmotas, hace mucho tiempo que estamos persuadidos, en lo íntimo de nuestras conciencias de ascetas, de que toda esta ostentación verbal que se venera no es nada tampoco, no es más que polvo de oro falsificado con el que se adorna la inconsciente vanidad humana y que, incluso bajo estos colores halagadores, hay que reconocer y sacar a la luz el terrible texto primitivo *homo natura*.

231

Aprender nos transforma, nos enriquece, pero es cierto que muy en el fondo de nosotros hay algo rebelde a toda institución, producto de ideas preconcebidas. Todo problema cardinal choca en nosotros contra un prurito inalterable: "Yo soy así". Por ejemplo, a propósito del hombre y de la mujer, un pensador no cambiará jamás de opinión; se limitará a sondear en el fondo del problema para terminar describiendo lo que era ya cosa resuelta en él de antemano. Posteriormente, pronto encontramos soluciones a ciertos problemas que personalmente nos inspiran una sólida fe; quizá las llamaremos en un futuro nuestras convicciones. Más tarde no vemos ya en ellas más que etapas en el conocimiento de nosotros mismos, complejo que nos conduce a lo que somos nosotros mismos, a lo que se oculta en el fondo de nuestra obstinación rebelde a toda ley. Después de las gentilezas que acabo de decir, tal vez se me permita enunciar algunas verdades respecto a la "mujer", admitiendo que sepamos previamente hasta qué punto son mis verdades *personales*.

232

Uno de los problemas más deplorables es el del afeamiento general de Europa. La mujer quiere emanciparse y para este fin se ha propuesto ilustrar al hombre acerca de la "mujer en sí". ¿Adónde van a conducir esas torpes ligerezas de espíritu científico y de exhibicionismo en la mujer? ¡Tiene tantos motivos la mujer para ser púdica! ¡Hay en la mujer un algo pedante, superficial, primario, cosas todas que hasta hoy sólo han sido dominadas y reprimidas por el temor al hombre! ¡Desgraciados de nosotros cuando el eterno fastidio femenino se atreva a mostrarse un día, cuando la mujer se decida a olvidar su delicadeza y su arte, el arte de la gracia y del juego, el arte de diluir las inquietudes, de tomar todo a la ligera; cuando deje de mostrarse delicadamente dócil a los deseos agradables! Ya se oyen voces que reivindican con tono amenazador, con precisión propia del médico, lo que la mujer exige del hombre en primera y última instancia. ¿No es prueba del mal gusto que la mujer le prepare así para iniciarse en las ciencias? Hasta ahora, ese género de precisiones era asunto y privilegio de los hombres. En presencia de lo que las mujeres escriben sobre "la mujer" puede preguntarse con desconfianza si realmente desea una explicación sobre sí misma y si es capaz de desearla... Si la mujer no busca más que un atavío suplementario, entonces quiere hacerse temer, quizá hacerse obedecer. Pero no es la verdad lo que busca, ya que no hay nada más contrario a su naturaleza; su gran preocupación es la apariencia y la belleza. Eso es precisamente su talento y lo que a los hombres les gusta en la mujer. Nosotros, que sentimos el agobio de las inquietudes, encontramos nuestro solaz cerca de estos seres cuyas manos y tiernas miradas hacen que nuestra seriedad, nuestra gravedad y nuestra profundidad nos parezcan casi como otras tantas locuras; ¿y no es verdad que, en realidad, la mujer ha sido siempre menospreciada por las mismas mujeres, y no por nosotros? Como hombres, deseamos que la mujer no continúe comprometiéndose con sus declaraciones.

233

El que la mujer cite a Mme. Roland o a Mme. de Stael o a Mme. George Sand, es un síntoma de la corrupción de los instintos —sin hablar del mal gusto—, como si así probara algo en favor de la "mujer en sí". Los hombres consideran a estas tres señoras como las mujeres *cómicas* por excelencia, pues son ellas la representación de los mejores argumentos contra la emancipación de la mujer y sus pretensiones de independencia.

234

La mujer cocinera actúa con increíble inconsciencia respecto a la alimentación de la familia y de su jefe. Desconoce la importancia de los alimentos y ¡pretende ser cocinera! Si tuviese capacidad de raciocinio, después de cocinar durante milenios, ya debiera haber descubierto los fenómenos fisiológicos fundamentales y añadido a su dominio el arte de curar. La total ausencia de razón se encuentra representada por las malas cocineras, lo cual ha constituido un obstáculo grave para la evolución del hombre. La situación ha sufrido muy leves cambios. Discurso para un colegio de señoritas.

235

Hay toda una civilización, toda una sociedad cristalizada súbitamente en sentencias, giros y agudezas. Por ejemplo, esta frase de Mme. de Lambert a su hijo: *"Hijo mío, no te permitas más que locuras que te proporcionen un gran placer."* Es ésta la frase más maternal y juiciosa que jamás se haya dirigido a un hijo.

236

Acerca de la mujer Dante escribió: *"Ella guardaba susu, ed io in lei"*, y Goethe: *"Lo eterno Femenino nos atrae hacia arriba"*. Esto no agradará seguramente a las mujeres, bien nacidas, pero no es más que lo que ellas mismas piensan respecto del Eterno... Masculino.

237

Siete pequeños aforismos respecto a las mujeres

El aburrimiento desaparece en el momento en que un hombre permanece de rodillas ante nosotras.

Vejez y saber, templan la débil voluntad y la virtud.

Con vestido de color negro, la mujer se cree demasiado maligna.

¿Quiénes contribuyeron en la obtención de mi próspera fortuna? Dios…, y mi modista.

Joven es una caverna florecida. Vieja, una de la que surge un dragón.

¡Qué felicidad si fueran míos un apellido noble, una pierna bien hecha y un hombre!

Palabra breve, sentido profundo: hielo resbaladizo para la burra.

237 Bis

Las mujeres han merecido de los hombres el trato de avecillas extraviadas, caídas de desconocidas cielos, pero más delicadas, más salvajes, más extrañas, más dulces y más llenas de gracia que los hombres; pero también, sin embargo, como algo que hay que meter en una jaula para impedirles que vuelen.

238

Es un signo inconfundible de estrechez de espíritu, equivocarse respecto al problema fundamental del hombre y de la mujer, es decir, negar el abismo que los separa y la necesidad de un antagonismo, soñar que puedan tener igualdad de derechos, una educación idéntica, las mismas pretensiones y los mismos deberes. A un pensador que sufra esta estrechez se le podría considerar como sospechoso en todas las demás cuestiones. Es posible que ante todos los problemas esenciales de la vida, incluso de la vida futura, confiese su incapacidad para llegar al fondo de las cosas. Por el contrario, un hombre que posee profundidad en el espíritu, en la mente y en los deseos, y al mismo tiempo una profunda benevolencia, y que simultáneamente sea capaz de una severidad, de una dureza con las que se le pueda confundir, no puede pensar a propósito de las mujeres más que a la manera oriental. Debe considerar a la mujer como una propiedad, como un bien que hay que guardar con llave, como un ser hecho para la domesticidad, que se encuentra identificada con esta situación subalterna. Hay que recordarle a este respecto la prodigiosa sabiduría de Asia, la superioridad del instinto, como hicieron antaño los griegos, los herederos más auténticos y los mejores discípulos de Asia; sabemos que desde Homero a Pericles, a medida que las civilizaciones fueron mayores y más ricas en fuerza, se mostraban cada vez más severos con la mujer, cada vez más orientales. ¡Lógica necesaria e incluso humanamente deseable! Sobre esta actitud deberíamos todos reflexionar largamente.

239

Desde la Revolución francesa la influencia de la mujer ha disminuido en Europa en la medida en que sus derechos y sus pretensiones han aumentado, y la emancipación de la mujer se revela como un curioso síntoma de debilitamiento, de esterilización gradual de los instintos femeninos primordiales, ya que esta reivindicación ha sido activada realmente por mujeres y no solamente por machos cretinos. Entra en este movimiento de liberación la *necedad,* una necedad casi viril de la cual toda mujer bien constituida e inteligente debería avergonzarse de perder el olfato que nos indica cuál terreno es el más apropiado para conseguir la victoria; desdeñar el ejercicio de la esgrima en que ha llegado a ser maestra; entregarse, en presencia del hombre, quizá hasta a escribir un libro, en lugar de observar, como en otros tiempos, unos modales decentes y una humildad astuta y socarrona; quebrantar con virtuoso impudor en el hombre la creencia de un ideal fundamental diferente que estaría oculto en la mujer, en un no sé qué de "Eterno femenino"; hacer que el hombre abandone la idea de que la mujer debe ser guardada, cuidada, protegida como un animal doméstico, aunque más delicado, extrañamente salvaje y a veces agradable; rebuscar con torpe indignación todo lo que la posición social de la mujer tuvo y tiene aún de servil y de sumisión (como si la esclavitud fuese contraria a la civilización y no más bien la condición de toda civilización superior, y de todo progreso en civilización). ¿Qué significa todo esto si no es que los instintos femeninos se esterilizan y que la mujer renuncia a ser mujer? Sin duda, entre los asnos sabios del sexo masculino, hay bastantes estúpidos amigos de las mujeres o de corruptores de mujeres para aconsejarles que renuncien a toda feminidad y que imiten todas las estupideces de que padece "la virilidad europea"; son imbéciles que desearían rebajar a la mujer al nivel de la "cultura general, quizá incluso hasta obligarla a leer periódicos e intervenir en política. Algunos quisieran llegar a transformar a las mujeres en librepensadores y en gentes de letras, como si una mujer sin religión no fuese para un hombre profundo e impío algo absolutamente repugnante y ridículo. Casi en todas partes se les estropea los nervios por medio de la música más mórbida y perniciosa que exista, "nuestra música alemana moderna"; se alimenta su histerismo haciéndolas cada vez menos aptas para seguir su primera y última vocación, que es traer hijos al mundo. Se pretende "cultivarlas" cada vez más y, como se dice, fortalecer al sexo débil, por la cultura; como si la historia no mostrara claramente que la "cultura" del ser humano ha ido siempre paralela a su debilitamiento —quiero decir, al decaimiento mórbido de la *voluntad*— y que las mujeres más poderosas, las que han ejercido más influencia (la madre de Napoleón es el último ejemplo) debían su poder y su ascendencia sobre los hombres a la fuerza de su voluntad. Jamás el sexo débil ha sido tratado por los hombres con tanto respeto como en nuestra época. Ello está de acuerdo con los gustos esenciales y las inclinaciones de la democracia, así como nuestra falta de respeto hacia la vejez. ¿Por qué hemos de asombrarnos de que estas consideraciones hayan degenerado en abuso? Se pide más aún, se aprende a exigir, se acaba por encontrar casi ofensivo ese tributo de respeto, se preferiría la rivalidad, incluso la lucha abierta para la conquista de los derechos. En una palabra, la mujer pierde su pudor. Añadamos que pierde también su buen gusto. Se olvida de *temer* al hombre; y la mujer que se olvida de temer renuncia a sus instintos más femeninos. Es perfectamente legítimo que la mujer pierda la cabeza en el momento en que el hombre deja de desear y de cultivar en él las cualidades que inspira el temor, o diciéndolo sin rodeos, su rivalidad. Lo que es difícil comprender es que por esto mismo, la mujer degenera. Ahora bien, esto es lo que sucede en nuestros días; no nos engañemos. Y cuando el espíritu industrial impera sobre el espíritu militar y aristocrático, la mujer aspira a la independencia económica y jurídica de un oficinista: la mujer oficinista nos espera a las puertas de la sociedad en formación. Mientras se va apoderando así de nuevos derechos, mientras se esfuerza por ser el dueño e inscribe en sus banderas estas palabras: *progreso de la mujer,* y el resultado verdadero es que la mujer retrocede. Lo que inspira respeto y a veces temor en la mujer, es su *naturaleza,* que se presenta con más "naturalidad que la del hombre, su flexibilidad sagaz de verdadero felino, sus garras tigresas bajo guante de terciopelo, la ingenuidad de su egoísmo, su ineptitud para acabarse de educar, su profundo salvajismo, el carácter indeciso de sus deseos y de sus virtudes... A pesar del temor que experimentamos por este felino alegre y peligroso, nos inspira la compasión, por parecer el más doliente, el más débil de todos los animales, el más sediento de ternura y condenado a más desilusiones. Hasta hoy, los sentimientos del hombre ante la mujer han sido de piedad y temor. ¿Terminará esto así? ¿Habremos iniciado el deshechizamiento de la mujer? ¿Llegará a ser la mujer, poco a poco, más fastidiosa? ¡Oh Europa, Europa! ¡Conocemos ya la bestia de cuernos que siempre tuvo para ti más atractivo, la fuente de los peligros que te amenazan constantemente! Tu antigua leyenda podría volver a ser historia, una enorme necedad podría de nuevo enajenarte y arrebatarte. Y en esta ocasión no habrá ningún dios oculto detrás de esa enorme necedad: no, sólo habrá una idea, una "idea moderna".

OCTAVA PARTE

PUEBLOS Y PATRIAS

240

He escuchado una vez más —pareciéndome que era la primera vez— la obertura de *Los maestros cantores,* de Richard Wagner. Es un arte suntuoso, pomposo, pesado y tardío que tiene el orgullo de suponer que quienes quieren entenderlo viven todavía dos siglos de música. Y para honor de los alemanes semejante orgullo se halla justificado. ¿Cuántas savias y fuerzas, cuántas épocas y climas se unen y confunden en esa música? Tan pronto nos parece anticuada y extraña, como ácida y de una extrema juventud; se nos presenta fantástica y ampulosamente tradicional, muy a menudo maliciosa y aún más a menudo ruda y grosera. Posee el fuego, el colorido, la pelusilla frágil y descolorida de los frutos que maduraron demasiado tarde. Corre amplia y plena y, repentinamente, con vacilantes efectos de pesadilla. Se extiende y se amplifica de nuevo la ola de nuestras alegrías cuyo rumor nos hace oír una prodigiosa variedad de voces, de alegría antigua y nueva, sin olvidar el placer que el artista se produce a sí mismo, sin ocultar la sorpresa encantado de sentirse poseedor de todos sus recursos y de las fórmulas del arte recientemente conquistado y que es el primero en poner en práctica, como parece dárnoslo a entender. Así, esta música no tiene belleza ni ardor meridionales, nada de la fina claridad de un cielo de mediodía, ni gracia ni danza, apenas un poco de voluntad lógica, además de cierta pesadez, una pesadez afectada, como si el artista quisiera decirnos: "Esta pesadez también la he tenido yo"; pesados tapices, algo voluntariamente bárbaro y solemne, esplendores de brocados lujosos y venerables; algo de alemán, en el mejor y en el peor sentido de la palabra, complejo, informe, inagotable, a la alemana; cierto vigor alemán, una plenitud desbordante del alma que no teme ocultarse detrás de los refinamientos de la decadencia, donde posiblemente se encuentre mejor que en ninguna parte; expresión exacta y auténtica del alma alemana, que es a la vez joven y envejecida, decadente y exuberante de porvenir. Este género de música expresa con gran exactitud mi concepto de los alemanes: pertenecen al ayer y al pasado mañana, *carecen del presente hoy.*

241

Nosotros, "buenos europeos", tenemos también actos y obras en que nos permitimos un sólido remozamiento de nacionalidad, una vuelta y una recaída a nuestros viejos amores, a nuestros horizontes estrechos —yo acabo de dar una prueba de ello—, de momentos en que nos dejamos aplastar por emociones nacionales, angustias patrióticas, sentimientos antiguos y venerables. Espíritus más pesados que los nuestros tardarán sin duda alguna más tiempo en llevar a cabo lo que a nosotros nos ocupa nada más que algunas horas: a unos les será preciso medio año, a otros la mitad de una vida humana, según la rapidez y el vigor de sus digestiones y de sus "cambios orgánicos". Me imagino que no faltan razas más débiles y titubeantes que, incluso en nuestra apresurada Europa, tendrían necesidad de sumar siglos para superar estas crisis de patriotismo ancestral, local y de apego al terruño para volver a la razón, quiero decir al "buen europeísmo". Mientras soñaba en todas las posibilidades fui testigo de una conversación entre los viejos "patriotas"; ambos tenían el oído duro y por eso hablaban muy alto. "Aquel entiende tanto de filosofía como un campesino o un estudiante de corporación —decía uno—; no entiende de filosofía, es muy novato en esta materia. Pero ¡qué importa hoy! Estamos en la época de las masas, del gregarismo, de todo lo "masivo". El hecho de que un hombre de Estado les construya una nueva torre de Babel, un monstruoso imperio de igualmente monstruosa potencia será considerado como hecho por un hombre "grande". ¿Qué importa que nosotros, más prudentes y reservados, no hayamos renunciado aún a nuestra vieja creencia de que la grandeza de una causa o acción sólo reside en la grandeza de pensamiento que la caracteriza? En el supuesto caso de que un hombre de Estado conduzca a su pueblo por medio de esa gran política para la que está mal dotado y mal preparado, y que el país tenga que sacrificar a una nueva y problemática mediocridad sus viejas y seguras virtudes; y suponiendo además que un hombre de Estado condene a su pueblo a hacer política simplemente, cuando éste tuvo hasta entonces otra cosa mejor que hacer y que pensar y, por lo tanto, encuentra difícil el ahuyentar su prudente desconfianza respecto a la agitación, al ruido vacío y a las griterías infernales de las naciones verdaderamente políticas; suponiendo que este hombre de Estado agita las pasiones y las lujurias adormecidas de su pueblo, que le reproche su timidez innata y el gusto que tenía hasta entonces de mantenerse aparte, que le haga creer que es un crimen el amor por las cosas extrañas y el gusto secreto por lo infinito; suponiendo que se burle de las más sutiles indicaciones de su pueblo, que le desgarre la conciencia, que le ahogue el espíritu imponiéndole un gusto nacional, ¿semejante hombre de Estado sería grande si hiciera todo ese empeñando así el porvenir de su pueblo, admitiendo que el pueblo tuviera aún porvenir?" "¡Indudablemente —le replicó acaloradamente el otro patriota—; de lo contrario no habría podido hacer lo que realizó! ¡Quizá era locura querer eso! Aunque quizá toda grandeza sea, en principio, insensata." "¡Qué abuso de palabra! —exclamó su interlocutor—. Semejante hombre será tres veces fuerte y loco, mas nunca grande." Los dos viejos se habían exaltado, arrojándose sus verdades a la cara. Mientras que yo, perdido en mi felicidad y lejos de lo real, calculaba el tiempo que sería necesario a otro más fuerte para triunfar sobre ese hombre fuerte; y reflexionaba que, por un fenómeno de compensación, cuando un pueblo rebaja el nivel de su espíritu, hay otro pueblo que se hace más profundo.

242

Nos encontramos ante la lenta aparición de una humanidad profundamente supranacional y nómada, que filosóficamente presenta como rasgo distintivo un *máximum* de fuerza y poder de adaptación. Ya sea que se llame "civilización", "humanización" o "progreso" a lo que caracteriza a los europeos de hoy, o que se dé a esta característica el nombre de "movimiento *democrático* europeo", no por eso deja de realizarse, tras el decoro moral y político que sugieren tales fórmulas, con creciente rapidez, un prodigioso proceso fisiológico: todos los europeos comienzan a parecerse; se desligan paulatinamente de las condiciones que dan nacimiento a razas ligadas al clima y a las clases sociales; se liberan cada vez más del *medio definido* que podría, a través de algunos siglos, imprimir a las almas y a los cuerpos las mismas necesidades. Este proceso de europeización gradual, retardado en su ritmo por importantes recaídas que no harán más que aumentar su vehemencia y profundidad; el furioso ímpetu del "sentimiento nacional" que hace furor aún es una de esas recaídas. Este proceso conducirá, sin lugar a dudas, a resultados que sus ingenuos promotores, los líderes de las "ideas modernas" serán probablemente los últimos en reconocer. Las condiciones nuevas que permiten, en general, rebajar al hombre a un nivel mediocre, en el cual actúa como animal de rebaño, útil, laborioso y apto para todos los fines son, por otra parte, muy adecuadas para dar nacimiento a hombres excepcionales de la más peligrosa y seductora especie. Lo que quiero decir es que la democratización de Europa es también una de las causas que ayudan involuntariamente a formar tiranos, entendida esta palabra en todos sus sentidos, incluso en el más intelectual. Esta fuerza de adaptación que se enfrenta constantemente a nuevas condiciones de existencia y se reanuda casi cada diez años, en cada generación, es una nueva tarea que no permite al tipo humano afirmarse con potencia y, por otra parte, en su conjunto, estos europeos del porvenir se presentarán como trabajadores buenos, charlatanes, muy adaptables, pero de voluntad débil, que tendrán necesidad de un amo, de un jefe, como del pan cotidiano. La democratización de Europa tenderá, pues, a crear un tipo de hombres preparados para la *esclavitud,* en el sentido más sutil, pero en casos aislados y excepcionales el tipo de hombre *fuerte* llegará necesariamente a ser más fuerte, más próspero y más rico que en el presente, gracias a su educación libre de prejuicios, gracias a la prodigiosa diversidad de sus actividades, de sus talentos y disimulos.

243

Me ha alegrado saber que nuestro sol se desplaza con rápido movimiento hacia la constelación de *Hércules*. Espero que el hombre en la tierra realice otro tanto. ¡Y que nosotros, los buenos europeos, marchemos a la vanguardia.

244

Hubo un tiempo en que se solía conceder a los alemanes el elogioso calificativo de "profundos". Ahora son muy otras las pretensiones del espíritu alemán. Es casi actual y patriótico preguntarse si este antiguo elogio no fue más que un error; en una palabra, si la profundidad alemana no es en verdad otra cosa, y peor aún: una cualidad de la que, afortunadamente, estamos a punto de deshacernos. De todos los disfraces que hoy es capaz de lucir el alemán, posiblemente sea el más peligroso y el mejor logrado esa honradez alemana, servicial, comunicativa, que coloca siempre las cartas sobre la mesa; este es su talento netamente mefistofélico, y que puede "llevarle lejos". El alemán es desenvuelto, mira con sus ojos alemanes, impolutos, azules y vacíos, y el extranjero lo confunde con su bata. Lo que quiero decir es que sea lo que sea realmente la profundidad de los alemanes (entre nosotros podemos reirnos de ella), haremos bien en salvaguardar la honorabilidad de su apariencia y de su buen renombre sin cambiar demasiado complacientemente nuestra vieja reputación de nación profunda por el "paso" prusiano, la mentira berlinesa y el sable de Berlín. Es prudente para una nación *hacerse pasar* por profunda, torpe, bonachona, honrada, inhábil; es tal vez incluso más profundo. Después de todo hay que hacer honor a su nombre: no sin fundamento se le llama el pueblo engañador, *das tiusche* Volk.[1] Para revisar nuestras ideas sobre la profundidad alemana nos bastará practicar la vivisección del alma alemana. Esta es, ante todo, compleja, heterogénea, compuesta de elementos yuxtapuestos y superpuestos, más bien que una verdadera construcción; y todo esto es producto

---

1.- La palabra tiusche, deutsche, de diutise, popular, no es pariente siquiera lejano del verbo täuschen (engañar); es una de las etimologías fantásticas que en ocasiones se permitía F. Nietzsche.

que depende de su origen. Un alemán que se atreviera a pronunciar la frase del *Fausto,* de Goethe: " ¡Yo llevo, ay, dos almas en mí!", sería un mentiroso o tendría necesidad de varias almas para que dijese la verdad. Pueblo hecho de la más prodigiosa mezcolanza y confusión de razas, posiblemente incluso con un predominio de elementos precarios, "pueblo del centro" en todos los sentidos de la palabra, los alemanes son de hecho más incomprensibles, más indefinidos, más contradictorios, más desconocidos, más ambivalentes, más desconcertantes e incluso sorprendentes que los demás pueblos. Escapan a toda *definición* y por esto constituyen la desesperación de los franceses. Es un rasgo distintivo de los alemanes la continua reaparición entre ellos de la pregunta: "¿Qué es un alemán?" Kotzebue conocía, sin lugar a dudas, muy bien a sus alemanes, quienes lo aclamaban gritando: "¡Cómo se nos parece!" Pero su asesino, el estudiante Karl Sand, acusado de ser un agente de Rusia, también creía conocerlos. Juan Pablo sabía lo que se hacía cuando protestó furiosamente contra las adulaciones y las exageraciones mentirosa, pero patrióticas, de Fichte; mas es probable que Goethe tuviera una opinión distinta de los alemanes a la de Juan Pablo, aunque le diera la razón a éste y no a Fichte. La opinión de Goethe sobre los alemanes no se sabe aún exactamente, es casi un misterio, pues incluso sobre muchos muy próximos a él, jamás se explicó claramente. Hizo gala toda su vida de la habilidad de saber callarse; y para ello tenía muchas razones. Lo cierto es que ni las guerras de liberación" ni la Revolución francesa le arrancaron una mirada de alegre esperanza; la fuerza que lo impulsó a volver a *repensar* su *Fausto* y a revisar todas sus ideas sobre el problema del hombre fue la aparición de Napoleón. Goethe se expresa duramente, con una severidad impaciente, como lo haría un extranjero, respecto a lo que constituyó el orgullo de los alemanes. Definió una vez el famoso Gemüt[2] de los alemanes: "la indulgencia para sus propias debilidades y para las de los demás". ¿Estaba equivocado? Lo que caracteriza a los alemanes es el reducido número de veces en que han estado por completo equivocados, a pesar de todo lo que se diga de ellos. El alma alemana oculta galerías y pasillos, cavernas, escondites, laberintos, calabozos y subterráneos; su desorden posee el encanto de lo misterioso. Y como

---

2. Palabra alemana que podría traducirse como: ánimo, carácter, disposición de espíritu.

todo ser ama su símbolo, el alemán ama las nubes y todo lo que es movedizo, crepuscular, húmedo y velado: todo lo que es incierto, inacabado, fugitivo, le parece profundo. El alemán no es, sino que se *"convierte"*, *"evoluciona"*. Así, pues, la "evolución" es, el hallazgo, la proeza de los alemanes, en el vasto dominio de las formas filosóficas: una idea soberana que aliados a la cerveza alemana y a la música alemana, se encamina a la germanización de Europa. Ante los enigmas que les plantea la naturaleza contradictoria del alma alemana, los extranjeros permanecen atónitos y seducidos. "Cándido y pérfido", esta alianza de palabras, absurda por lo que respecta a cualquier otro pueblo, se halla, por desgracia, justificada muy a menudo en lo que concierne a Alemania: ¡id si no a vivir algún tiempo entre los suevos! La pesadez del sabio alemán, su torpeza en sociedad, se combinan de una manera asombrosa con el gusto por unas acrobacias interiores y una audacia desenvuelta que los dioses han aprendido ya a temer. Para hacer una demostración de lo que es el alma alemana, basta examinar un poco el gusto alemán, las artes alemanas y las costumbres alemanas, y, así, se percibirá su rústica indiferencia ante el buen gusto; su promiscuidad de lo más noble con lo más vil. ¡Qué desorden y qué riqueza en toda la economía de esta alma! El alemán lleva a cuestas como pesado fardo, todo el contenido de su existencia. Digiere mal lo que ha vivido, no acaba nunca de digerirlo. La profundidad alemana no es a menudo más que el signo de una digestión penosa y lenta. Y así como todos los enfermos crónicos, todos los dispépticos, tienden a la indolencia, al alemán le gusta la franqueza y la bondad. ¡Es tan cómodo ser franco y recto!

245

Los "buenos tiempos antiguos" han muerto: la música de Mozart fue su canto de cisne. Podemos considerarnos seres privilegiados porque aún suena en nuestra alma su estilo "rococó", porque su tono de buena compañía, su delicado entusiasmo, el gusto infantil por lo chinesco y las filigranas, su fineza de corazón, su gusto por la gracia, la ternura y la danza, su sensibilidad un poco lagrimosa, su ideal meridional, hacen que todo esto sobreviva en nosotros. Por desgracia, tarde o temprano, también esto terminará. Pero antes, no lo dudéis, el mismo Beethoven dejará de ser comprendido y sentido, porque no fue más que el último acorde de una música de transición y de una ruptura de estilo, y no el acorde final de un gran estilo europeo, como Mozart, de un estilo que había reinado durante siglos. Beethoven es el lazo de unión entre un alma envejecida y gastada, siempre a punto de deshacerse, y un alma futura, mucho más joven y que no acaba de "llegar"; su música se envuelve en el doble resplandor de un duelo eterno y de una eterna y extravagante esperanza, en esa misma luz que inundaba a Europa cuando soñaba con Rousseau y bailaba alrededor del árbol de la libertad revolucionaria, para terminar con el contraste de adoración a Napoleón. ¡Cuán rápidamente palidece esta emoción! ¡Cuán difícil nos resulta ahora representarnos lo que era! ¡Qué extraño suena a nuestros oídos el lenguaje de los Rousseau, de los Schiller, de los Shelley, de los Byron, que expresaban con palabras el mismo destino europeo que cantaba Beethoven! La producción posterior en materia de música alemana, procede del romanticismo; es decir, de un movimiento históricamente más breve, más fugitivo, más superficial todavía que lo que fue para Europa ese gran intermedio, transición que va de Rousseau a Napoleón, después del advenimiento de la democracia. ¿Weber? Pero, ¿qué significan hoy para nosotros el *Freyschütz* y *Oberón? ¿El Hans Heiling y el Vampyr*, de Marschner? ¿O incluso el *Tannhäuser* de Wagner? Es una música que ya no recibe la respuesta del eco, admitiendo incluso que no se haya olvidado. Además, no tenía esta *música* romántica el porte aristocrático, no era bastante *música* y, por lo tanto, sólo podía existir en el teatro y en la muchedumbre. Así, pues, era una música de segunda categoría, poco apreciada por los verdaderos músicos. No sucede lo mismo con Félix Mendelssohn, ese maestro alciónico que nos recuerda al ave fabulosa, mitológica, que anidaba solamente sobre un mar tranquilo, que se hizo rápidamente famoso y que con la misma rapidez fue olvidado, debido a su alma más ligera, más pura y más colmada, el cual representa en la música alemana un hermoso accidente. En cuanto a Robert Schumann, quien tomó en serio la música y quien igualmente fue tomado en serio por sus contemporáneos, desde sus comienzos, ¿no fue acaso el último en crear una escuela? ¿No somos hoy días felices y sentimos una sensación de alivio y una especie de liberación en razón de haber superado ya aquel romanticismo schumanniano? Schumann se refugiaba en la "Suiza sajona" de su alma, medio

Werther, medio Jean Paul, sin nada de beethoviano ni de byroniano ciertamente (su música de *Manfred* es de una inteligencia que sobrepasa los límites de lo lícito). Schumann, con su gusto, que, en el fondo era un gusto mezquino —me refiero a su peligrosa propensión, doblemente peligrosa en un alemán, al lirismo y a cierta embriaguez del sentimiento—, constantemente huía, batiéndose en retirada, noble sensitivo que sólo se embriagaba de alegrías y de sufrimientos anónimos; una especie de doncella, de niña pequeña; Schumann, diríase mejor, era ya un acontecimiento musical *alemán* y no como Beethoven, y en un sentido mucho más amplio como Mozart, un acontecimiento europeo. Con él la música alemana se encuentra frente al peor peligro: el de separarse del *alma de Europa* y rebajarse hasta no ser más que un simple chauvinismo.

246

¡Qué sufrimiento, para quienes poseen un superoído, proporciona la lectura de los libros alemanes! ¡Qué tristeza y qué fastidio de sonidos que no cantan, de ritmos que no danzan, es lo que se llama en alemán un "libro"! ¿Y qué pensar del alemán que *lee* libros? ¡Qué mal lee, cuán a regañadientes y con qué pereza! ¿Cuántos alemanes podemos contar que sepan y se precien de saber si hay arte en la menor frase bien construida, un arte que haya que adivinar si se quiere comprender la frase? La realidad es que no tienen oído para estas cosas y que los más violentos contrastes de estilo pasan inadvertidos, pues un arte sutil, en vano se prodiga a los sordos. Estas fueron mis reflexiones el día en que observé con qué obtusa pesadez y con qué carencia total de intuición se confundía a dos maestros de la prosa, uno de los cuales dejaba caer las palabras gota a gota, fríamente y como a su pesar, semejando el agua que se filtra por la húmeda bóveda de una caverna, cantando con su sorda sonoridad, mientras que el otro maneja el idioma como una espada flexible, sintiendo correr por todo su cuerpo el júbilo peligroso de la hoja cortante y temblorosa que quisiera morder, silbar, cercenar... Engañarse sobre el *tempo* de una frase, significa equivocarse acerca del sentido mismo de ésta. No tiene la menor duda respecto a las sílabas decisivas para el ritmo, sentir como una belleza deseada la ruptura de una simetría demasiado rígida, tener un oído sutil y paciente, para el menor *staccato*, al menor *rubato*, saber dar un sentido a la sucesión de vocales y diptongos, saberlos colorear y bañar con los más delicados y ricos matices, por el simple hecho de su sucesión, ¿quién, pues, entre los alemanes lectores de libros posee la gracia de rendirse a estos deberes, a estas exigencias, y de intentar discernir todo lo que hay de arte y de intención en el lenguaje?

247

Períodos como los de Demóstenes o Cicerón, que caen dos veces en el tiempo de una sola respiración, eran un goce supremo para los antiguos. La formación que habían recibido los hacía capaces de apreciar lo que de raro y difícil había en la declamación de un período semejante. Pero nosotros, los modernos, que poseemos una corta respiración en todos los sentidos de la palabra, no tenemos derecho a los largos períodos. En general, los antiguos eran todos más o menos unos *dilettantes* en el arte oratorio; eran conocedores y, por lo tanto, críticos; así es como impulsaban a sus oradores a realizar las más grandes proezas, del mismo modo que en el siglo pasado, en el que todos los italianos y todas las italianas sabían cantar, la virtuosidad de los cantantes y al mismo tiempo el arte de la melodía, llegaron a su colmo. En Alemania, por el contrario, no ha habido, en el fondo, más que una especie de discurso público, *apenas* conforme a las reglas del arte: el sermón. Sólo el predicador, en Alemania, conocía el peso o valor de una sílaba o de una palabra, sabía qué hacer para lograr que su frase causara una impresión; sólo él tenía cierta conciencia auditiva, una conciencia a menudo inquieta, y no faltan razones para afirmar que si un alemán se convierte al fin en buen orador, esto sucede raras veces y casi siempre muy tarde. Cierto que, en un tiempo más reciente, una especie de elocuencia política bate, tímida y torpemente, sus alas; pero, sin embargo, la obra maestra de la prosa alemana es, con justo título, la obra maestra de nuestro más grande predicador; la Biblia, ha sido hasta ahora el mejor libro alemán. Comparado con la Biblia de Lutero, casi todo lo demás no es otra cosa que literatura; es una planta que no ha crecido en Alemania y que, por consiguiente, no ha echado raíces en el corazón de los alemanes, no ha crecido en ellos como lo ha hecho la Biblia. Prueba de ello es la mala calidad en la producción de nuestros mejores músicos. El estilo alemán es indiferente al timbre y mal construido para el oído. El alemán no lee en voz alta, no lee para el oído, sino únicamente con los ojos, y para ello se tapa los oídos. Los antiguos, cuando leían lo que hacían rara vez, leían para sí mismos, pero en voz alta; asombraba ver a alguien leer en voz baja, y en seguida se buscaban las razones de ello. En voz alta se apreciaban las inflexiones, los cambios de tono y de ritmo, que hacían las delicias del público antiguo. En aquella época las reglas del estilo escrito eran las mismas que las del estilo oratorio; dependían, por una parte, del asombroso cultivo del oído y de la laringe y, por otra, eran la expresión del vigor, de la resistencia y la potencia de los pulmones antiguos.

248

Existen dos clases de genios: el uno es ante todo y sobre todo creador y su meta es la procreación; el otro prefiere ser fecundado y dar a luz. Entre los pueblos de genio, están aquellos a quienes les tocó la parte femenina de la gestación y la oculta tarea de modelar y madurar. Los griegos eran un ejemplo de esta categoría, al igual que los franceses. Otros se sienten llamados a engendrar y a implantar en la vida un orden nuevo, como, por ejemplo, los judíos, los romanos y —lo digo con toda modestia— también los alemanes. Estos pueblos han pasado por los tormentos y arrebatos de fiebres desconocidas, se han sentido empujados a salir de sí mismos, enamorados de las razas extranjeras que envidian, por las cuales se dejan fecundar; y, al mismo tiempo, deseosos de dominar, como todo lo que se siente desbordante de energías genésicas y, por consiguiente, elegido "por la gracia de Dios". Estas dos clases de genios se buscan como el hombre y la mujer, y, como el hombre y la mujer, también se desconocen.

249

Lo que de mejor existe en nosotros, es lo que no podemos conocer. Cada nación posee su propia hipocresía, a la cual llama "sus virtudes".

250

¿Cuál es la deuda de Europa con los judíos? Le debe muchas cosas saludables, pero también otras nocivas, y sobre todo, una que paradójicamente resulta ser la mejor y la peor: el estilo grandioso en moral, la temible majestad de las exigencias infinitas, de los símbolos infinitos, el sublime romanticismo de los problemas morales, es decir, lo que hay de más seductor, de más cautivador y exquisito en esos juegos de matices y en esas seducciones, cuyo reflejo oculta el cielo y nuestra civilización europea, un cielo crepuscular y tal vez pronto a extinguirse. Por eso nosotros, que entre los espectadores somos artistas y filósofos, tenemos para los judíos cierto sentimiento de... gratitud.

251

Lo que en Europa es conocido con el nombre de nación, y que más bien es una *res fata* que una *res nata* (y que a veces parece estar a punto de confundirse con una *res ficta et picta),* es en todo caso una realidad aún no fijada, joven y muy modificable; aún no es una raza, y menos todavía una *aere perennius* como la raza judía; esas naciones deben evitar cuidadosamente toda concurrencia y toda hostilidad irreflexivas. Es evidente que todos los judíos, si quisieran o si se les obligase a ello, como parece ser el deseo de los antisemitas, tendrían desde ahora mismo la preponderancia y literalmente el dominio sobre toda Europa; está claro y es visible también que ni buscan esto ni hacen proyectos en ese sentido. Por ahora, lo que desean es dejarse absorber por Europa; aspiran a encontrar un lugar donde hacerse conocer y respetar, y, en fin, a poner término a su vida nómada, a su vida de *Judío Errante*. Debería tenerse en cuenta esta aspiración, tendencia en que se expresa tal vez cierta atenuación de los instintos, y debería favorecerse, para lo cual sería necesario y legítimo poner fin a las querellas antisemitas. Sin embargo, tendría que ser favorecido este movimiento con toda prudencia y hacer un apartado, como hace la nobleza inglesa. Es evidente que son los tipos más vigorosos y más recientemente acusados de la Alemania moderna los que más impunemente podrían entrar en comercio con los judíos; por ejemplo, los oficiales nobles de la marca prusiana. Sería interesante, por muchos conceptos, buscar si, por medio de un hábil mestizaje, es posible llegar a unir el arte hereditario de mandar y de obedecer, doble talento clásico en Brandeburgo, con el genio del dinero y de la paciencia y, sobre todo, con una dosis de intelectualidad poco abundante en esta comarca. Pero, ya es suficiente por hoy; es hora de poner fin a estas alegres divagaciones *teutómanas,* así como a mi arenga, pues me hallo ya en el umbral del "problema europeo" tal como yo lo entiendo, en la selección de una nueva casta que dominará a Europa. Sobre la cuestión judía, que he meditado mucho, confieso que todavía no he encontrado a un solo alemán que quiera bien a los judíos; por mucho que los espíritus prudentes y positivos repudien categóricamente al antisemitismo propiamente dicho, esta prudencia, esta política, no son aplicadas al sentimiento mismo, sino tan sólo a sus peligrosos excesos, a la expresión repugnante y desvergonzada de ese sentimiento frenético. Un signo de instinto general con el que hay que contar, es que haya *bastantes* judíos en Alemania, que el estómago, la sangre alemana, tengan que sufrir, y por mucho tiempo aún, para asimilar esa débil dosis de judíos que franceses, ingleses e italianos digieren más fácilmente. No hay que hacerse ilusiones al respecto. "¡Ya hay bastantes judíos! ¡Cerremos nuestras puertas al Este, como en Austria!" He aquí lo que prescribe el instinto de un pueblo cuyo tipo étnico es aún débil e indeciso y que corre el riesgo de desvanecerse o ser extinguido por la influencia de una raza más vigorosa. Ahora bien, los judíos son, incontestablemente, la raza más enérgica, más tenaz y más pura que existe actualmente en Europa; saben imponerse a las más difíciles y penosas condiciones, quizá más brillantemente que a las más favorables, gracias a ciertas virtudes de las que se quieren hoy hacer vicios; gracias sobre todo a una fe obstinada que no tiene de qué ruborizarse ante las "ideas modernas"; cuando se transforman, lo hacen como el imperio ruso realiza sus conquistas, como un imperio que no data de ayer y que tiene el tiempo ante sí, es decir, "lo más lentamente posible". Todo pensador que se sienta responsable del porvenir de Europa, deberá contar, en todas sus especulaciones sobre este porvenir, con los judíos y con los rusos como los dos factores más seguros y probables de este gran juego, del gran conflicto de las fuerzas. Muchas veces hay que resistir los dolores de un pueblo que sufre y desea sufrir de la fiebre nerviosa del nacionalismo y de la ambición patriótica, que no son más que accesos de estupidez; por ejemplo, en los alemanes de hoy, algunas veces la estupidez de la francofobia, otras la del antisemitismo

o la polonofobia, o el cristianismo romántico, o el wagnerismo, o la teu-
tomanía, o el prusianismo (mirad a esos pobres historiadores, a esos
Sybel, a esos Treitschke, con sus cabezas entrapadas). Perdóneseme si,
también yo, por haberme arriesgado a hacer un breve alto en este terreno infecto, no he salido completamente ileso, y si me he puesto, como
todo el mundo, a meditar sobre cosas que no me concernían, primer
síntoma de infección política.

252

Lo que les falta y siempre les ha faltado a los ingleses lo tenía muy
bien sabido aquel retórico y medio comediante, aquel turbión falto de
ingenio que se llamó Carlyle, quien con sus muecas apasionadas pre-
tendía ocultar lo que sabía muy bien: su carencia de verdadera *potencia*
intelectual, de verdadera *profundidad* de intuición, o sea, de filosofía.
Es un hecho significativo que toda casta poco filosófica se obstine en
permanecer inseparable del cristianismo; tiene necesidad de la disciplina cristiana para "moralizarse" y humanizarse poco a poco. ¡Qué raza
más poco filosófica la de esos ingleses! Bacon representa un atentado
contra la filosofía en general. Contra Hume se alzó Kant, engrande-
ciéndolo al atacarlo, y de Locke dijo Schelling: "Desprecio a Locke."
En la lucha contra la burda concepción mecanicista, tan querida de los
ingleses, se alzaron Hegel y Schopenhauer (sin contar a Goethe), esos
hermanos enemigos, orientados hacia los polos filosóficos opuestos del
espíritu alemán, y que se mostraron injustos el uno con el otro como
sólo pueden serlo los hermanos. Sin embargo, lo que nos irrita en el
inglés, incluso en el más humano, es su falta de *música,* en sentido
propio y figurado; no hay en los movimientos de su cuerpo y de su
alma ritmo ni danza, ni siquiera necesidad alguna de ritmo, de danza
o de "música". Oídle hablar, mirad cómo *andan* las más bellas ingle-
sas (ningún país tiene más bellas palomas ni cisnes más hermosos); en
fin, oídle *cantar.* Pero es, sin duda, demasiado pedir. El inglés es más
sombrío, más sensual, más enérgico y brutal que el alemán, y por ser el
más vulgar de los dos es, por esta razón, el más piadoso, y, por lo tanto,
le es mucho más necesario el cristianismo. Para un olfato un poco fino,
hay en este cristianismo inglés un muy británico aroma de "Spleen" y

de embriaguez, males contra los cuales se ha empleado como remedio, con muy buenas razones, el más sutil veneno como antídoto contra el más grosero. Una intoxicación más refinada es ya un progreso en esos pueblos rudos y un principio de intelectualización. En la mímica cristiana, en las plegarias y el canto de los salmos, encuentra la rústica gravedad del inglés un disfraz que la hace más tolerable y permite darle un sentido e interpretarla en su transposición; y para todo este rebaño de borrachos y libertinos que aprendió en otro tiempo en el metodismo, y recientemente en el Ejército de Salvación, el arte de los gruñidos piadosos, es cierto que las convulsiones de la penitencia representan el más alto grado de la humanidad que se pueda alcanzar; hay que reconocerlo.

253

No hay que olvidar que los ingleses, en virtud de su profunda mediocridad ya una vez en la historia, proporcionaron un rebajamiento general del nivel del espíritu europeo. Lo que llamamos las "ideas modernas" o las "ideas del siglo XVIII", o las "ideas francesas" contra las que el espíritu alemán se alzó con una profunda repugnancia, todo eso, no cabe duda, era de origen inglés. Los franceses no han sido más que los imitadores y los actores de esas ideas, como fueron también, desgraciadamente, sus mejores soldados y las primeras y más completas víctimas. El efecto sobre el alma francesa de esta maldita anglomanía, de estas "ideas modernas", fue minimizarla y debilitarla de tal modo que apenas hoy podemos imaginarnos que dicha alma era en los siglos XVI y XVII, su más profunda y apasionada nobleza inventiva. Pero hay que defender este juicio contra el instante presente y la evidencia actual: todo lo que Europa tiene de nobleza de sentimiento, de gusto, de costumbres, en una palabra, la nobleza en todos los sentidos elevados del vocablo, es obra e invención de *Francia;* la vulgaridad europea, la bajeza plebeya de las "ideas modernas" es obra de *Inglaterra.* Para espíritus mediocres existen verdades de fácil comprensión, porque parecen estar hechas a su medida; hay verdades que no encantan ni seducen más que a los espíritus mediocres. Se ha llegado a formular esta máxima desagradable, precisamente en nuestros días en que el espíritu de ciertos ingleses mediocres, aunque estimables, tiende a imponerse en las regiones medias del gusto europeo, como Darwin, John Stuart Mill y Herbert Spencer, por ejemplo. Sería un error creer que los espíritus superiores que gustan de volar aparatos, sean particularmente aptos para contestar una multitud de pequeños hechos vulgares, para reunirlos y para formularlos. Por el contrario, siendo la excepción, están en situación desventajosa con relación a la "regla". Además, tienen algo mejor que hacer que limitarse a conocer; su tarea consiste en *significar* algo nuevo, en *representar* nuevos valores. La profunda distancia que separa el saber del poder es también más inquietante de lo que se cree; es posible que el genio, el creador, no sea más que un ignorante, mientras que, inversamente, cierta pequeñez, cierta sequedad, una solicitud minuciosa, algo genuinamente inglés, predispone a los descubrimientos del género de los de Darwin.

254

Lo que primero se mueve en Europa es una Francia sumida en la bestialidad y la vulgaridad: recientemente, en los funerales de Víctor Hugo, Francia se entregó a una verdadera orgía del mal gusto y de beata satisfacción de sí misma. Hay aún otra cosa común a los franceses: el loable deseo de oponerse a la germinación del espíritu francés y la impotencia más admirable aún para conseguirlo. Tal vez se podría afirmar que, desde ahora, Schopenhauer está aclimatado y más naturalizado en esta Francia del espíritu, que es también una Francia pesimista, de lo que lo estuvo en Alemania. No hablo de Enrique Heine, de quien los poetas parisienses de gusto más refinado y exigente, están completamente poseídos; ni de Hegel, que, en la persona de Taine —el primero de los historiadores vivos— ejerce una casi tiránica influencia. En cuanto a Richard Wagner, cuanto más aprenda la música francesa a adaptarse a las necesidades reales del "alma moderna", tanto más se "wagnerizará"; puede predecirse que ya lo hace en gran medida desde ahora. Sin embargo, hay tres cosas de las cuales pueden enorgullecerse todavía los franceses como algo de su patrimonio, como el signo de una antigua superioridad de cultura, a despecho de la germinación voluntaria o de su gusto: en primer lugar la capacidad de apasionarse por todos los problemas artísticos, de darse totalmente a la "forma", pasión por la cual han inventado entre otras muchas, la fórmula de "el arte por el arte"; desde hace trescientos años este espíritu no le ha faltado nunca a Francia, y gracias al respeto que allí inspira la "minoría" ha surgido en la literatura una especie de "música de cámara" que difícilmente se encontraría en otra parte de Europa. La segunda base de la superioridad francesa en Europa es su vieja y muy rica cultura moral, a la que se debe, incluso entre los pequeños novelistas de las revistas y en cualquiera de las calles de París, una sensibilidad y una curiosidad psicológica de la que en Alemania no se tiene el menor conocimiento. Para esto les falta a los alemanes algunos siglos de análisis moral que Francia no ha escatimado. Decir que por este motivo los alemanes son "ingenuos" es alabarles por un defecto. Si queremos hallar algo que contraste con la inexperiencia e inocencia alemanas *in voluptate psychologica,* cualidades muy ligadas al fastidio que exhala en Alemania la vida de sociedad; y si buscamos la expresión feliz de una curiosidad y de una ingeniosidad muy francesas en este reino de emociones delicadas, podemos citar a Henry Bayle, ese hombre asombroso que, adelantándose a su tiempo, recorrió con paso napoleónico Europa, como pionero y como explorador. Fueron precisas dos generaciones para alcanzarle, para adivinar después de él alguno de los enigmas que atormentaron a este singular epicúreo, el último de los grandes psicólogos franceses. Existe todavía un tercer motivo que justifica la pretensión francesa a la superioridad, y es que existe en el temperamento de los franceses una síntesis bien lograda del Norte y del Mediodía, que les permite comprender innumerables cosas que les inician a hacer otras tantas que un inglés jamás comprenderá. Incluso en nuestros días, se sabe en Francia comprender, adivinar y acoger a esos hombres extraordinarios y rara vez satisfechos, de espíritu demasiado vasto para contentarse con un patriotismo limitado, y que en el Norte saben amar al Mediodía y viceversa, mediterráneos natos, "buenos europeos". Para ellos escribió Bizet su música; Bizet, el último genio que ha sabido descubrir una nueva belleza, una nueva seducción, que ha descubierto un fragmento del *Mediodía de la música.* Aún hoy Francia es la sede de la cultura espiritual más refinada de Europa, y la escuela del buen gusto; pero a esta "Francia del buen gusto" hay que saberla descubrir. Sus representantes procuran mantenerse muy ocultos; parece no encarnarse más que en un corto número de individuos que, además, son fatalistas, o hipocondríacos, y hasta francamente enfermos; otros son niños mimados cuya finura raya en el artificio, que dirán su amor propio en permanecer a la sombra. A todos les es común una característica; taparse los oídos ante la estupidez desencadenada y las ruidosas griterías de los burgueses demócratas.

255

Si a un meridional de *creencia* y no de origen se le ocurriera pensar en el porvenir de la música y en el medio de liberarla de la dominación del Norte, oiría en sí los primeros acentos de una música más profunda, más poderosa, quizá más cruel y misteriosa, una música *mas que alemana* que ante el mar azul y voluptuoso y la claridad del cielo meridional dejaría de parecer desfalleciente, marchita, pálida, como le sucede a toda música alemana; una música más que europea, que afirmaría su calor incluso frente a los ponientes castaño y dorado del desierto; una música parienta cercana de la palmera, que se sentiría como reina en medio de las grandes y bellas fieras solitarias, y que iría a agitar entre ellas. ¡Ese soñador imaginaría una música cuyo encanto principal sería *ignorar todo* juicio acerca del bien y del mal! Sólo de tiempo en tiempo pasaría sobre ella una vaga nostalgia de marinero, vagas sombras doradas y tiernas debilidades: sería un arte que absorbería en sí las tintas crepusculares de un mundo *moral* en estado declinante, ya casi incomprensible, una música hospitalaria y bastante profunda para acoger en su seno a los fugitivos rezagados. Sostengo la necesidad de usar de una gran prudencia respecto a la música alemana. Quien disfrute el Mediodía con la misma intensidad que yo lo gozo, como una gran escuela de curación para el alma y los sentidos, como una profusión de luz y sol que vuelve a moldear todas las cosas derramándose sobre seres soberanos llenos de fe en sí mismos; ese hombre deberá estar alerta ante la música alemana, porque quitándole nuevamente el gusto, le quita al mismo tiempo la salud.

256

Entre Wagner y el romanticismo francés de 1840 hay un estrecho parentesco. Sus más elevadas aspiraciones están íntimamente ligadas; en su arte complejo y tumultuoso está el alma de Europa, de la Europa unida que surge, se alza y aspira a una luz nueva, a un nuevo sol. Pero ¿quién podría expresar con suficiente claridad lo que estos grandes creadores de nuevos recursos de expresión artística no supieron decir claramente? La verdad es que les agitaba una misma tormenta revolucionaria, que encauzaban sus investigaciones en el mismo sentido. Ellos, los últimos grandes buscadores, dominados, todos sin excepción, por la literatura, aun cuando se tratara de un arte visual o musical, fueron los primeros artistas que poseyeron una cultura literaria universal, muy a menudo escritores, creadores, ágiles en relacionar y combinar las diversas artes y los diversos órdenes de sensaciones (Wagner como músico debería colocarse entre los pintores; como poeta, entre los músicos, como artista, en fin, entre los comediantes); todos fanáticos de la *expresión* "a toda costa". Pienso especialmente en Delacroix, el más cercano de todos a Wagner; todos grandes exploradores en los dominios de lo sublime, pero lo mismo en los de lo feo y de lo horrible; todos los más grandes inventores aun en materia de efectos, de escenografía, de aparato; en todos el talento rebasa al genio; virtuosos todos hasta el tuétano de los huesos y con una inquietante facilidad para emplear todos los medios de seducción; enemigos natos de la lógica y de la línea recta, sedientos del vino de lo extraño, de lo exótico, de lo monstruoso, de lo tortuoso; tántalos de la voluntad, que tanto en su vida como en su obra se sentían incapaces de imponerse una marcha noble —piénsese en Balzac, por ejemplo—; trabajadores encarnizados que huían de todo conformismo; rebeldes en sus costumbres, ambiciosos e insaciable, incapaces de equilibrio y alegría (con fundada razón), ¿cuál de ellos hubiera sido suficientemente profundo para sacar espontáneamente de sí una filosofía del *anticristo?* En suma, una especie de hombres superiores, atrevidos y audaces, magníficamente violentos, arrebatados y arrebatadores que continúan enseñando en su época, que es la época de las *masas,* lo que es el "hombre superior". La locura de las nacionalidades es la causa de que los pueblos de Europa se consideren extraños entre sí y también de que aún hoy perdure esa ignorancia mórbida; ha llevado a la cumbre a políticos de visión miope y de manos lentas, que ignoran hasta qué punto la política de división que ponen en práctica no puede ser más que una política episódica. Por esto, y por otras razones que hoy no se pueden decir, se desprecian los signos precursores menos equívocos, a los cuales se les da una arbitraria interpretación, cuando indican claramente que Europa *quiere unificarse*. En todos los espíritus vastos y profundos de esta época se efectúa un trabajo secreto que tiende a abrir las puertas a esta síntesis nueva y a anticipar a título de experiencia el europeo del porvenir; sólo superficialmente o en sus horas de debilidad pertenecieron a "patrias"; para ellos era una manera de darse un descanso haciéndose a sí mismos "patriotas". Me refiero a hombres como Napoleón, Goethe, Beethoven, Stendal, Heine, Schopenhauer; y perdóneseme que cuente entre ellos a Richard Wagner, a propósito del cual no debemos dejarnos engañar por los juicios erróneos que él ha dado de sí mismo; a genios de esta especie rara vez les es otorgado el don de comprenderse. Dejo a los amigos alemanes de Richard Wagner la oportunidad de preguntarse si existe algo que sea propiamente alemán en el arte wagneriano, o si precisamente su superioridad no se deriva de fuentes o impulsos *supraalemanes;* y no olvidemos que París ha sido indispensable para el desarrollo de su personalidad, París, a la cual sus profundos instintos le hicieron desear en su época decisiva; no olvidemos, pues, que sus maneras de obrar, de hacerse apóstoles de su causa, sólo llegaron a su perfección cuando tuvieron ante sí como modelos a los socialistas franceses. Posiblemente, si lleváramos más lejos la comparación, se descubriría en honor de Wagner y de su germanismo que, en todo caso, se elevó más alto, se mostró más atrevido, más fuerte, más duro y más grande de lo que hubiese sido capaz un francés del siglo XIX, debido a que nosotros, los alemanes, nos hemos quedado más cerca de la barbarie que los franceses. Posiblemente la creación más extraordinaria de Wagner siga siendo inaccesible, extraña, inimitable para la raza latina en su declive; me refiero al personaje de Siegfried, ese hombre extraordinariamente libre, y tal vez demasiado duro, demasiado jovial, demasiado sano, demasiado *anticatólico* para el gusto de viejos pueblos civilizados decadentes. Podría incluso ser un pecado contra el romanticismo de ese Siegfried antipático a los pueblos latinos; pero Wagner, en los días de su triste vejez, ha rescatado con largueza este pecado; anticipándose a un gusto que se convirtió después en una política, se puso, si no a seguir, por lo menos a predicar con fogosa religiosidad el *camino de Roma*. Para escapar a todo equívoco, recurriré a algunos versos muy admirados que descubrirán a los oídos menos perspicuos lo que quiero decir, lo que reprocho al Wagner de los últimos años y a la música de su *Parsifal*.

¿Es esto aún alemán?
¿Proceden estos sordos gemidos de un corazón alemán,
y son cuerpos alemanes los que así se mortifican?
¿Alemanas son esas manos de sacerdotes que bendicen,
y esa excitación de los sentidos al vago olor del incienso?
¿Y alemanas esas bruscas genuflexiones,
esos desmayos, esos andares titubeantes
y ese incienso bamboleo de campanas,
esas miradas de monjas, esos tañidos de ángelus,
esos éxtasis falsificados cuyo ímpetu pretende traspasar
el cielo mismo? ¿Y todo eso es alemán también?
¡Reflexionad: todavía no habéis franqueado el umbral!
¡Eso que oís es Roma, es la fe romana sin su credo!

NOVENA PARTE

¿QUÉ ES LA ARISTOCRACIA?

257

Toda elevación jerárquica del tipo humano, ha sido reiterada hasta ahora por una sociedad aristocrática que cree en las múltiples escalas de valores entre los hombres, en virtud de que no puede prescindir de la esclavitud. El sentimiento de las distancias surge de la diferencia incontenible de las clases sociales, de la altanería que la casta dominante emplea cuando deja caer su mirada sobre sus súbditos y sus instrumentos, y por el hábito de la obediencia y del mando; hábito que mantiene bajo ella a los inferiores sometidos a distancia. Imposible resulta obtener de otra manera ese sentimiento misterioso, ese ardiente deseo de establecer distancias dentro del alma misma, para producir estados cada vez más elevados, más raros, lejanos y amplios, que comprendan en qué consiste la elevación del tipo humano, y en qué el continuo trascender a la vida en sentido supramoral. No hay que hacerse ilusiones humanitarias respecto a la manera en que nace una sociedad aristocrática, condición indispensable para el progreso de la dignidad del género humano; la verdad es dura, revistámonos, pues, de valor, para confesar sin ambages cuáles han sido en todo tiempo los comienzos de una civilización superior. Hombres de una índole muy próxima a la naturaleza, bárbaros en toda la extensión de la palabra, hombres de presa, pletóricos de energías y de apetitos de gran potencia se lanzaron sobre razas más débiles, más civilizadas, más pacíficas, razas de comerciantes o pastores, por ejemplo, o también sobre viejas civilizaciones agotadas, cuyas últimas energías se disiparon en los brillantes juegos de artificio del espíritu y de la corrupción. La casta aristocrática siempre fue en su origen la casta de los bárbaros;

su predominio se basaba en su fuerza física, no en su fuerza moral. Eran "hombres" más completos que los demás, lo que significa, por otro lado, "bestias casi completas" en todos los aspectos.

258

Lo esencial de una buena y verdadera aristocracia es que se considera no una función, en beneficio de la realeza o de la comunidad, sino su sentido y su justificación; de aquí parte la necesidad de que acepte el sacrificio de una multitud de gente que, en interés de ella, deberán ser reducidos a la condición de instrumentos. Su principal creencia debe ser que la sociedad no ha de existir para ella misma, sino como andamiaje, una subestructuración que permita a una élite elevarse a un estado superior, ya sea en virtud de una misión superior o simplemente de su propio interés. Esta es la semejanza de esa planta trepadora y ávida de sol que se encuentra en Java y que tiene por nombre "Sipo matador", que abraza en sus múltiples lianas el tronco de una encina de manera tal, que, apoyadas en él, pero alzadas por encima de él, extienden su cima a plena luz donde despliegan orgullosamente su dicha. La corrupción, en la medida en que expresa una anarquía amenazadora en el seno de los instintos, descubre que el edificio de las pasiones que constituye la vida, está tambaleante; esta corrupción se manifiesta de una manera diametralmente diferente según los seres en que se manifiesta. Que una aristocracia como la de Francia, al comienzo de la Revolución, renuncie a su privilegio con un gesto de sublime hastío, sacrificándose a una extravagancia de su sentimiento moral, eso es corrupción; corrupción que, en el fondo, no es más que el último paso secular que había llevado a la nobleza a dimitir gradualmente de sus privilegios y funciones señoriales y a rebajarse hasta no ser más que una función de la monarquía y, en última instancia, un adorno de la monarquía.

259

Está de moda entregarse a toda clase de ensueños, algunos de colores científicos, que nos pintan el estado futuro de una sociedad libre de toda clase de "explotación". Esto suena a mis oídos como la promesa de inventar una forma de vida en la cual no interviniera ninguna función orgánica. La "explotación" no es consecuencia de una sociedad corrompida, imperfecta o primitiva; es el hecho inherente a la *naturaleza misma de la vida,* es la función orgánica primordial, una consecuencia de la voluntad de poder propiamente dicha, que es la voluntad misma de la vida. Aun admitiendo que esto sea una nueva teoría, no es, en realidad, más que el hecho *primordial* de toda la historia. Tengamos la honradez de reconocerlo. Hay que llegar hasta el fondo de las cosas prohibiéndose toda debilidad. Vivir es sustancialmente despojar, herir, violentar lo que es extraño y débil, oprimirlo, imponerle duramente sus propias formas, asimilarlo o, al menos (esta es la solución más suave), explotarlo. Pero ¿por qué utilizar siempre estas palabras a las que desde hace mucho tiempo se les supone un sentido calumnioso? Ese cuerpo social, en cuyo seno los individuos se tratan como iguales —este es el caso de toda aristocracia sana—, está obligado, si es un cuerpo vivo, creativo y productivo, a hacer contra otros cuerpos lo que los individuos de que está compuesto se abstienen de hacer entre sí. Será necesariamente voluntad de poder encarnada, deseará crecer y extenderse, acaparar, conquistar la preponderancia, no por muy conocidas razones morales o inmorales, sino porque *vive* y porque la vida es, precisamente, voluntad de poder. Pero en ningún otro aspecto como en éste, la conciencia colectiva de los europeos se resiste con más vigor a dejarse convencer. Podría ser una buena regla de conducta entre los individuos renunciar a proferir ofensas, violencias, hurtos, y reconocer la voluntad ajena como la propia; pero siempre que las condiciones necesarias se hayan realizado (quiero decir, la analogía real de las fuerzas y de los criterios en los individuos y su coherencia dentro del mismo cuerpo social). Sin embargo, en cuanto intentemos extender la aplicación de este principio, e incluso convertirlo en el *principio fundamental de la sociedad,* se rebelará como lo que es: la negación de la vida, un principio de disolución en decadencia.

260

El aristócrata tiene conciencia de que es él quien otorga sus propios valores morales, sin necesidad de que éstos sean aprobados; y juzga: "Lo que me es perjudicial, es perjudicial en sí mismo." Tiene conciencia de que es él el que atribuye valor a las cosas, quien *crea los valores*. Todo lo que encuentra en sí lo honra; semejante moral consiste en la glorificación de sí mismo. Coloca en primer término el sentimiento de la plenitud, del poder que trata de desbordarse, el bienestar de una elevada tensión interna, la conciencia de una riqueza ansiosa de darse y prodigarse. El aristócrata también ayuda al desdichado, pero no por medio de la compasión, sino impulsado por la profusa potencia de la fuerza que siente en sí. El aristócrata admira en sí mismo al hombre poderoso y dueño de sí, que sabe hablar y callarse, que es el más estricto juez de sí mismo y que resista todo cuanto hay de severo y duro. "Wothan ha puesto en mi pecho un corazón duro", dice una vieja saga escandinava; eso es hacer hablar como se debe a un vikingo orgulloso. Semejante hombre se enorgullecería de estar "por encima" de todo sentimiento de compasión. Los aristócratas y los valientes que piensan de este modo representan a los antípodas de la moral que ven en la compasión, en la abnegación o en el desinterés, el rasgo distintivo del acto moral. La fe en sí mismo, el orgullo de sí mismo, una hostilidad radical e irónica respecto al desinterés, son efectivamente partes integrantes de la moral de los nobles, así como un ligero desprecio y cierta desconfianza respecto a la compasión y a los "corazones cálidos". Sólo los fuertes *saben venerar,* es éste su arte, el dominio de su propia inventiva. La reverencia por la vejez y la tradición, el prejuicio favorable a los antepasados y desfavorable a las nuevas generaciones caracteriza la moral de los poderosos. Por otra parte, los defensores de las "ideas modernas" que creen casi por instinto en el "progreso" y en el "porvenir", pierden cada vez más el respeto hacia la vejez, bastando esto para rebelar el origen plebeyo de dichas "ideas". Al reconocer las numerosas morales más o menos sutiles o burdas que han reinado o reinan aún en la tierra, he encontrado algunos aspectos que se repiten *en conjunto* con cierta regularidad y que están ligados entre sí en forma tal, que al fin se me han rebelado dos tipos fundamentales, de los cuales se desprende una diferencia fundamental. *Existe una moral de señores y una moral de esclavos.* Y me apresuro a añadir que en todas las civilizaciones superiores se encuentran también tentativas de reconciliación entre esas dos morales; sin embargo, más a menudo, se presenta una mezcla desordenada de las dos, y, además, malentendidos recíprocos, y a veces ásperos conflictos hasta dentro de un mismo hombre o de una misma alma. La discriminación entre los valores morales nació de una raza dominante que saboreaba con plena conciencia el placer de saberse diferente de la raza dominada, de los súbditos, los esclavo, los inferiores de toda especie. Cuando son los señores los que fijan la norma del bien, los estados del alma altivos y orgullosos experimentan como una distinción que determina la jerarquía. La aristocracia desprecia a los seres incapaces de experimentar esos sentimientos altivos y orgullosos. Observemos enseguida que en esta primera variedad de moral, la antítesis *bien y mal* equivale a la antítesis *noble e innoble*. El contraste *bueno y malo* es de otro origen. Despreciamos al cobarde, al tímido, al hombre mezquino, al que no piensa más que en la estricta utilidad; asimismo al hombre desconfiado, al de mirada huidiza, al que se humilla, al canalla que se deja maltratar, al mendigo adulador y, ante todo, al mentiroso; es una creencia arraigada entre los aristócratas que el común del pueblo es mentiroso. "Nosotros los verídicos", se autodenominaban los aristócratas en la antigua Grecia. Es evidente que los calificativos morales se aplicaban primero a los *hombres* y después, por extensión, a los *actos*. Pero lo que en una moral de señores repugna más al gusto del día, es el rigor del precepto que sentencia nuestro deber, como exclusivo para prodigarse a nuestros iguales, mientras que respecto de los inferiores y de los extraños podemos actuar como nos plazca o "como nos dice el corazón", y en todo caso más allá del bien y del mal; esto en cuanto a la compasión y a todo lo que se le parezca. La capacidad y la obligación moral de una gran venganza y de una infinita gratitud, siempre entre iguales, la sutileza de las represalias, el refinamiento del concepto de amistad, cierta necesidad de tener enemigos para que sirvan de depósito de pasiones como la envidia, la agresividad, la insolencia, en una palabra, para poder ser amigo verdadero de nuestros amigos; todo esto pertenece a la característica de la moral aristocrática que, como ya he expresado, no es la moral de las "ideas modernas", lo que hace que hoy en día ésta sea difícil de cambiar y también de determinar y descubrir. Otra cosa sucede con el segundo tipo, *la moral de los esclavos*. Supongamos que las víctimas, los oprimidos, los que sufren, los esclavos, los que se sienten inseguros y cansados de sí mismos, se pusiesen a moralizar a su vez. Sería probable que expresaran un pesimismo lleno de desconfianza respecto de toda la condición humana, tal vez la condenación del hombre y de su condición. El esclavo mira con recelo las virtudes del poderoso, se resiente de escepticismo y desconfianza, una desconfianza *refinada* hacia el "bien" que honra al poderoso y quisiera persuadirse de que la felicidad de éste es ficticia. Por el contrario, coloca en primer plano y a plena luz las cualidades que sirven para aliviar a los que sufren del fardo de su existencia; lo *honroso, en cuanto a él,* es el sentimiento de compasión, de la mano complaciente y siempre abierta, la bondad de corazón, la paciencia, la asiduidad, la humildad, la afabilidad, que cree dar y recibir porque son las cualidades más útiles y casi los únicos medios de soportar el peso de la existencia. Una moral de esclavos es ante todo una moral utilitaria. De ella procede la falsa antítesis del "bueno" y del "malo"; se considera malo lo que es poderoso, peligroso y hasta cierto punto temible, lo que es sutil y fuerte. En esta moral de esclavos es, pues, el "malo" quien inspira temor. Por el contrario, en la moral de los señores, es el "bueno" la persona temida y quien quiere que se le tema, mientras que el malo es considerado como despreciable. El contraste llega a su colmo cuando, de acuerdo con la lógica de la moral servil, llegamos hasta el punto de atribuir un matiz de desprecio, por benévolo y leve que sea, a la idea del hombre "bueno", porque el bueno en la mente de los esclavos es aquel de quien no hay nada que temer, ya que es bonachón, fácil de engañar, un poco tonto. Siempre que reina la moral de los esclavos, el lenguaje manifiesta una tendencia a aproximar el sentido de las palabras "bueno" y "tonto"… Hablemos de la última diferencia fundamental: la necesidad de *libertad,* el instinto de felicidad aunado al sentido de la libertad que surge de la moral y de la moralidad de los esclavos, al igual que el arte y la exageración en las manifestaciones del respeto y de la abnegación son regularmente los síntomas de un modo aristocrático de pensar y juzgar. Se deducirá fácilmente de esto por qué el origen aristocrático de amor-pasión es evidentemente nuestra especialidad europea; sabemos que es invención de los caballeros-poetas provenzales, de aquellos hombres magníficos e ingeniosos del *Gay* saber a quienes Europa debe tantas cosas, entre las cuales posiblemente esté su propia existencia.

261

El vanidoso se alegra de toda buena opinión que se tenga de él, aparte de toda consideración de humildad, y prescindiendo igualmente de lo verdadero y de lo falso, así como de que sufra por toda mala opinión. Se somete a unas y a otras opiniones sintiendo que está sometido a ellas por un viejo instinto de subordinación que se manifiesta en él. Lo que persiste en la sangre del vanidoso, es el "esclavo", una reminiscencia de la doblez del esclavo; ¡y cuánto queda aún de esclavo en el espíritu de la mujer, por ejemplo! Es el esclavo quien intenta persuadirnos de que tiene una buena opinión de sí mismo; es también el esclavo quien se arrodilla ante estas opiniones, como si no fuera él quien las originó. Lo repito, es un atavismo. Habría que considerar como el resultado de un prodigioso atavismo el hecho de que el hombre vulgar, incluso en nuestros días, comience por esperar la opinión que se tiene de él para luego adaptarse a ella, lo mismo se trate de una buena, mala o injusta opinión. Pensemos, por ejemplo, en las devotas que, según la estima o el desprecio de su confesor, así aprenden a considerarse a sí mismas, así como el creyente aprende lo mismo del concepto que de él tenga su Iglesia. El hecho es que hoy, en virtud del lento advenimiento del orden democrático (y de su causa, mezcla de sangres entre señores esclavos), la tendencia originalmente aristocrática y rara de atribuir a su propio jefe un cierto valor y de tenerlo en buen concepto, está cada vez más viva y difundida; pero esta inclinación tropieza siempre contra otra tendencia más antigua, más generalizada y más fuertemente enraizada, y en el fenómeno de la "vanidad" esta tendencia antigua predomina sobre la más reciente. El alma aristocrática está obligada a violentarse y a llamar a la historia para que la ayude a llegar a representarse. Desde tiempos inmemoriales, en todas las capas sociales por poco dependientes que sean, el hombre común no ha tenido otro valor que el que él se atribuye; y como no está habituado en modo alguno a establecer por sí mismo valores morales, no se atribuía más que aquel o aquellos que sus señores le reconocían; crear valores es el verdadero derecho del señor. Así, pues, una de las cosas más difíciles de comprender para un espíritu aristocrático es la vanidad. Sentirá inclinación a negar su existencia allí donde para otros salta a la vista. El problema para él, consiste en representarse seres que tratan de despertar en el prójimo una buena opinión de sí mismos, opinión que, en el fondo, no comparten y que, por consiguiente, no merecen, pero que acaban definitivamente por creerla. El espíritu aristocrático verá en tal actitud una enorme falta de buen gusto, de respeto a sí mismo y, por otra parte, gran sinrazón extravagante. Presunción es, en la mayor parte de los casos, lo que se llama "modestia" o "humildad"..., y también el pensar: "Puedo ser feliz, por muchas razones, gracias a la buena opinión de otros hacia mí, porque les respeto y les quiero; porque su buena opinión confirma y refuerza la mía; porque la buena opinión ajena, aunque yo no la comparta, me es ventajosa o promete serlo."

262

Una *raza* nace, un tipo se afirma y se hace estable en el curso de una larga lucha contra condiciones *desfavorables* que tienen algo de constantes, y el resultado, la diferenciación de tipos, sea en el sentido de las más elevadas variedades, de las más finas y raras, sea bajo la forma de fenómenos de degeneración y monstruosidades, aparece súbitamente en toda la plenitud y esplendor y puede nacer el individuo que osa ser individual y distinguirse de la generalidad. Las experiencias de los ganaderos, por el contrario, muestran que las especies a las cuales se les prodiga una sobreabundante alimentación y excesos de protección y cuidados, no tardan en manifestar una fuerte propensión a la variación del tipo y producen abundancia de monstruos y de vicios monstruosos. Una comunidad aristocrática, por ejemplo una antigua ciudad griega, o quizá Venecia, como instituciones de selección voluntaria o involuntaria, así consideradas, se encontrarán pobladas de hombres que intentan hacer prevalecer su especie, porque les es absolutamente necesario imponerse, so pena de verse condenados a desaparecer. Desconocen los cuidados, la superabundancia, la protección que favorecen la diferenciación; la especie tiene necesidad de subsistir como tal, como algo precisamente que, en virtud de su dureza, de su uniformidad, de la simplicidad de su forma, puede imponerse en su lucha contra el vecino, contra los oprimidos en rebelión abierta o latente. La más variada experiencia les enseñó a qué cualidades deben el haber sobrevivido, a despecho de los dioses y de los hombres, y haber triunfado siempre. Llaman a sus cualidades virtudes y se dedican al cultivo de éstas, lo cual hacen con dureza, porque toda moral aristocrática es inflexible en cuanto a la educación de la juventud, a las medidas que regulan la condición de la mujer las costumbres conyugales, las relaciones entre los viejos y los jóvenes, las leyes penales que con el nombre de justicia se aplican sólo a quienes se apartan de la especie. Consideran la intransigencia, como una de sus virtudes. En un tipo que presenta rasgos característicos no muy numerosos pero sí muy acentuados, perteneciente a una raza de hombres severos, belicosos, taciturnos por prudencia, encerrados en sí mismos y callados (muy sensibles en igual intensidad a los encantos y matices de la vida en sociedad), se encuentra así fijada y sustraída a los cambios que llevan a la sucesión de las generaciones. El tipo se afirma y se consolida mediante la lucha constante contra las condiciones *desfavorables* siempre idénticas, como he dicho. En cuanto se presenta una situación favorable, la terrible tensión disminuye; tal vez no haya ya enemigos entre los vecinos, tal vez los medios de subsistencia indispensables para la vida, e incluso para los placeres de la vida, se presentan en abundancia. De un solo golpe se rompen el lazo y la severidad de la antigua disciplina, que ya no se consideran necesarios ni indispensables para la existencia; si tuviesen que subsistir sólo podrían hacerlo bajo la forma de un *lujo,* de una especie de gusto agonizante. En los giros de la historia a menudo aparecen yuxtapuestos, entremezclados, los diferentes tipos y enmarañados unos y otros en la espléndida flora de una frondosa selva virgen, un ardor casi tropical en la rivalidad de los vegetales que intentan superarse, y al mismo tiempo prodigiosos desastres, prodigiosos derrumbamientos nacidos violentamente de remolinos que parecen estallar y entrar en competencia para asegurarse un puesto bajo el sol, sin que la moral anterior les imponga en lo sucesivo un límite, freno ni moderación. Esta misma moral fue el origen de esa gigantesca acumulación de fuerzas que tendió el arco y que ahora está superada. Se llegó al punto peligroso e inquietante en el cual la vida más grande, compleja y amplia franquea los límites de la moral antigua; se encuentra el individuo obligado a promulgar sus propias leyes, a inventar procedimientos y artificios que le permitan conservarse, elevarse, liberarse. Por todas partes objetivos nuevos y medios nuevos, fórmulas válidas para todos; el malentendido y el desprecio marchan unidos; la decadencia, la corrupción y las necesidades más sublimes constituyen un enorme enjambre, el genio de la raza se desborda por todos los cuernos de la abundancia del bien y del mal, y aparecen al mismo tiempo con los nuevos encantos y los nuevos velos pertenecientes a una depravación joven aún, que no ha agotado sus riquezas ni resentimiento todavía en la laxitud. El peligro reaparece, ese padre de la moral, el gran peligro transportado esta vez al individuo, al prójimo, al amigo, a la calle, a nuestro propio hijo, a todo lo que el deseo y la voluntad tienen de más íntimo y misterioso. ¿Qué podrán predicar los filósofos de la moral que surjan entonces? Esos observadores de mirada penetrante, ocultos en todos los rincones, descubrirán cuán cercano está el fin, descubrirán que todo cuanto les rodea está corrompido y es corruptor, que nada dura hasta el día siguiente, excepto una sola clase de hombres, los más incurablemente mediocres. Sólo los mediocres tendrán la perspectiva de perpetuarse, de reproducirse; serán los hombres del porvenir, los únicos llamados a sobrevivir. " ¡Sed como ellos, haceos mediocres!"; ésta será en lo sucesivo la única moral que tenga sentido, que sepa aún hacerse escuchar. Pero esta moral de la mediocridad es difícil de predecir, ya que nunca puede confesar lo que es ni a qué aspira. Necesita hablar de medida y de dignidad, de deber y de amor al prójimo. Le costará mucho esfuerzo disimular su ironía.

263

Resulta innegable que existe un *instinto del rango,* indicio de un rango elevado, un *gusto* por los matices del respeto, que deja adivinar orígenes y hábitos aristocráticos. La delicadeza, la bondad, la elevación del alma son forzadas a pasar una prueba peligrosa cuando se presenta una realidad de primer orden que el temor a la autoridad no ha protegido de familiaridades importunas y torpes: una cosa no catalogada, no descubierta, piedra viva de toque que continúa su camino bajo disfraces tal vez deseados. Entre las gentes que se dicen cultivadas, en los defensores de las "ideas modernas", lo más desagradable es su falta de pudor, la insolencia y la desenvoltura de su mano y de su mirada, su manera de tocar las cosas, olfatearlas, palparlas. Posiblemente subsista hoy en el pueblo, en el bajo pueblo y especialmente entre los campesinos, cierta nobleza de gusto y cierto tacto en el respeto que no se encuentra en el mundo galante del espíritu, entre gente cultivada y los aficionados a la lectura de periódicos. Aquel cuya tarea y cuyo talento se manifiesta en la inteligente penetración y conocimiento de las almas, se servirá de las múltiples formas de este arte para determinar el valor íntimo de un alma, el rango inmutable e innato que le corresponde en la jerarquía; para juzgarla pondrá a prueba su *ins-*

tinto del respeto. La vulgaridad de muchas almas baña como un chorro de agua sucia el paso del cortejo que lleva un vaso sagrado, una joya salida de un estuche cerrado, un libro marcado con el sello de gran destino; e inversamente, un brusco silencio involuntario, una inmovilización repentina del ser, expresan que un alma siente la proximidad de lo que hay de más venerable en el mundo. *Diferencia engendra odio*. La forma en que se ha mantenido en Europa hasta nuestros días el respeto de la *Biblia* es posiblemente el mejor ejemplo de disciplina, de refinamiento moral que Europa debe al cristianismo. Estos libros profundos y de enorme importancia, requieren ser protegidos por la tiranía de una autoridad exterior que les garantice los milenios de duración necesarios para absorber su contenido y su sentido. Ya es un gran paso el que las masas todo, que existen realidades interiores de carácter sagrado a las cuales no tienen acceso (al menos que se quiten los zapatos) ni deben tocar con sus manos impuras. Este es quizá el más alto grado de humanidad que puedan alcanzar los espíritus superficiales, los intestinos que digieren con demasiada rapidez.

264

En nuestra época popular, es decir, muy populachera, se entiende por "educación" y "cultura" el arte de aparentar, de ocultar el origen plebeyo, la ascendencia populachera que llevan en el cuerpo y en el alma. Un educador que en nuestros días predicara con toda franqueza: "¡Sed sinceros, ser naturales, mostraos tal como sois!", semejante asno virtuoso y cándido, recurriría tarde o temprano a la furia de Horacio, para *naturam expellere*. Y ¿con qué resultado? El populacho *usque recurret...* Persiste imborrable en el alma de un hombre todo lo que fue ocupación predilecta y constante de sus antepasados, ya sea que hayan sido gente de ahorro, simples burócratas o cajeros, modestos y burgueses en sus gustos, modestos también en sus virtudes; ya hayan vivido con el hábito de mandar de la mañana a la noche, amigos de placeres rudos, y quizá también de deberes y de responsabilidades más rudas aún; ya hayan sacrificado un día algunos antiguos privilegios de nacimiento o de fortuna, para vivir únicamente según su fe —según su Dios— como hombres de una conciencia inexorable y delicada que se ruborizan de todo compromiso. Aunque las apariencias los encubran, terminaremos descubriendo en los hombres las cualidades y los gustos de padres y abuelos. Es ese el problema de la raza. Lo que sabemos respecto a los padres nos informará sobre la esencia del hijo: los rasgos que en todo tiempo han caracterizado al tipo plebeyo. La repugnante impotencia para dominarse, la envidia mezquina, la torpe vanagloria de darse siempre la razón, indudablemente se transmiten al hijo, de una manera tan inevitable como la sangre corrompida; a despecho de la mejor educación y de la mejor cultura del mundo, jamás se podrá borrar más que la apariencia de tal herencia. Pero ¿es que se proponen hoy algún otro fin la educación y la cultura?

265

El aristócrata se honra a sí mismo en los demás y en los derechos que a éstos les concede; no duda que el cambio mutuo de honores y de derechos, que pertenece también al orden natural de las cosas, esté en la esencia de todo comercio. El alma noble da lo mismo que toma, gracias a un instinto apasionado y susceptible de justicia distribuitiva que lleva en sí. La noción de la gracia no tiene sentido ni aroma *inter pares;* puede existir una sublime manera de dejar llover sobre sí los dones desde lo alto y beberlos ávidamente, pero el alma aristocrática no tiene el menor talento para este arte. Su egoísmo se lo impide; de manera general no le gusta mirar "hacia arriba", sino hacia adelante, lentamente y en línea recta o, en todo caso, hacia abajo: tiene conciencia de estar sobre una cima. Aun arriesgándome a escandalizar a los oídos castos, declaro que es para mí un hecho que el egoísmo forma parte integrante del alma aristocrática; afirmo la creencia inquebrantable de que seres "como nosotros" tienen una absoluta necesidad de la cercanía de otros seres que funcionen sometidos y que se sacrifiquen a ellos. El aristócrata acepta su propio egoísmo como un hecho, sin escrúpulos de conciencia, sin sentir que es duro, violento, caprichoso, sino más bien como una peculiaridad que debe hallarse basada en la ley primordial de las cosas. Se diría, en caso de que se le quisiese dar un nombre a este sentimiento, que es la justicia misma. En circunstancias que le hacen vacilar, en principio, reconoce la existencia de gentes que tienen iguales derechos a los suyos;

una vez convencido de esto, se comporta con seguridad entre sus iguales a quienes testimonia el mismo pudor, el mismo tacto delicado que hacia sí mismo, según una especie de mecanismo celeste infuso que conociera todas las estrellas. Es un *prolongamiento* de su egoísmo esta delicadeza, esta moderación en el comercio con sus iguales; toda estrella es egoísta de esta manera.

266

"No se puede tener verdadera estima más que a aquel que no se busca a sí mismos" —Goethe al consejero Schlosser.

267

Hay un proverbio que las madres chinas enseñan a sus hijos y que dice: "Haz pequeño tu corazón." *(Siaosin.)* Esta es la tendencia fundamental de toda civilización en su ocaso". Un griego antiguo nos reconocería inmediatamente a nosotros, los europeos, por nuestra costumbre de "empequeñecernos", y eso sólo le impediría encontrarnos agradables.

268

Lo que decide toda jerarquía, lo que establece toda la tabla de valores, es saber cuáles son los grupos de sensaciones que se despiertan en primer lugar dentro de un alma, que toman la palabra y pronuncian órdenes. Las estimaciones de un hombre revelan algo de su alma, la cual nos dice lo que ella considera como sus condiciones de existencia, sus necesidades particulares. Admitiendo, pues, que la necesidad es lo que en todos los tiempos ha acercado a hombres que podían expresar por medio de las mismas palabras semejantes necesidades y experiencias idénticas, resulta, que entre todas las facultades que el hombre ha tenido, la más poderosa debe haber sido siempre la facilidad para comunicarse rápidamente una necesidad, lo que significa que no se tienen más que experiencias mediocres y *comunes*. Los hombres más semejantes entre sí, los más ordinarios, tuvieron siempre esta ventaja que conservan aún; los hombres de una calidad selecta, más fina, más excepcional, más difíciles de comprender corrieron siempre el riesgo de quedarse aislados y, en su aislamiento, sucumbieron a los peligros, por lo que rara vez tuvieron descendencia. Hay que apelar a esas prodigiosas fuerzas adversas para contrarrestar ese *processus in simile* natural, demasiado natural, ese *processus* que hace a los hombres cada vez más singulares en mediocridad, cada vez más ordinarios, gregarios, vulgares. ¿Qué es, a fin de cuentas, la vulgaridad? Las palabras son símbolos, símbolos para las ideas, pero las ideas, son signos imaginativos, más o menos precisos, correspondientes a sensaciones que vuelven a menudo, y, al mismo tiempo, grupos de sensación. Para comprenderse mutuamente no es suficiente el empleo de las mismas palabras; hay que designar también por medio de estas palabras la misma especie de realidad interior; en fin, hay que tener en común ciertas experiencias. Es por eso que las gentes de un mismo pueblo se comprenden mejor entre sí que las de naciones diferentes, incluso aun cuando estos últimos hablen la misma lengua. Si un grupo de hombres ha vivido durante mucho tiempo, en idénticas condiciones de clima y suelo, expuestos a los mismos peligros, con las mismas necesidades y realizando el mismo trabajo, nace entonces una comunidad de gentes que "se comprenden", una nación. Existe en todas las almas un número igual de experiencias que se recuerdan, con frecuencia, que se imponen a las que se presentan cada vez; se entienden en seguida y cada vez más deprisa: la historia del lenguaje es la historia de un proceso de abreviaturas. En virtud de esta rápida comprensión se unen cada vez más íntimamente. Cuanto más peligrosa es la situación, mayor es la necesidad de ponerse rápida y fácilmente de acuerdo sobre lo que conviene hacer; comprenderse bien en el peligro, he aquí lo que es absolutamente necesario en el trato entre los hombres. Se advierte esta misma experiencia en toda amistad y en todo amor; de lo contrario, ni una ni otro perdura en cuanto se descubre que bajo las mismas palabras uno de los dos expresa pensamientos, aspiraciones y sentimientos diferentes, o bien temores que son compartidos. (El temor al eterno "malentendido": he ahí el genio benévolo que tan a menudo impide a dos personas de diferente sexo contraer una unión precipitada a la que se sienten arrastrados por los sentidos y el corazón. Es esto lo que interviene y no el "genio de la especie", como pensaba Schopenhauer.)

269

La mujer desearía creer que nada es imposible para el amor; es su peculiar superstición. Quien explora el corazón humano advierte cuán pobre, impotente, presuntuoso y torpe es el amor, incluso el más profundo, y cuánto mayor es su habilidad para destruir que para salvar. Es posible que bajo la leyenda sagrada y el disfraz de la vida de Jesús se oculte uno de los más dolorosos casos del martirio, susceptibles de soportar quien conozca el amor; el martirio de un corazón inocente y ávido de amor humano, que sólo quería amar y ser amado, y nada más, pero que lo exigía con dureza, con frenesí, con terribles estallidos de cólera contra quienes rechazaban su amor; la historia de un pobre insatisfecho e insaciable de amor, que tuvo que inventar el infierno para enviar a él a quienes no *querían* amarle, quien, después de haber aprendido a conocer el amor humano, tuvo que inventar un Dios que fuera todo amor y fortaleza, un Dios que tuviera piedad del hombre, porque este amor, ¡es tan miserable, tan ignorante! Cuando se conoce hasta ese grado lo que es amor, se busca la muerte. Pero, ¿por qué, para qué hacer hincapié en estas tristezas? ¡Si no estamos obligados a perseguirlas! La multitud adoraba a un dios, y el "dios" no era más que una pobre víctima. El éxito fue siempre el mayor de los embusteros y la "obra" es por sí misma un éxito; el gran hombre de Estado, el conquistador, el inventor, aparecen disfrazados en sus obras hasta ser incognoscibles; es la "obra", la del artista o la del filósofo, la que inventa después a quien la ha creado o que pasa como su creador; los "grandes hombres", tal como se les honra, son malos poemas compuestos a destiempo; en el mundo de los valores históricos circula moneda falsa. Los grandes poetas, los Byron, los Musset, los Poe, los Leopardi, los Kleist, los Gogol (no me atrevo a citar nombres más grandes en quienes pienso), los conocemos tales como son, tales como están obligados a ser: hombres de genio interrumpido, entusiastas, sensuales, infantiles, que pasan bruscamente y sin razón de la confianza a la desconfianza que ocultan en sus almas alguna grieta; se vengan frecuentemente por medio de sus obras de una mancha íntima, y en sus impulsos suelen buscar el olvido; para huir de una memoria demasiado fiel se extravían en el fango y casi llegan a sentir la satisfacción de poder gozar su presencia en él; acaban por parecerse a los fuegos fatuos que se agitan alrededor de los pantanos, que se disfrazan de estrellas, es entonces cuando son calificados de idealistas por el pueblo. Frecuentemente tienen que luchar contra un gran hastío, contra el fantasma del escepticismo que los hiela y los obliga a desear las aclamaciones y a mendigar como un alimento la confianza en sí mismos que le dispensan a manos llenas sus aduladores. ¡Qué *suplicio* ver a esos grandes artistas, y a los grandes hombres en general, una vez que se los ha descifrado! Sólo así es comprensible que a la mujer, clarividente en materia de sufrimiento y, desgraciadamente, ávida de socorrer y de salvar más allá de lo que le permiten sus fuerzas, le guste prodigar sus explosiones de compasión desmesurada, de entrega total, que la multitud, y sobre todo la multitud piadosa, no comprende y cubre de interpretaciones curiosas y llenas de suficiencia. Pero también esta compasión se engaña respecto a su fuerza. Cuando un psicólogo nato vuelve repetidamente su atención sobre los casos excepcionales y los hombres de élite, corre el riesgo de verse ahogado por la compasión. Tiene, más que cualquier otro, necesidad de ser duro e impasible; pues es regla que los hombres superiores, las almas partícipes de la élite, sucumban y naufraguen. Es terrible tener siempre ante sí esta regla. El martirio siempre renovado del psicólogo es el hallarse día tras día ante este naufragio, después de hallar a lo largo de la historia esa completa desesperanza del hombre superior, ese eterno "¡demasiado tarde!" en todos los sentidos de la palabra. Ese martirio podrá ser un día la causa de que se revuelva con amargura contra su propio destino; intentará descubrirse y también él "perecerá". Se nota una predilección significativa, en casi todos los psicólogos por el trato con gentes ordenadas y comunes; revela esto la necesidad que tienen de cicatrizar sus llagas, y, al mismo tiempo, de una especie de huida para olvidar, lejos de lo que pesa en su conciencia, de lo que han descubierto en sus observaciones, en sus vivisecciones, en una palabra, en su oficio. El psicólogo teme su propia memoria; los juicios ajenos le enmudecen; escucha sin parpadear cómo se veneran, se admiran, se aman, se glorifican las cosas que él se ha contentado con contemplar; o bien disimula su silencio aprobando un juicio superficial cualquiera. Su situación paradójica puede negar hasta el espantoso extremo de que la muchedumbre, las gentes cultivadas, los entusiastas, los ingenuos, aprendan respecto a sí la veneración, el gran respeto por los "grandes hombres", y por los "hombres prodigiosos", por amor a los cuales se bendice y se honra a la patria, a la tierra, a la dignidad humana, a sí mismos; en resumen, a quienes se ponen como ejemplo para los jóvenes sirviendo como modelo en su educación. Y ¿quién sabe si no ha sido siempre así en todos los casos memorables?

270

El sufrimiento profundo nos convierte en aristócratas y nos aísla. Uno de sus más delicados disfraces es el epicureísmo y una especie de alarde que toma el dolor a la ligera defendiéndose contra toda tristeza y contra toda profundidad. Hay hombres "joviales" que se sirven de su jovialidad para no ser reconocidos, no *quieren* que se les conozca. Quien mucho ha sufrido —el grado de sufrimiento a que un hombre puede llegar, casi basta para determinar su lugar en la jerarquía— suele estar lleno de orgullo intelectual y de hastío, se siente impregnado de una terrible certidumbre: la de saber más acerca del sufrimiento, mediante su propia experiencia dolorosa, que los más inteligentes y sabios, ya que ha explorado los lejanos mundos del terror en los cuales un tiempo vivió "como en su propia casa". Esos mundos que otros desconocen. Ese taciturno orgullo del que sufre, ese orgullo del elegido por el conocimiento del iniciado, casi de la víctima del conocimiento, le obliga a adoptar toda clase de disfraces para protegerse del contacto con manos indiscretas y compasivas, y, en general, de todo lo que no le iguala en sufrimiento. Hay sabios a quienes la conciencia les ayuda a darse un aire de serenidad, porque el gusto por la ciencia hace suponer que el hombre es superficial. Ellos quieren inducirnos a esa falsa conclusión. Hay espíritus libres y desvergonzados que intentan ocultar y negar que poseen un corazón destrozado, orgullosos de llevar una herida incurable (el cinismo de Hamlet, el caso de Galeani) y, a veces, la bufonería misma es la máscara de una nefasta o segura certidumbre. Resulta de ello una prueba de delicada humanidad respetar la "máscara" y no ejercer a tontas y a locas nuestra penetración psicológica y nuestra curiosidad.

271

Un sentimiento diferente y un grado diferente de limpieza separan profundamente a los hombres. Por más que las buenas gentes se ayuden recíprocamente y con la mejor voluntad, llegan por fin "a no poder olerse". No sé qué sensación de plenitud inefable y felicidad se experimenta al tomar un baño; no sé qué ardor, qué sed empuja constantemente al alma a salir de la noche para ir en busca del amanecer, a dividirse de la sombra y del humor sombrío para ir hacia la claridad; ésa es la inclinación que nos *distingue,* pues es una inclinación aristocrática y que nos *aísla* también. El instinto supremo de la limpieza confina a quien lo posee al más extraño y peligroso de los aislamientos; hace de él un santo; por eso es la santidad, la espiritualización máxima de ese instinto. La compasión del santo es la compasión por la mugre de todo lo que es humano, demasiado humano. Hay cierto grado, ciertas alturas en que la compasión misma es para él como una mancha, como una suciedad.

272

Son signos de aristocracia el no pensar nunca en rebajar nuestros deberes a deberes para todos; el no querer renunciar ni compartir la propia responsabilidad; el contar a sus privilegios entre sus deberes y el ejercicio de estos privilegios.

273

El hombre que lleva en sí grandes designios considera a todos los que pasan por su camino como medios para llegar a su objetivo, como freno y obstáculo o como un alto y un reposo pasajero. La impaciencia y la conciencia de haber estado siempre forzado a representar la comedia —la guerra misma es una comedia y una especie de máscara y todos los medios enmascaran siempre el fin—, le estropean todas las relaciones humanas; esta clase de hombres conoce la soledad y todo lo que ésta tiene de venenoso. La *bondad* aristocrática hacia el prójimo, de tan peculiar naturaleza, no es posible más que cuando se ha llegado a la cumbre desde donde se domina el horizonte.

274

Del problema de la Espera.— En las cuatro esquinas del globo hay hombres que esperan sabiendo apenas lo que esperan, y menos aún, que esperan en vano. Generalmente la llamada llega demasiado tarde; el azar que "permite" obrar llega cuando lo mejor de la juventud y de la energía se ha gastado en la inacción. Hacen falta golpes de suerte y toda una serie de circunstancias imprevisibles a fin de que un hombre superior, que lleva latente en sí la solución de un problema, llegue a entrar en acción, en "erupción", en el tiempo deseado. ¡Cuántos hay que súbitamente descubren con terror que sus miembros se encuentran entumecidos y que su espíritu es ya demasiado pesado! "¡Demasiado tarde!" se dice entonces; una vez que el espíritu ha perdido la fe en sí mismo, se convierte en inútil para siempre. El genio no es quizá tan raro; pero le faltan las quinientas manos necesarias para asir la ocasión por los pelos.

275

Quien se resiste a ver la grandeza de un hombre, acechando lo que de bajo y superficial existe en ese hombre, se traiciona a sí mismo.

276

En vista de la complejidad de las condiciones de existencia, el alma aristocrática encuentra numerosas probabilidades de sucumbir. Es un alma menos preparada para soportar las heridas y las pérdidas de toda clase. Un dedo perdido vuelve a crecer en un lagarto, pero no en el hombre.

277

¡Qué molesto es esto! Sin embargo, se repite sin cesar. Una vez que hemos acabado de construir nuestra casa, nos damos cuenta de que al construirla hemos aprendido, sin que lo sospecháramos, algo que habríamos debido saber antes de comenzar. ¡Eterno y odioso! "¡Demasiado tarde!" ¡Melancolía de las cosas acabadas!

278

Viajero, ¿quién eres? ¿Qué has hecho? Descansa aquí; este lugar es para todos hospitalario. ¡Reconfórtate! Quien quiera que seas, dame a conocer lo que te agrada, dime lo que te pueda servir de descanso. No tienes más que hablar. ¡Lo que tengo, te lo ofrezco! Te veo continuar tu camino, sin sarcasmo y sin amor, con esa mirada indescifrable, te contemplo ahí, húmedo y triste. ¿Qué has ido a buscar a las profundidades? Ningún suspiro llena tu pecho, tus labios disimulan mal tu hastío, tu mano se aferra lentamente. ¿Descanso, hombre curioso? ¿Qué has dicho? Dame, te lo ruego, dame… —¿Qué? ¡Otra máscara, una segunda máscara!

279

Los hombres especialmente tristes se traicionan cuando son felices: tienen una manera de aferrarse a la felicidad, que parece que quisieran aplastarla y ahogarla, por celos. ¡Bien saben, ay, que la felicidad les rehuye, se aleja de ellos!

280

—¡Malo, malo! ¿No veis cómo retrocede?—Sí, pero si os entristecéis por ello, significa que le comprendéis mal. Si retrocede es porque se prepara para un salto mayor.

281

Debe de haber en mí una especie de mala intención para creer algo preciso a cerca de mí. ¿Acaso no existe aquí un enigma? Probablemente, pero también afortunadamente, no seré yo quien descubra ese velo. Quizá este enigma os sea revelado por la especie a la cual pertenezco. Pero no a mí; de lo cual, mucho me alegro. No he reflexionado nunca sobre mi propio caso, o por lo menos esto ha sucedido en raras ocasiones, y ha sido forzado, sin ningún interés por el "asunto", siempre dispuesto a apartarme de mí mismo, sin ninguna fe en el resultado. Esto es debido a una invencible desconfianza respecto a la posibilidad de llegar a conocerse a sí mismo, desconfianza que me llevó a comprender una *contradictio in adjecto* en la noción misma del conocimiento inmediato de que los teóricos hablan. Esto es, aproximadamente, lo que yo sé con más seguridad respecto a mí mismo.

282

Indudablemente, todos nosotros hemos comido en mesas en las cuales no estábamos en nuestro lugar. Los espíritus más refinados entre nosotros, aquellos más difíciles de alimentar, conocen la peligrosa dispepsia que surge de una súbita iluminación, cuando descubrimos la gran desilusión que producen los platos y nuestros vecinos de mesa: la *náusea de los postres*. Sucede en ocasiones en nuestros días que un hombre tranquilo, moderado, se encoleriza repentinamente, hace pedazos la vajilla, grita, escandaliza, profiere injurias contra todos, para terminar alejándose avergonzado, enojado consigo mismo. Para ir, ¿adónde? Para hacer, ¿qué? ¿Para dejarse morir de hambre en un rincón? ¿Para ahogarse en aquel recuerdo? —Pero, ¿qué ha sucedido? —No sé —dijo con vacilación—; quizá las arpías han pasado volando por encima de mi mesa. Quien posee un alma altanera y exigente sólo en escasas ocasiones encuentra la mesa preparada y la comida servida; se sentirá siempre como en un gran peligro; pero hoy en día ese peligro es inmenso. Lanzado a una época ruidosa y plebeya cuyo caldo no quiere compartir, corre el riesgo de fallecer de hambre o de sed, o, si se decide a "servirse", a morir de una súbita náusea.

283

Para permitirse el lujo de alabar hay que vivir, no entre los rústicos y los imbéciles, sino entre gentes cuyos malentendidos y errores nos plazcan aún por su sutileza; de otro modo este placer tendría un precio demasiado elevado. "Me alaba; en consecuencia me da la razón"; esta lógica torpe nos estropea la mitad de la vida, a nosotros, solitarios, ya que permite a los asnos la idea de que son nuestros vecinos y amigos. Es prueba de dominio aristocrático de sí mismo, la de no alabar, admitiendo que se esté dispuesto a hacerlo, más que en los casos en que uno sea de otra opinión. Si no sería alabarnos a nosotros mismos, lo cual es contrario al buen gusto. Sin duda este género de dominio de sí mismo ofrece una buena ocasión para un malentendido, pues incita a los demás a equivocarse respecto a nosotros.

284

Vivir es llevar siempre puestos los anteojos negros, puesto que existen ocasiones en que a nadie le debe ser permitido poder mirarnos a los ojos, y aún menos escudriñar nuestro fondo. Vivir es escoger por compañero ese vicio pícaro y alegre: la cortesía. Y seguir siendo dueño de nuestras cuatro virtudes: valor, lucidez, comprensión y soledad. La soledad es en nosotros una virtud, a modo de sublime y violenta inclinación, necesidad de limpieza que adivina todo lo que hay de inevitablemente sucio en el contacto con los hombres "en sociedad". Toda comunidad, un día u otro, de una u otra manera, nos hace comunes, vivir, en una inmensa y orgullosa serenidad, con el espíritu alerta; tener o no tener consigo sus pasiones, sus amistades y enemistades, llamarlas según su estado de ánimo, despedirlas, condescender durante unas horas; montarlas como a los caballos —con frecuencia también a los asnos—, lo cierto es que hay que saber utilizar la estupidez y sus pasiones al igual que su fogosidad.

285

"¿Cuántos siglos hacen falta para que un espíritu sea comprendido?" Los más grandes acontecimientos y pensamientos —los más grandes pensamientos son nuestros más grandes acontecimientos— son los que tardan más en ser comprendidos; los contemporáneos de estos aconte- cimientos pasan de lado sin vivirlos. Sucede aquí lo mismo que en el do- minio de las estrellas. La luz de la estrella más lejana es aquella que más tarda en llegar a los hombres; y mientras que esta luz no aparece, el hombre *niega* que hay ahí una estrella. He aquí también, un criterio que puede servir para establecer una jerarquía y una etiqueta necesarias tanto a los espíritus como a las estrellas.

286

Una frase del *Fausto,* de la parte segunda del acto V, dice: "Aquí la vista es libre y el espíritu se eleva." Pero hay gentes de muy otra especie que se encuentran también en la altura y cuya vista se despliega libre- mente... sólo que es *hacia abajo* donde dirigen sus miradas.

287

¿A qué llamamos aristocrático? ¿Qué significa para nosotros hoy en día esta palabra? ¿Por medio de qué se revela y bajo qué cualidades se reconoce el aristócrata bajo este cielo denso y bajo de la popularidad que comienza, que hace todas las cosas opacas y plúmbleas? Es yo no sé que certeza fundamental que un alma aristocrática posee respecto a sí misma, algo que es imposible buscar, llegar a encontrar, y tal vez perder... El respeto de sí misma, es innato en el *alma aristocrática.* No son sus actos los que revelan al alma aristocrática; éstos son siempre equívocos, insondables siempre; no son tampoco sus obras. En nues- tros días encontramos entre artistas y sabios un buen número de hom- bres que manifiestan en sus obras el profundo deseo que los impulsa hacia valores aristocráticos; pero precisamente esta necesidad de ten- der a la aristocracia es fundamentalmente diversa de las aspiraciones del alma aristocrática, es el síntoma más elocuente y peligroso de su ausencia. Para volver, profundizándola, a una vieja fórmula teológica, lo que decide aquí aquello que fija el rango, no son las obras, sino la fe...

288

Uno de los medios más refinados para engañarse, al menos por mucho tiempo, y de pasar por más estúpido de lo que en realidad se es —lo que, sin embargo, es en la vida corriente tan útil como un paraguas—, es el entusiasmo y todo lo que implica, por ejemplo, la virtud. Pues, como decía Galiani, que debía saberlo, *virtud es entusiasmo*. El espíritu es cosa inevitable en muchos hombres; digan lo que digan y hagan lo que hagan, aunque se cubran con la mano sus ojos reveladores —como si la mano no se traicionara también— acaban siempre por descubrir que ocultan algo, quiero decir su espíritu.

289

Para aquel que ha vivido durante años enteros, noche y día a solas con su alma, enfrascado en las más íntimas querellas y en los más secretos diálogos, en su caverna (que tal vez sea un laberinto o una mina de oro), sus ideas acaban siempre coloreándose con un tinte crepuscular, impregnadas con un olor a caverna y a moho, un carácter incomunicable y rudo, y su aliento hiela a todo aquel que a su lado pasa. En los escritos de un solitario se percibe siempre el eco del desierto, el murmullo de la soledad y las tímidas miradas que lanza a su alrededor; en sus más violentas palabras, al igual que en sus gritos, se oye una nueva y más peligrosa manera de ocultarse, de ocultar su pensamiento. El solitario no cree nunca que un filósofo —si es cierto que todo filósofo comenzó por ser solitario— haya expresado sus opiniones verdaderas y últimas en sus libros. ¿No se escriben libros precisamente para ocultar lo que se lleva dentro? Incluso duda de que un filósofo pueda tener opiniones "verdaderas y últimas"; se pregunta si no hay detrás de cada caverna otra más profunda aún, y si por debajo de cada superficie no existe un mundo subterráneo más vasto, más extraño, más rico, y bajo todos los fondos, bajo todos los cimientos, un fondo aún más profundo. "Toda filosofía es una fachada": este es el juicio del solitario. "Hay algo de arbitrario en el hecho de que se haya detenido aquí, y de que haya arrojado una mirada hacia atrás y a la redonda, que haya cesado de cavar y haya puesto a un lado la piqueta. Hay desconfianza en esto." Toda filosofía esconde otra filosofía; cada opinión es un escondite; cada palabra puede ser una máscara.

290

El pensador profundo siente más temor de ser comprendido que de ser mal comprendido. En este último caso, posiblemente sufra su vanidad, pero en el primer caso, sufre su corazón, es su compasión quien se repite sin cesar: "¡Ay! ¿Por qué queréis vosotros también cargar con mi fardo?"

291

Toda moral es una prolongada y valerosa falsificación, sin la cual no tendríamos placer alguno ante el espectáculo de nuestra alma. Desde este punto de vista, hay tal vez muchas cosas de lo que se cree comúnmente, cosas que proceden del arte. El hombre, animal complejo, artificioso, misterioso y mentiroso, inquietante para los demás animales, no tanto por su fuerza, sino por su astucia y su inteligencia, inventó la paz de la conciencia para gozar de su alma, al menos una vez, como de una cosa *simple*.

292

Un filósofo es un hombre que no deja de vivir, de ver, de oír, de sospechar y comprender, de esperar cosas extrañas. Un filósofo, ¡ay!, es un ser que a menudo es su propia compañía, y que frecuentemente tiene miedo de sí mismo, pero que es demasiado curioso para no volver sobre sí mismo. Es un ser a quien sus propios pensamientos le parecen venir de fuera, de arriba o de abajo, como acontecimientos o rayos a él destinados. Tal vez sea él mismo una tempestad cuajada de nuevos rayos, un hombre fatal rodeado siempre del ruido de los truenos, de rugidos, de abismos abiertos y de presagios siniestros.

293

La *falta de virilidad* de lo que se llama compasión es, a mi parecer, algo que salta a la vista. Hay que proscribir enérgicamente, radicalmente, esa forma de mal gusto y desearía que para evitarla se llevara suspendido del cuello y sobre el corazón el buen amuleto de *gay saber,* de la gaya ciencia, si es que hay que explicar esta palabra a los alemanes. Hoy en día existen en casi toda Europa una sensibilidad y una susceptibilidad enfermizas para el dolor, una facilidad enojosa para quejarse, una sensiblería que se disfraza de algo mejor con la ayuda de unos conceptos filosóficos de uso diario y común y un poco de religión: es toda una religión del sufrimiento. El hombre que dice: "Esto me gusta, lo tomo para mí, lo protegeré y defenderé de todos y contra todos"; el hombre que sabe manejar un negocio, permanecer fiel a un pensamiento, conservar a una mujer, castigar y abatir al insolente; el hombre que maneja su cólera como una espada, al cual se unen de buen grado los débiles, los que sufren, los oprimidos e incluso los animales, pues dependen de él de una manera muy natural; un hombre semejante es por esencia un amo, y cuando experimenta compasión, ésta tiene valor. Pero, ¿qué vale, por el contrario, la compasión de los que sufren, o la de llegar hasta predicar la compasión?

294

El *vicio olímpico.*— Si admitimos que los dioses cultivan también la filosofía, lo que diversas conclusiones me hacen creer, no dudo tampoco de que sepan, muy filosóficamente, reír de una nueva y sobrehumana manera de todo lo que es serio. ¡Los dioses son traviesos; incluso parece que durante la celebración de los ritos sagrados no pueden evitar la risa! A despecho de ese filósofo que, como buen inglés, intentó desacreditar la risa ante todos los pensadores: "la risa es una triste debilidad de la naturaleza humana que todo pensador que se precie de serlo ha de esforzarse por superar" (Hobbes), sin embargo, yo me permitiría establecer una jerarquía de filósofos según la cualidad de su risa, por cuanto sitúan en la cumbre a quienes son capaces de una *risa de oro.*

295

El gran dios oculto, el genio del corazón, el divino seductor nacido para cazar las conciencias, aquel cuya voz sabe penetrar en el fondo de las almas; aquel que no pronuncia palabra, ni lanza una mirada que no contenga oculta una intención para seducir; aquel cuya maestría consiste en ocultar lo que verdaderamente es, en tomar la apariencia que conduce a sus fieles a hacer un estrecho círculo alrededor de él, a seguirle con fervor y absoluta fidelidad; el genio del corazón que acalla a los charlatanes y a los fatuos enseñándoles a escuchar, que pule las almas rugosas y les hace saborear un nuevo deseo, el de permanecer lisas e inmóviles como un espejo para reflejar el cielo profundo; el genio del corazón que enseña con torpe mano el arte de moderarse y de coger con delicadeza; el que adivina, a pesar de su capa de hielo densa y opaca, el oculto y olvidado tesoro, la gota suave de bondad o de espiritualidad; el que como vara de mago sabe detectar el mejor grano de oro largo tiempo dormido en su nido o prisión de barro y fango; el genio del corazón al cual nadie se acerca sin salir enriquecido, no por un regalo recibido como gracia o sorpresa, ni por una felicidad extraña, de la cual se sienta oprimido, sino más rico en el fondo de sí mismo, renovado a sus propios ojos, como tierra removida, florecida y llena de espigas por el viento de primavera, quizá más incierto, más delicado, más frágil, más roto, pero más lleno de esperanzas que aún no tienen nombre, lleno de un deseo y de un flujo nuevo, lleno de una repulsa y de un reflujo nuevos... Pero ¿qué es lo que hago, amigos míos? ¿De qué os hablo? Me olvidé hasta el punto de no deciros su nombre. A menos que no hayáis adivinado cuál es ese espíritu, ese dios enigmático que quiere ser loado de tal manera. Como les sucede a quienes desde la niñez han rodado siempre por caminos y por el extranjero, yo también en mi camino me topé con muchos espíritus singulares y bastante peligrosos, pero ante todo aquel de quien acabo de hablar, a quien no he dejado de encontrar desde entonces: nada menos que al dios Dionysios en persona, ese gran dios equívoco y tentador, a quien, como sabéis, ofrecí en otro tiempo mis primicias, en la veneración y el misterio; me parece que fui el último en ofrecerle un sacrificio, pues no he encontrado a nadie que comprendiera lo que entonces hice. En el transcurso de ese tiempo he aprendido muchas cosas, incluso demasiadas, a propósito de la filosofía de ese dios, de esas cosas que, repito, pasan de boca en boca: yo, el último discípulo del dios Dionysios y su último iniciado. ¿Acaso me atrevería, en cuanto me fuera permitido, a daros a probar, amigos míos, un poco de esa filosofía? A media voz, ya que se trata de cosas secretas, nuevas, extrañas, maravillosas e inquietantes. El hecho de que Dionysos sea un filósofo es para mí una importante novedad que tal vez despertará la desconfianza en que los dioses tengan también su filosofía, novedad que provocará inquietud entre los filósofos. Pero vosotros, amigos míos, no le causaréis más agravio que el de llegar demasiado tarde y a destiempo; pues hoy, por lo que me dicen, apenas os gusta creer en dios ni en los dioses. Posiblemente también yo me deje llevar de la franqueza de mi espíritu más lejos de lo permitido a vuestros austeros oídos. Ese dios llevaba la sinceridad mucho más lejos en el curso de nuestros diálogos, caminaba siempre algunos pasos por delante de mí. Si para ello tuviera permiso, quisiera también otorgarle, según la costumbre de los hombres, bellos nombres solemnes, fastuosos y virtuosos, alabar mucho su audacia de inventor y de explorador, su atrevida sinceridad, su veracidad y amor a la sabiduría. Pero todo ese venerable oropel y fasto poco tiene que ver con un dios como él. —"Guarda todo eso, exclamaría, para ti y tus semejantes, y para quienes aún tienen necesidad de ello. ¡Yo no tengo motivos para cubrir mi desnudez!". Como se ve, a esta clase de dios y de filósofo tal vez le falta un poco de pudor; una vez me dijo así: "Hay momentos en que amo a los humanos —hacía alusión a Ariadna, que estaba presente—, el hombre es, en mi opinión, un animal agradable, atrevido, ingenioso, que no tiene semejante sobre la tierra; no existe laberinto en el cual se encuentre perdido, porque en todos sabe orientarse. Le deseo muchos bienes. Reflexiono con frecuencia en los medios de hacerle progresar, de hacerle más fuerte, más malo, más profundo..." —"¿Más fuerte, más malo, más profundo?"— pregunté, asustado. —"Sí —repitió—, más fuerte, más malo, más profundo." Y el dios tentador sonrió con su sonrisa alciónica, tal como si acabara de decir una encantadora gentileza. Es fácil apreciar que este dios no sólo carece de pudor: hay buenas razones para suponer que, en ciertas cuestiones, todos los dioses harían bien en venir a nuestra escuela. Nosotros, los hombres, somos... más humanos.

296

¿Qué será de vosotros, pensamientos míos, una vez escritos y pintados? No hace mucho que erais jaspeados, jóvenes, maliciosos llenos de aromas picantes y secretos, que me provocabais la risa y el estornudo. ¿Y ahora? Ya os habéis despojado de vuestra novedad, y algunos de vosotros estáis listos, me lo temo, a cambiaros en verdades. ¡Tal aire inmortal, dolorosamente verídico y enojoso tenéis! ¿Y fue de otro modo alguna vez? Ya sólo tengo colores, quizá muchos colores, muchas ternuras irisadas, centenares de colores oscuros, verdes, rojos, para pintar tan sólo vuestras vísperas, oh pensamientos míos escritos y pintados; pero nadie adivinará detrás de mi pintura el esplendor de vuestra aurora, súbitas centellas, maravillas de mi soledad, ¡oh mis viejos, mis queridos…, mis *malos pensamientos!* ¡Ay, las cosas que están a punto de agotarse subsisten y exhalan sus últimos aromas! ¡Ay, sólo tormentas que se alejan y visitan, sentimientos coloreados de amarillo por el otoño! ¡Ay, nada más que pájaros extraviados y fatigados de tanto volar, que se dejan coger con la mano, con *nuestra mano!* ¡Concedamos la eternidad a todo lo que ya no puede ni vivir ni volar, a las cosas blancas y demasiado duras!